Юрий Иванов

ПУТЬ К ЗДОРОВЬЮ
БЕЗ ЛЕКАРСТВ И ВРАЧЕЙ

600
ОРИГИНАЛЬНЫХ
СПОСОБОВ САМОЛЕЧЕНИЯ

Москва
Центрполиграф
2000

ББК 88.5
И20

*Разработка серийного оформления
художника И.А. Озерова*

Иванов Ю.М.

И20   Путь к здоровью без лекарств и врачей. 600 оригинальных способов самолечения. — М.: ЗАО Изд-во Центрполиграф, 2000. — 511 с.

ISBN 5-227-00738-1

Известный экстрасенс и целитель Юрий Иванов знакомит читателей с простыми и доступными каждому средствами народной медицины, позволяющими лечить многие недуги, не прибегая к помощи врачей, а используя возможности собственного организма.

ББК 88.5

ISBN 5-227-00738-1

Дорогие друзья!

Перед вами книга, в которой собрано свыше 600 оригинальных средств народной и нетрадиционной медицины, позволяющих лечить более 400 заболеваний. Это по-своему уникальное издание, поскольку в нем, пожалуй, впервые предпринята попытка объединить под одной обложкой многовековой опыт народных целителей разных стран. В сборнике охвачены практически все направления нетрадиционной медицины: траволечение, натуропатия, различные виды массажа (обычный, точечный, бесконтактный, рефлексотерапия), воздействие на биополе и многие другие. Приведенные средства просты и доступны каждому, кто желает восстановить свое здоровье. Необходимо, однако, помнить, что рецепты, в которых применяются отвары, настои, настойки, соки, растворы, порошки, мази, ингаляционные смеси, не следует использовать для самолечения — их выбор лучше доверить лечащему врачу.

Успехов вам и здоровья!

Автор

Раздел 1

ПЕРЕЧЕНЬ БОЛЕЗНЕЙ И СООТВЕТСТВУЮЩИЕ ИМ НОМЕРА СРЕДСТВ

1. Кожные заболевания

Аллергия — 167, 197, 291, 334, 531, 534
Бородавки — 7, 19, 32, 80, 97, 142, 159, 172, 181, 187, 332
Веснушки — 135, 138, 169, 181, 283
Витилиго (депигментированное пятно) — 81, 134, 174, 198
Водянка — 154, 155, 162, 163, 170, 175, 176, 183, 185, 189, 192, 193, 200, 207
Воспаление кожи лица — 80, 167, 197, 216
Вялая пористая кожа лица — 133, 134, 313, 500
Выпадение волос — 154, 195, 198, 332, 534
Грибок на пальцах ног — 64, 167, 334
Грибковые заболевания кожи (дерматомикозы) — 167
Гнойники — 1, 166, 197
Дерматит (воспаление кожи) — 80, 167, 197, 216, 259, 317, 331
Дерматоз (патологическое состояние кожи) — 156, 197, 198
Диатез — 167, 197
Жирная себорея (болезнь кожи с обильным отделением жира) — 167, 197
Заболевания кожи — 1, 70, 71, 197, 198, 331, 500, 534
Запах от ног — 198
Золотуха — 98, 113, 174, 241
Кожные сыпи — 167, 197, 198
Кожные зуд — 167, 183, 197
Кондилома (разращения на коже) — 198
Крапивная лихорадка — 167, 198
Крапивница — 167, 197, 203, 270
Лишай — 1, 6, 8, 47, 62, 71, 183, 198, 332, 338, 534
Ломкость волос — 291, 331, 332
Мозоли — 159, 240, 266, 267
Перхоть — 154, 167
Пигментные пятна — 167, 198
Полипы — 167, 198

2. Заболевания эндокринной системы

3. Заболевания крови и лимфатической системы

4. Инфекционные болезни

5. Болезни суставов и мышц

Миалгия (боль в мышцах) — 160, 226, 327, 387, 411, 417, 423, 449, 458, 534
Миозит (воспаление скелетных мышц) — 160, 174, 200, 216
Мышечная усталость — 292, 314
Мышечные судороги — 174, 534
Растяжение голеностопного сустава — 538
Растяжение мышц — 534
Оздоровление позвоночника — 306, 307, 343, 354, 364, 368, 374, 379, 380, 387, 389, 390, 394, 417, 421, 422, 427, 428, 445, 534, 535, 540
Отложение солей в суставах — 18, 26, 140, 226, 232, 251, 258, 300, 347, 348, 352, 463
Очищение суставов — 498
Полиартрит — 130, 140, 174, 231, 340
Ушиб суставов — 67, 68, 541
Хронические заболевания суставов — 105
Холод в конечностях — 534

6. Хирургические заболевания

Болеутоляющие средства при радикулите и ишиасе — 17, 541
Боли в ногах — 12, 79, 534, 541
Грыжа — 334, 425, 534
Геморрой — 1, 6, 11, 40, 51, 66, 70, 78, 86, 189, 269, 304, 316, 334, 338, 538
Люмбаго (сильная боль в пояснице) — 147, 200, 216, 534, 541
Ишиас — 160, 364
Кровотечения из ран — 17, 51, 103
Нарывы, чирьи — 17, 68, 71, 100, 183, 239, 338, 541
Ожоги — 17, 55, 56, 80, 249
Остеохондроз — 340, 534, 550
Панариций (гнойное воспаление пальца) — 338
Перелом — 68, 278, 340, 538, 550
Повреждение межпозвоночных дисков — 534
Раны, порезы, царапины — 37, 41, 54, 56, 78, 89, 100, 105, 154, 166, 169, 183, 200, 216, 226, 254, 259, 534, 541
Раны и язвы внутренние — 268
Радикулит — 25, 58, 70, 71, 76, 78, 90, 93, 123, 147, 158, 160, 198, 200, 216, 226, 231, 241, 242, 252, 255, 261, 303, 338, 340, 536, 538
Рахит — 228
Спондилез — 26, 38, 105, 140
Синяки — 198, 216
Ссадины — 259

7. Опухоли, онкологические заболевания

8. Болезни уха, горла, носа

Синусит — 534
Тугоухость — 244, 534
Улучшение слуха — 244, 442, 351, 452, 534
Фронтит (воспаление лобной пазухи) — 534
Хрипота — 534
Хронический тонзиллит— 63, 222, 429
Хронический фарингит — 534

9. Глазные заболевания

Воспаление век — 292, 332, 534
Болезни глаз (рябь, дрожание век, боль глаз) — 536
Воспаление глаз (офтальмия) — 292, 334, 534
Воспаление слизистой оболочки глаза (конъюнктивит) — 160,
   216, 534
Восстановление зрения — 196, 227, 331, 534
Глаукома — 141, 332, 534
Катаракта — 43, 196, 273, 334
Куриная слепота — 279, 334, 534
Повышение остроты зрения — 292, 334, 440, 451, 452, 535
Улучшение зрения при минусовой диоптрии — 334, 441, 534,
   535
Усталость глаз — 534, 535
Ячмень — 239, 534, 535

10. Заболевания ротовой полости

Боли в деснах — 183, 534, 535
Воспаление полости рта — 165, 183, 204, 252
Воспаление слизистой оболочки рта и десен — 252
Герпес (простудное высыпание на губах) — 48, 534
Гингивит (воспаление десен) — 183, 534
Дурной запах изо рта — 183, 337, 452
Заболевание слизистой оболочки рта и глотки — 165, 204
Зубная боль — 158, 208, 303, 338, 340, 534, 535, 541
Зубная боль острая — 536, 541
Кариес зубов — 154, 183, 331, 334, 534, 535
Молочница — 183, 534
Парадонтоз десен — 23, 154, 534
Приорея — 154, 183, 330
Трещины на губах — 335, 534
Цинга — 87, 113, 332
Язва слизистой оболочки рта — 183, 335, 534

11. Заболевания органов дыхания и туберкулез

Астма — 15, 158, 334, 335, 505, 536, 538

Астма бронхиальная — 44, 52, 59, 60, 71, 88, 123, 128, 129, 161, 164, 182, 190, 205, 245, 327, 341, 456, 501, 534, 536

Абсцесс легких — 84, 168, 291, 534

Боли в груди — 377, 378, 403, 405, 456, 500

Бронхит — 128, 153, 166, 184, 222, 245, 246, 327, 334, 457, 476, 477, 499, 534, 535

Бронхопневмония — 128, 168, 307, 376, 427, 460

Воспаление верхних дыхательных путей — 24, 84, 155, 165, 168, 190, 312, 313, 325, 536

Воспаление легких (пневмония) — 17, 128, 158, 190, 325, 327, 340, 510, 534, 535

Затрудненное дыхание — 291, 299, 380, 408, 411, 443, 536

Жаропонижающее— 253, 317, 326, 535

Кашель — 23, 88, 161, 188, 205, 534, 536, 538

Катар бронхов — 206, 291, 432, 456, 472, 474

Лихорадка (малярия) — 247

Оздоровление органов дыхательной системы — 508, 555

Очищение дыхательных путей — 339

Плеврит — 158, 168, 183, 327, 359

Приступ бронхиальной астмы — 222, 341

Простуда — 24, 216, 226, 296, 326, 336, 530, 558

Простудная ломота тела — 226

Трахеобронхит — 291, 321

Хронический катар верхних дыхательных путей и бронхов — 291, 339, 375

Туберкулез легких — 17, 72, 166, 203, 234, 241, 250, 273, 359

Туберкулез костный — 291

Туберкулез кожи — 54, 98, 113, 174, 241

12. Сердечно-сосудистые заболевания

Аритмия (нарушение сердечного ритма) — 132, 168, 207, 334, 350, 456

Атеросклероз — 105, 262, 292, 334

Атеросклероз коронарных сосудов — 27, 156, 207, 262, 339

Атеросклероз сосудов нижних конечностей — 27, 262, 334, 339

Атеросклероз сосудов сердца — 27, 156, 168, 207, 334, 535

Предупреждение атеросклероза — 132, 168, 334, 350, 500, 505, 535

Боли в области сердца — 132, 156, 168, 196, 207, 304, 534, 536, 541

Воспаление вен конечности — 226, 334

Вздувшиеся веночные узлы — 226, 334

Гипертония (высокое кровяное давление) — 16, 84, 92, 123, 143, 145, 149, 152, 158, 191, 199, 238, 260, 292, 304, 324, 334, 340, 350, 381, 456, 534, 536, 538

Гипотония (низкое кровяное давление) — 158, 534, 536, 538

Грудная жаба (стенокардия) — 132, 168, 207, 262, 456

Закупорка кровеносных сосудов — 132, 292, 536

Ишемическая болезнь сердца — 132, 156, 168

Кардионевроз (невроз сердца) — 155, 168, 207

Миокардит (воспаление сердечной мышцы) — 132, 156, 168, 207

Общая слабость и расстройство сердечной деятельности — 77, 143, 168, 363, 457, 473

Одышка — 88, 174, 536

Отеки различного происхождения — 67, 163, 183, 233, 534

Очищение кровеносных сосудов — 292, 498

Порок сердца — 73, 158, 168, 534

Постинфарктный период — 505

Прилив крови к голове — 321

Ревматический порок сердца — 132, 158

Ревмокардит — 132, 303

Расширение вен — 33, 303, 338

Сердечная недостаточность — 132, 380

Сердечно-сосудистые заболевания — 2, 84, 95, 303, 538, 544, 550, 535

Склероз кровеносных сосудов — 31, 120, 301, 302, 534, 562

Склероз сердечной мышцы — 120, 304, 534

Снижение уровня холестерина — 304

Тахикардия (учащение сердцебиения) — 158, 304, 522

Укрепление миокарда — 132, 303, 304

Улучшение работы сердечно-сосудистой системы — 509, 521, 522, 534

Усиление деятельности сердечной мышцы — 322, 457, 499

Функциональные расстройства сердечной деятельности — 132, 325, 476, 522, 534

Хроническая сердечная недостаточность — 132, 158, 474, 486, 501

13. Ревматизм

Ревматизм — 28, 37, 42, 76, 100, 105, 123, 130, 158, 167, 176, 202, 216, 292, 534, 550

Ревматизм суставно-мышечный — 292, 336, 431

Ревматизм суставной — 38, 39, 71, 140
Ревматизм хронический — 28, 202, 226, 332
Ревматические артриты — 292, 318, 336
Ревматические боли в суставах — 202, 292, 536, 541

14. Болезни желудочно-кишечного тракта

Аппендицит — 298, 334, 393
Атония желудка — 106, 155, 157, 159, 163, 171, 189, 230, 307, 368, 413, 416, 425, 446
Атония кишечника — 155, 157, 159, 163, 171, 189, 292, 307, 368, 393, 404, 412, 416, 445, 446
Болезни желудка и кишечника — 5, 109, 115, 118, 125, 154, 158, 216, 264, 285, 286, 288, 289, 294, 297, 303, 415, 460, 477, 509, 510, 550
Боль в животе — 177, 178, 216, 218, 534, 536
Водянка живота (асцит) — 298
Воспаление двенадцатиперстной кишки (дуоденит) — 91, 127
Воспаление кишечника — 91, 127, 216, 307
Воспаление пищевода — 91, 127, 160, 432
Воспаление поджелудочной железы (панкреатит) — 91, 127, 291, 305, 365, 390, 391
Воспаление слизистой оболочки желудка и кишечника — 91, 127, 189, 306, 307
Воспаление толстой кишки — 91, 127, 216, 303, 307, 510
Воспаление тонкой кишки (энтерит) — 91, 127, 216, 303
Воспалительные заболевания желудочно-кишечного тракта — 91, 127, 189
Гастрит (воспаление слизистой оболочки желудка) — 1, 91, 118, 438
Гастрит с повышенной кислотностью — 302, 307
Гастрит с пониженной кислотностью — 189, 307
Гастрит хронический — 302, 307
Диспепсия (нарушение пищеварения) — 302, 356, 364, 437, 498
Диспепсические явления (изжога, тошнота, отрыжка, рвота) — 183, 298
Желудочные колики — 71, 164, 177, 186, 191, 214, 216, 235, 254, 412, 534, 536, 541
Желудочно-кишечные расстройства — 1, 100, 145, 147, 186, 191, 237, 456, 457, 460, 536, 541
Запоры — 295, 330, 334, 337, 355, 364, 454
Запоры хронические — 295, 337, 387, 426, 430, 450
Катар желудка — 191, 534
Колит — 216, 304, 534

Отсутствие аппетита — 536
Очищение желудка — 268, 297, 498
Очищение кишечника — 295, 498
Очищение желудочно-кишечного тракта — 305, 306, 307
Повышенная кислотность желудочного сока — 302
Полипоз желудка и кишечника — 302
Пониженная кислотность желудочно-кишечного тракта — 298
Понос — 78
Расстройство поджелудочной железы — 306, 534, 535
Стимулирование деятельности желудка и кишечника — 298, 305, 306, 387, 389, 394, 426, 428, 430, 433, 434, 436, 439, 449, 450, 454, 476, 499, 534
Улучшение пищеварения — 298, 324, 352, 363, 508, 563
Улучшение работы желудочно-кишечного тракта — 508, 521, 535, 544, 555, 563
Ускорение рубцевания язвы желудка и двенадцатиперстной кишки — 141, 154, 298, 534
Хронический и острый энтерит — 291, 336, 534
Хронический панкреатит — 291, 336, 534
Язва толстой кишки — 141, 336, 534
Язвенная болезнь желудка и двенадцатиперстной кишки — 78, 105, 139, 141, 148, 154, 237, 292, 304, 330, 534

15. Заболевания почек, мочевого пузыря и мочеточников

Болезненное мочеиспускание — 83, 173, 190, 203
Воспаление мочевого пузыря (цистит) — 36, 95, 96, 163, 172, 173, 179, 180, 183, 189, 190, 203, 210, 217, 219, 306, 353, 424
Воспаление мочевыводящих путей с наличием гноя в моче (пиурия) — 127, 173, 179, 180, 190, 203
Воспаление почек и мочевыводящих путей — 127, 172, 173, 179, 180, 183, 190, 198, 217, 306, 550
Воспаление почек хроническое — 127, 172, 173, 179, 183, 198, 217, 305, 501
Воспаление почечных лоханок (пиелит) — 127, 154, 163, 172, 173, 179, 183, 203
Воспаление слизистой оболочки мочевого пузыря — 127, 172, 173, 179, 180, 183, 217
Выведение мочевой кислоты из организма — 292, 298, 332
Гематурия (наличие крови в моче) — 163, 190, 214, 217, 257
Заболевания почек и мочевого пузыря — 20, 66, 71, 96, 100, 158, 172, 214, 281, 316, 334, 339, 365, 390, 443, 448, 510
Задержка мочи — 113, 190, 217, 336, 477

16. Заболевания печени и желчевыводящих путей

17. Заболевания половых органов и сексопатология

18. Неврологические и психические болезни

Алкоголизм — 61, 131, 332, 524, 527, 528, 532

Атеросклероз сосудов головного мозга — 15, 41, 84, 158, 196, 211, 287, 301, 304, 363, 415, 534

Астения (слабость, бессилие) — 154, 199

Астено-депрессивное состояние — 158

Беспокойство — 158, 494, 516, 591, 604, 606

Бессонница — 27, 104, 124, 137, 196, 198, 323, 363, 530, 536

Беспокойный сон — 324, 343, 536

Возрастные расстройства (переходный возраст) — 536

Вялотекущая шизофрения — 523, 526

Восстановление душевного равновесия — 521, 522, 561, 571, 578, 581, 585, 587, 588, 589, 593, 595, 597, 599, 601, 602, 606

Воспаление лицевого нерва — 160, 200, 538

Головная боль при алкогольном отравлении (похмелье) — 538

Головные боли — 95, 119, 125, 158, 243, 303, 323, 340, 530, 532, 534, 536, 538

Головные боли в затылочной части — 303, 323, 534, 536

Головокружение — 95, 536

Депрессия — 302, 317, 398, 547, 562

Душевные расстройства — 592, 594

Заикание — 524, 526, 529

Заболевание мозга — 183, 298, 307, 343

Истерия — 158

Мнительность — 158

Мигрень — 216, 332, 336, 531, 534, 536, 538

Межреберная невралгия — 317

Наркомания — 527, 528, 532

Настроение, улучшение — 493, 547, 588, 603, 606

Невроз — 158, 292, 302, 527, 529

Нервное истощение — 154, 163, 494

Невралгия — 70, 198, 216, 252, 527

Неврит (воспаление нервов) — 317

Нервное возбуждение — 493, 495, 502

Нервное потрясение — 497, 523, 525

Нервное расстройство (неврастения) — 27, 50, 100, 125, 314, 492, 523, 526, 528, 532

Ночные кошмары — 497, 523

Общая психоэмоциональная возбужденность — 493, 497, 502, 517, 534

Паралич — 71, 158, 226, 303, 336, 538

Полиомиелит — 334

Плаксивость — 351, 516

Подавленное настроение — 351, 361, 362, 397, 398, 481, 536, 562
Психические заболевания с навязчивыми состояниями — 360, 362, 523, 525, 526, 573
Раздражительность — 377, 591
Страх — 523, 531, 534, 536, 595, 596
Стрессовые состояния — 524, 525, 555, 586
Склероз — 15, 41, 158, 196, 211, 287, 290, 301
Склероз, сопровождающийся шумом в голове — 534, 538
Средство, успокаивающее центральную нервную систему — 57, 136, 216, 310, 349, 350, 356, 359, 363, 583, 584
Табакокурение — 274, 532, 536
Тревожное состояние — 360, 493, 523, 546, 582
Умственные расстройства — 526, 528
Функциональные расстройства нервной системы — 104, 136, 292, 318, 517, 524, 555, 558, 579, 582
Эпилепсия — 99, 213, 303, 336

19. Очищение и оздоровление организма

Глисты — 65, 98, 145
Баня с парной — 308, 477
Вялость — 534
Восстановление упругости тела в послеродовом периоде — 465, 466
Закаливание — 316, 318, 473, 474, 475, 476, 477, 478, 500, 539
Защитные силы, тонизация — 347, 409, 473, 474, 475, 476, 477, 488, 490, 491, 492, 493, 494, 496, 505, 512, 513, 514, 515, 516, 521, 542, 543, 552, 553, 554, 555, 557, 587, 589, 590, 599, 600, 603, 605
Жизненный тонус, повышение — 309, 314, 347, 348, 397, 403, 404, 409, 476, 485, 487, 488, 490, 491, 492, 493, 495, 496, 505, 506, 513, 514, 515, 542, 543, 545, 546, 547, 548, 551, 552, 553, 554, 555, 557, 561, 563, 576, 579, 587, 590, 599, 600, 603, 605, 606
Недомогание общее — 196
Оздоровление всего организма — 511, 512, 517, 533, 547, 548, 549, 550, 551, 552, 553, 556, 557, 560, 578, 581, 583
Омоложение организма — 133, 293, 339, 484, 494, 553
Очищение организма — 284, 292, 298, 308, 330, 335, 498
Переутомление — 106, 323
Профилактика различных заболеваний — 548, 549, 554, 568, 575, 586
После тяжелых, истощающих заболеваний — 293, 302

Сильное, крепкое, красивое тело — 401, 402, 405, 408, 427, 459

Улучшение общего состояния — 105, 136, 196, 201, 293, 302, 323, 342, 478, 480, 482, 483, 503, 504

Укрепление нервной системы — 293, 367, 396, 409, 427, 455, 481, 482, 485, 486, 487, 488, 490, 491, 496, 505, 508, 514, 516, 554, 565, 591, 592, 596, 600, 601, 602

Укрепление вестибулярного аппарата — 369, 372, 429

Успокоение, спокойствие — 565, 570, 572, 575, 586, 588, 592, 593, 597, 603

Утомляемость — 534

Ускорение выздоровления — 489, 559, 568

Упругая, эластичная кожа тела и кожа лица — 133, 134, 169, 313, 338, 358, 438, 484, 500, 533, 539

Физическая и умственная усталость — 314, 349, 514, 515, 534, 536, 546, 547, 558, 576, 593

Функциональные расстройства организма — 525, 558

Целительные силы, тонизация — 506, 507, 596

20. Укрепление психического здоровья и облагораживание души

Агрессивность — 591

Гармонизация отношений с самим собой и с окружающим миром — 512, 513, 546, 553, 572, 574, 575, 580, 584, 586, 590, 600, 602, 604, 605

Влияние на других людей и на природные явления — 554

Восстановление и мобилизация внутренних сил для решения жизненных проблем — 519

Облагораживание души — 562, 585, 591, 592, 593

Ощущение спокойного могущества — 564

Повышение работоспособности — 313, 320, 582

Повышение умственных способностей — 346, 399, 524, 561, 601

Старость, отдаление — 507

Страх смерти — 604

Улучшение памяти — 358, 479

Управление умом (контроль мыслительного процесса) — 455

Увеличение психических сил и способностей — 392

Уверенность в себе — 306, 307, 352, 353, 354, 369, 512, 516, 543, 554, 564, 565, 570, 579, 587, 588, 595, 596, 598, 603, 605

Чувство неполноценности — 306, 353, 424

Характер, выработка положительных качеств — 514, 515, 569, 580, 598

Хорошие отношения с другими людьми — 512, 513

21. Защита тела и психики и другие полезные советы

Раздел 2

СРЕДСТВА

I. СРЕДСТВА ТРАВОЛЕЧЕНИЯ

1. Приготовление препаратов из лекарственных растений

Отвар — жидкая лекарственная форма; получают из растительного сырья в виде плотных частей растений (корней, коры) путем кипячения в течение 20—80 минут и процеживания. Соотношение между растительным сырьем и водой: 1:5 для наружного употребления, 1:10 или 1:20 для внутреннего употребления.

Настои получают путем обработки растительного лекарственного сырья в виде листьев, цветков, стеблей водой при температуре 100 °С в течение 15—20 минут. Лучше всего поместить измельченное сырье в кипяток в соотношении 1:10 в эмалированную посуду с закрытой крышкой и поставить посуду на водяную баню, следя, чтобы смесь в эмалированной посуде не кипела. Существует холодный способ приготовления настоя. В этом случае вместо кипятка применяют остуженную кипяченую воду. Полученную смесь содержат в эмалированной посуде с закрытой крышкой в течение нескольких часов, затем процеживают через несколько слоев марли.

Настойка — прозрачная жидкая спиртовая, спиртоводная (лекарственное сырье в измельченном виде смешивается с водкой или разведенным спиртом в соотношении 1:5÷1:20 в закрытой посуде и выдерживается в течение недели при комнатной температуре, в темном месте) или спиртоэфирная вытяжка без нагревания.

Экстракты являются концентрированными вытяжками из растительного сырья путем выпаривания настоев или отваров до половины первоначального объема.

Сбор лекарственный — смесь резаного или крупно измельченного, реже цельного, растительного лекарственного сырья для наружного или внутреннего употребления (в виде отваров, настоек, настоев, компрессов).

Мази состоят из лекарственных веществ и мазевых основ, представляющих собой жиры растительного или животного происхождения, вазелин.

Порошки предназначены для наружного и внутреннего применения; приготовляются они из предварительно высушенного, измельченного в ступке сырья.

Микстуры — смеси различных лекарственных веществ, растворенных или находящихся во взвешенном состоянии в той или иной жидкости. В состав микстур могут входить отвары, настои, настойки, экстракты, порошки.

Эмульсии представляют собой однородные непрозрачные жидкости. Внешне похожи на молоко. Эмульсии для внутреннего употребления являются такой разновидностью жидких лекарственных форм, в которых нерастворимые в воде жидкости (жирные масла, бальзамы) находятся во взвешенном состоянии в виде мельчайших частичек.

Средства, в которых применяются отвары, настои, настойки, чай и сборы, соки, растворы, порошки, мази, ингаляционные смеси, не следует использовать для самолечения. Выбор средства производится по совету врача.

2. Средства оздоровления

Средство № 1

Тысячелистник обыкновенный — отвар из 10 г травы с цветками на стакан воды (кипятить 10 мин) принимают по 1/2 стакана 3 раза в день при хроническом гастрите. Настойку из 30 г травы на 100 мл спирта принимают по 50 капель 3 раза в день при геморрое, а еще лучше принимать свежий сок травы по 2 столовых ложки в день, желательно с медом. Для наружного применения готовят мазь из 1 части настойки на 4 части вазелина. Летом такую мазь можно готовить из свежих цветков, которые растирают со свежим внутренним салом (1:1). Отвар принимают при желудочно-кишечных заболеваниях, желчнокаменной болезни, гнойничковых болезнях, поражениях кожи, угрях, прыщах, одновременно больные места нужно смазывать мазью. При лишаях, чесотке, золотухе принимают ванны (50 г травы на ведро воды) и одновременно принимают отвар или настойку внутрь.

Средство № 2

Любисток лекарственный — при сердечных заболеваниях: 40 г сушеных корней любистока кипятить 7—8 мин в 1 л воды, настоять в теплом месте не менее 20 мин. Этот настой принимать в течение дня в 4 приема. Настой должен быть всегда свежим, поэтому готовить его нужно каждый день.

Средство № 3

Ежевика — при дизентерии принимают отвар без особой нормы из веточек ежевики. Положительный результат сказывается в первый же день лечения.

Средство № 4

Ива (любой вид) — для лечения экземы: крепким отваром из молодой сушеной коры ивы обмывают больные места. Уже 3—4 процедуры дают заметное улучшение.

Средство № 5

рак

Бузина травянистая — отвар бузины травянистой (отвар корней) пить вместо воды при раковых заболеваниях, а также при желудочно-кишечных заболеваниях. Отвар можно пить без нормы.

лишай

Средство № 6

Рожь — стригущий лишай можно вылечить, если в больное место несколько раз энергично втереть очень мелкую ржаную муку, для получения которой нужно просеять муку через капроновую ткань.

Средство № 7

Рябина обыкновенная — массу из ягод рябины нанести на бородавку, на геморройные шишки, и излечение наступит очень скоро.

Средство № 8

Чистец лесной — если больные лишаем места смачивать крепким отваром чистеца или парить в этом отваре, то болезнь быстро излечивается.

Средство № 9   *диабет*

Сирень обыкновенная — при сахарном диабете лечатся настоем почек сирени, которые собирают весной при их набухании. Сушат в тени, 1 столовую ложку почек заваривают 1 л кипятка. Принимают по 1 столовой ложке 3 раза в день до еды.

Средство № 10

Тысячелистник обыкновенный — при экземе крепким настоем тысячелистника парить больные места и принимать настой внутрь: 1 столовая ложка 1 раз в день.

Средство № 11

Репешок аптечный — при геморрое очень полезно принимать настой или отвар травы репешка аптечного (по 1 столовой ложке 2 раза в день), одновременно это средство применяют для примочек и микроклизм.

Средство № 12

Алоказия (арма крупнокорневая) — больные ноги очень хорошо растирать спиртовой настойкой из свежего растения армы; берут один лист на 0,5 л спирта. Это тропическое растение довольно обычно в комнатной культуре среди экзотических цветов. Сок растения очень жгучий.

Средство № 13

Укроп огородный — недержание мочи: нужно 1 столовую ложку укропа заварить стаканом кипятка и хорошо настоять в теплом месте. Всю смесь выпить в один прием.

Средство № 14

Чистотел — полоскание, приготовленное из равных частей чистотела и ромашки аптечной, быстро излечивает ангину и полипы в носу; полоскание представляет собой отвар из двух указанных растений.

Средство № 15

Чистотел — склероз головного мозга, сердечная астма, эмфизема легких: применять настой травы чистотела — 1 стакан в день.

Средство № 16

Корица цейлонская — многие гипертоники применяют корицу с медом или с простоквашей и получают большое облегчение.

Средство № 17

Щитовник душистый (каменный зверобой) — настоем папоротника (2 раза в день по 1/2 стакана), а также настоем папоротника вместе с мать-и-мачехой лечат самую тяжелую форму туберкулеза легких, а настоем только травы одного папоротника лечат также воспаление легких, ангину, нарывы. Противовоспалительное действие этого растения многие считают сильнее, чем алоэ и подорожника. Примочки настойкой или настоем этого папоротника успешно лечат тяжелые ожоги, быстро снимают боль; зажившие рубцы не остаются видимыми; обладает растение и сильным кровоостанавливающим действием.

Средство № 18

Молочай — больные подагрой ноги парить в отваре или горячем настое молочая — быстро наступает облегчение. Помогает это средство и при судорогах.

Средство № 19

Молочай — млечным соком быстро удаляют бородавки и различные новообразования в виде родинок, незаживающие язвы.

Средство № 20

Саксаул безлиственный — настоем из молодых веточек саксаула лечат болезни почек, печени, выводят камни из желчевыводящих путей, почек, мочевого пузыря. Принимать по 1/2 стакана 2 раза в день.

Средство № 21

Щавель конский — против мокнущей экземы: 300 г корней на 3 л воды варить 20 мин, периодически помешивая. Больные места следует смачивать 2—3 раза в день, не накладывая повязки.

Средство № 22

Комплексный препарат для лечения рака желудка — 2 столовые ложки сока алоэ, от цветка не моложе 3 лет, соединяют с 0,5 л коньяка. Отдельно 3 листа, свежих, от цветка пеларгонии заливают 3 столовыми ложками кипятка, помещают в горячую паровую баню, кастрюлю с горячей водой; укутав, настаивают до утра всю ночь. Полученный настой пеларгонии вливают в коньяк с соком алоэ и добавляют 3 капли настойки йода. Принимать 2 раза в день (утром натощак и на ночь) по маленькой коньячной рюмке. После излечения такую настойку продолжают принимать уже не систематически, а периодически. В первые дни могут появиться боли, особенно ночью, а через 2 недели со стулом могут появиться кровянистые выделения, после чего наступит улучшение.

Средство № 23

Тысячелистник обыкновенный — соком свежего растения натирают десны для их укрепления.

Средство № 24

Чеснок — при простуде и кашле перед сном ступни ног растирают толченым чесноком и надевают шерстяные носки, грудь растирают керосином, а внутрь принимают стакан портвейна с медом.

Средство № 25

Конский каштан — при радикулите плоды размалывают в порошок, смешивают с камфорным маслом или внутренним салом, намазывают тонким слоем на ломтик черного хлеба и прикладывают к больному месту. Из хлеба начинает обильно сочиться влага.

Средство № 26

Агава американская — принимать спиртовую настойку из свежих листьев агавы (3 раза в день по 20 капель). Больные получают большое облегчение при отложении солей и спондилезе.

Средство № 27

Вереск — отвар из молодых веточек вереска приносит облегчение при атеросклерозе, нервных расстройствах, бессоннице. Пьют чай без особой нормы.

Средство № 28

Желтая акация — спиртовую настойку из веточек с листьями и цветками принимают при застарелом ревматизме 3 раза в день по 20 капель.

Средство № 29

Повилика европейская — при раке желудка принимать отвар из травы повилики (месяц принимать, 10 дней перерыв). Принимать 3 раза в день по 1/2 стакана.

Средство № 30

рак крови

Гречиха — цветущие побеги гречихи посевной собирают и делают настой (1 стакан травы на 1 л кипятка). Пьют без нормы и получают облегчение при раке крови (белокровии).

Средство № 31

Девясил высокий — при старческом склерозе многие успешно поддерживают свое здоровье тем, что принимают 1 раз в день по 25 г водочного настоя корня девясила (30 г корня на 0,5 л водки). Для курса лечения достаточно 0,5 л настоя.

Средство № 32

Клоповник мусорный — в горячем крепком настое парить руки, покрытые бородавками, и последние скоро исчезнут. Уже многие этим средством очистили руки от бородавок.

Средство № 33

вены

Мускатный орех (пряности из плодов мускатника душистого) — при расширении вен смешать тертый мускатный орех с водой и пить 3 раза в день по 1/2 стакана. Мускатный орех очень ценится восточной медициной.

Средство № 34

Кедр сибирский — при сильных маточных кровотечениях женщины прибегают к такому средству: 1 стакан скорлупы кедровых орешков парят 2—3 часа в 1 л воды. Принимают по 100 г остуженной жидкости 3 раза в день за полчаса до еды. В Сибири отвар скорлупы этих орешков используется также и при ревматизме.

Средство № 35

Горец птичий (спорыш) — в Сибири женщины избавлялись от бесплодия самым безобидным сорняком — спорышем; они без особой нормы пили в качестве чая настой этой травы: 1 стакан травы на 1 л кипятка.

Средство № 36

Горец почечуйный — при воспалении мочевого пузыря принимать настой почечуйной травы 3 раза в день по 1/2 стакана.

Средство № 37

ревмат,

Папоротник — сок свежего папоротника лечит раны и язвы (наносят сок на больные места). Если зеленые части папоротника заварить кипятком и остуженную жидкость использовать для ванн, то такие ванны очень облегчают страдания от ревматизма.

Средство № 38

подагра

Папоротник — сделать матрац из свежих листьев папоротника и спать на нем: помогает при отложении солей (подагре, суставном ревматизме, артритах, спондилезе).

Средство № 39

Шиповник — при суставном ревматизме: 1,5 стакана корней шиповника настаивают на 0,5 л водки. Первые 3 дня принимают по 1 столовой ложке 3 раза в день, потом по рюмке. Быстро наступает стойкое улучшение.

Средство № 40

Картофель — свечи из картофеля помогают при геморрое. Свечи делаются из сырого картофеля.

Средство № 41

Рябина обыкновенная — при склерозе сосудов головного мозга: 200 г коры рябины кипятить на малом огне в течение 2 часов в 0,5 л воды. Принимать за полчаса до еды по 1 столовой ложке 3 раза в день. Положительное действие сказывается очень скоро.

Средство № 42

ревматизм

Сирень обыкновенная — водочный настой (1 стакан цветков сирени на 0,5 л водки) используется при ревматизме для примочек и компрессов. Таким же образом настой используется при ушибах и ранах.

Средство № 43

Бельмо

Пихта сибирская — можно удалить бельмо <u>свежей живицей</u> <u>пихты</u>. На ночь в глаз закапывать по одной капле живицы. В глазу ощущается сильное жжение, но даже застарелое бельмо рассасывается.

Средство № 44

Конопля посевная — при бронхиальной астме: 5—10 г семян конопли посевной измельчить, прокипятить в стакане воды или молока, процедить, отжать. Выпить за несколько приемов в течение дня.

Средство № 45

Дубовая губка (гриб трутовик) — при болезни Боткина пьют отвар этого гриба: 3 раза в день по 1/2 стакана.

Средство № 46

Удалить волосы

Дурман обыкновенный — для удаления волос: 150 г травы (все растение с корнями) кипятить в 1 л воды до тех пор, пока не получится крепкий отвар. Этим отваром смазывают участки тела, где нужно удалить волосы. Отвар хранится годами, не портится и удаляющих свойств не теряет.

Средство № 47

Молочай (любой вид) — если больные лишаем места смазывать латексом (млечным соком) любого молочая, то это излечивает заболевание. Этим же средством лечат и чесотку.

Средство № 48

При тромбофлебите и других тромбозах перед сном делают ножные ванны в настое травы *сушеницы болотной.* Столь же полезны общие ванны с указанным настоем.

Средство № 49

Грецкий орех — для удаления волос с участка тела достаточно 2—3 раза смазать волосатую поверхность соком разрезанного зеленого грецкого ореха.

Средство № 50

Василек шероховатый — водным отваром василька успешно лечат расстройство нервной системы: 50 г растения (травы с корнем) на 1 л воды кипятить до объема 0,5 л, фильтровать и давать больным по 1/2 стакана 3 раза в день перед едой (пить лучше теплым). Курс лечения 5—6 недель. Действие хорошее, без побочных явлений.

Средство № 51

Огурец — при маточных, кишечных, геморроидальных, раневых и др. кровотечениях с большим лечебным эффектом можно пользоваться огуречными плетями (огудинами), собранными уже осенью, после уборки огурцов. Траву сушат, мелко режут, промывают в холодной воде от пыли, 50 г в 0,5 л воды доводят до кипения, настаивают и принимают 3 раза в день по 1/2 стакана. В первые же дни кровотечение останавливается, наступает общее улучшение. В первое время желателен постельный режим (на 2—3 дня).

Средство № 52

Сирень обыкновенная — чай из листьев сирени, собранных в период цветения, оказывает хороший лечебный эффект при бронхиальной астме. Пить как обычный чай.

Средство № 53

Липа сердцевидная — из сушеной древесины липы получают сухой перегонкой жидкость, которую успешно применяют для лечения экзем (сухой и мокнущей). Больные места смазывают 2 раза в день утром и вечером.

Средство № 54

Пажитник — для лечения свищей, туберкулезных язв, ран, болезни легких в быту успешно применяют семена пажитника. Готовят отвар семян, который принимают внутрь 3 раза в день по 1/2 стакана, а остывшую после отвара кашицу прикладывают к ранам и язвам, которые очень быстро заживают.

Средство № 55

Крапива жгучая — для лечения ожогов из свежей травы жгучей крапивы готовят водочную настойку. Смочив в ней бинт, прикладывают к месту ожога.

Средство № 56

Ель обыкновенная — при ожогах, незаживающих ранах, язвах (в т. ч. трофических), свищах используется мазь: по 100 г еловой живицы, свиного внутреннего сала и пчелиного воска смешивается, а потом это нужно перекипятить. Сначала рану промыть «известковой водой» (1 столовую ложку негашеной извести растворить в 1 л воды), затем наложить повязку с приготовленной мазью. Самые тяжелые язвы излечиваются 3—4 повязками.

Средство № 57

Грецкий орех — настойку тонких перегородок ореха принимают при образовании зоба: по 1 столовой ложке 1 раз в день; водочной настойкой перегородок грецкого ореха в народной медицине пользуются весьма часто, в частности на Кавказе, и особенно при нервных болезнях как сильным успокаивающим.

Средство № 58

Мухомор красный — при радикулите растирают водочной настойкой из шляпок мухомора больные места.

Средство № 59

Для лечения бронхиальной астмы — берут 2 кг зерна овса и по 200 г свежих листьев алоэ и коньяка, еще добавить мед. В эмалированной посуде залить эту смесь 5 л воды и на 3 часа поставить в духовку (температура как для выпечки хлеба). Затем процедить, отжать и еще добавить по 200 г алоэ, коньяка, меда. В духовке довести до начала закипания и сразу вынуть, остудить, процедить и отжать. Кроме этого, из 3 л молока получить сыворотку, к ней добавить 1 стакан меда и 100 г измельченного корня девясила, поставить ее в горячую духовку на 4 часа. По остывании процедить и отжать. Оба отвара держать в прохладном месте. После легкой еды принимать 3 раза в день по 1 столовой ложке. Курс лечения 2—4 месяца, иногда достаточно и одного месяца, даже двух недель. При таком лечении еще желательно пить минеральную воду «Боржоми».

Средство № 60

Средство для лечения бронхиальной астмы — приготовление средства для лечения бронхиальной астмы: 2 головки чеснока и 5 лимонов натереть на терке, залить 1 л кипяченой воды комнатной температуры. Настаивать 5 дней, процедить, отжать. Принимать по 1 столовой ложке 3 раза в день за 20 мин до еды.

Средство № 61

Для лечения алкоголизма — смесь полыни и золототысячника в равных весовых частях. Приготовить отвар, который дают пить алкоголикам. Средство это снижает влечение к алкоголю. Нужно пить отвар вместо чая.

Средство № 62

Для лечения лишая — больное место натереть чесноком. Потом втирать березовый уголь в смеси с соком лопуха (из свежего корня). Втирание делают 20—30 мин. 2—3 процедуры излечивают стригущий лишай.

Средство № 63

Свекла огородная — для лечения ангины пользуются таким средством: натереть и положить в стакан свеклу, влить в стакан 1 столовую ложку уксуса, дать настояться, сок с уксусом отжать и прополоскать им рот, горло и немного проглотить (1—2 столовые ложки). Этим простым средством можно вылечить даже хроническую ангину.

Средство № 64

Молочай обыкновенный — лечение грибкового заболевания ног: готовят настой или отвар из травы молочая и в нем парят ноги. Уже первые 2 процедуры приносят значительное улучшение, а вскоре полное излечение.

Средство № 65

Ясень обыкновенный — для изгнания глистов рекомендуется принимать внутрь крепкий отвар коры ясеня: по 1 столовой ложке 3 раза в день.

Средство № 66

Подмаренник настоящий, желтый — при почечной болезни, соблюдая строгую диету, принимать отвар травы (вместо чая и воды); помогает даже при распаде почек. Помогает также при тяжелой форме геморроя: пить отвар вместо воды и чая.

Средство № 67

Чемерица Лобеля — чемерицей лечат вывихи, опухоли и ушибы: свежие корни мелко крошат и готовят отвар. Теплым отваром натирают больные места. При этом суставные концы костей без правки становятся на свои места, опухоль опадает. Этим же отваром лечат отеки (путем растирания).

Средство № 68

Мазь, употребляемая при переломе костей, — готовится следующим образом: берут 20 г еловой живицы, добавляют одну растертую луковицу, льют 50 г масла (лучше оливкового) и добавляют 15 г медного купороса. Все тщательно нужно растереть и довести до кипения. Мазь обладает жгучим действием, но активно лечит нарывы, ушибы и переломы костей.

Средство № 69

Эпидемия гриппа минует

Промывание носа — делать промывание теплой водой с добавлением небольшого количества йодной настойки или воду подкрашивать марганцовокислым калием. Эту воду втягивать в нос несколько раз в день. Средство позволяет избежать заболевания гриппом во время эпидемии. Этим же средством лечат гайморит.

Средство № 70

Микстура в качестве наружного средства — для лечения различных кожных заболеваний, а также радикулита, невралгии и геморроя. Состав микстуры сложный: аммиака 25-процентного 1 л, порошка шпанской мушки — 2 г, корня девясила высокого — 50 г, корня аира — 50 г, зеленых грецких орехов — 50 г, корня кермеса — 50 г. Все настаивается в аммиаке две недели. Затем на 1 л воды берут по 50 г травы зверобоя, душицы, тысячелистника, чистотела, листьев мать-и-мачехи. Эту смесь кипятят 20 мин в закрытой посуде, процеживают и смешивают с аммиачной настойкой. Такой микстурой делают растирания и компрессы. Разбавив кипяченой водой, — спринцевания и примочки. Спринцевания нужно делать при раке матки.

Средство № 71

Препарат для лечения многих болезней: грипп, ангина, бронхиальная астма, болезни печени, почек, холецистит, колики — для внутреннего применения; как наружное — при суставном ревматизме, радикулите, подагре, параличе конечностей, общем параличе, кожных болезнях, особенно таких, как кожная сыпь, чесотка, экзема, нарывы, грудница, лишай, и других болезнях. Для приготовления препарата требуется 14 видов растений в равных весовых частях: зверобой (трава), аир болотный (корень), девясил высокий (корень), ива белая (кора молодых веток, собранная рано весной до появления листвы), спорыш или птичья гречишка (трава), шалфей лекарственный (листья), гледичия трехколючковая (листья и плоды), чистотел (трава), пастушья сумка (трава), пижма обыкновенная (трава с соцветиями), подорожник большой (листья), орех грецкий (листья), цикорий дикий (корни и трава), дрок красильный (верхушки побегов с листьями и цветами). Перечисленную смесь растений измельчают, берут 100 г смеси и заливают 1 л воды, настаивают 5 дней, затем кипятят 20—30 мин, охладив, процеживают, соединяют с нашатырным спиртом из расчета 1:10. На 1 л такой настойки добавляют 10 г настойки из шпанской мушки на нашатырном спирте. Но в принципе настой из шпанской мушки можно не добавлять. Применяют это средство в виде капель внутрь и наружно. Обычные дозы: для взрослых — 3 раза в день до и после еды по 10—15 капель с водой. При приступах удушья, при бронхиальной астме, можно принимать и по 30 капель 4—5 раз в день. Водой нужно так разбавлять, чтобы не было ожога слизистой оболочки горла. Детям предлагается давать по 5—10 капель с чаем или кофе. Чистой настойкой пользуются как наружным средством: растирания, согревающие компрессы на ночь. Иногда наружное применение может вызвать раздражение в виде сыпи на коже, но такая сыпь безвредна и через 2—3 дня исчезает.

Средство № 72

Лопух (репейник) — сок из свежих корней и листьев пьют при туберкулезе легких: 3 раза в день по 1 столовой ложке.

Средство № 73

heart

Свекла столовая, красная — водный настой свеклы пьют при пороке сердца: 2 раза в день по 1/2 стакана.

Средство № 74

Береза — у сельскохозяйственных животных лечат ящур, периодически смазывая язык животного березовым дегтем.

Средство № 75

Турнепс

Турнепс — едят без нормы сырой при камнях в печени, почках, мочевом и желчном пузыре, при этом еще рекомендуется пить крепкий настой (чай) из спорыша.

Средство № 76

Переступень белый (адамов корень) — путем растирания корнем лечат ревматизм и радикулит.

Средство № 77

heart

Лимон — если жевать лимонную корку, то это улучшает работу слабого сердца.

Средство № 78

Эвкалипт шариковый — лечат раны примочками (100 г листа на 1 л кипятка), ангину — полосканием 4—5 раз в день тем же настоем, теплым настоем делают припарки при геморрое, при ревматизме и радикулите — втирание (100 г листьев на 0,5 л водки), при язве желудка и двенадцатиперстной кишки — по 1 чайной ложке 6 раз в день (настой из 20 г листьев на 1 л кипятка), при поносах принимают по 20 г 4 раза в день настой из 15 г листа на 1 л кипятка, при экземе мокрой и сухой — примочка из настоя 50 г листа на 1 л кипятка, при женских болезнях — спринцевания настоем из 200 г листа на 6 л кипятка.

Средство № 79

Фикус эластичный (резиновое дерево) — больные ноги растирают спиртовой настойкой из свежих листьев фикуса (резать мелко), можно заменить листьями армы или алоказии.

Средство № 80

Каланхоэ (бриофиллюм) — размятые свежие листья быстро удаляют бородавки, если их прикладывать в виде повязки. При начинающемся насморке достаточно 1—2 раза смазать в носу соком от свежего листа каланхоэ — насморк быстро прекращается. При заболевании горла (простудного характера) сок смешивают с водой и используют как полоскание; это же средство (сок для смазывания в носу и полоскания горла) применяют при гриппе. При ожоге достаточно приложить мятый свежий лист каланхоэ — боль быстро утихает и также быстро наступает заживание. Соком же удаляют красные и другие пятна на лице, коже; соком же лечат лихорадку на губах.

Средство № 81

Земляника лесная — систематическая диета из земляники лечит витилиго.

Средство № 82

Ромашка аптечная и бессмертник — в смеси 1:1 используются для лечения болезни печени у детей: по 1 чайной ложке 2 раза в день.

Средство № 83

Петрушка огородная — находит применение при задержании мочи. Принимают настой корней: 100 г корней на 1 л кипятка настаивают 1 час и эту порцию пьют за день по 0,5—1 стакану. Улучшение наступает через 10—12 дней.

Средство № 84

Сосна обыкновенная — в виде водного настоя почек принимают по 1/2 стакана 2 раза в день при гипертонической болезни, болезни коры головного мозга, сердечно-сосудистой системы, легких и болезней верхних дыхательных путей. Рекомендуется это средство особенно для больных старческого возраста.

Средство № 85

Спорыш (горец птичий) — широко применяется растение при камнях в печени, желчном пузыре, почках, мочевом пузыре. Готовят крепкий настой: спорыша 300 г и бессмертника 50—70 г на 2 стакана кипятка, иногда берут 150 г спорыша и 50—70 г бессмертника на 1,5 стакана кипятка. Этот крепкий раствор принимают без особой нормы и при возможности еще едят сырой турнепс.

Средство № 86

Родиола розовая (золотой корень) — водочную настойку принимают по 1 чайной ложке 3 раза в день до еды. Пользуются при самых различных заболеваниях: геморрое, болезни печени и т. п.

Средство № 87

Дуб — цинготные десны лечат полосканием настоем коры дуба или ромашки аптечной.

Средство № 88

Багульник болотный — чай из травы принимают при кашле и одышке, а длительный прием излечивает и бронхиальную астму (25—30 г травы на 1 л кипятка).

Средство № 89

Пижма северная — сок пижмы любого вида обладает сильным ранозаживляющим действием. Раны, ссадины и язвы смачивают соком свежего растения или настойкой на водке, что быстро их заживляет, инфекция не развивается.

Средство № 90

Богородская трава (чабрец) — лечит радикулит. Еще лучше, если в равных частях взять чабрец, ромашку аптечную, зверобой и цветы бузины черной. Из этой смеси готовят настой, из которого на ночь делают компрессы, обязательно горячие, с укутыванием. Такой компресс к утру приносит большое облегчение.

Средство № 91

Мать-и-мачеха — настоем листьев лечат воспалительные процессы желудочно-кишечного тракта, гастрит. Обладает сильнейшим противовоспалительным действием. Принимать 1 столовую ложку 2 раза в день.

Средство № 92

Омела белая — настоем омелы с большим эффектом лечат гипертоническую болезнь. Принимать по 1 столовой ложке 2 раза в день.

Средство № 93

Имбирь — растением из имбиря лечат радикулит (растиранием).

Средство № 94

Овес посевной — при желтухе пьют отвар по 1 стакану 3 раза в день; отвар овсяной соломы тоже весьма помогает.

Средство № 95

Вереск обыкновенный — сушат молодые веточки и пьют чай с сахаром при головокружении и головных болях, а также при болезнях печени. Набивают полный чайник, заваривают кипятком и еще немного кипятят. Это средство используют также при сердечно-сосудистых заболеваниях, нарушениях кровообращения головного мозга и при болезнях мочевых органов.

Средство № 96

Можжевельник обыкновенный — при болезнях печени, почек, селезенки и мочевого пузыря в быту пользуются ягодами можжевельника: сначала ягоду съедают одну в день, затем ежедневно прибавляют по ягоде, доводя до 50 г ягод в день.

Средство № 97

Латук (молокан дикий) — млечный сок, как и сок молочая, наружно можно применять как средство против бородавок, опухолей, язв, появляющихся новообразований в виде родинок и, наверное, против рака. Иногда 2—3 смазывания латексом этого растения приносят значительное улучшение.

Средство № 98

Молодило (живучка) — от золотухи, глистов пьют отвар свежего растения по 1/2 стакана 1 раз в день.

Средство № 99

Волчье лыко — 20—30 г корней отваривают в 50—100 мл воды, еще настаивают 20 мин и принимают по 5 г при эпилепсии и как очень эффективное снотворное, после принятия которого трудно разбудить человека.

Средство № 100

Ферула (корень тянь-шаньского женьшеня) — настаивается 20—50 г корня на 0,5 л водки. Настойкой смазывают раны, язвы, опухоли, нарывы. Внутрь принимают по 1 чайной ложке, иногда по 1 столовой ложке 3 раза в день, в рюмке воды до еды. Также используется настойка при болезнях печени, почек, селезенки; лечат грудницу (мастит), рак грудной железы, рак желудка, белокровие, различные желудочно-кишечные болезни, упадок сил, нервные расстройства, используется при пониженном половом чувстве. Корнями лечат ангину, потерю голоса: свежий корень трут, как яблоко, и едят без нормы. При экземе места натирают соком корня ферулы. При ревматизме продолжительное время принимают настойку корня перед едой.

Средство № 101

рак

Подсолнечник — отвар из сушеных лепестков (краевых цветков) подсолнуха пьют как противораковое средство по 1/2 стакана 1 раз в день.

Средство № 102

Зверобой пронзеннолистый — при полном недержании мочи у детей и взрослых принимать по стакану в день настоя зверобоя.

Средство № 103

Гриб дождевик — останавливает кровотечение прикладыванием к ране. Припудривание ран спорами дождевика тоже сразу останавливает кровотечение, заживляет раны. Споры сохраняются в сухом месте годами, не теряя лечебных свойств.

Средство № 104

Кувшинка чистотелая — при бессоннице, расстройстве нервной системы полезно принимать настой из семян кувшинки или кубышки желтой: 60 г сушеных зрелых семян растирают в порошок и заваривают 1/2 стакана кипятка, настаивают 20 мин. Нужно этот настой выпить за день в 2 приема. Курс лечения — до улучшения.

Средство № 105

Сосна обыкновенная — трехдневное смазывание живицей окончательно залечивает раны. Излечивает язву желудка, рак желудка — принимать малыми дозами внутрь. При фурункулезе намазывают на ткань и прикладывают к больным местам. 2—3 дня такого лечения приводило к полному рассасыванию фурункулов. Излечивают мокнущую экзему, смазывая живицей больные места. Заживление наступает уже через 3—4 дня лечения. Применяется в виде мази при гноении кожи и мяса на ногах. Живицей можно лечить и рак: принимать внутрь по 5—6 г. Кроме того, хорошо укрепляет весь организм. Огромную популярность получили так называемые «белые скипидарные ванны» для лечения отложения солей, артритов, атеросклероза, ревматизма, подагры, спондилеза. Для ванн готовится эмульсия: в эмалированной посуде растворяют 30 г тертого детского мыла в 550 мл воды, добавляют 0,75 г салициловой кислоты и кипятят на малом огне, помешивая деревянной палочкой. Горячую смесь соединяют с 0,5 кг живичного аптечного скипидара, хорошо перемешивая. Эмульсию хранят в широкогорловых бутылках или банках с притертой пробкой. Такой эмульсии хватает на 12—15 ванн. Ванны принимают два дня, а третий день — перерыв. Продолжительность ванны 15 мин, температура 37—38 °С, объем ванны — 150—170 л. Первые 20 ванн заливаются эмульсией в возрастающем порядке: 20, 30, 40, 50, 60, 70, 80, 85, 95 мл; остальные ванны получают по 90 мл эмульсии. Лечебный эффект очень хороший.

Средство № 106

Лопчатка прямая (калган дикий) — чай из его корней пьют по 1 столовой ложке 3 раза в день до еды при опущении желудка и надрыве тяжестями.

Средство № 107

Родиола розовая — при сахарном диабете: 100 г корня свежего настоять на 1 л водки; принимать по 20 капель 3 раза в день за полчаса до еды.

Средство № 108

Шиповник — при воспалении печени очень полезно пить отвар корней шиповника. Принимают его 3 раза в день по 0,5—1 стакану. Курс лечения заканчивается, когда наступает полное улучшение.

Средство № 109

Ива пурпурная — при болезни желудка, а в основном при лечении желтухи: 60 г сушеной коры ивы кипятить 10 мин в 1 л воды, далее отстаивать сутки. Принимать по 1/2 стакана 3 раза в день перед едой.

Средство № 110

Картофель — цветки картофеля в народной медицине очень ценятся. При раковых опухолях: цветки сушат в тени; 1 столовую ложку цветков заваривают в 0,5 л кипятка, настаивают в горячем месте еще 3 часа, принимают по 1/2 стакана 3 раза в день за 30—40 мин до еды. На курс лечения требуется 4 л такого настоя.

Средство № 111

Рогоз широколистный — при сахарном диабете пить настой рогоза по 1 столовой ложке 2 раза в день.

Средство № 112

Тысячелистник обыкновенный — для лечения увеличенной селезенки взять 50 г травы с цветами на стакан кипятка, а еще лучше добавить 50 г цветков календулы (ноготков) и залить смесь 0,5 л кипятка. Принимать по 1 стакану 2 раза в день.

Средство № 113

Береза — березовый сок пьют при золотухе и цинге без нормы. При задержке мочи пользуются таким рецептом: 1 столовую ложку березовых почек настаивают в стакане кипятка 1 час. Пьют в один прием ежедневно. Курс лечения — 10—15 дней.

Средство № 114

Ноготки — 40 г сушеных цветков или всего растения заварить 1 л кипятка. Все нужно выпить в 3 приема за день при воспалении печени. Курс лечения продолжается до полного улучшения.

Средство № 115

Кузьмичева трава — ценится при различных желудочно-кишечных заболеваниях: пить настой по 1 столовой ложке в день.

Средство № 116

Цмин (бессмертник песчаный) — как средство для лечения желтухи. Крепким отваром можно желтуху излечить за неделю. Пьют как чай.

Средство № 117

Зверобой обыкновенный — настоять в виде чая, принимать при недержании мочи. Берут 50 г сушеной травы на 1 л кипятка. Принимают без нормы, вместо воды и чая.

Средство № 118

Гриб чага, паразитирующий на березе — чай из березового гриба при желудочно-кишечных заболеваниях, особенно при гастрите, принимают без нормы, вместо чая и воды.

Средство № 119

Каланхоэ чашечковидный — соком свежих листьев растения лечат головные боли: по 1 столовой ложке 1 раз в день.

Средство № 120

Петрушка огородная — крепкий отвар петрушки пьют без нормы при камнях в почках, мочевом пузыре, печени, а также при склерозе.

Средство № 121

Шалфей лекарственный — при недержании мочи готовят настой из 50 г травы на 1 л кипятка. Пьют без нормы.

Средство № 122

Сбор для лечения болезни печени — 20 г зверобоя, 10 г спорыша, 15 г цикория дикого, 20 г бессмертника песчаного, 15 г коры крушицы, 5 г аптечной ромашки, 20 г цветков календулы декоративной. Берут 20 г смеси на 0,5 л холодной воды, заливают на ночь, утром кипятят 5—7 мин, настаивают в теплом месте 20 мин. Принимают весь настой за день в несколько приемов. Воспалившуюся печень лечат: 0,5 л молока и 1 л пива смешивают, принимают 3 раза в день по 200—300 мл перед едой.

Средство № 123

Алоказия крупнокорневая (арма) — настойка как растирание при ревматизме, радикулите, гриппе и как внутреннее при гипертонической болезни, бронхиальной астме. Настойка из армы излечивает без вредных последствий. Внутрь принимается по 1 чайной ложке в день. Примечание: все виды алоказии в свежем виде очень ядовиты, содержат летучее вещество ароин.

Средство № 124

Укроп огородный — при бессоннице можно пользоваться снотворным напитком из семян укропа, отваренных в кагоре или портвейне: 50 г семян варят на малом огне в 0,5 л вина. Перед сном принимают по 50—60 мл.

Средство № 125

Кирказон маньчжурский (дедушкина борода) — корневищем с корнями лечат нервные болезни, печень и желудочно-кишечные болезни. Хорошо помогают сушеные коренья от головной боли. Нужно съесть в день немного сушеных корней. Продолжительность лечения — несколько дней.

Средство № 126

Пион уклоняющийся — при лечении раковых опухолей пользуются настоем корня пиона. Народная медицина при раке желудка рекомендует корни пиона собирать в мае месяце. Подсушив их, готовят настой или отвар, который принимают по 100 мл 3 раза в день за полчаса до еды.

Средство № 127

Терн — 5 г корней или коры веток на стакан воды кипятить 15 мин, принимать небольшими глотками, без нормы, при различных воспалительных процессах. При воспалительных процессах женской половой сферы (против белей) такой отвар пьют и, кроме того, используют для спринцевания, разбавляя его кипяченой водой 1:1.

Средство № 128

Малина обыкновенная — корни следует собирать в период цветения малины или поздней осенью, летние корни дают меньший эффект. Собранные корни отмывают от земли и сушат в тени. Отвар готовят из 50 г корней на 0,5 л воды, кипятят на малом огне 30—40 мин. Если больной страдает только бронхиальной астмой, без других осложнений, то в таких случаях назначается только отвар из корней малины по 50—60 мл 3 раза в день. Лечение продолжается до прекращения приступов удушья плюс еще две недели такого лечения. При возникновении приступов в период лечения отваром приступы купировать теми препаратами, которые обычно назначаются врачом больному в таких случаях. Комплексное лечение для больных, одновременно страдающих хронической пневмонией и бронхитами: отвар корней малины с дополнением антибиотиков, сульфаниламидных препаратов, димедрола, йодистого калия, аспирина и даже диафиллина в вену. В тяжелых случаях отвар корней малины назначается по 50 мл 4—5 раз в день и даже 6 раз.

Средство № 129

Тамус обыкновенный — при бронхиальной астме берут в равных объемах свежий тертый корень тамуса, сливочное масло и мед. Эту смесь принимают 3 раза в день по 1 чайной ложке.

Средство № 130

Лопух (репей) — в мае свежие листья лопуха используют для обертываний при ревматизме и полиартрите. Делают это перед сном, на всю ночь. Корень лопуха, тоже майского сбора, трут, как хрен, и едят без нормы при раке желудка.

43

Средство № 131

Береза — для лечения алкоголизма рекомендуется довольно странный, на первый взгляд, метод: сухие березовые дрова обильно посыпают сахаром и разжигают. Разгоревшийся костер гасят, заставляют этим дымом дышать алкоголика, после чего сразу дают выпить стакан водки.

Средство № 132

Календула лекарственная (ноготки) — настоем из цветков календулы лечат аритмию и другие сердечные заболевания. Календулой удаляют угри: 2 столовые ложки календулы (цветков) или сока свежей травы соединяют с 50 мл чистого спирта, добавляют 40 мл воды и 30 мл одеколона. Все настаивают двое суток в теплом месте. Добавляют 5 г борной кислоты 5-процентной и 3 г глицерина. Этой эмульсией смазывают лицо 2 раза в день. Постепенно, не очень скоро, кожа очищается от угрей.

Средство № 133

Огурец посевной — как омолаживающее средство рекомендуется использовать сок старых огурцов-семенников: при отборе семян остается много огуречной жидкости, которую можно использовать как косметическое средство: перед сном смазывать лицо. Курс лечения 1 месяц. При этом морщины разглаживаются.

Средство № 134

Морковь посевная — утром и вечером рекомендуется протирать кожу лица морковным соком. Это освежает кожу, удаляет пятна на ней и омолаживает ее.

Средство № 135

Молочай — для удаления веснушек пользуются соком свежего молочая, которым смазывают кожу лица, и сразу же кожу смазывают рыбьим жиром. После такой процедуры отслаивается и смывается тонкий наружный слой кожи, лицо очень скоро становится чистым, без веснушек и пятен. Рыбий жир предохраняет кожу от едкого действия молочая.

Средство № 136

Зоря лекарственная (любисток) — если утром натощак жевать 3—5 г сушеного корня любистока, то это хорошо успокаивает нервную систему, улучшает самочувствие. Рекомендуется пить отвар корня теплым, как чай, при болезни сердца, бронхов, при одышке: 40 г корня настаивают 12 часов в 1 л воды, потом кипятят 5 мин и еще полчаса настаивают в тепле, отжимают и эту порцию пьют за день в 4—5 приемов.

Средство № 137

Мак снотворный — при бессоннице одну головку мака отварить в 1/2 стакана воды и перед сном выпить 3 чайные ложки отвара. Детям по 1 чайной ложке.

Средство № 138

Петрушка огородная — при бессоннице одну головку мака отварить в 1/2 стакана воды и перед сном выпить 3 чайные ложки отвара. Детям по 1 чайной ложке.

Средство № 139

Подорожник большой — отвар сушеных листьев подорожника очень полезно пить без особой нормы при язвенной болезни и раке желудка.

Средство № 140

Брусника — чай из листьев брусники очень полезно пить без особой нормы при отложении солей, подагре, суставном ревматизме, артрите, полиартрите, шпоре, спондилезе.

Средство № 141

Отвар трав для инъекций — вводить подкожно или внутримышечно при язвенных заболеваниях, раке, глаукоме.
Для получения препарата нужно:
Чистотел — трава с цветками и корнями — 30 г
Зверобой — трава с цветками — 8 г
Укроп — трава — 3 г
Календула лекарственная — листья и цветки — 8 г
Тысячелистник обыкновенный — трава — 2 г
Лопух большой — листья и корень — 5 г
Одуванчик лекарственный — листья и корень — 3 г

Бессмертник песчаный — трава с цветами — 5 г
Свекла столовая — сок — 5 г
Татарник колючий — трава — 5 г
Омела белая — молодые ветви и листья — 5 г
Чеснок — луковица — 5 г
Пырей ползучий — корневище — 5 г
Подорожник большой — лист — 8 г
Полынь горькая — трава — 5 г
Очиток едкий — свежая трава — 4 г
Спорыш — трава — 2 г
Вербена лекарственная — трава — 2 г
Молочай степной — трава — 2 г
Коровяк скипетровидный — трава — 4 г

Всю массу пропускают через мясорубку или растирают в ступке и заливают холодной дистиллированной водой 1:10 и кипятят, точнее, доводят до кипения. Остывшую массу процеживают и свежий настой вводят подкожно или внутримышечно по 0,2 мл ежедневно, постепенно увеличивая до 4 мл. Такой настой можно применить и для клизм по 50—70 мл. Препарат оказывает стимулирующее, ранозаживляющее и регулирующее действие на желудочно-кишечный тракт, улучшает сокоотделение, увеличивает диурез, понижает артериальное давление, улучшает работу сердца. Наличие фитонцидов делает препарат активным противомикробным средством, даже в разведении 1:2000, проявляет и фунгистатическое действие. Усиливает отделение желчи, повышает тонус желчного пузыря, почек, обладает мочегонным действием, а также желчегонным и глистогонным.

При язве желудка вводят по 0,2 мл один раз в день, увеличивая постепенно дозу до 4 мл. Принимается 30 инъекций 10-процентного водного раствора. Через 2 месяца курс лечения повторяется.

Средство № 142

Клоповник мусорный — смазывание соком растения бородавок приводит к быстрому и безболезненному их удалению. Можно руки, покрытые бородавками, парить в горячем, крепком настое клоповника.

Средство № 143

Мелисса лекарственная — настой травы мелиссы принимают при слабости сердца и как средство, снижающее кровяное давление. Часто применяется как противосудорожное, болеутоляющее. Принимают по 1 столовой ложке 2 раза в день.

Средство № 144

Ятрышник (салеп) — соком свежих клубней корней успешно лечат туберкулез легких. Повышенные дозы такого сока действуют на человека одурманивающим образом.

Восточная медицина рассматривает салеп как средство, восстанавливающее силы при истощении, возбуждающее половое чувство. Старые клубни ятрышника успокаивают, а молодые оказывают обратное действие.

Средство № 145

Гранат (гранатник) — при гипертонической болезни систематический прием сока плодов граната способствует мягкому, но верному понижению кровяного давления до нормы.

Корка граната используется как средство против ленточных глистов и как вяжущее средство при желудочно-кишечных расстройствах.

Средство № 146

Крапива двудомная — средство лечения тромбофлебитов. Если продолжительное время принимать настой крапивы 3 раза в день по 1/2 стакана и при этом соблюдать диету (не есть мяса, рыбы и ничего жареного), можно излечить варикозное расширение вен.

Средство № 147

Виноград — рецепт лечения тяжелых желудочно-кишечных расстройств, дизентерии: в стакан наливают 60 мл заварки обычного чая. В этой горячей заварке растворяют 40 г сахара и доливают 100 мл свежего кислого (из зеленых, незрелых плодов) сока винограда. Нужно выпить стакан этой смеси. Уже через полтора—два часа наступает улучшение: боли в желудке прекращаются. Боль в суставах тоже лечат таким способом. В обоих случаях пользуются только соком незрелых плодов винограда. Сердечные болезни можно лечить виноградными листьями: в трехлитровый стеклянный баллон помещают 300 г свежих листьев винограда, заливают холодной водой и настаивают 3 дня.

Принимают по 100 мл 3 раза в день. Ванны и горячие припарки делают, используя виноградные выжимки, для лечения радикулита, люмбаго и других невралгических заболеваний.

Средство № 148

Аконит — для лечения рака, язвы желудка и различных наружных опухолей: по 1 чайной ложке 2 раза в день настоя аконита.

Средство № 149

Чеснок — при гипертонической болезни пользуются таким рецептом: стакан измельченного чеснока настаивают в 0,5 л водки в темном теплом месте. Настой принимают по 1 столовой ложке 3 раза в день до еды.

Средство № 150

Вороний глаз — используются зрелые ягоды, которые уваривают без воды, получая из 1 кг ягод около 20 мл экстракта. Этот экстракт используют как наружное средство при укусах ядовитых змей (смазывают раны). Охотники используют смесь такого экстракта с кровью для травли волков.

Средство № 151

Дрожжи пивные или пекарские — обычные пекарские дрожжи используются для лечения змеиных укусов. В течение 3 дней к месту укуса прикладывают свежие дрожжи, меняя их через каждый час. Еще лучше, если чередовать эти аппликации с аппликациями из толченого чеснока, каждый час меняя одно на другое.

Средство № 152

Сбор для лечения гипертонической болезни — состоит из равных частей травы пустырника, травы сушеницы болотной и цветов боярышника, и еще желательно добавить омелу белую. Стакан такого сбора заваривают 1 л кипятка, настаивают и применяют по 100 мл 3 раза в день за полчаса до еды.

Средство № 153

Тысячелистник обыкновенный — при бронхите, особенно остром, рекомендуется принимать 4 раза в день по 2 столовых ложки сока травы или настойку (20 г травы на 100 мл спирта или стакан водки) по 40—50 капель 4 раза в день.

Средство № 154

Аир болотный — при водянке принимают по 100 мл 3 раза в день за полчаса до еды отвар из 15 г корневища на 60 мл воды (варят на малом огне 15 мин) или готовят водочную настойку из 50 г корневища на 0,5 л водки, настаивая неделю. Принимают настойку по 1 чайной ложке 3 раза в день за полчаса до еды. При выпадении волос, от перхоти голову моют отваром корневища аира. При воспалении почечных лоханок (пиелит) принимают порошок корневища по 0,2—0,5 г 3 раза в день.

При гонорее делают сидячие ванны из отвара: 30 г корневища аира на 1 л воды. Настой или отвар из 15 г корневища на стакан воды (настаивают 8 часов или кипятят 20 мин) принимают по 1 столовой ложке 3 раза в день перед едой при гриппе. Пользуются при гриппе и настойкой: 20 г корневища на 100 мл спирта или стакан водки. Настаивают 8 дней. Принимают по 20—40 капель 3 раза в день. При парадонтозе и других разрыхлениях десен с целью укрепления зубов и десен в зубной порошок подмешивают порошок аира из расчета 0,2—0,5 г на раз, чистить же зубы 3 раза в день. К ранам и больным местам прикладывают вату, смоченную в настойке или настое аира. Это хорошее ранозаживляющее и противовоспалительное средство. При истощении принимают настой или отвар по 100 мл 3 раза в день за полчаса до еды; аналогично и при астении (общей слабости). Пьют настой, отвар или настойку аира и при инфекционных болезнях, как обеззараживающее средство, промывают им различные язвы и раны; присыпают язвы и раны порошком из корневища аира. Во время эпидемий как профилактическое средство корневище аира жуют, и это многих спасает от тяжелых заболеваний. При различных кишечно-желудочных болезнях, язве желудка и двенадцатиперстной кишки принимают отвар или настой корневища по 1 столовой ложке 3 раза в день или настойку по 20—40 капель 3 раза в день.

Средство № 155

Репешок обыкновенный — при атонии желудочно-кишечного тракта принимают настой травы (4 столовые ложки травы на 1 л кипятка) по 1/2 стакана 3 раза в день. Можно готовить мелкий порошок из травы и принимать его по 2—4 г. Аналогично пользуются при водянке и сердечных недугах. При воспалении верхних дыхательных путей принимают по 1/4—1/2 стакана отвара, добавив мед, 3—4 раза в день.

Средство № 156

Пырей ползучий — кожные болезни лечат ваннами из корневища: берут 50—100 г корневища на ведро воды и варят полчаса в закрытой посуде. Ванны принимают по 20 мин ежедневно, температура воды 38 °C. При сердечных заболеваниях принимают по 1 столовой ложке 4—5 раз в день отвар из 50 г корневища на стакан воды. Можно брать 100 г корневища на 1 л воды и кипятить до тех пор, пока останется половина объема.

Средство № 157

Лук репчатый — при атонии желудочно-кишечного тракта систематически перед едой употреблять немного свежего лука или 3 раза в день принимать по 1 чайной ложке отжатого сока. Это же простое средство лечит авитаминозы, нарушение обмена веществ.

Средство № 158

Алоэ в совокупности с майским медом и вином — помогает во многих случаях расстройства здоровья. Способ приготовления состава: алоэ — 375 г, мед майский — 625 г, вино красное крепкое — 625 г. Алоэ 3—5-летнее не поливать до среза 5 дней. Затем измельчить на мясорубке, все смешать и поставить в закрытой посуде в темное прохладное место на 5 дней. Методика лечения: принимать по 1 чайной ложке первые 5 дней и все последующие дни по 3 раза в день по 1 столовой ложке за час до еды. Продолжительность курса лечения 3—7 недель.

Исцеляет радикулит, склероз, гипертонию, паралич, почки, ревматизм, головную и зубную боли, психические расстройства, онкологические заболевания, заболевания сердца, печени, хронические заболевания крови, легких, заболевания желудка, тромбофлебит, подагру, астму, гипотонию, женские болезни.

При лечении туберкулеза состав применяется другой: мед — 1 стакан, спирт — 1 стакан, сухие березовые почки — 1 столовая ложка. Этот состав настаивают в прохладном месте 9 дней и затем принимают по 1 столовой ложке за час до еды 3 раза в день. Продолжительность курса лечения 3—7 недель.

При язве желудка к приему настоя (мед, алоэ, красное вино) добавляется каждодневный прием свежего отвара картофеля. Очищенный картофель отварить, слить воду, пить ее (несоленую) по 0,5—1 стакану 3 раза в день. Иногда при лечении язвы желудка помогает прием только отвара картофеля.

Средство № 159

Чеснок — при атонии желудочно-кишечного тракта едят систематически 2—3 зубка 3 раза в день вместе с обычной пищей. Бородавки и мозоли удаляют свежим соком или мазью из сока чеснока и свиного сала (1:1).

Средство № 160

Алтей лекарственный — при воспалении пищевода принимают по 1 столовой ложке каждые 2 часа слизистый настой из 1 части корня алтея на 20 частей холодной кипяченой воды. Этой слизью полощут горло при ангине. При воспалении мышц (миозит), радикулите, миалгии, ишиасе, воспалении тройничного нерва пользуются компрессами из настоя корня (3—4 чайные ложки измельченного корня на стакан холодной воды настаивают 8 часов). Этим настоем при конъюнктивите делают примочки на глаза. Можно готовить настой из 2 столовых ложек листьев и цветков алтея на 1—2 стакана кипятка. При гриппе настой алтея принимают по 1 столовой ложке каждые 2 часа. Принимают его и при различных отравлениях. Это хорошее отхаркивающее средство, а потому им пользуются и при сухости рта.

Средство № 161

Анис обыкновенный — для лечения кашля и бронхиальной астмы рекомендуется народный рецепт: 15 г семян аниса отварить в стакане воды. Принимать по 1/4—1/2 стакана 3—4 раза в день за полчаса до еды. Можно пользоваться и аптечным анисовым маслом — принимают по 2—3 капли на сахаре.

Средство № 162

Лопух (репейник) — при водянке принимают 3—4 раза в день по 1/3 стакана отвар из 20 г корня лопуха на стакан воды.

Средство № 163

Толокнянка обыкновенная — при атонии желудочно-кишечного тракта принимают по 2 стакана в день отвар из 25 г листьев на 3 стакана воды (кипятят, пока не останется 2/3 объема). При воспалении мочевого пузыря (цистит) принимают по 1/2 стакана 3 раза в день отвар из 30 г листьев на 0,5 л воды (кипятят 15 мин на малом огне и еще 20 мин настаивают, тепло укутав). Аналогично лечат воспаление почечных лоханок (пиелит), кровь в моче (гематурия), нефрит, отеки, водянку, поллюции, нервную слабость, инфекционные заболевания. Это сильное мочегонное и противомикробное средство.

Средство № 164

Чернобыльник (полынь обыкновенная) — при боли и спазмах желудка принимают по 1/3 стакана 3 раза в день отвар из 15—20 г всего растения на стакан воды. Пользуются и настойкой из 10 г растения на 100 мл спирта или стакан водки, принимают по 1 чайной ложке, сдабривая горечь сахаром, 3 раза в день. Как антисептическое и при бронхиальной астме принимают отвар в тех же дозах, также пользуются настойкой и порошком из травы.

Средство № 165

Бадан толстолистый — при воспалении верхних дыхательных путей, изъязвлениях слизистой матки, влагалища, носа, рта и т. д., делают обмывания, примочки из настоя (20 г на стакан кипятка). Полезно принимать этот настой внутрь по 20—30 капель 3 раза в день.

Средство № 166

Береза — почками наполняют бутылку, заливают водкой, настаивают. Такую настойку разбавляют водой и делают примочки на раны, язвы, гнойничковую сыпь кожи, пользуются спринцеваниями при белях. При бронхите, туберкулезе легких и заболеваниях горла принимают очищенный березовый деготь по 5—10 капель 3 раза в день.

Средство № 167

Череда трехраздельная — при подагре, артритах, крапивнице и других кожных болезнях принимают по 20 мин ванны из отвара череды (50—100 г на ведро воды). Кипятят в закрытой посуде полчаса. Температура ванны 38 °C. Внутрь принимают, без нормы, чай из череды. Полезно свежей травой или настоем (4 столовые ложки травы на 5 стаканов воды) натирать воспалившиеся суставы при ревматизме, артрите, подагре, можно делать компрессы. При различных грибковых заболеваниях рекомендуется пить чай следующего состава: по 10 г травы череды, фиалки трехцветной и травы водянки. 8 г смеси заваривают стаканом кипятка. Принимают по 2 столовых ложки 3—4 раза в день. При крапивнице принимают 3—4 раза в день по 1/2 стакана настой из 50 г череды на 1 л кипятка, полезно пить чай из череды при нарушении обмена веществ, как кровоочищающее, при себорее.

Средство № 168

Переступень белый — при плеврите и других болезнях легких принимают по чайной ложке 3 раза в день отвар из 20 г корня на стакан воды или настойку из 25 г корня на 100 мл спирта или стакан водки по 10 капель 3 раза в день. Аналогично лечат болезни сердца, воспаление легких.

Средство № 169

Календула лекарственная — настой из 20 г (полная столовая ложка) календулы на стакан кипятка используется для полоскания при ангине, а также для примочек и обмывания ран, язв, для спринцевания и тампонов при белях. Во всех перечисленных случаях пользуются и настойкой из 25 г цветков на 100 мл спирта или стакан водки. Перед употреблением настойку разводят водой. Соком свежих листьев протирают кожу лица для удаления веснушек и придания коже свежести.

Средство № 170

Вереск обыкновенный — при водянке принимают по стакану 4 раза в день (вместо воды) настой из 40 г цветущих веточек на 1 л кипящей воды.

Средство № 171

Пастушья сумка — настой из 2—3 столовых ложек свежей или сушеной травы на стакан кипятка принимают по 1/3 стакана 3 раза в день при атонии желудочно-кишечного тракта. Можно пользоваться свежим соком травы пополам с водой: принимают по столовой ложке 3 раза в день. Аналогично пользуются и при болезнях почек, мочевого пузыря, нарушении обмена веществ, воспалении почечных лоханок (пиелит), головной боли (от прилива крови). При застое крови в печени принимают сок свежей травы по столовой ложке 3 раза в день за час до еды. При почечной и печеночной колике, песке и камнях в них, пользуются настоем из 30 г травы на стакан кипятка: по столовой ложке 4 раза в день или через каждые 2—3 часа. Препараты пастушьей сумки применяются при внутренних кровотечениях (маточных, легочных, желудочных). При болезнях почек растение используется как мочегонное средство; свежий сок по 50 капель в ложке воды 3 раза в день принимают при недержании мочи. Пьют настой или сок травы при боли в печени, при поносе, а также можно употреблять и против перхоти.

Средство № 172

Василек синий — при болезнях почек и мочевого пузыря (спазмах, катаре) принимают по 1/3 стакана (можно по 1/2) 2—3 раза в день настой из 10 г краевых цветков на стакан кипятка. Толченые семена прикладывают к бородавкам для их удаления.

Средство № 173

Золототысячник зонтичный — при болезнях почек и мочевого пузыря пользуются аптечной настойкой (15—20 капель 3 раза в день за полчаса до еды) или готовят домашнюю настойку из 25 г травы на 100 мл спирта или стакан водки и принимают по 1 столовой ложке 3 раза в день за полчаса до еды.

Средство № 174

Чистотел — при одышке принимают по 2—3 столовых ложки настоя из 15 г травы на стакан кипятка или по 15—20 капель 3 раза в день настойку из 10—15 г травы на 100 мл спирта или стакан водки. При водянке принимают настой 4 раза в день по 1/2 стакана. При раке кожи пользуются мазью из свежего сока чистотела (1 часть сока на 4 части вазелина) или берут порошок из травы чистотела и вазелин 1:1. Такой мазью пользуются и при мышечных судорогах, миозите, полиартрите (воспаление суставов). Настой чистотела считается хорошим желчегонным средством, принимают его и при болезнях селезенки. Кожные болезни (чесотка, пятна на коже, золотуха, лишай, почесуха, язвы) лечат примочками и обмываниями крепким настоем или соком чистотела. Примочками из крепкого настоя лечат экзему.

Средство № 175

Цикорий дикий — при водянке принимают по 50—70 мл 3 раза в день отвар из 15 г всего растения на стакан воды. Ежедневно готовят свежий отвар.

Средство № 176

Боярышник — при водянке принимают по 15—30 капель в рюмке воды после еды 3 раза в день настойку из одной части свежих цветков боярышника на 10 частей 70-процентного спирта (настаивают неделю). Если больной водянкой страдает и ревматизмом, то доза принимаемого средства увеличивается в 3 раза. Цветки собирают в начале их распускания.

Средство № 177

Чернокорень лекарственный — как болеутоляющее при спазмах и боли в желудке принимают по 1/2 чайной ложки 3 раза в день отвар из 5 г корня и листьев на стакан воды или готовят настойку из 15 г корня или листьев на 100 мл спирта или стакан водки и принимают по 15—20 капель 3 раза в день. Можно принимать сок свежего растения по 5—10 капель 3 раза в день. Сок консервируют спиртом или водкой, заготавливая впрок.

Средство № 178

Морковь посевная — при вздутии живота принимают 3 раза в день по 1 г порошка из семян моркови или принимают по 1 стакану 3 раза в день горячий настой из семян (1 столовая ложка семян на стакан кипятка, варят всю ночь). Аналогично можно пользоваться и семенами дикой моркови. Опухоли на теле смазывают морковным соком и принимают его внутрь при раковых опулях. При цистите и других воспалениях почек и мочевого пузыря тоже рекомендуется принимать морковный сок.

Средство № 179

Лилия водяная желтая — при роже принимают 3 раза в день во время еды по 10 капель настойки, приготовленной следующим образом: 8 г корня лилии заливают 100 мл 70-процентного спирта и настаивают две недели.

Средство № 180

Живокость полевая — при катаре мочевого пузыря, воспалениях мочевых органов принимают по 1 стакану 3 раза в день отвар из 20 г травы на 1 л воды.

Средство № 181

Росянка круглолистная — смазыванием кожи лица утром и вечером соком росянки выводятся веснушки. Многократное смазывание соком бородавок и кондилом приводит к их исчезновению.

Средство № 182

Эфедра (кузьмичева трава) — при бронхиальной астме принимают по 2 столовые ложки 2—3 раза в день за полчаса до еды отвар из 15—20 г молодых веточек эфедры на 0,6 л воды. Этот отвар уваривают до половины объема.

Средство № 183

Хвощ полевой — при плеврите принимают по 1/3 стакана 3 раза в день отвар из 30 г травы на стакан воды. При водянке принимают по 3 столовых ложки 3—4 раза в день отвар из 50 г травы на стакан воды.

При воспалении почек, мочевого пузыря принимать отвар по 1/3 стакана 3 раза в день. При желтухе пить отвар из 50 г травы по 3 столовых ложки 3—4 раза в день (или принимают по 1/2 чайной ложки аптечного экстракта полевого хвоща). При необходимости аптечный экстракт заменяют настойкой из 30 г травы на 100 мл спирта.

При воспалении костного мозга прикладывают к больному месту компресс из отвара полевого хвоща; используют отвар и настой хвоща для полоскания при болезнях десен и зубов (2 столовые ложки травы парят всю ночь в стакане воды). Хвощовые компрессы и примочки применяют при лечении нарывов, фурункулов, стригущего лишая, кожного зуда. Отвар принимают при сердечных и почечных отеках. Раны и язвы лечат мазью такого состава: на одну часть аптечного экстракта полевого хвоща берут 4 части коровьего масла или вазелина (экстракт можно заменить домашней настойкой). При кровавой рвоте пользуются таким рецептом: готовят смесь из травы полевого хвоща и плодов можжевельника обыкновенного (1:1), 50 г смеси заваривают стаканом кипятка, немного кипятят и еще настаивают 20 мин. Принимают по 3—4 столовых ложки 3—4 раза в день.

Средство № 184

Синеголовник плосколистный — при бронхите принимают 4 раза в день отвар из 10 г травы на стакан воды.

Средство № 185

Желтушник левкойный — при водянке принимают по 10 капель 3 раза в день настойку из 20 г травы на 100 мл спирта или стакан водки.

Средство № 186

Желтушник шариковый — настой или отвар из 10 г листьев на стакан воды чаще всего используют для примочек, полосканий и спринцеваний как антисептик. Но этот же настой можно принимать внутрь по 1 столовой ложке 3 раза в день как болеутоляющее средство при спазмах и боли в желудке.

Средство № 187

Молочай лозный — свежим соком удаляют бородавки, появляющиеся родинки, лечат рак кожи на носу.

Средство № 188

Грехича посевная — при бронхите пьют чай из 40 г цветков на 1 л кипятка. Это простое средство облегчает кашель, особенно сухой.

Средство № 189

Дымянка лекарственная — при атонии желудочно-кишечного тракта пить по 1/3 стакана 3 раза в день настой или отвар из 10 г (2 полные чайные ложки) травы на стакан воды. Можно принимать по 30 капель 3 раза в день настойку из 25 г травы на 100 мл спирта или стакан водки.

Аналогично настой или отвар принимают при водянке, катаре желудка, при пониженной кислотности, воспалении мочевого пузыря, потнице, геморрое.

При геморрое пользуются еще мазью: 1 часть сока травы или крепкий отвар на 4 части сливочного масла или вазелина.

Средство № 190

Будра плющевидная — при бронхиальной астме пить по 15 капель 3 раза в день настойку из 15 г листьев на 100 мл спирта или стакан водки. При воспалении легких: берут по 2 столовых ложки листьев будры и почек тополя любого вида (можно осиновые) и 1 столовую ложку цветов бузины черной. Эту смесь заваривают 3 стаканами кипятка и настой принимают в течение дня. При болезни почек и мочевого пузыря принимают по 3 столовых ложки 4 раза в день настой из 10 г листьев на стакан кипятка, можно принимать по 15 капель настойки.

Средство № 191

Сушеница болотная — при спазме и боли в желудке пить по столовой ложке 4—5 раз в день до еды отвар из 30 г травы на стакан воды. Пьют без нормы при раке кожи, кожных язвах. При гипертонической болезни принимают ванны из сушеницы по 20 мин при 38 °C. Готовят из расчета 50 г травы на ведро воды.

Средство № 192

Бессмертник песчаный (цмин) — при белях спринцевания отваром из цветов (1 столовая ложка на стакан воды); этот же отвар пьют по 1/2 стакана 3 раза в день за час до еды теплым. Курс лечения 3—4 недели. Используют отвар как мочегонное средство, особенно при водянке.

Средство № 193

Грыжник голый — при водянке принимают по 1/2 стакана 3—4 раза в день настой из 20 г травы на 2 стакана кипятка. Можно пить отжатый сок свежей травы по 2 столовых ложки 3—4 раза в день.

Средство № 194

Ястребинка волосистая — при болезнях печени, ее опухании, а также при пониженной кислотности желудка принимают отвар из 40 г всего растения на 1 л воды. Отвар делят на 4 равные порции и принимают в течение дня. При желтухе принимают порошок из травы.

Средство № 195

Облепиха — при выпадении волос, облысении употреблять в пищу ягоды облепихи или пить без нормы отвар молодых веток и этим отваром протирать кожу головы и волосы.

Средство № 196

Валерьяна лекарственная — используются валерьяновые капли, которые должны быть чистыми (не на эфире, а на спирте, без примеси других сердечных капель). Средство простое: нужно только вдыхать (нюхать) валерьяновые капли перед сном. 1—2 раза вдохнуть каждой ноздрей, но по мере приобретения опыта каждый найдет для себя соответствующую дозу вдыхания. Если на следующий день болит голова, это значит, что доза была велика, нужно уменьшить дозу, делать неглубокие вдохи, а затем постепенно углубить их.

Что дает это средство:

— в течение 3—4 месяцев организм человека оздоравливается, самочувствие его значительно улучшается;

— прекращаются боли и неприятные ощущения в области сердца;

— укрепляется нервная система;

— уменьшаются спазмы сосудов головы;

— улучшается зрение (снимается помутнение хрусталика глаза);

— ликвидируется бессонница.

Нельзя нюхать валерьяну, когда необходимо бодрствовать. В этом случае борьба со сном после нюханья может привести к нервному расстройству.

Значительное улучшение состояния здоровья наступает уже после нескольких недель использования валерьяны.

Средство № 197

Одуванчик лекарственный — используется при лечении кожных болезней и как кровоочистительное средство, а также как мочегонное средство при лечении мочекаменной болезни. Пить сок по 50—100 г в день или отвар из корней (1 чайная ложка измельченных корней на 1 стакан кипятка) 3—4 раза в день по 50 г за 30 мин до еды.

Средство № 198

Хмель обыкновенный — при холецистите и других воспалениях желчного пузыря и печени принимают по столовой ложке 3 раза в день отвар из 20 г шишек хмеля на стакан воды или принимают по 40 капель 3 раза в день настойку из 25 г шишек на 100 мл спирта или стакан водки. Аналогично лечат водянку, воспаление почек, мочевого пузыря, желтуху, болезнь селезенки.

Хмель

Для лечения лишая, пятен на коже и других кожных болезней используют мазь. Крепкий отвар, получаемый увариванием, используют для получения мази (1 часть отвара на 4 части вазелина).

При выпадении волос голову моют 2 раза в неделю в отваре из смеси растений: по 20 шишек хмеля и корней лопуха, 10 г цветов календулы. Отвар или настойку хмеля принимают при невралгии, нарушении обмена веществ.

При радикулите применяют для растирания настойку или мазь. При бессоннице отвар хмеля пьют теплым по стакану перед сном. Мазь из хмеля успокаивает боль от ушибов и синяков.

Средство № 199

Зверобой обыкновенный — при гипертонии, астении, импотенции принимают по 1/2 стакана 3 раза в день в виде настоя (10 г травы на стакан кипятка). При ангине пользуются настойкой из 30 г травы на 100 мл спирта или стакан водки: по 50 капель 3 раза в день после еды и 40 капель разводят в 1/2 стакана воды для полоскания горла. Бели лечат очень быстро спринцеванием: 2—4 столовые ложки травы на 2 л воды кипятят 20 мин и процеживают.

Средство № 200

Касатик водяной — при водянке принимают несколько раз в день (вместо воды) стаканами смесь из 2—4 столовых ложек сока свежего корня с 0,7 л молочной сыворотки. При белях делают спринцевание отваром (20 г корня на 1 стакан воды), этот же отвар принимают по 2 столовых ложки 4 раза в день. При воспалении мышц, радикулите, люмбаго, воспалении тройничного нерва втирают в больные места эмульсию из 120 г толченого корня на 0,5 л растительного масла. Настоем обмывают раны, язвы, свищи.

Средство № 201

Грецкий орех — как общеукрепляющее при авитаминозе и гиповитаминозе пьют по 1/3 стакана 3 раза в день настой из 20 г листьев или зеленой плодовой корки на стакан кипятка.

Средство № 202

Можжевельник обыкновенный — при ревматизме и подагре принимают по 20 мин в день ароматические ванны из отвара ягод и веток (50 г на ведро воды). Варят в закрытой посуде полчаса. Температура ванны 38 °C. При воспалении среднего уха вводят смоченную в настойке из ягод можжевельника и слегка отжатую вату, что быстро снимает боль и оказывает противовоспалительное действие. Отвар ягод (20 г на стакан воды) принимают по 1/3 стакана 3 раза в день как мочегонное средство, однако при нефрите можжевельник противопоказан. При ревматических болях делают растирание настойкой из 15 г ягод на 100 мл спирта.

Средство № 203

Глухая крапива (яснотка белая) — готовят настой из 15 г цветущих растений на стакан кипятка; принимают по стакану 3 раза в день при воспалении почечных лоханок, крапивнице, кровотечениях (маточных, легочных, носовых), болезнях мочевого пузыря и мочевого канала.

Средство № 204

Хатьма тюрингийская — при белях делают спринцевание из отвара корня (8 г на стакан воды). Используют для полосканий при воспалении слизистой горла и полости рта; примочками лечат раны.

Средство № 205

Багульник болотный — при кашле и бронхиальной астме принимают по 1/2 стакана 5—6 раз в день чай из 25 г веточек багульника на 1 л кипятка. Пить две недели.

Средство № 206

Пустырник — при катаре горла пить по 2 столовых ложки 3 раза в день настой из 20 г травы на стакан кипятка. Можно пользоваться и аптечной настойкой — принимать 10 капель 3 раза в день.

Средство № 207

Любисток лекарственный — отвар корня из 10—15 г на стакан воды принимают по 1/2 стакана 3 раза в день при сердечных болезнях, водянке, белях; в последнем случае прием внутрь сочетают со спринцеванием этим отваром.

Средство № 208

Кошачья лапка — растение в цветущем виде сушат, рубят, как табак, и курят при зубной боли. Через 3—6 часов боль полностью стихает, а если курить 2—3 раза, то боль совсем не возвращается.

Средство № 209

Бодяк (осот обыкновенный или ланцетолистный) — при тромбофлебите отваром осота делать компрессы на больное место. Для лечения пригоден только этот вид бодяка.

Средство № 210

Молочай лозный — используется при воспалении мочевого пузыря. Траву собирают во время цветения. 20 г травы заливают 1,5 л кипятка, кипятят еще 5—10 мин, после остывания принимают по 1 стакану в день. Если такой отвар молочая пить месяц, больные вылечиваются полностью, а для профилактики можно продолжать периодически принимать отвар.

Средство № 211

Рябина обыкновенная — при склерозе сосудов головного мозга 200 г коры рябины кипятить 2 часа в 0,5 л воды. Принимать по 20—30 г до еды 3 раза в день.

Средство № 212

Вероника колосистая — растением с успехом лечат воспалившиеся опухоли. Примеры: у женщины пошла горлом кровь, врачи ее считали безнадежной. Стала пить слабый настой вероники (4 стебля на 1 л воды) по 100 г 3 раза в день теплым. Пила с месяц. Поправилась, что очень удивило врачей. У другой женщины была на ноге язва 15-летней давности, излечила настоем вероники; грибковое заболевание (трещины на пятках) было излечено тоже этим растением.

Средство № 213

Фиалка сомнительная — при эпилепсии настой из травы принимать 3 раза в день по 150 г до еды.

Средство № 214

Плаун булавовидный — отвар из 2 столовых ложек на 2 стакана воды (кипятить 15 мин) принимают по 1 столовой ложке (вместе со спорами) через каждый час как болеутоляющее средство при спазмах и боли в желудке. Если нет спор, можно принимать по 2 столовых ложки каждый час отвар травы плауна (30—40 г травы на 1 л воды).

Аналогично лечат и болезни почек и мочевого пузыря.

Средство № 215

Мальва лесная — при опухоли селезенки принимают по 15—20 мин ванны перед сном, температура 38 °C. Состав ванны: берут 200 г травы мальвы и по 150 г травы чернобыльника (полыни обыкновенной) и ромашки аптечной, литровую банку зерен овса. Эту смесь заливают 5 л кипятка и весь день вымачивают, а затем выливают в ванну.

Средство № 216

Ромашка аптечная — при ангине горло полощат настоем цветков ромашки, а еще лучше готовить сбор из 3 частей ромашки и 2 частей цветов липы; 20 г сбора заваривают стаканом кипятка, настаивают 20 мин и используют для полоскания. При болезнях почек и мочевого пузыря принимают по 1/3 стакана 3—4 раза в день до еды теплый настой ромашки (15—20 г цветков на стакан кипятка). Спринцеванием лечат бели. При подагре и ревматизме принимают ванны по 20 мин вечером, перед сном, температура воды 38 °C; при воспалении мышц (миозит), радикулите, люмбаго, невралгии пользуются препаратами из цветков ромашки и донника (1:1). Горячий настой ромашки принимают при простуде как жаропонижающее. При спазмах желудка и кишечной колике принимают 3—4 раза в день по столовой ложке до еды настой ромашки. При болезни кишечника пользуются ромашковыми клизмами. При мигрени принимают по 1/3 стакана до еды горячий настой ромашки (3—4 раза в день) или по 30 капель настойки из 40 г цветов на 100 мл спирта или стакан водки. Настоем ромашки лечат хронический язвенный колит, крепким настоем обрабатывают раны и язвы, примочками лечат синяки и ушибы. Принимают ромашковый настой как средство, успокаивающее нервную систему, конъюнктивит, воспалительные болезни кожи лечат примочками и компрессами из ромашки. Во всех случаях цветки аптечной ромашки можно заменить цветками и травой ромашки безлепестковой, которая широко распространена как сорняк.

Средство № 217

Смолевка клейкая — при болезнях почек и мочевого пузыря как противовоспалительное средство принимают по столовой ложке 3 раза в день настой из 20 г травы на стакан кипятка.

Средство № 218

Мелисса лекарственная — при вздутии живота принимают по столовой ложке 3 раза в день отвар из 15 г травы на стакан воды или пользуются настойкой из 25 г травы на 100 мл спирта или стакан водки, по 15 капель 3 раза в день. Чай из мелиссы пьют как общеукрепляющее средство.

Средство № 219

Татарник колючий — при воспалении мочевого пузыря пить по столовой ложке 3 раза в день (некоторые принимают по стакану 3 раза в день) настой из 20 г листьев на стакан воды. Можно принимать мелкий порошок, просеяв от колючек, из листьев по чайной ложке 3 раза в день.

При раковых опухолях, особенно после операции, принимают по стакану 3—4 раза в день настой или порошок из листьев.

Средство № 220

Ятрышник — некоторые держат порошок салепа из ятрышника на случай отравления пищей, разовый прием при отправлениях очень полезен. При общей слабости принимают 40 г салепа в день с молоком и медом. Салепом лечат дизентерию.

Средство № 221

Береза — за полчаса до еды, утром и вечером, принимают по стакану настоя сушеных листьев березы от желчнокаменной болезни. Горсть листьев разминают в мелкую крошку и обливают стаканом кипятка, настаивают 20 мин, процеживают.

Средство № 222

Чертополох курчавый — при астме и бронхите готовят порошок из сушеных листьев и одну чайную ложку порошка размешивают в 1/2 или 1 стакане воды и пьют во время приступа или систематически 3 раза в день.

Средство № 223

Василек луговой — при хронической ангине (тонзиллите) пить настой из сушеной цветущей травы василька лугового (1 столовая ложка на стакан кипятка), настой принимать без нормы.

Средство № 224

Осина — отваром осиновой коры лечат болезни почек; принимают без нормы вместо воды.

Средство № 225

Лапчатка серебристая — принимать продолжительное время без нормы чай из травы при болезни щитовидной железы.

Средство № 226

Белая акация (робиния) — пользуются спиртовой настойкой цветков белой акации как наружным средством при радикулите, миальгии, ревматизме, отложении солей, ушибах, ранах, простуде. Отлично рассасываются вздувшиеся венозные узлы. Больные места нужно обильно смачивать и растирать. Помогает при тромбофлебите и параличе ног и рук.

Средство № 227

Крапива двудомная — суп из молодой весенней крапивы хорошо помогает при плохом зрении.

Средство № 228

Фиалка трехцветная (анютины глазки) — при рахите детям дают пить настой из 20 г цветков и корней фиалки на стакан кипятка. Дневную порцию делят на 3 приема.

Средство № 229

Дурнишник обыкновенный — при камнях в почках принимать 2 недели настой травы (1 столовая ложка на стакан кипятка, еще кипятить с минуту и с утра до вечера настаивать). Принимать 2 раза в день перед едой по 1/2 стакана.

Средство № 230

Скорлупа яиц, лимон и водка — женские болезни (опущение матки, послеродовые очищения и прочие), а также опущение желудка лечат следующим народным средством: измельченную скорлупу от 5 яиц (сырых) смешивают с 9 мелконарезанными лимонами (с кожурой), 4 дня настаивают, затем добавляют 0,5 л водки. Принимают по 50 мл 3 раза в день.

Средство № 231

Алоказия крупнокорневая — при ревматизме, подагре, артрите, полиартрите используется растирание настойкой (спиртовой) из свежего листа.

Средство № 232

Сабельник болотный — при отложении солей пить 3 раза в день по рюмке водочную настойку корневища сабельника.

Средство № 233

Каланхоэ перистый — при сильном отеке ног растирать больные места водочной настойкой из свежих листьев.

Средство № 234

Каланхоэ Дайгремонта — сок свежих листьев пить при туберкулезе легких по 1/2 стакана 2 раза в день.

Средство № 235

Липучка — при болях в желудке настой из травы липучки: по 1 столовой ложке 2 раза в день.

Средство № 236

Бедренец-камнеломка — при камнях в мочевом пузыре пьют теплым как чай, без нормы, настой всего растения с добавлением плодов шиповника.

Средство № 237

Купена лекарственная — при язвенной болезни, желудочно-кишечной колике, поносах настой из корневища, а иногда и из листьев купены лекарственной принимать по 1 столовой ложке 2 раза в день.

Средство № 238

Гвоздичное дерево — при гипертонии: берут 40 бутонов и заливают 4 стаканами воды, кипятят на малом огне до тех пор, пока не останется 0,5 л. Отвар долго не портится, его сливают в бутылку и принимают по столовой ложке 3 раза в день, утром натощак, остальные 2 раза перед едой. Курс лечения длительный — 1 год. Еще принимают отвар при задержке менструации и с целью прервать беременность.

Средство № 239

Дурнишник колючий — при фурункулезе, нарывах, ячменях, прыщах и угрях принимать настой плодов или всей травы по 1 столовой ложке 3 раза в день.

Средство № 240

Хвойные — удаление мозолей: свежую живицу от любого хвойного дерева (сосна, ель, лиственница, пихта, кедр) накладывают на мозоль, заклеивают лейкопластырем; меняют через сутки. Предварительно следует мозоль хорошо пропарить в горячей воде. Через 1—2 дня мозоль удаляется.

Средство № 241

Лопух — при радикулите прикладывать нижней (пушистой) стороной свежий лист лопуха на ночь.

При туберкулезе легких — принимают по стакану 4 раза в день настой лопуха совместно с травой цветущего лугового клевера. Настой лопуха залечивает легочные язвы. Настоем лечат золотуху: дают пить без нормы и умывают.

Средство № 242

Хрен обыкновенный — прикладывают свежие листья хрена к больным местам (снимает тяжелые боли) при радикулите. Листья прикладывают на несколько дней, их можно менять.

Средство № 243

Колокольчик развесистый — настой принимают при головной боли (1 столовая ложка).

Средство № 244

Лимон — для улучшения слуха ежедневно едят по 1/4 части лимона, вместе с кожурой. Через неделю заметно улучшается слух.

Средство № 245

Молочай лозный, или широковетвистый — при бронхите и бронхиальной астме курят листья молочая.

Средство № 246

Бессмертник песчаный — при бронхите пьют крепкий настой цветков в горячем виде по стакану 1 раз в день.

Средство № 247

Лавр благородный — отвар листьев на водке: 10 листиков помещают в 0,5 л водки и кипятят 1—2 мин. Принимают такую водку во время приступа хронической малярии.

Средство № 248

Щавель конский — при холере, дизентерии цветки и семена заваривают как чай, хорошо настояв, утром пьют натощак или вместо чая с сахаром.

Средство № 249

Картофель — тертый сырой картофель применяется при тяжелых ожогах.

Средство № 250

Клевер луговой — настоем клевера и корней лопуха лечат туберкулез легких. Принимают по стакану 4 раза в день.

Средство № 251

Брусника — настой из листьев брусники пить без нормы при отложении солей.

Средство № 252

Репешок обыкновенный — при стоматите, радикулите, невралгии, прострелах отвар (20 г травы на стакан воды) принимают по 1/4—1/2 стакана 3—4 раза в день.

Средство № 253

Лопух — отвар из 15 г корня на стакан воды принимают по 1/4 стакана 3—4 раза в день как жаропонижающее средство.

Экзему лечат отваром из корня лопуха и корня одуванчика лекарственного (по столовой ложке на 3 стакана воды, ночь настаивают, утром 10 мин кипятят). Принимают по 1/2 стакана 4—6 раз в день.

Средство № 254

Полынь горькая — при болезни селезенки настой из чайной ложки травы на 2 стакана кипятка пьют как чай по 1/4 стакана 3 раза в день за полчаса до еды.

При спазмах в желудке настойку из 20 г травы на 100 мл спирта или стакан водки принимают по 15—20 капель 3 раза в день. При болезни печени пользуются смесью из равных частей листьев полыни горькой, шалфея лекарственного и плодов можжевельника обыкновенного. Литром кипятка заваривают 4 столовые ложки такой смеси. Принимают по стакану 3 раза в день. Сок из свежей травы прикладывают к язвам и ранам.

Средство № 255

Полынь метельчатая — при радикулите 25 г травы настаивают на стакане водки и этой настойкой растирают больные места.

Средство № 256

Копытень европейский — при желтухе принимают настой 15 г смеси (поровну берут листья копытня и цветки тмина) на стакан кипятка. Это дневная норма на 3—4 приема.

Средство № 257

Барбарис обыкновенный — при появлении крови в моче принимают каждый час по столовой ложке отвара из 30 г корня или коры ветвей на стакан воды. Когда кровотечение уменьшится, принимают только 3 раза в день.

Средство № 258

Сбор для лечения отложения солей — 1 кг коры березы и 1 кг коры осины и 100 г коры дуба. Из этой смеси приготовить крепкий отвар, уваривая его. Принимать по 1/3—1/2 стакана 3 раза в день. Может быть в начале лечения усиление болей, в дальнейшем постепенно наступает значительное улучшение.

Средство № 259

Тысячелистник обыкновенный — ускоряет заживание и рубцевание ран, быстро снимает воспалительные процессы на поверхности тела. Вымытую свежую траву с цветками пропустить через мясорубку. Присыпать раны.

Средство № 260

Ноготки (календула лекарственная) — при гипертонической болезни принимать настой или отвар цветков календулы по 1 столовой ложке 2 раза в день. При ангине — полоскание отваром.

Средство № 261

Сабельник болотный — спиртовая настойка из корневища сабельника служит в быту как растирание при радикулите. Полезно ее применять и внутрь по 1 столовой ложке 2 раза в день.

Средство № 262

Тыква обыкновенная — если систематически в небольшом количестве употреблять в пищу обычные семечки (или в размолотом виде без кожуры), то это средство быстро снимает сердечные боли при стенокардии и др. сердечно-сосудистых заболеваниях. Семена обладают, как и сама тыква, мочегонным действием.

Средство № 263

Грецкий орех — любая женщина, если у нее интенсивно растут усы, может легко от них избавиться. Для этого достаточно сжечь скорлупу грецкого ореха, золу растворить в воде и этой вытяжкой смачивать места роста волос.

Средство № 264

Береза — сок используется для лечения холеры, когда начинается рвота; принимают по 40 капель 3—4 раза в день, а при очень сильной рвоте — по рюмке каждый час до прекращения рвоты.

При нарушении обмена веществ — без нормы пьют сок. В 0,5 л водки настаивают 10 суток 50 г почек и принимают по чайной ложке с водой 3 раза в день за 15—20 мин до еды.

II. ЗНАХАРСКИЕ СРЕДСТВА

Средство № 265

Табак-махорка — при гриппе под язык кладут чайную ложку табака и держат 1 час один раз в день.

Средство № 266

Жаба — на сутки 3 раза прикладывать свежее мясо жабы к сухой мозоли.

Средство № 267

Уксус — в 80-процентный уксус в стакане погружают свежее куриное яйцо. Через 8 дней яйцо растворяется и получается мазь. Эту мазь осторожно наносят только на область мозоли. Предварительно ногу надо парить; нанеся мазь, закрывают лейкопластырем и ногу укутывают в тепло.

Средство № 268

Сахар — густой сироп прикладывают к ранам и язвам; рассасывает опухоли. Сахарные клизмы лечат все внутренние раны и язвы, очищают кишечник.

геморрой

Средство № 269

Скипидар — для лечения геморроя на 50—60 мл воды нужно 20 капель скипидара. Такую дозу принимают 3 раза в день. Курс лечения 2 недели. Через полгода курс лечения повторить. После трех курсов лечения болезнь больше не повторится.

Средство № 270

Для лечения крапивницы — 3 капли царской водки растворяют в стакане кипяченой воды. Принимать начинают с 1 капли до 6 капель, курс лечения 3 недели.

Средство № 271

Скорпион — можно человека сделать невосприимчивым к жалу скорпиона, для этого нужно 2—6 шт. скорпионов посадить в широкую в горловине бутылку (молочную) и поставить на солнце, закупорив. Скорпионы погибнут, выделив своеобразный жир. Их вытряхивают из бутылки уже сухими и с жиром растирают в порошок. Считается, что, давая малыми дозами это средство ребенку, на всю жизнь делают его невосприимчивым к жалу скорпиона.

Средство № 272

Фаланга — на случаи ядовитого укуса фаланги нужно иметь предварительно подготовленное средство: в банку или широкогорлую бутылку сажают живую фалангу (ее ловят, стараясь не повредить), заливают 25—30 мл чистого подсолнечного масла. Фаланга начинает очень буйствовать, сбивая масло в пену. Когда фаланга погибнет и масляная пена отстоится, ее сливают в пузырек, который берегут на случай укуса фаланги. Этим масляным настоем на фаланге смазывают место укуса, что способствует безболезненному заживлению.

рак

Средство № 273

Черви дождевые — рак и туберкулез легких лечат дождевыми червями: стакан червей (красного цвета), ополоснув водой, заливают 0,5 л спирта или водки, с неделю настаивают, фильтруют и это средство принимают по 1 столовой ложке 3 раза в день за полчаса до еды.

Средство для лечения бельма: 1. Собрать дождевых червей, обмыть их от земли и засыпать сахарным песком, после этого поставить томиться в духовку. Полученную жидкость отфильтровать. По одной капле закапывать в глаз. 2. Отмытые от земли дождевые черви посыпать солью, от чего они дают жидкость. Эту своеобразную жидкость отфильтровать и по 1 капле закапывать в глаз для рассасывания бельма (катаракты). Через 2 недели такого лечения бельмо рассасывается полностью, восстанавливая зрение.

Средство № 274

Против курения табака — рекомендуется высушить в тени речного рака, а потом растереть его в порошок, 10 г такого порошка смешать с пачкой махорки или, вынув из пачки 1 папиросу, незаметно подмешать туда порошок; закурив такой табак, человек быстро отказывается от курения вообще.

Другой способ: сжечь перо или пух любой птицы; в ту золу добавить 1/10 часть питьевой соды и такую смесь добавить к пачке махорки или незаметно всыпать в табак трех папирос. Эта смесь способна вызвать сильнейшую рвоту с кашлем, головной болью, которая продолжается до полутора часов.

Третий способ: на сутки табак помещают около порошка медного купороса, а потом дают его курить, что тоже вызывает сильное отвращение к табаку.

Средство № 275

Для лечения ришты (конский волос) берут пучок из колосьев ржи и ячменя, а можно и веник березовый, накладывают его на поврежденное риштой больное место и поливают горячей водой (нужно следить, чтобы не ошпарить больного), постепенно увеличивая температуру горячей воды. На колосьях или венике начинает собираться, скручиваясь в спирали, ришта. Рана поле такого лечения заживает на 4-е сутки.

Средство № 276

Бодяга — от ушибов, подтеков, морщин лицо натирают сухим порошком. Собирают бодягу с подводных предметов.

Средство № 277

Креолин — при раке легких, желудка и других внутренних органов: на 1 стакан молока 3 капли креолина; пить залпом, чтобы не получить ожога, и запивать теплым молоком, а через 10 15 мин пить сырое яйцо Курс лечения продолжается полгода и повторяется после некоторого перерыва.

Средство № 278

Медь красная — лечит переломы костей. Принимать порошок красной меди (щепотку), который получают с помощью напильника от старинной медной монеты; запивают водой или молоком.

Средство № 279

Печень — больным куриной слепотой рекомендуется употреблять как можно больше в пищу вареной печени, а при варке глаза держать открытыми над паром, чтобы пар отварной печени попадал на глаза.

Средство № 280

Пчелиное молочко (апилак) — рекомендуется давать истощенному ребенку при частом его плаче, бессоннице. Доза: на кончике чайной ложки.

Средство № 281

Скворец — при болезни печени, почек, селезенки рекомендуется готовить бульон из мяса скворца. На такой бульон нужно 5—7 скворцов, мясо которых тоже съедают.

рак

Средство № 282

Сулема — при раковых заболеваниях: рисовое зерно, 3 крупинки сулемы разводят в 1 л спирта, настаивают неделю и дают пить по 1 столовой ложке.

streptocid

Средство № 283

От угрей и веснушек — 10 таблеток стрептоцида растирают в 25 г борного вазелина, добавив 2 капли йодной настойки. Лицо этой мазью покрывают перед сном, предварительно умыв дегтярным мылом. Утром все смывают тоже дегтярным мылом. Курс лечения 2 недели.

III. СРЕДСТВА НАТУРОПАТИИ

1. Принципы естественного излечения

1.1. Естественное излечение (натуропатия) основано на самоисцеляющем принципе. Исцеляющие силы находятся внутри нас, и эти силы постоянно стараются поддержать здоровье на хорошем уровне. Высокий уровень внутренних сил поддерживается при условии систематического использования природных факторов: солнца, воздуха, воды, естественной диеты, физических упражнений, расслабления, очищения, положительного умственного взгляда на жизнь.

Натуропатия берет свои истоки из йоги. Это учение естественного образа жизни и естественного излечения было потеряно и забыто в течение многих лет. Оно было восстановлено в начале XIX века Прейсницем, посвятившим свою жизнь возрождению йоги и натуропатии на Западе.

1.2. Основные правила йоговских упражнений следующие:
а) Дыхание производить (вдох и выдох) через нос; перед входом сделать энергичный выдох.

б) Упражнение нужно делать сознательно, с концентрацией внимания. Глаза желательно закрывать.

Нужно осознать, что в воздухе находится энергия, называемая праной, которая при дыхании усваивается нервными центрами организма, каковые трансформируют прану в виде энергии «жизненная сила». Эта «жизненная сила» является источником жизни, жизнеспособности организма.

Поэтому при полном йоговском вдохе нужно мысленно представить, как прана (в виде серебристо-голубой субстанции) проходит через дыхательную систему и усваивается в солнечном сплетении, а на выходе идет во все клеточки тела, укрепляя их, если выдох производится в упражнении «Полное йоговское дыхание». Если же выдох производится при выполнении других упражнений, то прана поступает в ту часть тела, на которой концентрируется внимание.

в) Постепенность нагрузки: начинать осваивать упражнение надо осторожно и при этом избегать перенапряжения; не пытаться сразу достичь конечного результата в технике выполнения сложного упражнения, ибо нужно учитывать свои физические возможности. Любое упражнение каждым человеком может быть освоено при соблюдении принципа постепенности освоения.

г) Все упражнения доступны людям любого возраста от 12 лет и любого состояния здоровья: Имеют место весьма незначительные противопоказания при выполнении следующих упражнений:

Сиршасана — повышенное давление надо снизить другими упражнениями Хатха-йоги;

Дханурасана — нельзя применять в случае повышенной активности щитовидной железы или излишнего разрастания какой-либо эндокринной железы;

Халасана — с негибким позвоночником начинать осторожно;

Наули — выполнять осторожно людям, страдающим хроническим колитом, аппендицитом и гипертонией. Противопоказано это упражнение мальчикам и девочкам, не достигшим половой зрелости;

Уджайи — противопоказано лицам с повышенной активностью щитовидной железы, а также с повышенным кровяным давлением;

Бхуджангасана — людям с гиперфункцией щитовидной железы (с увеличенной железой) не следует поднимать высоко и откидывать голову далеко назад.

1.3. Огромную роль в естественном излечении и поддержании до глубокой старости хорошего состояния здоровья играет закаливание, ибо закаливание — одно из лучших средств повышения уровня защитных сил организма. Поэтому закаливанию столько же лет, сколько человечеству. И учение о закаливании возникло очень давно: начало было положено древнегреческим мыслителем, основоположником античной медицины Гиппократом (около 460—377 гг. до нашей эры), который отводил закаливанию особую роль в укреплении здоровья и утверждал, что «холодные дни укрепляют тело, делают его упругим и удобоподвижным». Важной вехой в развитии учения о закаливании являются труды Абу Али Ибн Сины, известного в Европе под именем Авиценна (около 980—1037). В трактате «Канон врачебной науки» он изложил основные правила закаливающих процедур. Начинать закаливание он предлагал летом, используя при этом воду, и прежде всего купание, при этом подчеркивалась необходимость строго дозировать его продолжительность.

В эпоху Возрождения закаливание считалось одной из важных задач в системе воспитания детей, это особо подчеркивалось в трудах Т. Кампанеллы, Дж. Локка и других.

Немецкий врач Х. Гуфеланд в труде «Искусство продления человеческой жизни» (1976) указывал, что закаливание является действенным средством профилактики многих заболеваний.

В России развитие представлений о закаливании находим в таких памятниках, как «Поучение Владимира Мономаха»,

«Домострой», и некоторых других, где даются рекомендации по воспитанию детей здоровыми и закаленными.

В трудах русских просветителей закаливание рассматривалось как необходимое средство воспитания здорового ребенка, рекомендовалось подольше быть с ним на воздухе. Н.И. Новиков в своей работе «Разговор о здоровье» подчеркивал, что жар, стужа, ветер формируют характер человека. П. Енгалычев в работе «О продолжении человеческой жизни, или средстве, как достигнуть можно здоровья, веселой и глубокой старости» (1804), указывал на решающую роль закаливания для детского организма.

Мысли о пользе закаливания содержатся в работах отечественных медиков С.Г. Забелина, М.Я. Мудрова, Ф.И. Иноземцева, Н.И. Пирогова, А.М. Филомафитского.

Впервые научная разработка вопросов закаливания была начата в нашей стране и связана с именами русских ученых С.П. Боткина, В.В. Пашутина, В.А. Манассеина, И.Р. Тарханова. Большой вклад в изучение этого вопроса внесли советские ученые В.В. Гориневский, Г.Н. Сперанский и другие.

В России особо важное значение имеет закаливание к холоду, поскольку почти две трети ее территории расположены в суровых климатических условиях. Большие успехи в развитии науки и техники могут создать иллюзию независимости человека от климата. Но это не так. Современный человек по-прежнему является частью природы, и с этим приходится считаться. Самым эффективным, если не единственным, средством повышения устойчивости организма к внешним факторам остается закаливание, особенно к холоду. Закалить свой организм можно в любом возрасте. Начинать борьбу за свое здоровье никогда не поздно. Но наиболее эффективна эта процедура, начатая в детстве.

Для того чтобы эффективно использовать закаливание в оздоровительных целях, нужно знать физиологию закаливания организма. Основные положения физиологии следующие:

а) Повышение устойчивости организма к действию метеорологических факторов — холода, тепла, пониженного атмосферного давления — принято обозначать термином «закаливание организма». С теоретической точки зрения вопрос о закаливании человека очень сложен, он связан с биологической проблемой приспособления организма к окружающей среде. В основе научных представлений о физиологии закаливания лежит прежде всего учение академика И.П. Павлова о высшей нервной деятельности.

Каков же механизм реагирования человека на воздействие естественных сил природы: перепадов температуры, солнечной радиации и др. Прежде всего необходимо отметить, что эти факторы воздействуют на наш организм через центральную нервную систему, вызывая ответную реакцию всех систем и органов. При этом происходит мобилизация защитных сил организма, соответствующая координация основных функций жизнеобеспечения (дыхания, кровообращения, основного обмена), перестройка процессов терморегуляции, повышение иммунных свойств крови и т. д. Все это в совокупности обеспечивает человеку способность сохранить физическую и психическую работоспособность даже при внезапном и неблагоприятном изменении внешних условий.

б) Закаливание означает тренировку приспособительных возможностей организма и основано на том, что при систематическом и повторном воздействии на кожные рецепторы факторов внешней среды (воздух, вода, солнечная радиация) в организме происходят различные изменения. Прежде всего совершенствуются процессы терморегуляции, от чего повышается способность организма приспосабливаться к окружающим условиям без вреда для здоровья. В перестройке механизмов терморегуляции главная роль принадлежит центральной нервной системе, так как под влиянием длительно действующих термических раздражителей она укрепляется и происходит также взаимодействие физиологических систем организма: дыхания и кровообращения, обмена веществ и регуляции тепла.

Специальные научные исследования по изучению влияния различных видов и методов закаливания на физиологические функции организма позволили сформулировать определенные принципы организации закаливания. Самый первый из них состоит в сознательном отношении к закаливающим процедурам. Это означает, что человека следует прежде всего заинтересовать, создать у него нужный психологический настрой, убедить, что закаляться необходимо, так же как умываться, чистить зубы и т. п. Такая установка обеспечит наибольший успех закаливания.

Одно из важных требований — постепенность закаливания. Все усилия могут принести положительный результат в том случае, если интенсивность закаливающего фактора будет увеличиваться постепенно. Скорость перехода от менее сильных воздействий к более сильным определяется состоянием организма, его реакцией на данное воздействие. Каждая процедура сопровождается непосредственной ответной реакцией со стороны сердечно-сосудистой и дыхательной систем. По мере повторения одних и тех же процедур, например обливания водой одинаковой температуры, эта реакция ослабевает и, наконец, совсем угасает. Если силу раздражителя увеличить (обливать более холодной водой), та же реакция проявится вновь. Чтобы избежать переохлаждения, нельзя очень резко снижать температуру воздействующего фактора, но в то же время она должна носить тренирующий характер.

Другое требование — систематичность закаливания. Длительный перерыв ведет к постепенному угасанию выработанных условных рефлексов. Очень важно выработать привычку к систематическому закаливанию, которая перерастает в насущную потребность на всю жизнь.

Разнообразие средств закаливания повышает сопротивляемость организма и не создает условий для привыкания только к данному раздражителю.

Закаливающие факторы надо сочетать с физическими упражнениями, играми, спортом. Утренняя гигиеническая гимнастика, например, завершается водными процедурами, подвижные и спортивные игры на воздухе сочетаются с купанием в открытых водоемах, туристические походы и лыжные прогулки, проводимые в различных метеорологических условиях, увеличивают закаливающий эффект.

В качестве средств закаливания широко используются естественные факторы: воздух, вода и солнце. Устойчивость организма следует вырабатывать ко всем природным факторам. Однако влиянию холода уделяется наибольшее внимание, так как во многих климатических зонах нашей страны в весенне-осенние сезоны резко возрастает число случаев острых респираторных заболеваний, ангин, бронхитов. Причиной их является прежде всего переохлаждение организма. Очень важно, чтобы во время закаливающих процедур было хорошее настроение. Экспериментально подтверждено, что положительные эмоции почти полностью исключают отрицательный эффект даже при очень сильном охлаждении.

К основным средствам закаливания начиная с самых легких и общедоступных и до самых сложных относятся:
— закаливание воздухом;
— водные процедуры (обтирание, обливание, душ, купание в естественных водоемах, бассейнах, в морской воде);
— солнечные ванны;
— обтирание снегом;
— хождение босиком;
— моржевание;
— баня, сауна с купанием в холодной воде.

2. Средства оздоровления

Средство № 284

Ограничить употребление мяса. Свести употребление мяса до одного раза в день. Это снизит уровень токсинов, отравляющих организм.

Средство № 285

Не переедать. При приеме пищи наполняйте желудок не полностью, то есть не переедайте (встав из-за стола, вы должны хотеть еще немного поесть). Помните, переедание — одна из причин многих заболеваний, особенно желудочно-кишечного тракта, так что это средство способствует излечению желудочно-кишечного тракта.

Средство № 286

Перед обедом и перед ужином есть сырые салаты: летом и осенью из огурцов, помидоров, зелени; весной и зимой из моркови, свеклы, капусты, яблок, натертых на крупной терке. В салат добавлять сок лимона или растительное масло — 1 столовую ложку. Улучшается работа желудка и кишечника.

Средство № 287

Ограничить употребление сахара (до 1—2 кусочков в день). Кроме того, все, содержащее сахар (варенье, пирожное, пряники, конфеты, печенье и т. д.), должно быть ограничено в употреблении.

Заменители сахара

Самый лучший заменитель — мед. Если нет меда — сухофрукты, но в сухофруктах, продаваемых в магазинах (фабричного производства), есть сера, оказывающая вредное воздействие на организм. Поэтому сухофрукты перед употреблением следует пропаривать в дуршлаге на пару.

Сахар есть во фруктах (фруктоза). Свежие фрукты являются отличным заменителем сахара.

Мед дорогой, и применять его целесообразно как лечебный продукт. В качестве заменителя сахара можно использовать «искусственный» мед. Способ его приготовления: перемешать 100 г обычного сахарного песка и 150—200 г кипяченой воды. Подогреть несильно (около 80 °C), при подогревании размешать, чтобы сахар окончательно растворился. Остудив немного, добавить

80—100 г меда. Затем вылить массу в термос, закрыть бумагой (можно поставить на батарею) и держать 4 дня. Через 4 дня посмотреть. Должна получиться масса, сходная с медом: запах меда, цвет меда (на рынке иногда продают такой мед). Употреблять этот продукт в количестве не более 50 г в день.

Ограничение употребления сахара способствует излечению склероза, болезней эндокринной системы, диабета.

Средство № 288

Тщательное пережевывание пищи. Рот является якобы преддверием желудка, и природа снабдила его прекрасными жевательными принадлежностями — зубами. Если мы не используем жевательный механизм, то как можно надеяться, что желудок с его мягкими стенками может управиться с пищей? Он вынужден усиливать химическую обработку пищи и выделять концентрированные соки и большое количество кислоты. Отсюда повышенная кислотность и различные желудочные заболевания. Не нужно есть в спешке. Медик Гораций Флетчер говорил: «Каждый кусок должен жеваться тридцать раз, прежде чем проглотим его. И жевать нужно правой и левой стороной. Это окажет превосходное действие на пищеварение». Постоянное применение этого средства предохранит нас от множества желудочных и кишечных заболеваний. И излечит нас, если мы уже больны. Кроме того, тщательное пережевывание пищи повышает усвояемость праны из пищи и сохраняет здоровье зубов. Зубы, неиспользуемые по назначению, разрушаются. Для того чтобы в избытке снабжать наши зубы кровью, мы должны их использовать соответственно их естественному назначению.

При энергичном жевании корни наших зубов получают обильное снабжение кровью.

Если тщательно пережевывать пищу, зубы не будут ломаться и болеть.

Итак, есть нужно медленно, переворачивая языком пищу, пока она сама не растает во рту и не проглотится сама собой естественным сокращением мышц пищевода и глотки. При этом не переставать думать, что вы извлекаете все количество праны, заключенной в вашей пище, и об усвояемом питании.

Средство № 289

Ограничить употребление белого хлеба — это способствует оздоровлению желудочно-кишечного тракта. Белый хлеб, по существу, некачественный продукт. При получении муки для белого хлеба снимается наиболее ценная верхняя часть зерна. Употреблять следует хлеб бородинский, рижский. Наиболее полезен хлеб с отрубями: булочки «здоровье» и «докторская».

Средство № 290

Ограничение употребления соли — способствует излечению склероза и артрита. Соль нужно употреблять как можно меньше: картошку, кашу, яйца, овощи и салаты из овощей не солить. В качестве заменителей соли может использоваться чеснок, морская капуста.

Средство № 291

Правильное сочетание продуктов (по Шелтону), применяемое в течение нескольких месяцев, способствует излечению от нарушения обмена веществ, кожных болезней, заболеваний дыхательной системы, заболеваний почек, печени, поджелудочной железы.

Чтобы понять сущность правильного сочетания продуктов, нужно осознать, что в организме имеются энзимы, являющиеся катализаторами при переваривании пищи.

Не на каждый вид питания есть свой энзим. Энзим белка действует только на белок, энзим углевода только на углеводы и т. д.

Во рту, в слюне, содержится энзим птиалин, действующий на крахмал. Отсюда понятно, насколько важно тщательно пережевывать хлеб, каши, картошку, так как значительная обработка и расщепление крахмала происходит именно во рту.

Желудочный сок содержит три энзима: пепсин, действующий на белок; липазу — на жиры; ренин — на молоко.

Пепсин действует только в кислой среде и разрушается щелочью (т. е. для обработки крахмала нужна одна среда, а для обработки белка — другая).

Правила сочетания продуктов следующие.

Первое правило: белок и крахмал не сочетаются.

Слабая кислота разрушает птиалин, и в присутствии белка крахмал не обрабатывается. Следовательно, белки и крахмал нужно есть в разное время.

Но и разные белки не сочетаются. Нельзя есть мясо с молоком, мясо с сыром, яйца с орехами, сыр с орехами, молоко с орехами, творог с орехами, творог с мясом.

Второе правило: кислоты с белками не сочетаются.

Например, нельзя есть мясо с томатным соком, любой кислый сок с мясом. Кислые фрукты, лекарственные кислоты расстраивают пищеварение, замедляют секрецию во рту и желудке. Ешьте белки и кислоты в разное время (от приема до приема пищи). Исключение составляют орехи и сыр. Кроме того, творог можно есть с кислыми продуктами (с яблоками, лимонами, помидорами).

Третье правило: жиры и белки не сочетаются.

Поэтому тяжелой пищей считается жирное мясо.

Четвертое правило: сахара и белки не сочетаются.

Нужно учесть, что сахар переваривается в кишечнике, задержка его в желудке ведет к брожению.

Пятое правило: крахмал и жиры не сочетаются.

Поэтому тяжелой пищей считается торт, где в достаточном количестве имеются крахмал и жиры (и кроме того, в избытке сахар).

Шестое правило: крахмалы и сахара не сочетаются. В качестве примера можно привести пирожные, булочки с изюмом.

Молоко следует принимать в отдельности. Но молоко хорошо сочетается с ягодами и кислыми продуктами.

В жизни трудно соблюдать раздельное питание. Следует при возможности стараться следовать вышеуказанным правилам в определенных пределах, т. е. в пределах одного приема пищи. Можно, например, отдельно съесть мясо и отдельно — гарнир; сначала выпить молоко, а затем съесть остальную пищу. Точное следование правилам раздельного питания рекомендуется на определенном отрезке времени при лечении болезни, о чем было сказано выше.

Средство № 292

Питание сырой пищей. Так называемое сыроедение (питание исключительно сырой растительной пищей: свежими и правильно высушенными фруктами, сырыми овощами и их соками, орехами и масличными семенами, а также медом) можно соблюдать в двух случаях:

1) в разгрузочные дни (2—3 дня), в результате которых организм освобождается от токсинов и от лишнего веса;

2) на определенном отрезке времени (от нескольких недель до нескольких месяцев) для лечения болезней.

Питаться сырой пищей в течение длительного времени (что делают так называемые сыроеды) достаточно сложно в физиологическом и моральном плане, и только немногие люди следуют длительному сыроедению.

Сырая пища является прекрасным средством от многих болезней. Сыроедение является хорошим средством против вялости кишечника. При ожирении сырая пища дает лучшие результаты, чем голодание. Лечение сыроедением дает хорошие результаты при подагре, ревматизме (освобождая организм от мочевой кислоты), при атеросклерозе и кожных болезнях. Сырая пища, как бедная поваренной солью, очень благоприятно воздействует на кровеносную систему, очищая артерии и понижая кровяное давление. Известкование артерий, которое больше всех болезней способствует укорочению человеческой жизни, может быть предупреждено или задержано с помощью сырой пищи. Благоприятное воздействие оказывается сырой пищей при суставных заболеваниях, язве желудка, болезнях мочевого пузыря, кожных высыпаниях, расстройствах зрения, функциональных неврозах. Лечение фруктами применяется во всех случаях самоотравления или перегрузке токсинами. Это особенно важно для тучных и полнокровных людей, а также при артритах, подагре, ревматизме.

При сыроедении необходимо соблюдать основные правила: чистота приготовления, размельчение продуктов, умеренность в пище. При этом нужно стараться следовать следующему:

1) есть только при появлении аппетита;

2) при переходе на сыроедение первое время лучше есть мало, чем много;

3) питаться преимущественно сезонными продуктами данного времени года и по возможности той страны в которой живешь;

4) основательно пережевывать пищу. Этим увеличивается ее усвояемость;

5) сырая пища должна быть разнообразна и аппетитно приготовлена.

При сыроедении используются следующие продукты.

Это прежде всего зелень. Она имеет большое значение в рационе питания, ибо способствует хорошему пищеварению, очищает кровь от токсинов. К зелени помимо петрушки, сельдерея, салата, укропа относятся также листья березы, липы, ясеня, черной смородины, малины, земляники, ботва свеклы, моркови, редиса, зелень лука и чеснока.

Из доступных овощей используются в рационе питания огурцы, помидоры, перец сладкий, тыква, редис, редька, картофель, репа, свекла, морковь, лук, чеснок, фасоль, горох, капуста.

Орехи: лесные, грецкие, фисташки, кедровые.

Фрукты: арбуз, дыня, яблоки, груши, виноград, лимоны, апельсины, сливы.

Ягоды: черная смородина, красная смородина, клубника, земляника, клюква, черника, крыжовник, малина, ежевика, брусника, барбарис.

Зерно: кукуруза, овес, ячмень, рожь, пшеница, рис.

Кроме перечисленного к сырым продуктам относятся: мед и растительные масла (кукурузное, подсолнечное, оливковое).

В период сыроедения используются следующие блюда: на завтрак лучше всего пить свежий сырой сок, около 200 г (морковный, свекольный, капустный, сок из зелени; можно смешивать соки в пределах 200 г). Соки можно заменить свежими фруктами или ягодами (200 г).

На обед и полдник (в 12 часов и 15 часов соответственно) используются овощи с растительным маслом или фрукты. Могут быть добавлены орехи. Например (выбрать один из вариантов):

1) 100 г листьев одуванчика мелко нарезать, смешать с 50 г тертых грецких орехов. Добавить 1 столовую ложку меда или подсолнечного масла.

2) Натереть 150 г яблок, перемешать с 30 г тертых орехов и добавить 30 г изюма.

3) 100 г капусты мелко нарубить. Добавить 2 столовые ложки клюквы и 1 столовую ложку подсолнечного масла.

4) Смешать 60 г мелко нарубленной зелени одуванчика и 30 г молодой крапивы. Добавить 1 чайную ложку репчатого лука, смешать с 1 столовой ложкой клюквенного сока и столько же подсолнечного масла. Положить сверху 3 грецких ореха кусочками.

5) 150 г тертых яблок и 100 г тертой моркови, 1 чайная ложка меда.

6) Разрезать на куски 1 огурец, порезать на ломтики 1 помидор, положить сверху 4 столовые ложки тертых орехов или долить 1 столовую ложку подсолнечного масла.

7) Натереть мелко 50 г свеклы, столько же моркови, прибавить 50 г мелко рубленной капусты. Приправить подсолнечным маслом (1,5 столовой ложки) или медом (1 столовая ложка). Можно сверху положить несколько столовых ложек клюквы или красной смородины.

На ужин (около 21 часа) — выпить 200 г сырого сока или съесть 200 г свежих фруктов или ягод.

Средство № 293

Проросшая пшеница — введение в рацион питания проросшей пшеницы оказывает оздоравливающее и омолаживающее воздействие на организм, так как в ней содержится ряд витаминов и различных ферментов, стимулирующих жизнедеятельность организма, оптимизирующих обмен веществ, укрепляющих нервную систему.

Проросшая пшеница употребляется для восстановления жизненного тонуса, для более быстрого выхода из состояния недомогания после перенесенной болезни, для укрепления органов дыхательной системы (и особенно легких), для укрепления зубов, для улучшения состояния волос и восстановления их естественного цвета.

Способ приготовления каши из проросшей пшеницы следующий.

За 22—24 часа до приготовления каши или киселя зерно пшеницы, из расчета 50—100 г на человека, тщательно промывается холодной водой. При этом мусор и сорняки, как более легкие компоненты, в самом начале промывки всплывают и должны быть слиты вместе с водой. Воду в промытой пшенице оставляют в таком количестве, чтобы она была на уровне верхнего слоя зерна, но не покрывала его сверху.

Сосуд с пшеницей ставят в теплое место и прикрывают не очень плотной полотняной или бумажной салфеткой. По истечении указанного времени проросшее зерно пшеницы (о чем судят по наличию появившихся ростков до 1 мм длиной) несколько раз промывают холодной водой, а затем пропускают через мясорубку или измельчают на электрической мельнице и сразу же засыпают в сосуд с только что вскипяченным молоком, а при его отсутствии — с кипятком. Ориентировочная пропорция 1:1 или другая, в зависимости от желаемой концентрации.

В кашу или кисель добавляют по вкусу сахар (лучше мед), а сливочное масло добавляют по одной чайной ложке на порцию пшеницы в 50—100 г. Кипятить кашу недопустимо. Ее необходимо лишь остудить до желаемой температуры в сосуде, прикрытом крышкой, а затем сразу употребить в пищу.

Кашу можно заваривать лишь в эмалированной, керамической или стеклянной кастрюльке.

Средство № 294

Соблюдение натуропатических правил приготовления пищи. Это средство ликвидирует нарушение обмена веществ, способствует лечению болезней желудка, кишечника, печени.

Правила эти следующие:

1) Долго промывать крупу не следует (при промывке теряется до 30% витаминов).

2) Не держите овощи очищенными в воде: вымыли — и в сухую посуду.

3) Замороженные овощи не оттаивать, а закладывать в кипящую воду. При оттаивании теряется витамин С.

4) Варить овощи в неокисляющей посуде (эмалированной или нержавеющей).

86

5) Не допускать бурного кипения и циркулирования воздуха, т. е. не открывать крышку. Овощи варить на медленном огне или на пару и воды наливать мало (следует учитывать, что витамины В водорастворимы).

6) Не варить длительно (овощи при варке теряют 20% витаминов, а мясо — 30%).

Для того чтобы сохранить ценные вещества в продуктах питания (витамины, энзимы), следует использовать следующие способы приготовления пищи.

а) Как сварить кашу.

Промывается крупа (гречка, рис, пшено, овес) и заливается водой. Через 5—6 часов приготавливают кашу: доведя до кипения, через 3—5 минут снимают с плиты и заворачивают в одеяло на 30 минут. Каша готова к употреблению. При этом способе приготовления все ценные вещества в основном сохранены.

б) Как сварить мясо.

Доводят до кипения и варят 5 минут. Снимают с конфорки с закрытой крышкой и дают возможность в течение 15—20 минут содержимому кастрюли «доходить» до определенной степени обработки. Повторить вышеуказанный цикл обработки 1—2 раза. В результате опять-таки будут сохранены в большем количестве витамины и энзимы.

Следует учитывать, что бульоны очень тяжелая пища. Недаром отварное мясо считается диетическим продуктом (так как из него в бульон вывариваются токсины, мочевина и другие ядовитые вещества). Супы лучше приготавливать без мяса. Вместо мяса можно использовать фасоль, горох.

7) Мясо следует оттаивать перед тем, как положить в воду. Иначе теряется большое количество полезных веществ.

8) В том случае, когда необходимо жарить что-либо, следует использовать растительное масло: по сравнению со сливочным маслом оно значительно меньше дает вредных окислов.

При этом помнить: хранить растительное масло закрытым и в темном месте (витамин А, содержащийся в растительном масле, разрушается на свету).

Средство № 295

Комплекс клизм при значительных запорах. При запоре стенки кишечника облеплены отходами. Эти скопления отходов не выходят наружу, посреди скоплений образуется узкий канал, через который нерегулярно выводится лишь содержимое желудка и тонких кишок.

Основные причины накопления отходов в толстых кишках — недостаток влаги в организме и вялость мышц кишечника.

Запор — источник большинства болезней человека (истинная причина, которая остается скрытой): болезни желудка, печени, почек, мочевого пузыря, кожные, нервной системе, а также инфекционные заболевания, т. к. запущенный кишечник представляет собой прекрасную почву для развития микробов.

При запоре кровь поглощает элементы масс кишечника:

— из-за недостатка влаги;

— из-за усилия организма избавиться каким бы то ни было путем от заражающих его продуктов разложения, которые не могут быть выведены обыкновенными путями через почки, кожу и легкие и отравляют весь организм.

Толстые кишки нужно очищать. Как только очистятся толстые кишки, человек начинает избавляться от недомоганий (болезней). Очистив кишечник, вернете здоровый цвет лица; исчезнут плохой запах изо рта, недомогания печени и других органов.

Если толстые кишки содержат лишь незначительное количество старых масс, можно избавиться от них, увеличив количество потребляемой воды — установив правильную деятельность кишечника. Если толстые кишки заполнены старыми затвердевшими скоплениями, необходимы более радикальные средства. Нужно сделать серию клизм.

1-й день — 0,5 л теплой воды (такой температуры, чтобы рука легко ее переносила). Использовать резиновую грушу с мягким наконечником или кружку Эсмарха с мягким наконечником. Наконечник смазать вазелином.

Подержите воду несколько минут и затем выпустите ее. Лучше производить это вечером.

2-й вечер — 1 л теплой воды;

3-й вечер — пропустить;

4-й вечер — 1,5 л воды;

5-й и 6-й вечер — пропустить;

7-й вечер — 2 литра воды.

Перед клизмой и после нее массировать брюшную полость.

Частого употребления клизмы избегать, привычка эта неестественна и не необходима.

Средство № 296

Очищение носовых проходов и лобных пазух — применяется при простудных заболеваниях.

Подогреть воду (не обязательно кипяченую). Залить в чайник для заварки чая около 500 мл и добавить 1 чайную ложку соли. На носик чайника надеть соску-рожок с диаметром отверстия 0,5 см. Наклоняясь, вставить соску в ноздрю и проливать воду. Рот открыть. Поменять ноздрю и продолжить процедуру. Лучше промывать на ночь либо за 2 часа до выхода на улицу.

После процедуры необходимо наклоняться головой вниз, чтобы вылить воду из носа.

Средство № 297

Очищение желудка — применяется как профилактическое средство (выполняется периодически 1—2 раза в 2 недели), как общеукрепляющее средство (вызывает чувство бодрости и прилив энергии) и для ликвидации расстройств желудочно-кишечного тракта. Это средство имеет форму процедуры и называется — Вамина Дхаути. Процедура проводится следующим образом: выпить 1—2 л теплой воды. Если пить воду без добавок трудно, добавить немного соли. Наклониться и пощекотать в горле, вызвать рвоту. Повторить искусственный позыв к рвоте, пока желудок не выбросит все количество воды. Процедура выполняется натощак.

Вариант Вамина Дхаути — тигровое упражнение (Багха). Выполняется при наполненном желудке. Выпить как можно больше воды, как в основном варианте Вамина Дхаути. Согнуться под прямым углом и вызвать рвоту. Если остатки пищи выходят изо рта в виде густой массы, выпейте еще воды, надавите на живот рукой и снова повторите вызов рвоты. Вызвать рвоту 2—3 раза, чтобы в основном очистить желудок. Прекратите процедуру, когда вода, извергаемая при рвоте, станет чистой. После завершения принять риса 200—250 г и 250 мл молока, которые готовятся до начала процедуры. Не забывать о приеме молока с рисом (молоко пить только с рисом). Употребление молока с рисом необходимо, так как в противном случае желудок не будет «подсушен», что может иметь вредные последствия. Процедуру выполнять не раньше чем через 3 часа после еды. Принимать пищу можно лишь через 3 часа после окончания процедуры. В день проведения процедуры полезно есть только жидкую кашу (рисовую или овсяную).

Средство № 298

Голодание — применяется как профилактическое средство очищения организма от шлаков, токсинов, как средство лечения болезней.

В качестве профилактического средства применяется однодневное (1 раз в неделю) голодание, трехдневное голодание

(1 раз в месяц), 7—10-дневное голодание (1 раз в квартал). В качестве лечебного средства применяется голодание в пределах 5—30 дней.

Однодневное голодание

Поужинать и не есть до следующего ужина. На ночь сделать клизму и принять душ. Утром также принять душ. В течение дня пить воду маленькими глотками. Выход из голодания: выпить сока 100—150 г и затем съесть пищу из следующего набора: овощи, фрукты, каша без масла, картофель без масла. В течение следующего дня не употреблять мясо.

Трехдневное голодание

При трехдневном голодании все три дня ставить клизмы. В течение каждого дня пить только воду (около 2 л). Выход из голодания — 3 дня: весь первый день только соки; в течение последующих двух дней — пища из набора: овощи, фрукты, каша без масла, картофель без масла.

При голодании от 5 дней до 30 дней выход из голодания 4 дня: первый день — на соках, причем при первом приеме принимается разведенный водой сок (соотношение сока и воды 1:1), остальные три дня — с набором продуктов как при трехдневном голодании. Желательно, чтобы длительное голодание проводилось под наблюдением опытного специалиста.

При длительном голодании в случае плохого самочувствия применять следующие меры:
— открыть форточки и подышать глубоким дыханием;
— принять душ.

Голоданием лечатся многие болезни, в том числе болезни головного мозга, крови, желудочно-кишечного тракта, артриты.

Средство № 299

Очистительное дыхание. Выполняется следующим образом: делается полный вдох и после секундной паузы — выдох через плотно сжатые губы порциями.

Терапевтический эффект: очистительное дыхание снимает напряжение и утомление дыхательной системы.

Средство № 300

Суставы

Каша из риса на воде — применяется при выводе солевых отложений из суставов. Кашу нужно есть один раз в день, и процедура приготовления каши следующая: берутся 4 майонезные банки. В первый день 1—2 столовые ложки риса разбавляете водой в первой банке, на второй день так же заполняется вторая банка и меняется вода в первой банке, на третий день так же заполняется третья банка и меняется вода в первых двух банках, на четвертый день так же заполняется четвертая банка и меняется вода в первых трех банках. На пятые сутки смените воду во всех банках. Затем сварите из содержимого первой банки кашу, съешьте кашу без соли и сахара, заполните эту банку рисом и водой и поставьте ее последней. На седьмой день сварите кашу из второй банки и поставьте ее последней и т. д.

После того как вы съели кашу, 4 часа ничего не есть и не пить. Процедура длится 40 дней, и в течение этого времени не есть соленого, острого, жареного.

Во второй половине дня есть как обычно, но стараться пить побольше воды между приемами пищи маленькими глотками.

Средство № 301

Чеснок и спирт — с помощью этого средства выводятся солевые отложения из сосудов (и сосудов головного мозга). Средство готовится следующим образом: 300 г чеснока почистить и превратить в кашицу с помощью миксера или мясорубки, предварительно ошпарив их кипятком. Отложить 200 г кашицы (больше сока) и залить ее 200 г спирта (спирт из пищевых продуктов). Настаивать 10 дней в закрытой темной посуде. Процедить через двойной слой марли и снова поставить на 3 дня.

Употреблять за полчаса до еды с холодным кипяченым молоком (30—50 г на прием).

В молоко налить настойки. Количество капель следующее:

1-й день: завтрак — 1 капля, обед — 2 капли, ужин — 3 капли;

2-й день: завтрак — 4 капли, обед — 5 капель, ужин — 6 капель;

3-й день: завтрак — 7 капель, обед — 8 капель, ужин — 9 капель;

4-й день: завтрак — 10 капель; обед — 11 капель, ужин — 12 капель;

5-й день: завтрак — 13 капель, обед — 14 капель, ужин — 15 капель.

С 6-го по 10-й день количество капель уменьшается аналогичным образом с 15 капель до 1 капли.

На 11-й день выпивать в завтрак, обед и ужин по 25 капель, и так в течение всего времени (около трех месяцев), пока не закончится настойка.

Средство очень эффективно при лечении склероза головного мозга. Повторить можно через 5 лет.

Средство № 302

Цветочная пыльца (мужской элемент цветка) — содержит различные аминокислоты. Кроме аминокислот в пыльце содержатся различные витамины, роль которых в функциях всех органов чрезвычайно велика и известна.

Действие пыльцы универсально: благотворно влияет на функцию желудка и кишечника, восстанавливает аппетит, помогает в случаях, не подлежащих другим видам лечения, применяется при неврозах и нервной депрессии, неврастении, заболеваниях предстательной железы, диабете. Хорошие результаты отмечены при введении в пищу цветочной пыльцы выздоравливающим после тяжелых заболеваний: повышается содержание гемоглобина в крови, улучшается самочувствие и общее состояние.

В качестве лечебно-стимулирующего воздействия применяют 1—2 чайные ложки цветочной пыльцы в день, лучше до еды (пыльца продается в виде порошка, гранул, смеси с медом).

Средство № 303

Растительное масло во рту — с помощью этого средства можно избавиться от большого количества болезней, не прибегая к лекарствам. Это средство является и профилактическим. Острое заболевание проходит очень быстро в течение трех дней. Устранение устаревших хронических болезней может быть длительным, иногда годами. С помощью этого средства можно освободиться от болезней: головные и зубные боли, тромбофлебит, заболевание крови, паралич, радикулит, экзема, эпилепсия, опухоли; заболевания желудка, кишечника, печени, сердца, легких; женские заболевания; энцефалит и другие. Этот способ оздоравливает весь организм и одновременно предупреждает и устраняет начальную стадию злокачественного заболевания (опухоли) и инфаркта. Метод прост, безвреден, эффективен и испытан при различных расстройствах здоровья. Временное обострение является результатом рассасывания очагов болезни.

Способ оздоровления: растительное масло (лучше подсолнечное или кукурузное) в количестве не более столовой ложки сосредотачивается в передней части рта, затем масло сосется, как конфета, глотать масло нельзя. Сосание делается легко и свободно, без напряжения 15—20 минут. Сначала масло делается густым, затем жидким как вода, после чего его следует выплюнуть. Выплюнутая жидкость должна быть белой как молоко; если жидкость желтая, то сосание не доведено до конца и время сосания нужно продлить. После сосания нужно выполоскать рот и выплюнуть воду в унитаз, так как выплюнутая вода инфекционная. Эту процедуру надо делать один раз в день, лучше утром натощак, можно вечером перед сном. Для ускорения оздоровления можно делать процедуру несколько раз в день. В выплюнутой жидкости огромное количество возбудителей многих заболеваний. Во время сосания усиливается особенность организма активизировать жизненные процессы, налаживается обмен веществ — и человек выздоравливает. Принимать процедуру надо до тех пор, пока появится в организме бодрость, сила, спокойный сон; после пробуждения у человека не должно быть под глазами мешков, должен быть хороший аппетит, хорошая память, он должен чувствовать себя хорошо отдохнувшим. Следует иметь в виду, что при оздоровлении этим способом может возникнуть обострение, особенно у людей с завалом болезней, когда начнут расслабляться очаги, ему может показаться, что стало хуже. Нередко в человеке сидит «болячка», он ее не ощущает и считает себя здоровым, а после применения процедуры самочувствие его вдруг ухудшается. Это значит, что начал рассасываться скрытый очаг, который в дальнейшем вызвал бы заболевание и мог стать смертельным. Даже во время обострения не следует прекращать процедуру. Лежа в постели с повышенной температурой, можно применять оздоровление этим способом. Во время радикулита больной почти беспрестанно принимает процедуру — и через три дня встает на ноги совершенно здоровым. Вынужденные перерывы можно делать, но оздоровление происходит с момента сосания масла.

Средство № 304 *Мумиё*

Мумие — применяется при лечении следующих болезней.

Ангина — несколько раз в день принимать мумие по 0,2 г за полчаса до еды. Сосать как конфетку.

Колит — принимать по 0,15 г в день 1 раз на ночь, запивая сладким напитком.

0,15 г мумие положить в чайную ложку с водой, подождать минуту, пока мумие растворяется.

Курс лечения: принимать мумие 10 дней, 5 дней перерыв. Провести 3—4 курса.

Воспаление среднего уха — если из уха течет, то вложить в ухо тампоны, пропитанные раствором мумие (в 1 г борного спирта растворить 0,2 г мумие), предварительно закапав 1 каплю раствора мумие (0,07 г на 1 г борного спирта) в ухо.

Геморрой — размягчить теплом рук мумие массой 0,2 г и смазывать шишки внутри прямой кишки на ночь и утром до их полного исчезновения. Параллельно принимать 0,2 г мумие, растворенные в столовой ложке воды, утром за 1 час до еды и вечером через 3 часа после ужина.

Курс лечения как при колите. Количество курсов 3—4.

Диабет — по 0,2 г до еды утром и перед сном (так же, как при геморрое). 3—4 курса.

Гипертония — принимать один раз 0,2 г перед сном. 3—4 курса.

Заболевания сердце — по 0,2 г перед сном. Если боли усилятся, уменьшить дозу.

Спазмы сосудов головного мозга, климакс — по 0,2 г утром за 30 минут до еды. 3—4 курса.

Язва желудка, язва двенадцатиперстной кишки — принимать 3 раза в день за 30 минут до еды с соком по 0,2 г. Пить 14 дней, 15 дней перерыв.

Камни в почках, болезни желчного пузыря, болезни печени — 3 раза в день за полчаса до еды по 1 стакану раствора (0,25 г мумие на стакан воды). Провести 3—4 курса.

При болезнях желчного пузыря и печени после стакана раствора лучше принять 50—60 г сока сырой свеклы.

Средство № 305

Очищение желудочно-кишечного тракта под названием Варисара Дхаути. С помощью этой процедуры полностью удаляются остатки пищи на всем пути от желудка до анального отверстия, ибо прополаскивается весь пищеварительный тракт (желудок, толстый и тонкий кишечник). Выполняется следующим образом. Нужно выпить 1—2 л подсоленной воды, затем выполнить упражнение Уддияна-Бандха 10 раз и упражнение Наули 10—12 раз.

Уддияна-Бандха делается так:

Исходное положение: ноги на ширине плеч (даже чуть шире для устойчивости положения).

Выполнение: выдох, затем медленный плавный вдох с одновременным поднятием рук вверх. Затем резкий энергичный «ха» — выдох через рот (выводится полностью весь остаток воздуха; можно и носом выдыхать).

94

На паузе после выдоха: подтянуть мышцы диафрагмы (внутренности поднимаются вверх к позвоночнику) максимально внутрь и вверх. При этом колени чуть согнуты, ладони положены в области паха.

Выполнить подбородочный замок (или шейный замок) Джаландхара-Бандха: подбородок в яремную выемку.

Задержка около 15 секунд (затем постоянно прибавлять по 1 секунде в день).

Снять замок, а потом медленно и плавно вдыхать.

Концентрация внимания: на нижней воротной вене. Представить, что перезаряжается солнечное сплетение, кровь начинает энергично циркулировать.

Основным элементом Наули является выделение и управление движением двух вильных мышц живота — ректи, расположенных слева и справа от центра передней части живота. Людям со слабым брюшным прессом и большими жировыми отложениями упражнение будет даваться нелегко, поэтому немаловажное значение имеют тренировки ректи более простыми упражнениями и снижение веса тела с помощью рациональной диеты и дозированного голодания.

Упражнение Наули делается так:

Исходное положение как при выполнении Уддияна-Бандхи.

Техника выполнения: выполнить Уддияна-Бандху. Надавить руками на бедра, и, сокращая прямые мышцы живота, толчком подать их вперед и вниз. Таким образом обеспечивается отделение ректи от остальных мышц, которые должны находиться в расслабленном состоянии. Полное сокращение их будет видно по мышечному жгуту, идущему от лобка до грудины. Это так называемая Мадхьяма-Наули.

А теперь слегка отклониться в левую сторону и, нажимая левой рукой на левое колено, сократить и вытолкнуть толчком левую прямую мышцу живота. Это Мама-Наули. То же самое сделать с правой прямой мышцей живота. Это Дакшина-Наули. И, наконец, Крийя-Наули. Это вращательное движение прямых мышц живота, напоминающее танец живота индийских танцовщиц. Для этого необходимо выделить обе прямые мышцы живота, а затем сокращать и расслаблять их ритмически, что создает видимость повторяющихся волнообразных движений слева направо или наоборот. Далее можно сокращать прямые мышцы живота поочередно — слева направо и сразу же справа налево.

В процедуре очищения выполняется Крийя-Наули. Очищение производится на пустой желудок и делается 1 раз в две недели.

Это средство улучшает кровообращение, улучшает работу всего желудочно-кишечного тракта, лечит заболевания печени, почек, поджелудочной железы, желудка, кишечника. Женщинам это средство помогает при расстройстве менструального цикла.

Средство № 306

Очищение желудочно-кишечного тракта с помощью теплой воды с солью и лимонным соком. Нужно выпить 1,5 л теплой воды, в которую добавлены 7 г соли и 28 мл лимонного сока. Затем выполнить упражнения: Полуберезка в течение 4—5 минут, Павлин 3—4 раза, Наклон вперед из положения стоя 4—5 раз, Змея 2 раза, Лук 2 раза. В течение 5 минут возникает позыв к стулу, после чего очистить кишечник.

Упражнение Полуберезка

Исходное положение: лечь на спину, вытянуть руки вдоль туловища.

Выполнение: с вдохом поднимаем ноги до угла 90°, затем поднимаем таз, помогая себе руками. Фиксировать пятки на уровне глаз. Туловище опирается только на локти при поддержке ягодиц руками. Голову от пола не отрывать, не касаться подбородком груди. Дыхание произвольное, стараться дышать животом.

Упражнение Павлин

Исходное положение: стоя на коленях.

Выполнение: колени широко расставить в стороны, соединить руки и опереться ими о коврик, поставив ладонями и пальцами назад. Напрячь руки, медленно опустить корпус на сведенные вместе локти. Затем вытянуть ноги и, сделав выдох, оторвать их от пола. Тело держать прямым, параллельно полу, ноги натянуты, ступни вместе. Внимание сосредоточить на животе.

Находиться в позе столько, сколько возможно, постепенно доводя время выполнения до 60 секунд.

Упражнение Наклон вперед из положения стоя

Исходное положение: стоя, руки вдоль туловища, ноги вместе.

Выполнение: с полным выдохом наклониться не сгибая ног в коленях, положить ладони рук на ступни ног, голову приблизить к коленям. В конце выдоха коснуться лбом коленей. Находиться в позе на задержке после выдоха сколько возможно; с полным йоговским вдохом распрямиться, при этом руки скользят вверх по ногам.

Упражнение Змея

Исходное положение: лежа лицом вниз, руки на уровне плеч в упоре, ладонями вниз.

Исполнение:

1) резкий выдох, затем:

2) одновременно с глубоким вдохом поднимаем голову как можно выше;

3) отгибаем плечи (напрягаем мышцы спины), поднимаем плечи без помощи рук (руки используются только для того, чтобы туловище не соскальзывало на пол), живот прижат к полу, пупок не отрываем от пола;

4) в верхнем положении сильно сжать ягодицы и расслабить их после паузы. Задержка дыхания на 7—12 секунд, в течение которой поза сохраняется (в это время сжаты мышцы ягодиц);

5) затем — медленный выдох, и возвращаемся в исходное положение, при этом расслабляемся.

Концентрация внимания:

На щитовидной железе (при большой щитовидной железе не напрягаться и не думать о щитовидной железе).

По мере прогибания внимание скользит по позвоночнику к копчику. При выдохе внимание скользит от области копчика к щитовидной железе.

Упражнение Лук

Исходное положение: лежа на полу лицом вниз.

Выполнение: прогибаемся и, захватив обе лодыжки, прогибаем спину. Остаемся в этой позе как можно дольше. Во время упражнения медленно дышим.

Эффект от упражнения можно увеличить, если легко покачиваться назад и вперед.

Начинать упражнение нужно осторожно и только мало-помалу увеличивать время выполнения.

Процедура очищения выполняется 1 раз в 2 недели.

Эта процедура тонизирует органы брюшной полости, делает более эластичным позвоночник, способствует лечению болезней печени, селезенки, почек, желудка, поджелудочной железы, предупреждает диабет и способствует его лечению, устраняет цистит, способствует развитию уверенности в себе и ликвидации чувства неполноценности, помогает женщинам при расстройстве менструального цикла.

Средство № 307

Очищение желудочно-кишечного тракта под названием Пpraksалана. Наиболее эффективным вариантом является следующий: выпить 1 л воды, в которой разведены 1 десертная ложка соли и 1 десертная ложка соды. Выполнить: Ролик 20—30 раз, упражнение для укрепления мышц живота, Випарита Карани, Бхуджангасана, Салабхасана по 1 разу. Осуществить очищение желудка путем рвоты. Выпить 1 л чистой воды. Повторить все указанные выше упражнения, в результате чего — позывы к стулу, очистить кишечник. Еще раз вызвать рвоту и очистить желудок.

Упражнение Випарита Карани

1) Исходное положение: лежа на спине, руки вдоль туловища.

2) Делаем медленный вдох и поднимаем вверх ноги; поддерживая бедра руками, постепенно поднимаем туловище, пока оно не окажется на лопатках, пятки на уровне глаз, руки упираются в бедра, а не в туловище.

Изменение притока крови сдерживается медленным брюшным движением (дыханием). Находиться в этой позе до наступления утомления (в позе можно 3—4 раза выполнить втягивание промежности — область ануса). Вначале находиться в позе 15—20 секунд, в дальнейшем постепенно увеличиваем время нахождения в позе.

3) Медленно возвращаемся в положение лежа на спине и расслабляемся.

Упражнение Ролик

1) Исходное положение: сядьте на коврик, подтяните обе ноги коленями к туловищу.

2) Руками плотно обхватите ноги у лодыжек (ступни ног прижмите друг к другу).

Если возможно, обхватите левой рукой запястье правой руки. Если не сможете, то соедините крепко пальцы обеих рук.

3) Резко откиньтесь назад на спину и так же резко и быстро вернитесь в исходное положение.

Дыхание произвольное.

Выполнять упражнение от 5 до 10 раз, считая перекатывание назад и вперед за один раз.

При выполнении упражнения для укрепления мышц живота выбирается один из четырех его вариантов.

1-й вариант. Исходное положение: встать прямо, носки и пятки вместе, руки опущены вниз, спина прямая, смотрите перед собой.

Выполнение: одновременно с выдохом через нос втяните живот насколько сможете, затем одновременно со вдохом выдвините его максимально вперед.

Сначала упражнение следует выполнять медленно, строго следя за синхронностью дыхания и движения живота. Лишь по мере полного усвоения упражнения увеличивайте скорость и доведите ее от 5 до 50 раз.

2-й вариант. Исходное положение: как в 1 варианте, но верхнюю часть туловища наклоните вперед под углом 45°, а руки положите на поясницу большими пальцами вперед. Смотрите перед собой, спина прямая, плечи развернуты.

Выполнение: выполняйте те же движения животом, как и в первом варианте.

3-й вариант. Исходное положение: поставьте ноги на ширину плеч, согните ноги в коленях, туловище наклоните несколько вперед, а руками упритесь в колени (Поза рыбака). Смотрите перед собой, плечи держите развернутыми.

Выполнение: выполняйте движения животом (см. 1-й вариант).

4-й вариант. Исходное положение и выполнение: упражнение повторяем, но

1) движение животом совершаем на задержанном после выдоха через нос дыхании столько, сколько сможем;

2) медленный вдох, затем расслабление.

Упражнение Бхуджангасана

Исходное положение: лежа на полу лицом вниз, ладони на полу на уровне плеч.

Выполнение:

1) С вдохом медленно поднимаем насколько можно голову.

2) Напрягаем мышцы спины, поднимаем плечи и туловище все выше и выше, и потом назад, не помогая себе руками (руки только препятствуют опрокидыванию туловища обратно на пол).

3) Во время выполнения этого упражнения чувствуем, как напряжение в шее постепенно распространяется все ниже и ниже по позвоночному столбу.

4) В последующей фазе мы можем помочь руками сгибанию туловища назад (но так, чтобы область пупка не отрывалась от пола). В этом положении остаемся от 7 до 12 секунд, задерживая дыхание.

Затем с медленным выдохом возвращаемся в исходное положение.

Упражнение Салабхасана

Исходное положение: лежа лицом вниз, ноги месте, руки вытянуть вдоль тела, пальцы сжать в кулаки.

Выполнение: сделать глубокий вдох и, задержав дыхание и опираясь на кулаки, поднять прямые ноги как можно выше. Внимание на позвоночнике. Находиться в асане столько времени, сколько хватит сил. Возвратиться в исходное положение и сделать выдох.

Пища должна быть принята в течение часа после выполнения процедуры очищения. При этом молоко и творог не употреблять в течение суток.

Данная очистительная процедура устраняет опущение желудка, кишечника; благотворно воздействует на щитовидную железу, предупреждает образование камней в почках, лечит болезни желудка и кишечника, благоприятно воздействует на мозг, дает чувство уверенности в себе, сгоняет жир с живота, развивает гибкость позвоночника и улучшает работу легких.

Процедура выполняется 1 раз в 2 недели.

Средство № 308

Парная в бане — улучшает обмен веществ, улучшает работу печени, почек, очищает кровь, так как очищается от токсинов, по существу, весь организм. При использовании парной нужно учесть следующее.

Сначала помыть с мылом тело и голову, принять тепловатый душ и осушить тело. В парную входить в шляпе с загнутыми на глаза полями, для защиты глаз от инфракрасного излучения, исходящего от деревянной обшивки парной.

Вместе с потом мы теряем нужные для организма вещества: калий, кальций, магний. Поэтому пить обязательно соки, настои на кураге, изюме, компоты. Это позволит восполнить потери в калии, кальции, магнии.

Средство № 309

Обтирание — способствует сопротивляемости кожи против инфекций. Одновременно улучшается кровообращение, что положительно сказывается на работе внутренних органов, нервной системы, а также повышает общий тонус. Систематические обтирания не только делают кожу молодой и эластичной, но являются и хорошим закаливающим средством. Кроме того, они рекомендуются при хронических сердечных заболеваниях, нарушениях кровообращения, нарушениях теплообмена и ослаблении мускулатуры. Они проводятся или сухим или влажным методом.

Сухое обтирание проводится не слишком мягкой щеткой, с силой на следующих частях тела: ступнях, икрах, ляжках, руках, груди, животе, плечах, спине, тазу. Грудь, живот и суставы обтираются вращательными движениями. Воздействие улучшается при применении после обтирания водных процедур.

Влажное обтирание: нужно периодически мочить щетку в горячей воде, предпочтительно при этом стоять в тазу с теплой водой. В заключение принять холодное обтирание. При наличии душа можно применять обтирание под струящейся водой. После этого принять легкий холодный душ и вытереться насухо.

Средство № 310

Очищение носа с помощью шнура (Сутра Нети). Выполняется эта очистительная процедура периодически 1—2 раза в неделю. Можно применять катетер № 13 (прокипятить, свернуть в кольцо и так хранить. В дальнейшем при пользовании только мыть с мылом, не кипятить). При проведении процедуры один конец катетера вставляется попеременно в ноздри и выводится через рот. После ввода через рот несколько раз осторожно подергать за оба конца (почистить носовые проходы).

Сутру Нети необходимо проделывать утром натощак (перед йоговским комплексом), очищая каждую ноздрю в течение 1—5 минут. Конец катетера, выходящий через рот, следует держать под углом к полости рта, прижимая таким образом язык.

Нети освобождают нос от выделений. Таким образом, гарантируется правильное исполнение дыхательных упражнений; кроме того, Нети — профилактическое средство против насморка. Следует учесть, что свободное перемещение воздуха через хорошо очищенную полость носа рефлекторно тонизирует и успокаивает нервную систему. Это, в свою очередь, способствует хорошей концентрации внимания, что играет важную роль не только для занятий упражнениями, но и вообще в жизни человека.

Средство № 311

Холодные умывания тела — улучшают кровообращение и тепловой обмен по отношению к воздействию окружающей среды. С помощью таких регулярных процедур можно полностью преодолеть предрасположенность к простудным заболеваниям. Такую простую форму гидротерапии можно применять при любых условиях (командировка или отпуск).

Проводятся или только холодные умывания, или попеременно чередуя теплые с холодными.

Сложить в несколько слоев грубую ткань, погрузить в холодную водопроводную воду и умеренно отжать.

Начать с правой тыльной стороны кисти руки и потом на внутреннюю сторону руки. После этого продолжать протирание у подмышки к шее, далее грудь и все тело.

Вновь погрузить полотно и проделать то же самое с левой стороной. Потом растереть спину, не прибегая к помощи других, использовать мокрое полотенце.

После умывания вытереться и одеться.

Заключительным этапом процедуры является растирание ног, опять начиная с правой тыльной стороны стопы на внешнюю сторону ноги до бедра, затем через паховую область к внешней стороне ноги и потом вниз до подошвы. То же самое проделать с левой половиной тела.

В прохладных помещениях или при недостаточно быстром обогреве организма следует растираться мохнатым полотенцем.

Процедуру с холодной водой следует проводить по утрам сразу после пробуждения, пока тело сохраняет тепло. Выполнять процедуру быстро, чтобы избежать быстрого охлаждения.

Начинать всегда только с правой стороны.

При чередовании теплой и холодной воды процедуру всегда заканчивать холодной водой.

Средство № 312

Паровые головные ванны — предупреждают заболевания верхних дыхательных путей, полости носа, а также воспаление среднего уха. Они важны также с косметической точки зрения.

Высокую кастрюлю заполнить кипящей водой (2—3 л), поставить на низенький столик или табуретку. Раздеться до пояса, наклониться над кастрюлей, накрывшись сверху простыней или легким полотенцем, 10—20 минут вдыхать через нос и выдыхать через широко раскрытый рот. По окончании — принять холодный душ, растереть тело насухо и лечь отдохнуть.

Если вы принимаете процедуру зимой, то, прежде чем выйти на улицу, нужно как следует высохнуть и согреться после ванны.

Средство № 313

Водоорошение лица и шеи — является хорошим оздоровительным средством. Результатом водоорошения лица является не только «эффект красоты», когда кожа становится упругой и эластичной, но и улучшение кровоснабжения слизистой оболочки. С помощью этого способа можно вылечить катар слизистой оболочки. Эта процедура полезна при напряженном умственном труде.

Орошение шеи устраняет астматические явления и функциональные сердечные нарушения.

Орошение лица: направить слабую водяную струю (отвинтить головку душа) ниже височной части, медленно очерчивая круг. Несколько раз направить струю вдоль лба к подбородку и в заключение круговыми движениями в соответствии с овалом лица.

Вместо орошения можно, набрав воду в ладони, выплескивать ее энергично в лицо.

Орошение шеи: слабую струю направить в шею и сохранять данное положение 30 секунд.

Средство № 314

Растирание спины рукой или щетками — помогает при расстройствах нервной системы, снимает усталость и повышает жизненный тонус.

Нужно сесть на доску, положенную поперек ванны. Попросите помочь вам подержать душ (вода должна быть теплой) левой рукой таким образом, чтобы струи воды стекали по спине при движении душа от правого плеча к левому и наоборот. При этом другой рукой вам растирают спину, шею, плечи. После этого следует принять холодный душ (очень недолго) и насухо вытереться.

Средство № 315

Ванна для спины — снимает боли в спине.

Недостаточная физическая нагрузка или нагрузка одноплановая, а также долгое пребывание в вертикальном или согнутом положении ведет к закостенению спинной мускулатуры, которое сопровождается неприятными болезненными ощущениями.

Это недомогание можно устранить с помощью данного средства, что дает возможность провести остаток дня в расслабленном состоянии. Оно также способствует улучшению легочного кровообращения. Его применяют также у легочных больных.

Выполнение: на дно ванны положить матрасик из пористого материала или мохнатое полотенце, наполнить ванну на 10 см водой (температура 36—37 °C). Лечь на матрасик, положив под голову резиновую подушку. С интервалами в 2 минуты добавлять горячую воду, повышая каждый раз температуру на 0,5°. Продолжать в течение 10—15 минут. По окончании — принять холодный душ и отдыхать 30 минут.

Средство № 316

Холодная ванна — хорошее средство оздоровления, но требует определенных условий ее применения: необходимы здоровое сердце и здоровые (невредимые) кровеносные сосуды. Прежде чем приступить к ее применению, надо посоветоваться с врачом. Но там, где ее можно применить, она дает хорошие результаты.

Неожиданное удаление тепла представляет сильный импульс для ответного восполнения тепла и способствует ускорению обмена веществ.

Холодные ванны, предполагающие сидячее положение, воздействуют освежающе, закаливают, им отдается предпочтение при лечении ослабленного мочевого пузыря, против расслабления мускулатуры таза и геморроидальных заболеваний.

Выполнение: уровень воды в ванне для лечения поясницы (бедер) должен быть 15—20 см. Сесть в ванну, вытянуть ноги и интенсивно их массажировать. После этого энергично помассировать грудь.

В заключение согнуть колени, податься корпусом вперед и слегка намочить спину.

Средство № 317

Обертывание — какая-то часть тела (или все тело) обертывается во влажное полотно, поверх которого обертывается сухое, удерживающее тепло. Если обертывание предназначено для туловища, то поступают так: простыню или полотенце сложить несколько раз в соответствии с длиной позвоночника, опустить в холодную воду и, вытащив, как следует выжать. Положив на кровать водонепроницаемое полотно, лечь спиной на мокрое полотенце и укрыться сверху теплым одеялом. Лежать так до тех пор, пока влажное полотенце не станет теплым. Затем следует энергично растереться полотенцем и одеться.

Обычная продолжительность процедуры около 1 часа. Обертывания помогают при различных недолечениях: воспалительных процессах на теле и внутренних органах, при высокой температуре, ревматических явлениях и нервных заболеваниях.

Средство № 318

Душ с изменением температуры воды. Душевые процедуры оказывают термическое и механическое воздействие (давление, массаж); они способствуют уходу за кожей, улучшают кровообращение и рефлекторно влияют на кровоснабжение внутренних органов. Изменение температуры воды улучшает приспосабливаемость к колебаниям температуры и закаляет. Эффективному лечению с помощью душевых процедур поддаются ревматические недуги и различные функциональные нарушения.

Душевую процедуру начинают со струи воды, температура которой примерно соответствует температуре тела. Температура воды повышается постепенно. Через 3 минуты температура понижается и в течение 18 секунд вы принимаете холодный душ. При этом вы не стоите неподвижно, необходимо сгибаться и разгибаться. Струя воды должна охватывать все участки тела, особенно позвоночник.

Тот, кто не переносит резкой смены температур, должен постепенно переходить от горячей к холодной воде (перемежающийся душ).

Следует соблюдать соотношение 10:1, то есть 3 минуты (180 секунд) тепло и 18 секунд холод.

Средство № 319

Холодный душ после теплой процедуры. Эта процедура наиболее полезна как заключительная после теплой ванны или после сауны. Улучшает кровообращение и очень освежает по утрам.

Длительность зависит от чувствительности организма, она не должна превышать 30 секунд. Согревание достигается с помощью теплой одежды. Если происходило большое термическое нагревание тела, то после холодного душа следует обсохнуть, прежде чем одеваться.

Соблюдать соотношение 10:1, 3 минуты (180 секунд) тепло — 18 секунд холод.

Средство № 320

Виброгимнастика — тонизирует организм, устраняет венозный застой.

Упражнение 1.

Исходное положение: стоя, ноги вместе.

Выполнение: подняться на носочки на 5—6 см и после секундной паузы с силой опуститься пятками на пол. Повторить 30 раз. После отдыха 5—10 секунд еще раз сделать упражнение 30 раз.

Упражнение 2.

Исходное положение: стоя, ноги вместе.

Выполнение: прыжком ставим ноги в стороны (ступнями ударяем о пол) и руки в стороны, затем прыжком ставим ноги вместе и руки к туловищу и т. д. Выполнить 10—15 прыжков.

Средство № 321

Ванна с постепенным повышением температуры воды для нижней части тела — позволяет достичь своим мягким воздействием достаточно выраженный эффект: в центральной части организма застоявшееся количество крови успешно оттягивается в его периферийные участки, бронхиальная мускулатура расслабляется и прежде всего достигается вегетативно-успокаивающее воздействие. Большое значение имеет регулирование индивидуального теплового обмена.

Ванны с повышением температуры начинают при ее начальном уровне 36—37 °C. Через 2 минуты осторожно пустить горячую воду температуры 60—70 °C и повышать температуру воды в ванне, пока она достигнет уровня от 39° до 42°. Температуру воды необходимо повышать настолько медленно, чтобы не ощущать ни жжения, ни озноба. Принимая ванну для бедер, вы наполняете ванну до 15—20 см, в то время как «полуванны» вы принимаете сидя в воде по пояс. В конце, по истечении 20 минут, нужно слегка облиться холодной водой или принять холодный душ.

Затем отдохнуть минимум 45 минут.

Влажное обертывание или холодный компресс увеличивают эффект.

Итак, подчеркнем основное в этой процедуре:

1) Медленное, постепенное повышение температуры.

2) Холодное обливание в конце процедуры.

3) Последующий отдых.

Средство № 322

Ванна для предплечья — очень полезное средство, легко проводится в любых условиях. Помогает достигнуть расширения сосудов, а также улучшить кровоснабжение сердечной мышцы. Из трех видов ванн для предплечья каждая по-своему оздоравливающе воздействует на организм. Так, ванны с медленно повышающейся температурой действуют расслабляюще на мускулатуру бронхов; ванны с чередованием температур способствуют борьбе с нарушением сердечной деятельности нервного происхождения; холодные ванны не только улучшают местное кровоснабжение, но и действуют рефлекторно на внутренние органы.

Выполнение ванн для предплечья следующее.

1. Ванны с повышающейся температурой:

Погрузить руки почти до локтя в ванну или раковину соответствующей ширины. Исходная температура 36—37 °C. Через каждые 2 минуты доливать горячей воды, так чтобы температура повышалась на 0,5°. Ванну закончить через 20 минут. Облить холодной водой сначала правую, затем левую руку, начиная с кончиков пальцев по направлению кверху, досуха растереть и непременно полежать 30—60 минут.

Действие повышает компресс на грудную клетку.

2. Ванны с чередованием температур:

Подготовить емкость с теплой водой (38—39 °C) и холодной водой. Руки по локоть опустить в теплую воду. Через 1— 4 минуты на 10—30 секунд — в холодную. Повторить 2— 4 раза. Через 10—15 минут растереть насухо, укрыться и полежать 30 минут или сразу же одеться и подвигаться (гимнастика).

Порядок чередования воды: всегда начинать с теплой и заканчивать холодной.

3. Ванны с холодной водой:

Опустить руки до локтя в холодную воду с температурой 10—15 °C (подходит для ванны и умывальная раковина). Через 10—30 секунд или раньше, если появится режущая боль, вынуть из воды. Влагу промокнуть и свободно размахивать руками, пока не появится чувство тепла.

Холодную ванну можно делать и днем.

Средство № 323

Ванна для ног — весьма эффективное оздоравливающее средство, и в то же время оно легко проводится в любых условиях. В зависимости от вида ванны влияют на самые различные недомогания и являются одним из самых простых, но и самых важных гидротерапевтических средств.

Ванны с повышающейся температурой расширяют сосуды, разгоняют застоявшуюся кровь и регулируют теплообмен. Ванны с переменной температурой действуют возбуждающе. Они способны также снимать нервное напряжение у людей, тяжело переносящих различного рода переутомление. Они «разгружают» переполненные кровью верхние части тела и внутренние органы, помогают при головной боли и бессоннице. Они являются гимнастикой для сосудов при нарушении кровообращения нервного характера. Холодные ванны стимулируют местное кровообращение, снимают застой в крови, улучшают самочувствие.

Выполнение ванн для ног следующее.

1. Ванны с повышающейся температурой:

До середины голени опустить ноги в воду температуры 36 °C. Через каждые 2 минуты осторожно добавить горячей воды столько, чтобы температура повысилась на 0,5°. Через 15 минут сначала правую, затем левую ногу облить или вымыть холодной водой, вытереть насухо и, если нельзя лечь, одеть.

2. Ванны с переменной температурой.

В один сосуд налить горячую (38—39 °C), в другой холодную (15—20 °C) воду. Опустить ноги в горячую воду и через 1—4 минуты быстро в холодную воду. В холодной воде держать ноги 10—30 секунд. Проделать 3—4 раза, вытереть ноги насухо и одеться или лучше 30 минут полежать.

Порядок чередования воды: начинать с теплой воды, заканчивать всегда холодной.

3. Холодные ванны:

Опустить ноги в холодную (около 15 °C) воду, держать в ней не больше 2 минут. Если появится режущая боль, немедленно прекратить.

Подвидом холодных ванн является ходьба в воде: так же, как при холодной ванне (но хуже под струящейся водой), идти по воде или заниматься ходьбой на месте. После ванн ноги лишь слегка промокнуть. Полежать или одеться и двигаться. Никогда не делать холодных ванн, если ноги холодные. В этом случае нужно принять ножную ванну с повышающейся температурой.

Средство № 324

Компресс для живота — оздоравливающее воздействие: способствует расслаблению тела, благоприятно воздействует на желудочно-кишечный тракт (улучшается кровообращение органов пищеварения). У людей с повышенным давлением возникает особенно приятное ощущение общего расслабления. Кроме того, компресс способствует лучшему засыпанию. Горячий компресс для данной области также снижает спазмы.

Компресс делается следующим образом: влажное полотенце (простынка) 30 на 130 см накладывается от ключицы вниз, вокруг живота, но так, чтобы не затруднялось движение. Сухое полотенце (одеяло) накладывается сверху и прикрепляется двумя булавками. Длительность процедуры 1 час. В заключение — холодный душ.

Средство № 325

Грудной компресс — рекомендуется при воспалениях (особенно сопровождаемых повышенной температурой) органов дыхания, а также при нарушении функциональной сердечной деятельности.

Выполнение: холодное мокрое полотенце (размер 40 на 180 см) наложить на пространстве от подмышек до нижнего ребра в состоянии полувыдоха, сверху накрыть сухим полотенцем (одеялом) и закрепить булавками. Закрыть хорошо во избежание охлаждения. Далее как при компрессе живота.

Средство № 326

Компресс для туловища — рекомендуется при болях в позвоночнике и при повышенной температуре. В последнем случае компресс при его частой смене оттягивает жар, но, с другой стороны, способствует и потовыделению (при начинающейся простуде).

Методика: мокрое полотенце (80 на 180 см) обернуть вокруг туловища от подмышек до бедер. Сверху, как и при других компрессах, обернуть туловище сухим полотенцем (одеялом). Время — 1 час. Холодный душ, вытирание досуха, отдых.

Сухое полотенце должно быть несколько длиннее самого компресса, чтобы избежать охлаждения. И еще раз подчеркнем, что в заключение нужно принять холодный душ или обмывание.

Средство № 327

Компресс для поясницы — действенен при бронхите, бронхиальной астме, а также при воспалении легких или плеврите, при этом он успокаивает боли и способствует правильному становлению дыхания. Подобный компресс действует также болеутоляюще при болезненных ощущениях плечевой мускулатуры.

Методика: мокрый бинт примерно 30 см шириной и 2,5 м в длину обертывают с правой стороны груди наискось к левому плечу и оттуда наискось по спине в исходное положение. Потом прокладывают бинт поперек к левой стороне спины, оттуда — через правое плечо опять к груди. Второй, сухой бинт накладывается поверх. Хорошо укрыть, 1 час полежать и сполоснуться холодной водой, после процедуры отдохнуть.

Средство № 328

Шейные компрессы — находят применение почти при всех воспалительных заболеваниях шеи. Следует сложить салфетку или носовой платок, погрузить в холодную воду, отжать и обернуть вокруг шеи так, чтобы не возникло застоя. В качестве внешнего покрытия может быть использован сухой шерстяной шарф или платок.

Продолжительность — 1 час, по истечении растереть махровым полотенцем и прикрыть сухим платком.

Кровь (рукописная пометка)

Средство № 329

Сок свеклы — пить свежий сок от 200 до 600 мл в день в течение нескольких недель. Это прекрасное средство для образования красных кровяных телец и улучшения состава крови вообще. Сок является отличным очищающим средством для печени, почек и желчного пузыря; сок используется для снижения высокого давления крови и других видов нарушения сердечной деятельности, при менструальных расстройствах, во время климактерического периода.

Средство № 330

Сок капусты — идеальное очистительное средство, в особенности при ожирении (тем, кто хочет похудеть, нужно употреблять капустный сок); лечит язву двенадцатиперстной кишки; эффективен при опухолях; лечит запоры; используется при сыпи на коже. Смесь соков капусты и моркови является прекрасным средством очищения организма, особенно при инфекции десен, вызывающей пиорею. Пить от 200 до 600 мл каждый день в течение нескольких недель.

Если после питья капустного сока образуется большое количество газов (в результате ненормального состояния кишечника), то предварительно рекомендуется очистить кишечник, выпивая ежедневно морковный сок в течение двух недель с ежедневным очищением клизмой.

Сок капусты очень питателен (большое количество энзимов, витаминов, минералов и солей). Когда капуста варится, то действие этих веществ уничтожается. Пятьдесят килограммов вареной или консервированной капусты не могут дать такого количества живой органической пищи, какое организм может усвоить из трехсот граммов сырого сока капусты.

Соль (рукописная пометка)
№ (рукописная пометка)

Следует сказать, что добавление соли к капусте или ее соку не только уничтожает ее ценность, но и вредно.

Средство № 331

Морковный сок — помогает привести весь организм в нормальное состояние. Он является источником витамина А, в нем содержится также большое количество витаминов В, С, D, Е. Сок улучшает пищеварение и структуру зубов. Морковный сок является хорошим средством улучшения зрения; лечит печень, воспаление кожи и другие кожные заболевания. Пить от 200 до 600 мл в день в течение нескольких недель.

Средство № 332

Сок лимона — с помощью этого средства лечится хронический ревматизм, подагра, цинга, тучность, мигрень, бели, болезни волос и кожи (экземы, лишаи, бородавки), алкоголизм, малокровие, ангина, инфекционные болезни, а также выводятся желчные и почечные камни.

Механизм действия данного средства — удаление мочевой кислоты, отравление которой, вследствие неумеренного употребления пищи и употребления некачественной пищи, является основной причиной перечисленных выше болезней. (Удаление мочевой кислоты можно производить также: 1) с помощью диеты, свободной от мочевой кислоты: исключаются мясо, яйца, грибы, стручковые, кофе, чай и какао, разрешается молоко, неострые сыры, каши, картофель, хлеб; 2) с помощью водолечения.)

Способ оздоровления лимонным соком не требует от пациента строгой диеты и перемены образа жизни. Но для ускорения лечения желательно, чтобы больной избегал употребления веществ, содержащих в себе мочевую кислоту, и спиртных напитков.

Для оздоровления следует употреблять сок из свежих лимонов, причем отдавать предпочтение плодам с тонкой кожей, как наиболее сочным. Для каждого приема выжимать свежий сок (лимонный сок быстро разлагается, и поэтому не следует делать больших запасов сока). При выжимании неочищенный лимон разрезается пополам в поперечном направлении и затем обе половины поочередно выдавливаются с помощью рук или с помощью специального пресса.

Ввиду того, что чистый лимонный сок набивает на зубы оскомину, рекомендуется пить сок из стакана через соломинку или стеклянную трубочку. После принятия всей порции рот следует сполоснуть водным раствором двууглекислой соды (1 чайная ложка соды на стакан воды), которым нейтрализуется оставшаяся во рту лимонная кислота.

Лимонный сок следует пить чистый, без примеси воды, сахара и других веществ. Принимать его следует за полчаса до приема или час спустя после приема пищи. Количество лимонов, необходимое для излечения, зависит от степени развития данной болезни. В острых случаях выздоровление наступает скорее и поэтому требуется меньшее количество лимонов. При застарелых болезнях для оздоровления требуется больше времени и, следовательно, большее количество лимонов (не менее 200 штук).

Оздоровление начинают с одного лимона или пяти лимонов, увеличивая с каждым днем порцию до тех пор, пока не наступит улучшение; тогда в течение нескольких дней принимают последнюю, наивысшую порцию, а затем постепенно уменьшают. Для исцеления хронических заболеваний: 1-й день — 1 лимон; 2, 3, 4, 5, 6, 7, 8, 9-й дни — соответственно по 2, 4, 6, 8, 10, 12, 14, 16 лимонов; 10, 11, 12-й дни — по 18 лимонов; 13, 14, 15, 16, 17, 18, 19, 20-й дни — соответственно по 16, 14, 12, 10, 8, 6, 4, 2 лимона; 2-й день — 2 лимона. В сумме за 21 день — 200 лимонов. Можно употреблять сок лимонов для исцеления хронических болезней по следующей схеме: 1, 2, 3, 4-й дни соответственно по 5, 10, 15, 20 лимонов; 5, 6, 7, 8-й дни — по 25 лимонов; 9, 10, 11, 12-й дни соответственно по 20, 15, 10, 5 лимонов.

В хронических болезнях после первого курса возможны возвраты признаков болезни. В таких случаях следует повторить сокращенный курс по следующей схеме: 1, 2, 3, 4, 5-й дни соответственно по 1, 2, 3, 4, 5 лимонов; 6, 7, 8, 9-й дни соответственно по 4, 3, 2, 1 лимону.

Прием большого количества сока лимона не вреден для желудка, а, наоборот, полезен.

Средство № 333

Смесь соков цитрусовых фруктов — прекрасно осуществляется очистка лимфы, крови, нормализуется состав крови.

Перед процедурой желательно хорошо промыть кишечник; пить смесь соков нужно в парной или сауне или под теплым душем.

Смесь приготавливается из 900 г апельсинового сока, 900 г сока грейпфрута, 200 г лимонного сока и 2 л талой воды. Процедура начинается со стакана воды с растворенной в ней столовой ложкой глауберовой соли, после чего начнется сильное потоотделение. Потерю влаги восполняют, выпивая смесь соков и талой воды по 100 г каждые полчаса. Выпив 4 л смеси, больше в течение дня не принимать никакой пищи, и так — 3 дня подряд.

Средство № 334

Сырые овощные соки — являются прекрасным средством лечения многих болезней. Пить от 200 до 600 мл соков в день в течение нескольких недель.

Ниже приводятся качественные и количественные соотношения при различных расстройствах здоровья (первые составы предпочтительнее последующих).

Аллергия:
1) морковь, шпинат в соотношении 10:6
2) морковь, свежие огурцы, свекла 10:3:3
3) морковь

Аппендицит (во избежание операции можно достичь удовлетворительных результатов частыми клизмами с перерывами 15—30 минут):
1) морковь
2) морковь, сельдерей, петрушка, шпинат 7:4:2:3

Атеросклероз:
1) морковь, шпинат 10:6
2) морковь, сельдерей, петрушка, шпинат 7:4:2:3
3) морковь, свекла, сельдерей 8:3:5

Артрит:
1) грейпфрут
2) морковь, шпинат 10:6
3) сельдерей
4) морковь, сельдерей 9:7

Астма:
1) морковь, шпинат 10:6
2) хрен с лимонным соком (1 лимон на 100 г хрена)
3) морковь, сельдерей 9:7
4) морковь, редька или редиска 11:5

Белокровие:
1) морковь
2) морковь и свекла 13:3 (свекла с ботвой)

Бесплодие:
1) морковь, шпинат 10:6
2) морковь, свекла, огурцы 10:3:3
3) морковь

Болезнь глаз (катаракта и другие):
1) морковь
2) морковь, шпинат 10:6

Болезнь желчного пузыря:
1) морковь, шпинат 10:6
2) морковь, свекла, огурцы 10:3:3

Болезнь мочевого пузыря:
1) морковь, свекла, огурцы 10:3:3
2) морковь, шпинат 10:6

Болезнь печени:
1) морковь, свекла, огурцы 10:3:3
2) морковь, шпинат 10:6
3) морковь

Болезнь половых органов:
1) морковь, шпинат 10:6
2) морковь, свекла, огурцы 10:3:3

Болезнь почек:
1) морковь, свекла, огурцы 10:3:3
2) морковь, шпинат 10:6
Болезнь простаты:
1) лимон
2) морковь, свекла, огурцы 10:3:3
3) морковь, шпинат 10:6
Бронхит:
1) морковь, шпинат 10:6
2) морковь, одуванчики 12:4
Варикозное расширение вен:
1) морковь, шпинат 10:6
2) морковь, сельдерей, петрушка, шпинат 7:4:2:3
Геморрой:
1) морковь, шпинат 10:6
2) морковь, сельдерей, петрушка, шпинат 7:4:2:3
Глухота:
1) морковь, шпинат 10:6
2) морковь, сельдерей, петрушка 9:5:2
Гипертония:
1) морковь, шпинат 10:6
2) морковь, свекла, огурцы 10:3:3
Грибковые заболевания ног:
1) морковь, шпинат 10:6
2) морковь, свекла, огурцы 10:3:3
3) морковь
Грыжа:
1) морковь, шпинат 10:6
2) морковь
Полиомиелит:
1) морковь, шпинат 10:6
2) морковь, сельдерей, петрушка 9:5:2
Диабет:
1) морковь, шпинат 10:6
2) морковь, сельдерей, петрушка, шпинат 7:4:2:3
Заболевание сердца:
1) морковь, шпинат 10:6
2) морковь, свекла, огурцы 10:3:3
Запор:
1) морковь, шпинат 10:6
2) морковь, свекла, огурцы 10:3:3
Ожирение:
1) морковь, шпинат 10:6
2) морковь
3) морковь, свекла, огурцы 10:3:3

Подагра:
1) морковь, шпинат 10:6
2) морковь, свекла, огурцы 10:3:3
Разрушение зубов:
1) морковь, шпинат 10:6
2) морковь, одуванчики, репа 11:3:2
3) морковь.

Средство № 335

Сырые фруктовые соки — очень полезны, они содержат большое количество витаминов и энзимов, способствуют выводу из организма шлаков и токсинов.

Сырые фруктовые соки используются для поддержания здоровья и лечения при многих заболеваниях: артрите, астме, простатите, болезни печени, почек и других.

Напомним, что энзимы (являющиеся сложными веществами, способствующими перевариванию пищи и поглощению ее кровью) находятся в основном в сырых растительных продуктах. Энзимы чувствительны к температурам выше 47 °С. Выше 49 °С энзимы становятся инертными, а при температуре 54 °С большая часть энзимов уничтожается.

Энзимы делают пищу живой, органической. Отсутствие такой пищи ведет к болезням.

Фрукты, как и овощи, состоят из большого количества клетчатки, в которой между ячейками заключены необходимые питательные элементы. Именно эти элементы, находясь в свежих сырых соках, питают весь организм.

Фруктовые соки являются прежде всего очищающим средством организма, в то время как соки овощей являются строителями и восстановителями организма (они содержат все аминокислоты, минеральные соли, витамины, необходимые человеческому организму, если они употребляются только в свежем, сыром виде).

Соки можно пить столько, сколько пьется с удовольствием, без принуждения. При лечении для получения заметных результатов необходимо пить по меньшей мере 600 г в день. Нужно иметь в виду, что чем больше мы пьем соки, тем скорее достигнем желаемых результатов.

Прежде чем в течение нескольких недель пить фруктовые соки (это же относится к овощным сокам), желательно хорошо очистить организм с помощью глауберовой соли и соков цитрусовых.

Утром натощак выпить стакан раствора (1 столовая ложка на стакан воды) глауберовой соли. Количество выходящих нечистот может составить 3—4 л. Это приводит к обезвоживанию организма. Поэтому нужно выпить около 2 л свежих соков (лучше из цитрусовых: 6 средних грейпфрутов, 3 лимона, а остальное апельсины), разбавленных 2 л воды. Начинать пить сок через 0,5 часа после принятия раствора глауберовой соли и продолжить пить его через 20 или 30 минут, пока не кончится вся смесь в 4 л. Весь день ничего не есть (вечером можно поесть немного грейпфрута, апельсина или их сок). Перед тем как лечь спать, сделать клизму 2 л чуть теплой воды (в которую можно добавить сок 1 или 2 лимонов).

Такую процедуру очищения следует проделать 3 дня подряд: в результате из организма будет удалено примерно 12 л токсичной лимфы и замещено таким же количеством ошлачивающей жидкости.

На четвертый и последующие дни следует начинать пить сырые соки.

Средство № 336

Собственная моча — прием мочи внутрь является хорошим оздоравливающим средством, помогает излечить ревматизм, мигрень, простуду, эпилепсию, паралич, задержку мочи.

Не следует бояться пить мочу. Состав мочи и общее ее состояние зависит гораздо больше от характера пищи и питья, принятых человеком, чем от любых ожидаемых и действительных условий болезни.

Метод приема мочи внутрь служит мощным средством удаления шлаков и токсинов из организма. Метод заключается в следующем: на фоне голодания (длительность голодания зависит от степени запущенности болезни) от 3 до 30 дней принимается каждый день своя моча, выпивается как вода при обычном голодании, все тело натирается мочой. Растирать его нужно 1 раз в день в течение 1—2 часов. Этим методом исцеляют многие серьезные заболевания, которые не лечатся обычным путем. В результате лечения происходит не только выздоровление, но и омоложение (разглаживаются морщины, кожа приобретает упругость).

В процессе исцеления моча должна выпиваться до капли с первого до последнего дня голодания (какого бы качества по цвету, запаху, густоте она ни была). Для растирания можно использовать чужую мочу или часть своей мочи.

Наиболее важными частями при растирании являются лицо, шея и ступни (включая подошвы). После растирания тело обмывается теплой водой.

Некоторые болезни можно исцелять, применяя облегченный метод: пить свою мочу, соблюдая хорошо сбалансированную диету.

Этот облегченный метод можно применять для профилактики и оздоровления в течение всей жизни (каждый день пить утром свою мочу, соблюдая условия рационального питания).

Средство № 337

Обыкновенная вода из родника, колодца или, в крайнем случае, из крана (отстоянная сутки в графине) — нормализует состояние организма, ибо человеку необходимо определенное количество жидкости для сохранения своего здоровья. Лица, мало поглощающие жидкости, почти все страдают от недостатка крови, имеют вид малокровных людей, кажутся бледными, анемичными. Кожа у них почти всегда бывает сухой, и они весьма редко потеют. Они кажутся нездоровыми, с виду напоминают засохший плод, нуждающийся в соке, чтобы стать живым и нормальным. Почти всегда они страдают расстройством пищеварения, а это, в свою очередь, вызывает массу других недугов. Их прямая кишка отличается загрязнением. Организм вынужден постоянно поглощать испорченные продукты, находящиеся там, и он стремится освободиться от них при помощи дыхания с дурным запахом, ненормального потения и мочевыделения. Тело человека наполнено разными ядовитыми веществами, которые природа не в состоянии удалить через почки, если не поступает достаточного количества воды. Нет ничего удивительного, если прямая кишка человека наполнена ядовитыми веществами, отравляющими организм, и природа не имеет возможности удалить их нормальным путем, потому что нет достаточного количества воды.

При малом употреблении воды у человека появляется недостаток в слюне и желудочном соке, потому что в таком случае природа не может вырабатывать их в полной мере. То же самое можно сказать относительно крови.

В течение дня в перерывах между приемами пищи нужно выпить около литра воды (800—1000 мл). Температура воды около 12 °С. Вода сырая, отстоянная сутки в графине. Пить маленькими глотками, задерживая каждый глоток несколько секунд, медленно, представляя, что вы извлекаете из воды прану.

Средство № 338

Живая и мертвая вода — лечит простудные заболевания, простатит, кожные заболевания, радикулит, геморрой, болезни печени, расширение вен.

Живая и мертвая вода получается путем электролиза воды: около анода образуется кислая среда (мертвая вода), а около катода щелочная среда (живая вода). Чтобы жидкость не перемешивалась при выключении тока (из-за теплового движения молекул), в электролизной ванне ставится перегородка, пропускающая ток, но не позволяющая смешиваться продуктам электролиза (в простейшем случае — брезентовая перегородка).

Устройство можно сделать в домашних условиях, причем такое, которое позволяет получить живую и мертвую воду любой крепости. Живая и мертвая вода используется при различных расстройствах здоровья. Ниже приводится методика использования живой и мертвой воды.

1) *Грипп*. В течение суток 8 раз полоскать полости рта и носа мертвой водой. На ночь выпить 1/2 стакана живой воды. Грипп исчезает в течение суток.

2) *Ангина*. 3 суток полоскать горло мертвой водой, после каждого полоскания выпить 1/4 стакана мертвой воды. Температура снижается в 1-й день. На 3-и сутки болезнь прекращается.

3) *Зубная боль*. Прополоскать один раз мертвой водой полость рта в течение 3—10 минут.

4) *Аденома предстательной железы*. В течение 8 суток 4 раза в день за 30 минут до еды принимать по 1/2 стакана живой воды. Через 3—4 дня выделяется слизь. На 8-й день опухоль полностью исчезает.

5) *Боль суставов*. 2 суток 3 раза в день перед едой пить по 1/6 стакана мертвой воды. Боль пропадает в 1-й день принятия воды.

6) *Экзема, лишай*. 3—5 дней утром смазывать мертвой водой, через 10—15 минут смазывать живой водой.

7) *Геморрой*. 2 суток промывать трещины мертвой водой, затем прикладывать тампоны, смоченные живой водой, меняя их по мере высыхания. Кровотечение прекращается, трещины заживают.

8) *Воспалительные процессы, закрытые нарывы, фурункулы*. 2 суток прикладывать к воспаленному участку тела компресс, смоченный в живой воде. Перед наложением компресса больной участок смочить мертвой водой и дать просохнуть. На ночь выпить 1/4 стакана живой воды.

9) *Радикулит*. 3 раза перед едой пить 3/4 стакана живой воды. Боли прекращаются в течение суток.

10) *Расширение вен*. Промыть вздувшиеся и кровоточащие участки тела мертвой водой, затем смочить марлю живой водой и приложить к пораженным участкам, принять 1/2 стака-

на мертвой воды и через 2 часа начать принимать по 1/2 стакана живой воды с промежутком 4 часа 4 раза. Процедуру повторить в течение 2—3 дней. Участки вздувшихся вен рассасываются, вены заживают.

11) *Воспаление печени.* 4 дня принимать 4 раза в день по 1/2 стакана активированной воды; 1-й день только мертвую, остальные дни — живую.

12) *Гигиена лица.* Утром и вечером после умывания обычной водой умыться мертвой водой, а затем живой. Лицо становится белым, пропадают прыщи.

Средство № 339 — *омоложо тела старение*

Талая и безгазовая вода — применяются при лечении заболеваний кровеносных сосудов, дыхательных путей, почек, отдаляют старость.

Оздоравливающее воздействие талой воде придает меньшее содержание в ней газов. У дегазированной в результате замораживания жидкости изменяется электропроводность, увеличивается плотность, вязкость, поверхностное натяжение, энергия межмолекулярного воздействия и внутреннего давления. Иными словами, по физическому состоянию она приближается к биологическим растворам живых клеток.

Кроме того, следует учитывать, что одной из важных причин наступления старости является снижение процента связанной в организме воды. Талая вода обеспечивает прочность удержания молекулами воды. Структура льда идеально подходит к структуре биомолекул, т. е. крупных молекул белковых веществ и нуклеиновых кислот, несущих функции жизни (живые молекулы могут быть вписаны в ледяную решетку при замораживании даже до абсолютного нуля без нарушения их жизненных функций после оттаивания). В организме живые молекулы могут быть вложены в ледяную решетку, как идеально подходящий к ним футляр. Талая вода отличается от обычной тем, что в ней при доведения ее до льда и последующего оттаивания образуется много центров кристаллизации. Если пить талую воду, центры всасываются и, попав в нужную зону в организме, дают в ней начало цепной реакции «замораживания» воды организма, т. е. восстанавливается необходимая для протекания жизни «ледяная структура», а с нею все полноценные жизненные функции.

Пить талую воду следует таким образом. Заморозить воду на балконе или в холодильнике. Лучше всего выпивать талую воду, когда она имеет температуру 0 °C, с малыми плавающими льдинками. Но активна и вода, полученная изо льда холодильника и полностью оттаявшая за ночь около рамы окна. Выпить воду нужно сразу без передышки и 1 час после этого ничего не есть и не пить. Номинальная норма составляет 3/4 стакана 2—3 раза в день из расчета 4—6 г на 1 кг веса. Нестойкий, но заметный эффект может наблюдаться даже от 3/4 стакана 1 раз утром натощак (2 г на 1 кг веса).

Получить воду, обладающую большим запасом потенциальной энергии, можно не только замораживанием. В 5—6 раз возросшей активностью по сравнению с обычной и в 2—3 раза с талой обладает вскипяченная и быстро охлажденная вода в условиях, исключающих доступ атмосферного воздуха. В этом случае она по законам физики дегазуется и не успевает вновь насытиться газами. Чтобы вода пришла в обычное состояние, необходимо несколько часов, но если ее хранить в герметически закрытом сосуде, стимулирующая сила практически не уменьшается в течение 5—7 суток. Пить безгазовую воду каждое утро по 1/4 стакана.

Биологически активная вода снижает температуру тела, а это способствует значительному продлеванию жизни человека.

Средство № 340

Эбонитовая пластинка — этой пластинкой или янтарным кружком (диском диаметром 110 мм и толщиной 8—10 мм) можно лечить больных с хирургическими, терапевтическими, инфекционными и нервными заболеваниями.

Суть метода: введение в организм дополнительной не плазменной электроэнергии через кожу организма с помощью поглаживания кружком из эбонита или янтаря по коже 15 минут. При этом отрицательные заряды статического электричества, образуя в организме биоток 5—10 ампер, стимулируют функции клеток и органов всего организма.

Указанные размеры пластинки и кружка удобны, но не обязательны. Средний курс лечения 10 дней. При необходимости можно повторить курс. Исцеляться можно самому, но, если есть возможность, следует пользоваться услугами другого человека (помощника). Нужно учесть, что с помощником осуществляется взаимолечение, т. е. электроток во время процедуры протекает через оба организма и благоприятно на них влияет.

В пластинку или кружок нужно вклеить (или сделать на резьбе) ручку. Эбонит при трении по ладони издает запах жженой резины (это подтверждает, что данный материал — эбонит). Эбонит моется горячей водой с мылом. Его не следует держать на свету, от этого он стареет.

Методика исцеления: в течение 15 минут гладить по коже медленно (1 движение в секунду) без лишних усилий, не вызывая неприятных ощущений. При появлении их процедуру прекратить. Каждая ежедневная 15-минутная процедура заканчивается пассивным наложением на кожу болезненной области пластинки.

1) При радикулите на ночь прибинтовать пластинку к болезненной части позвоночника.

2) При полиартрите на ночь — к наиболее болезненному суставу.

3) При переломе кости — к месту перелома.

4) При отложении солей (остеохондрозе) прибинтовать к наиболее болезненному суставу.

5) При гриппе и респираторных заболеваниях (при пневмонии) — к груди или лопаткам.

На ночь прибинтовать к любой больной мышце.

6) При флебите и тромбофлебите прибинтовать на ночь к воспаленной вене.

15-минутная процедура проводится следующим образом:

1) При радикулите помощник правой рукой гладит по кругу поясничную область, а ладонь левой руки следует положить под живот больного. При плохом скольжении кружка кожу следует слегка посыпать тальком.

Для выздоровления провести до 10 процедур. Излечение наступает после 1—10 процедур.

2) При воспалении вен на ногах (тромбофлебите) на ночь к этому месту прибинтовать пластинку или кружок. Можно и нужно гладить кружком по здоровой области ноги или туловища. Например, появилась боль в икроножной мышце голени, помощник 15 минут гладит бедро по кругу выше коленного сустава, а левой рукой замыкает цепь, взявшись за пальцы больной ноги.

3) При воспалении легких и дыхательных путей помощник по кругу гладит спину, а ладонь левой руки кладет под грудь.

4) При самопоглаживании кружком по лицу круговыми движениями (лоб, щеки, подбородок) по направлению часовой стрелки излечивается грипп. Такое поглаживание проводят 2 раза в день по 15 минут. Головная боль, ушная, зубная, гипертоническая болезнь 1—2-й стадии, респираторные вирусные заболевания, гайморит, фронтит — поглаживание проводить 1 раз в день 15 минут.

5) При полиартрите, отложении солей — помощник гладит кружком правой рукой туловище больного (живот или спину) круговыми движениями, а левой рукой держит больного за пальцы или палец левой стопы; замыкание цепи 5 минут; за пальцы

правой ноги, но уже правой рукой, а левой продолжает гладить кружком туловище. При отсутствии помощника — самопоглаживание больных суставов по кругу.

Средство № 341

Нижнее (брюшное) дыхание. Выполнение: выдох — внутренности втянуть; пауза на выдохе 1—2 секунды; вдох — выпячивание живота (медленно, плавно, как будто пьем воздух).

Диафрагма массирует внутренние органы; вследствие этого это упражнение очень полезно. Начать дышать так, положив руки на живот. Это идеальное дыхание для астматиков, особенно во время приступа.

Средство № 342

Полное йоговское дыхание — совокупность 3 видов дыхания. Известны 3 вида дыхания: верхнее, среднее и нижнее.

В верхнем дыхании принимает участие только верхняя часть груди и легких. При вдохе поднимаются ребра, ключицы и плечи, воздухом наполняются лишь некоторые отделы легких. Большая часть кислорода не достигает альвеол и не вступает в полезный газообмен. Так дышат обычно люди, незнакомые с физкультурой, ведущие малоподвижный образ жизни, а также те, кто страдает астмой, одышкой, носит тугой пояс или загружает до предела желудок. Этот вид дыхания йоги считают неполноценным, приводящим к различным заболеваниям дыхательного аппарата и всего организма. Тем не менее они используют его как упражнение для развития подвижности грудной клетки.

Выполнение: лечь на спину, ладони на пояснице, локти на коврике. Прогнуться в позвоночнике так, чтобы грудь поднялась вверх. Живот втянут, напряжен. Глубоко вдохнуть, расширив грудную клетку до предела, сделать паузу и медленно выдохнуть.

Повторить упражнение 12 раз.

При среднем дыхании, которое называется еще межреберным, воздухом наполняется средняя часть легких. Это дыхание напоминает верхнее дыхание — ребра немного поднимаются, а грудь расширяется, а также нижнее — приходит в движение диафрагма и выдвигается вперед живот. Тем не менее оно остается поверхностным.

Нижнее, или брюшное, дыхание выполняется нижней частью груди и легких. При этом живот совершает движения вперед и назад, а купол диафрагмы — вверх и вниз. Люди, которым приходится низко наклоняться над столом, когда они пишут или читают, а также некоторые музыканты или певцы частенько дышат «животом».

Полное дыхание приводит в действие весь дыхательный аппарат, все альвеолы и дыхательные мускулы. Оно обеспечивает оптимальное насыщение организма кислородом, стимулирует обмен веществ, увеличивает иммунные силы организма, оказывает благоприятное воздействие на эндокринную систему, излечивает от сердечных недугов.

Оно выполняется из любого положения — стоя, сидя, лежа и при ходьбе. После выдоха медленно вдыхать на счет 8 или 6, наполняя воздухом сначала нижнюю часть легких (живот выдвигается вперед), затем среднюю (расширяются ребра и грудь), наконец, верхнюю (поднимаются ключицы). В этот момент живот рефлекторно подтягивается к позвоночнику. Сделать задержку в соответствии с выбранным ритмом, скажем на счет 8, и начинать медленный выдох, сначала втягивая внутрь живот, затем опуская плечи, ребра, грудь. Эти волнообразные движения при вдохе и выдохе должны быть мягкими, плавными, без резких толчков и больших напряжений. После выдоха снова сделать паузу — задержку дыхания. Полное дыхание, осуществляя массаж внутренних органов, оздоравливает весь организм.

Средство № 343

Ролик — упражнение динамического плана. Делать на мягкой подстилке.

Исходное положение: сесть, подтянуть обе ноги коленями к туловищу, обхватив их руками, пятки к ягодицам, ступни вместе (обхватить левой рукой запястье правой руки — для мужчин, для женщин — наоборот).

Выполнение: резко откинуться назад и также резко вернуться в исходное положение. Дыхание произвольное.

Делать от 10 до 100 раз. Начинающим — до 10 раз.

Терапевтический эффект: дает гибкость позвоночнику и укрепляет его. Лечит заболевания головного мозга, способствует улучшению сна, хорош для освобождения от газов.

Ролик является единственным упражнением, которое можно делать перед сном.

Средство № 344

Поза горы (Тадасана). Выполняется так: встать прямо, ноги вместе. Подтянуть живот, выпрямить грудь. Руки свободно опущены вдоль тела. Смотреть прямо перед собой. Внимание на талии. Находиться в позе 1—2 минуты.

Поза позволяет установить контроль над мускулатурой, улучшает осанку. Является исходной позицией для выполнения других упражнений и поз из положения стоя.

Средство № 345

Шейный замок (Джаландхара-Бандха). Сделать глубокий вдох, наклонить голову и упереться подбородком в грудь. При этом задняя часть языка продвигается вверх к глотке и твердому небу. Находитесь в позе столько, сколько сможете.

Терапевтический эффект: тонизирует гортань, голосовые связки, щитовидную железу.

Средство № 346

Оперативная суставная гимнастика во время интенсивной умственной работы — делает суставы гибкими, способствует лечению артрита, мобилизует умственные способности:

1. Сидя на стуле, поднять в замке руки над головой. Пружиня (опираясь) на ягодицах, как бы поднимать себя с усилием прямо, вправо, влево, работая обеими ягодицами, правой, левой.

2. Сидя на стуле, левой рукой обнять себя по поясу ладонью наружу и правой опереться о колено. Развернуть туловище назад через левое плечо и дышать, набирая прану в область почек. Затем поменять руки. Набрать прану в область почек (4-й позвонок снизу). При выдохе выбрасывать яды из организма.

3. Сидя на стуле, взяться сзади руками за локти, предплечья к туловищу не прижимать. Наклоны с выдохом влево, вправо. Спина прямая, сознание на область почек.

Выполнять до признака усталости.

4. Сидя на стуле, вытянуть руки вперед и соединить их в обратном замке (вывернуть руки). Затем в обратную сторону.

5. Сидя на стуле, ставим локти на стол, кулаки сжаты. Правую ладонь, выпрямляя с напряжением, опустить на стол, а левая, сжатая в кулак, стоит на столе на локте. Затем расслабиться.

Теперь левой рукой (как будто сжимаем пружину). Выполнять 2—4—10 раз.

6. Ставим локти на стол на ширину плеч. Скрещивая руки на груди (пальцы вместе в ладони), поджать живот, грудь втянуть, спина выгибается. 10—15 раз.

7. Сидя на стуле, руки на коленях. Вращаем плечи сначала в одну сторону, потом в другую. Амплитуда как можно бо́льшая. 10—25 раз.

8. Сидя на стуле, вытянуть руки и ноги вперед параллельно полу. Раздвигать их сначала в стороны (скрещивая), а затем вверх и вниз. Темп менять.

9. Сидя на стуле, положить на затылок ладони рук в замке. С выдохом медленно, с усилием сгибать шею и голову до поверхности стола. С вдохом также медленно, с усилием выпрямлять. Руки все время за головой в замке. Выполнять 2—5 раз. Сознание на вдохе от 4-го позвонка к щитовидной железе.

Средство № 347

Суставная гимнастика, выполняемая в положении стоя, способствует гибкости суставов, лечению артрита, мобилизует защитные силы организма, повышает жизненный тонус:

1. Стоя: а) выставить правую ногу в сторону, потом в другую. Затем поменять положение ног. Вращение за счет прямой ноги (выставленная нога неподвижна). Спина прямая;

б) танец живота. Вращение туловища с опорой на прямой левой ноге, а правая выставлена вперед на носке, затем наоборот.

2. Ноги чуть согнуты в коленях, руки на бедрах, ступни ног вместе. Вращение туловища с ногами в одну, потом в другую сторону.

3. Стоя. Руки согнуты в локтях, пальцы (средний и указательный) — на плечах. Сводить и разводить локти. При сведении локоть идет на локоть, при разведении локти держать как можно выше (вдох при разведении, пауза при разведенных локтях 3—4 секунды), повторить 5—10 раз.

4. Замок за спиной скрещенными руками (правая сверху, левая внизу). Присесть на двух ногах, не отрывая пяток от пола, ноги вместе, туловище прямое. Затем поменять руки.

5. Хождение на прямых ногах и руках: исходное положение стоя. Наклон вперед, встать на четвереньки и идти, ноги и руки не сгибая, голова опущена. Затем бег, прыжки в той же позе.

6. Стоя, руки на бедрах. Идти на прямых ногах, поднимая бедра как можно выше.

7. Стоя, руки на бедрах. Расслабленными ногами (ступнями) имитировать удары по мячу сначала одной ногой, затем другой.

8. Стоя, руки на бедрах. Бросать ногу как можно выше (пяткой вперед и в сторону, как бы наносить пяткой удары). Сначала одной, потом другой ногой.

9. Стоя, руки на бедрах. Расслабить ногу и наносить удары правой ногой по левой ягодице, левой — по правой ягодице.

Средство № 348

Суставная гимнастика, выполняемая в положении сидя на полу, способствует гибкости суставов, лечению артрита, повышает жизненный тонус.

Упражнение 1. Сесть на пол, вытянуть руки и ноги вперед под углом к полу. Сгибать кисти рук и ног синхронно, меняя или убыстряя постепенно темп. Сами руки и ноги остаются все время под углом к полу. 5—10—15—20—25 раз.

Упражнение 2. Сидя на полу, опускать голову вперед и назад, постепенно убыстряя темп. 5—10—15—20—25 раз.

Упражнение 3. Сидя на полу, вытянуть руки и ноги под углом к полу. Сгибать кисти рук и ступни ног внутрь и наружу. Сами руки и ноги остаются прямыми. 5—10—15—20—25 раз.

Упражнение 4. Сидя на полу, наклонить голову влево и вправо, постепенно убыстряя темп. 5—10—15—20—25 раз.

Упражнение 5. Сидя на полу, вытянуть вперед руки и ноги, вращать кисти рук и стопы ног сначала в одну, потом в другую сторону, постепенно убыстряя темп. 5—10—15—20—25 раз.

Упражнение 6. Сидя на полу, поворачивать голову влево, вправо, постепенно убыстряя темп. 5—10—15—20—25 раз.

Упражнение 7. Сидя на полу, вытянуть руки и ноги, соединить стопы ног вовнутрь. Руки вытянуть, сгибая пальцы рук, затем стопы выпрямить (касаться при этом лодыжками). Повторить несколько раз.

Упражнение 8. Сидя на полу, вращать головой сначала в одну сторону, потом в другую, постепенно убыстряя темп. 5—10—15—20 раз.

Упражнение 9. Сидя на полу, выпрямить грудь, руки в плечах отвести назад, согнув их в локтях. Вдох, с выдохом через рот выбрасывать руки вперед (ноги вытянуты под углом к полу) и пальцами «царапаем» воздух. 2—5 раз.

Упражнение 10. Сидя на полу, вращать головой, как змея, сначала в одну сторону, потом в обратную сторону. Затем, как петух, головой вперед-назад, влево, прямо, вправо и параллельно полу.

Средство № 349

Мертвая поза (Шавасана) — упражнение для полного расслабления. Лежа на полу, руки вдоль туловища, полностью расслабиться с помощью определенных формул (расслабление идет снизу вверх):

1) «Пальцы ног расслаблены, ступни расслаблены, икры расслаблены, бедра расслаблены. Ноги расслаблены, теплые, тяжелые». Проверить ноги: бедра, колени, икры, ступни, пальцы.

2) «Поясница, спина, грудь — расслаблены».

3) «Сердце бьется спокойно, ровно. Печень расслаблена, мочевой пузырь расслаблен, селезенка расслаблена». Проверить: селезенка, мочевой пузырь, печень — расслаблены.

4) Руки: «Пальцы расслаблены, кисти расслаблены, предплечья расслаблены, плечи расслаблены. Руки расслаблены, теплые, тяжелые».

5) «Шея расслаблена».

6) «Лицо расслаблено, челюсть отвисает, глаза расслаблены».

«Я — чайка, небо голубое, голубое. Я парю один в небе». Длительность выполнения позы до 10—15 минут.

Данное средство благотворно воздействует на нервную систему, сердце, систему кровообращения; идеальный отдых для всех систем организма.

Средство № 350

Упражнение для полного расслабления с концентрацией внимания на всеобъемлющем отдыхе — может быть использовано в качестве отдыха на 10—15 минут в течение дня. Это средство дает полный покой нервной системе. Благоприятно воздействует на сердце, на систему кровообращения. Снижает повышенное давление.

Исходное положение: лежим на спине, руки вытянуты вдоль тела ладонями вверх, ноги сомкнуты и вытянуты.

Дыхание и концентрация внимания: выполнять с замедленным дыханием и мыслями, сконцентрированными на всеобъемлющем и совершенном отдыхе.

Техника исполнения:

1) Без напряжения, как только можно, замедляем дыхание. Мы отдыхаем.

2) Начиная со ступней, расслабляем все наши мышцы, поочередно сосредотачиваемся на ступнях, голенях, бедрах, животе, руках, шее и голове (сознательно полностью их расслабляем). Тело должно быть расслаблено до такой степени, чтобы мы его не ощущали.

3) При расслаблении всех мышц мы не думаем ни о чем, т. е. не связываем себя ни с чем, не задерживаем свои силы, но даем им возможность свободно течь, пока их течение не замедлится и наш мозг «опустеет». Лежа в полной расслабленности, ждем, когда наши мысли иссякнут. Утратив себя таким образом, мы отдыхаем. Последняя мысль перед расслаблени-

ем и первая мысль после нашего оживления должна быть о том, что мы полностью отдыхаем, лежа без малейшего напряжения, и что самая последняя мышца нашего тела расслаблена.

4) Обращаем наше внимание на сердце и испытываем глубочайший покой и отдых, приносящий нам новые силы.

Средство № 351

Психическое расслабление. Физическое расслабление действует на психику и успокаивает нервную систему, а психическое (умственное) расслабление, давая успокоение и отдых мозгу, одновременно воздействует на тело, давая ему мышечное расслабление и отдых.

Периодически нужно выполнять упражнение в умственном расслаблении.

Исходное положение: сидя в кресле.

Выполнение: расслабьтесь физически. Старайтесь не думать о предметах внешнего мира, углубитесь в себя и размышляйте о чем-то независимом от тела и могущем оставить это последнее, не раздваивая личности (внимание направляется на то высшее «Я», которое и есть в действительности вы сами). Постепенно вы ощутите спокойствие, удовлетворенность. Размышляйте о бесконечности пространства и времени, о многообразных формах проявления жизни, о положении Земли и вас самих в бесконечности. Затем дайте своим мыслям обратный ход: хотя вы и являетесь лишь незначительной частью целого, без которого обойтись невозможно. Познайте себя в единении с мировой Жизнью, ощутите эту Жизнь, почувствуйте всем существом ее биение.

После этого упражнения вы почувствуете, что физически и умственно отдохнули, получили заряд бодрости.

Средство № 352

Поза алмаза (Ваджрасана) — статическое упражнение.

Техника исполнения: сидеть на пятках, голова, шея, туловище — на одной прямой; руки на коленях.

Терапевтический эффект: ликвидирует отложения солей; укрепляет колени, улучшает пищеварение, укрепляет уверенность в себе.

Средство № 353

Поза змеи (Бхуджангасана) — статическое упражнение. Исходное положение: лежа лицом вниз, руки на уровне плеч в упоре ладонями вниз.

Исполнение:

1) резкий выдох;

2) с одновременным полным йоговским вдохом поднимаем голову как можно выше;

3) отгибаем плечи (напрягаем мышцы спины), поднимаем плечи без помощи рук (руки используются только для того, чтобы туловище не соскальзывало на пол); живот прижат к полу, пупок не отрываем от пола;

4) в верхнем положении сильно сжать ягодицы и расслабить их после паузы.

Это упражнение особенно важно для женщин, ведущих малоподвижный образ жизни. Задержка дыхания на 7—12 секунд, в течение которого поза сохраняется (в это время сжаты мышцы ягодиц).

5) Затем — медленно выдох, и возвращаемся в исходное положение и при этом расслабляемся.

Концентрация внимания:

1) на щитовидной железе (при больной щитовидной железе не напрягаться и не думать о щитовидной железе);

2) по мере прогибания внимание скользит по позвоночнику к копчику. При выдохе внимание скользит от области копчика к щитовидной железе.

Терапевтический эффект:

1) возрождает органы живота, изгоняет камни из почек (во время напряжения кровь из почек выдавливается и при расслаблении кровь втекает в почки, вымывая все отложения, — все это представить при выполнении упражнения);

2) полезно для развития уверенности и ликвидации чувства неполноценности;

3) устраняет цистит.

Средство № 354

Йога-мудра — упражнение, выполняемое сидя на пятках.

Исходное положение: сидя в Позе алмаза, откинуть руки назад и правой рукой обхватить запястье левой (для мужчин левой рукой — запястье правой).

Выполнение: при выдохе медленно наклоняемся вперед, стремясь коснуться пола лбом, подбородком (ягодицы от пяток не отрывать). Задержаться в этом положении сколько можно. Концентрируем свое внимание в упражнении на солнечном сплетении, на брюшном прессе. С вдохом возвращаемся в исходное положение.

Терапевтический эффект: снятие жировых накоплений, тонизирование позвоночника, уверенность в себе возрастает.

Средство № 355

Уддияна-Бандха — втягивание и взлет живота. Слово «Бандха» переводится как «замок», «запирание».

Выполняется на выдохе, но движения нет.

Исходное положение: ноги на ширине плеч (даже чуть шире для устойчивости положения).

Выполнение: выдох полный; медленный, плавный йоговский вдох (с одновременным поднятием рук).

Затем резкий энергичный «ха» — выдох через рот (выводится полностью весь остаток воздуха; можно и носом выдыхать).

На паузе после выдоха подтянуть мышцы диафрагмы (внутренности поднимаются вверх к позвоночнику) максимально внутрь и вверх. При этом колени чуть согнуты, ладони положены в области паха.

Выполнить подбородочный замок (или шейный замок) Джаландхара-Бандха: подбородок в яремную выемку.

Задержка около 15 секунд, затем постепенно прибавлять по 1 секунде в день.

Снять замок, а потом медленно и плавно вдыхать.

Концентрация внимания: на нижней и воротной вене. Представить, что перезаряжается солнечное сплетение, кровь начинает энергично циркулировать, получается отсос крови от этих двух важных вен.

Терапевтический эффект: улучшает кровообращение, улучшает работу кишечника.

Средство № 356

Капалабхати — дыхательное упражнение, в котором соотношение вдоха и выдоха по длительности 3:1.

Упражнение выполняется в любой сидячей позе, а также из положения стоя. Его характерная черта — отсутствие задержки дыхания между вдохом и выдохом.

Сосредоточить внимание на полости носа. Выдохнуть, сделать вдох и сразу же резко вытолкнуть воздух из легких, одновременно сокращая мышцы живота. Снова вдохнуть, расслабив брюшной пресс, и также быстро и шумно выдохнуть.

Практически вдох происходит автоматически, он пассивен, основное внимание уделяется выдоху.

Существует вариант Капалабхати, который так же эффективен, как основное упражнение: сделать вдох через нос, затем, закрыв средним пальцем правой руки левую ноздрю, выполнить Капалабхати через правую ноздрю. Снова вдохнуть через нос и, закрыв правую ноздрю большим пальцем, выполнить упражнение через левую ноздрю.

Терапевтический эффект: хорошо развивает дыхательные мышцы, диафрагму и легкие. Оказывает благоприятное воздействие на нервную и пищеварительную системы.

Массажирует органы брюшной полости.

Средство № 357

Поза треугольника (Триконасана) — одно из основных упражнений йоги.

Исходное положение: ноги на ширине плеч, стопы параллельны, руки вдоль туловища.

Выполнение: с полным йоговским вдохом поднимаем руки через стороны ладонями вверх до уровня плеч. С выдохом наклоняем туловище вправо, правой рукой касаемся ступни правой ноги, левая рука поднимается вертикально вверх, лицо обращено в конце выдоха в сторону ладони левой руки. Позу удерживаем после выдоха столько, сколько можем.

Внимание на позвоночнике. С вдохом возвращаемся в исходное положение. Повторяем упражнение, изменив положение рук.

Терапевтический эффект: асана усиливает перистальтику кишечника, устраняет запоры, развивает эластичность позвоночника, укрепляет мышцы груди, рук, ног.

Средство № 358

Випарита Карани, называемое еще Полуберезкой или Полусвечой.

Исходное положение: лечь на спину, вытянуть руки вдоль туловища.

Техника выполнения: с вдохом поднимаем ноги до угла 90°, затем поднимаем таз, помогая себе руками. Фиксировать пятки на уровне глаз. Туловище опирается только на локти при поддержке ягодиц руками. Голову от пола не отрывать, не касаться подбородком груди. Дыхание произвольное, но стараться дышать животом — нижним дыханием.

Концентрация внимания: на органах таза. Если необходимо улучшить состояние кожи лица, то внимание на лице.

Терапевтический эффект: улучшает обмен веществ, оздоровляет органы таза, укрепляет память, улучшает цвет лица.

Средство № 359

Кузнечные мехи (Бхастрика) — дыхательное упражнение.
Исходное положение: Поза алмаза, то есть сидя на пятках.
Техника выполнения: туловище, плечи и голова находятся на одной прямой линии. Смотрите прямо перед собой и делайте сначала медленно, а затем все быстрее резкие выдохи и вдохи через нос от 5 до 15 раз, считая вдох и выдох за один раз.

Вариант: выполняется так же, только вдох и выдох нужно делать попеременно: один раз вдох и выдох левой ноздрей, затем правой и т. д.

Упражнение укрепляет и нормализует работу легких, предотвращает плеврит, помогает при лечении туберкулеза, оказывает благоприятное воздействие на центральную нервную систему, спинной мозг, вызывает прилив энергии.

Средство № 360

«Ха» — дыхание стоя. Снимает ощущение беспокойства и страха.
Исходное положение: стоя прямо, ноги на ширине плеч.
Техника выполнения: глубоко вдохнуть, медленно поднимая прямые руки над головой. Задержать дыхание на несколько секунд, затем резко наклониться вперед, опустить руки и, сокращая мышцы живота, выдохнуть через рот, произнося слог «ха». Возвращаясь в исходное положение, сделать медленный глубокий вдох, поднять руки над головой, затем медленно выдохнуть через нос, одновременно опуская руки вниз.

Концентрация внимания: на задержке дыхания после вдоха представить, что в руках находится сосуд или мешок с нашими неприятностями, с тем, что осложняет жизнь, с выдохом «ха» бросаем сосуд с горы, этот сосуд катится по склону горы, разбивается, содержимое уничтожается, исчезает, на душе становится спокойнее.

Средство № 361

Созерцательная поза — для выработки положительного настроя, хорошего настроения. Исходное положение: сидя в Позе алмаза, на пятках, дыхание произвольное, спокойное. Внимание на положительных оптимистических мысленных представлениях или формулах. Продолжительность выполнения позы 3—5 минут.

Средство № 362

«Ха» — дыхание лежа. Успокаивает нервную систему.

Исходное положение: лежа на спине.

Техника выполнения: медленно поднять руки и положить их на коврик за головой. Задержать дыхание на несколько секунд, затем быстро поднять ноги, резко согнуть их в коленях, обхватить руками и нажать бедрами на живот, выдыхая через рот и произнося слог «ха». После нескольких секунд сделать медленный вдох, поднять руки над головой, а ноги — вертикально вверх. Выдержав паузу, спокойно через нос выдохнуть, опустив руки и ноги. Полностью расслабиться.

Концентрация внимания такая же, как в «Ха» — дыхание стоя, то есть мысленно видим, как сосуд с неприятностями удаляется от нас.

Средство № 363

Поза свечи (Березка), называемая на санскрите — Сарвангасана. Одна из «перевернутых» поз.

Исходное положение: лечь на спину, вытянувшись полностью с расслабленными мускулами.

Выполнение:

1) Сделав полный выдох, с плавным вдохом поднимаем ноги плавно и медленно под углом 90° к туловищу.

2) Выполняется Випарита Карани, а потом переходим непосредственно к Березке.

3) Вытягиваются ноги прямо. Прижмите подбородок к груди — подбородочный замок (Джаландхара-Бандха).

Помнить при этом:

а) грудь прижимается к подбородку, а не подбородок к груди (голова не отрывается от пола во время выполнения асаны);

б) задняя часть шеи и плеч касаются пола.

Дышите медленно животом. Сосредоточьте внимание на щитовидной железе.

Начинающим находиться в этой позе не более 30 секунд, последующие дни прибавлять по 5 секунд ежедневно, доведя от 1 до 5 минут. По завершении асаны согните ноги в коленях и медленно опустите ноги.

Сразу после Сарвангасаны, чтобы получить от нее максимальную пользу, нужно выполнить Матсиасану (Позу рыбы), как контрпозу.

Концентрация внимания на щитовидной железе.

Терапевтический эффект: тренируется тонус сосудов мозга, отдыхает сердце; легкие и органы, расположенные в области горла (щитовидная, околощитовидная, миндалевидные железы), получают дополнительный приток крови, а следовательно, и дополнительное питание. Асана благоприятно воздействует на всю центральную нервную систему, и люди, страдающие бессонницей, получают при выполнении Сарвангасаны значительное облегчение. Нормализуется работа желудочно-кишечного тракта и органов брюшной полости.

Средство № 364

Поза рыбы (Матсиасана). Часто выполняется как контрпоза к «перевернутым» позам. Выполняется также как самостоятельная поза.

Исходное положение: сидя в Ваджрасане, то есть сидя на пятках.

С помощью рук и локтей наклонять тело назад до тех пор, пока голова не ляжет на коврик. Выдохнуть, выгнуть спину, подняв шею и грудь, голову приблизить как можно ближе к пяткам, руками взяться за лодыжки. Внимание на солнечное сплетение и в область сердца. Находиться в позе от 30 секунд до 1 минуты, при вдохе возвратиться в исходное положение, лечь, расслабиться.

Вариант: поза выполняется из положения лежа, ноги прямые на полу.

Терапевтический эффект: стимулирует работу органов брюшной полости, укрепляет мышцы живота, ног, помогает в лечении ишиаса, запора, диспепсии, исправляет дефекты позвоночника, активизирует работу нервной, эндокринной и кровеносной систем.

Поза рыбы выполняется обычно после перевернутой асаны. В этом случае длительность выполнения Позы рыбы — половина длительности перевернутых асан.

Средство № 365

Поза плуга (Халасана) — одна из «перевернутых» поз.

Исходное положение: лежа на спине, ноги вместе, руки вдоль туловища ладонями вниз.

Техника выполнения: с выдохом медленно поднять прямые ноги вверх до образования прямого угла с полом. Затем согнуть туловище и опустить ноги за голову, касаясь пальцами коврика. Вытянуть ноги как можно дальше назад, стараясь не сгибать их в коленях. Вес тела перемещается к верхней части позвоночника. Руки остаются в том же положении, вытягиваясь таким образом в противоположном направлении. Это обеспечивает полное растягивание спины. Внимание на позвоночнике. Находиться в позе от 30 секунд до 1—2 минут.

Терапевтический эффект: нормализует обмен веществ, благоприятно воздействует на половые железы, поджелудочную железу, а также на печень, селезенку, почки.

Средство № 366

Сукх Пурвак — мобилизует умственные способности, повышает жизненный тонус.

Исходное положение: сидя в удобной позе, а именно в одной из лотосовых поз или в Ваджрасане (можно сидя на стуле). Спина (позвоночный столб), шея, голова составляют прямую линию (это обязательное условие).

Выполнение:

1) Прижать указательный палец (правой руки) к центру лба, большим пальцем зажать правую ноздрю. Сделать полный выдох через левую ноздрю.

2) Сразу же начинать полный вдох (плавный, медленный, без резких движений) через левую ноздрю. По окончании вдоха закрыть ноздрю средним пальцем правой руки.

3) Пауза на вдохе по формуле 1—4—2 (выполняем паузу в 4 раза дольше, чем вдох).

Для лучшей блокировки носа рекомендуется блокировка и правой ноздри (чтобы не было утечки). Рот плотно сжат.

Освободить правую ноздрю и выполнить медленный ровный выдох в 2 раза длиннее вдоха.

4) Выдох закончился, немедленно вдох через правую ноздрю по той же формуле. Для начинающих — не более 3 циклов.

Сосредоточение: на выводе токсинов из области мозга. Это упражнение выполняется перед ответственной умственной работой.

Средство № 367

Упражнение для укрепления нервной системы.
Исходное положение: стоя, ноги вместе.
Техника выполнения: расставить ноги на ширине плеч. Сделать выдох и, медленно вдыхая, вытянуть руки перед собой ладонями вверх. Сжать кулаки и, с напряжением согнув руки в локтях, подвести их к плечам. Разогнуть руки, снова быстро согнуть. Сделать несколько раз, не прерывая максимальной паузы. Затем наклониться вперед, сделать выдох, одновременно расслабляясь и опуская руки вниз.

Терапевтический эффект: повышает сопротивляемость нервной системы; дает уверенность в себе при встречах с другими людьми.

Средство № 368

Наклон вперед из положения стоя (Падахастасана).
Исходное положение: стоя, ноги вместе, руки вдоль туловища.
Техника выполнения: с полным выдохом наклоняемся, не сгибая ног в коленях, положив ладони рук на ступни ног, голову приближаем к коленям. В конце выдоха касаемся лбом колен. Находимся в позе на задержке после выдоха сколько возможно; с полным йоговским вдохом распрямляемся, при этом руки скользят вверх по ногам.
Концентрация внимания на пояснице.
Терапевтический эффект: тонизирует органы брюшной полости, делает более гибким позвоночник.

Средство № 369

Поза дерева (Врикасана), вырабатывающая физическую и психическую устойчивость.
Исходное положение: стоя, ноги вместе, руки вдоль туловища.
Выполнение:
1) Согнуть левую ногу в колене, взять стопу руками, положить ее на правое бедро (согнутое колено должно находиться в плоскости тела).
2) Ладони соединить и поднять руки вверх над головой. Внимание на пояснице. Позу выдержать от 1 до 2 минут.
3) Вернуться в исходное положение.
Повторить упражнение правой ногой.
Терапевтический эффект: укрепляет вестибулярный аппарат, вырабатывает уверенность в себе.

Средство № 370

Приятная поза (Сукхасана). Поза, которую в жизни нужно чаще применять.
Эта поза позволяет хорошо расслабиться. Создает благоприятные условия для функционирования внутренних органов, способствует лечению простатита.
Исходное положение: сидя на полу, ноги вытянуты.

Выполнение: левую ногу согнуть в колене и прижать стопой к внутренней поверхности бедра правой ноги, ближе к паху. Правую ногу согнуть в колене и положить ее параллельно левой. Колени лежат на полу, руки ладонями вверх положить на колени.

Средство № 371

Сидхасана. Тонизирует органы таза, способствует лечению простатита.

Исходное положение: сидя на полу, ноги вытянуты.

Выполнение: левую ногу согнуть в колене и прижать стопой к внутренней стороне бедра правой ноги ближе к паху. Правую ногу, согнув в колене, положить ступней между бедром и икроножными мышцами левой ноги. Положить руки на колени ладонями вверх, большие и указательные пальцы соединить, колени лежат на коврике, тело прямое, смотреть прямо перед собой.

Средство № 372

Поза орла.

Исходное положение: стоя, ноги вместе, руки вдоль туловища.

Выполнение: правую ногу согнуть в колене, левую ногу заплести вокруг правой, при этом нужно, чтобы задняя часть бедра левой ноги находилась на передней стороне бедра правой ноги, а ступня и голень левой ноги — сзади икроножных мышц правой ноги. Выпрямляемся, поднимая туловище на правой ноге. Затем поднимаем руки на уровень груди и сгибаем их в локтях. Положить локоть правой руки на переднюю сторону предплечья левой руки. Отводим кисть правой руки вправо, а кисть левой руки влево и соединяем ладони. Находиться в позе около полминуты. Возвращаемся в исходное положение. Повторяем позу, сменив положение рук и ног.

Терапевтический эффект: тренирует вестибулярный аппарат, повышает гибкость рук и ног.

Средство № 373

Пашимоттанасана, называемая еще Поцелуй колени.

Исходное положение: лежа на спине, ноги вместе.

Техника выполнения: с полным йоговским вдохом прямые руки кладем за голову ладонями вверх. С полным йоговским выдохом сгибаемся в области паха до касания лбом коленей и касания пальцами рук пальцев ног (взяться пальцами рук за пальцы ног). Ноги не сгибать в коленях. Задержка на выдохе столько, сколько можете. Затем с вдохом возвращаемся в исходное положение.

Внимание на солнечное сплетение.

Терапевтический эффект: благоприятно воздействует на органы таза, лечит простатит, укрепляет солнечное сплетение.

Средство № 374

Вакрасана — одна из «скручивающих» поз.

Исходное положение: сидя на полу с вытянутыми ногами.

Выполнение: подтянуть к себе правую ногу так, чтобы колено крепко прижалось к животу и груди; перенести правую ногу через левое бедро и поставить ее подошвой ступни на пол около левого бедра. Правая рука вытягивается позади спины, а левая помещается перед правой ногой таким образом, чтобы левая подмышечная впадина надавливала правое колено в заднем направлении.

Сознание на позвоночнике. Находиться в позе 20—30 секунд. Повторить позу в противоположном направлении.

Терапевтический эффект: исправляет искривление позвоночника, благоприятно воздействует на печень, селезенку, желчный пузырь.

Средство № 375

Задержка дыхания на входе (Антракумбхака).

Исходное положение: стоя, ноги вместе, руки вдоль туловища.

Выполнение: делаем полный йоговский вдох и далее задержка дыхания настолько, насколько возможно. Энергичный выдох через рот с «ха». Сделали очистительное дыхание, то есть выдох порциями через плотно сжатые губы.

Терапевтический эффект: развивает дыхательные мускулы, укрепляет легкие.

Средство № 376

Возбуждение легочных клеток — дыхательное упражнение.

Исходное положение: стоя, ноги вместе, руки вдоль туловища.

Выполнение: во время полного йоговского вдоха ударять кончиками пальцев по всей поверхности груди. На задержке после вдоха в течение 10—15 секунд ударять ладонями рук по груди в различных местах. Затем полный йоговский выдох. Сделать очистительное дыхание.

Терапевтический эффект: пробуждает, восстанавливает все клеточки легких.

Средство № 377

Растягивание ребер — дыхательное упражнение.

Исходное положение: стоя, ноги вместе, руки вдоль туловища.

Выполнение: сделать полный йоговский вдох. Прижать грудную клетку ладонями рук (большие пальцы обращены к спине, остальные пальцы к передней части груди). С выдохом сжимать грудь с боков ладонями (с умеренным усилием).

Терапевтический эффект: укрепляются и становятся более эластичными ребра грудной клетки.

Средство № 378

Расширение грудной клетки — дыхательное упражнение.

Исходное положение: стоя, ноги вместе, руки вдоль туловища.

Выполнение: с полным йоговским вдохом вытянуть руки вперед, сжать пальцы рук в кулаки. На задержке дыхания отвести руки назад с сжатыми кулаками и повторить это несколько раз. Сделать полный йоговский выдох, затем очистительное дыхание.

Терапевтический эффект: развивает и укрепляет грудную клетку.

Средство № 379

Поза змеи с поворотами головы — усиленный вариант Позы змеи.

Исходное положение: лежа лицом вниз, положить ладони пальцами вперед на уровне плеч.

Техника выполнения: с вдохом, опираясь на руки, плавно поднять верхнюю половину корпуса и голову вверх и отклонить их как можно дальше назад. Нижняя часть живота, бедер, голени, пальцы ног прижаты к полу, ноги вместе. Внимание сначала на щитовидной железе, потом на нижней части позвоночника.

На задержке после вдоха сжать ягодицы и повернуть голову влево так, чтобы увидеть пятку правой ноги (одновременно скручивание позвоночника влево), затем аналогичным образом повернуть голову вправо. В позе находиться 15—20 секунд. Расслабить мышцы ягодиц и с выдохом опустить туловище, а затем голову в исходное положение.

Внимание на выходе: скользит от области копчика до щитовидной железы.

Терапевтический эффект: стимулирует работу щитовидной железы, почек, селезенки, половых органов, развивает гибкость позвоночника и устраняет сутулость. Способствует лечению прострелов, болей в мышцах спины, предотвращает образование камней в почках.

Средство № 380

Поза кузнечика (Салабхасана) — одно из основных упражнений йоги.

Исходное положение: лежа лицом вниз. Ноги вместе, руки вытянуть вдоль тела, пальцы сжать в кулаки.

Техника выполнения: сделать глубокий вдох и, задержав дыхание и опираясь на кулаки, поднять прямые ноги как можно выше.

Внимание на позвоночнике. Находиться в асане столько времени, сколько хватит сил. Возвратиться в исходное положение и сделать вдох.

Терапевтический эффект: тонизирует сердечно-сосудистую систему, диафрагму, развивает гибкость позвоночника, укрепляет мышцы тела, улучшает работу легких.

Средство № 381

Уджайи — дыхательное упражнение.

Исходное положение: сидя на пятках, ладони на коленях.

Техника выполнения: полный йоговский вдох на 8 секунд, задержка на 8 секунд, выдох на 16 секунд с пением звука «О».

Внимание на щитовидной железе.

Терапевтический эффект: стимулирует работу щитовидной железы, снижает давление.

Средство № 382

Поза бокового угла (Уттана Падасана).

Исходное положение: стоя, ноги вместе, руки вдоль туловища.

Техника выполнения: полный йоговский вдох, прыжком поставить ноги на ширину плеч и поднять руки в стороны до уровня плеч ладонями вниз. Правую ступню повернуть на 90°, а левую на 60°. Согнуть правую ногу в колене до угла 90°. С выдохом положить правую ладонь у края правой ступни, левую руку вытянуть за голову вверх. Левую ногу в колене не сгибать.

Внимание на пояснице. Находиться в позе 20—30 секунд. С вдохом возвращаемся в исходное положение. Затем выполнить асану в другую сторону.

Терапевтический эффект: уменьшает жировые отложения на талии и бедрах, снимает боль при артритах и воспалении седалищного нерва.

Средство № 383

Поза звезды (Бадха конасана).

Исходное положение: сесть на пол, согнуть ноги в коленях, подошвы касаются друг друга.

Выполнение: сплести руки в замок и взять за ступни. Стараться расширить бедра локтями и опускать колени до касания их пола. С полным йоговским выдохом наклоняемся и стараемся достать головой пальцев ног. Находиться в позе от 15 до 40 секунд. С вдохом поднять туловище.

Внимание на пояснице.

Терапевтический эффект: оказывает оздоровляющее воздействие на предстательную железу, почки, мочевой пузырь.

Средство № 384

Поза кошки — одно из основных упражнений Хатха-йоги.

Исходное положение: упор на прямых руках и носках, ноги прямые.

Выполнение: вдох, с выдохом поднимаем пятую точку как можно выше, становимся с носков на пятки, на всю ступню, головой стремимся вниз, как можно ближе к животу, втянуть живот (выполнить Уддияну-Бандху).

Пауза 10—12 секунд на выдохе. Затем расслабить живот и на вдохе вернуться в исходное положение.

Сознание на солнечном сплетении.

Терапевтический эффект: благоприятное воздействие на органы живота и таза.

Средство № 385

Змея на прямых руках (Поза собаки).

Исходное положение: упор на прямых руках и носках, ноги прямые.

Выполнение: с полным йоговским вдохом голова откидывается назад и туловище прогибается как в Позе змеи. Сознание – как в Позе змеи. Пауза после вдоха на 7—12 секунд, затем с выдохом возвращаемся в исходное положение.

Средство № 386

Хачиасана — хорошее упражнение для позвоночника и шеи.
Исходное положение: стоя на коленях, лоб на кулаках, положенных друг на друга (кулак на полу).
Выполнение: прогибаемся в области шеи таким образом, чтобы коснуться подбородком пола, при этом «столб» из кулаков наклоняется, бедра раздвигаются. Находимся в позе 10—15 секунд. Затем возвращаемся в исходное положение.
Внимание на верхней части позвоночника.
Терапевтический эффект: позвоночник приобретает эластичность, укрепляются железы в области шеи.

Средство № 387

Поза треугольника с поворотом — усиливает перистальтику кишечника, устраняет запоры, развивает гибкость позвоночника, укрепляет мышцы груди, рук, ног.
Исходное положение: ноги на ширине плеч.
Выполнение: с полным вдохом поднять руки в стороны на уровне плеч ладонями вниз. С выдохом наклонить корпус вправо, стараясь пальцами правой руки коснуться пятки левой ноги. Левую руку вытянуть вверх, напрячь мышцы всего тела, руки и ноги не сгибать. Задняя сторона ног, спина и поясница должны находиться в одной плоскости. Смотреть на большой палец левой руки.
Внимание на позвоночнике. Находиться в позе 20—30 секунд. С вдохом вернуться в исходное положение. Повторить упражнение в другую сторону.

Средство № 388

Поза полулотоса (Ардха Падмасана).
Исходное положение: сядьте на пол, ноги вытяните вперед.
Выполнение: приподнимите немного правое бедро и положите под него ступню левой ноги. Пятка правой ноги касается живота. Туловище, шея и голова находятся на одной прямой линии. Ладони рук положить на колени. Смотреть прямо перед собой.

Средство № 389

Поза перевернутого бокового угла — хорошее упражнение для позвоночника.

Исходное положение: стоя, ноги на ширине плеч.

Выполнение: на вдохе поднять руки в стороны на уровне плеч ладонями вниз. Правая ступня поворачивается на 90°, левая на 60° вправо, правая нога сгибается в колене до прямого угла. Выдох и одновременно поворот туловища вправо. При этом левая рука переносится через правое колено, ладонь кладется около правой ступни. Правая рука вверху, голова обращена вверх. Находиться в позе сколько возможно. Внимание на пояснице. Одновременно с вдохом вернуться в исходное положение. Повторить позу в обратную сторону.

Терапевтический эффект: благоприятно воздействует на органы брюшной полости и желудочно-кишечный тракт, развивает гибкость позвоночника.

Средство № 390

Поза царя рыб (Ардха Матсиендрасана) — одна из «скручивающих» поз.

Исходное положение: сидя, ноги прямые.

Выполнение: правую ногу согнуть в колене, подтянуть ее к себе и положить так, чтобы пятка легла под левое бедро. Согнуть левую ногу в колене, перенести ее через правое бедро и поставить стопой на коврик перпендикулярно полу. Развернуть грудь влево так, чтобы правая подмышка коснулась внешней стороной левого бедра. Отодвигая правой рукой левое колено, взяться за пальцы левой ноги. Левую руку завести назад, за спину. Голову и все тело повернуть как можно больше влево. Подбородок должен находиться над левым плечом. Внимание на позвоночнике. Находиться в позе 30—60 секунд. Вернуться в исходное положение и скрутить корпус в другую сторону.

Терапевтический эффект: придает эластичность позвоночнику, исправляет его различные деформации. Благоприятно влияет на почки, печень, поджелудочную железу.

Средство № 391

Поза павлина (Майюрасана) — одно из основных упражнений йоги.

Исходное положение: встать на колени, сесть на пятки.

Выполнение: поставить руки ладонями на пол, соединить ладони и локти, побольше раздвинуть колени. Локти поставить в область поджелудочной железы (между пупком и солнечным сплетением), ладони поставить под ягодицы пальцами назад. Сгибаемся и лбом достаем пол, ягодицы поднимаются вверх; всю тяжесть тела переносим на лоб и руки, выпрямляем ноги. Стоим на трех точках (ноги, лоб, ладони). Затем поднимаем голову, ноги и поднимаем себя на руках. Находимся в позе столько, сколько возможно. Выход из позы: опустить пальцы ног, голову на пол, встать на колени.

Внимание на поджелудочной железе.

Терапевтический эффект: благоприятно воздействует на поджелудочную железу, излечивает диабет.

Средство № 392

Ритмическое дыхание — главное дыхательное упражнение, усиливающее наши психические возможности и способности.

Все в природе от атома до планет и звезд находится в вибрации. В природе нет абсолютного покоя. Материя беспрерывно приводится в движение энергией; возникают бесчисленные формы, разнообразие их бесконечно, но даже и эти виды и формы непостоянны. Они начинают меняться с самого момента своего появления и порождают неисчисляемое множество других форм, которые, в свою очередь, меняются и дают еще новые формы и т. д. до бесконечности. Атомы человеческого тела в постоянной вибрации. В теле происходят непрерывные перемены. В несколько месяцев в человеческом теле происходит полная смена составляющей его материи, и едва ли в теле остается хотя бы один прежний атом. Во всякой вибрации существует известный ритм. Ритм — основа всех явлений в мире. Всякое дыхание — проявление ритма.

Наше тело так же подвержено ритмическим законам, как и обращение планет вокруг Солнца.

Путем ритмического дыхания мы как бы «улавливаем» свой ритм, поглощаем в увеличенном количестве прану и регулируем ее так, что она оказывается послушной нашей воле. Мы пользуемся ею как средством для передачи другим своих мыслей и для привлечения ее себе всех тех, чьи мысли настроены по одному камертону с нашими мыслями. Способности телепатии, психического лечения могут быть значительно усилены, если лица, передающие мысли, перед этим дышат ритмично. Ритмическое дыхание увеличивает силу психического и магнетического лечения. В ритмическом дыхании главное — это мысленное чувство ритма. Тем, кто знает музыку, идея мерного счета знакома. В основу ритмического счета ставится единица, соответствующая биению сердца. У различных лиц сердце бьется по-разному, но для каждого отдельного лица биение его сердца должно быть принято за единицу ритмического дыхания. Проверьте биение вашего сердца, прощупав рукой пульс и отсчитывая 1, 2, 3, 4, 5, 6; 1, 2, 3, 4, 5, 6 и т. д., пока ритм твердо не запечатлелся в вашем уме.

Вскоре вы так хорошо запомните этот ритм, что будете в состоянии легко воспроизводить его. У начинающих обыкновенно вдох на 6 ударов пульса, но потом он делается гораздо продолжительнее. Правило йогов при ритмическом дыхании требует, чтобы вдох и выдох продолжались одинаковое время, а задержка после вдоха и выдоха равнялась бы половине этого времени.

После нескольких упражнений вы будете в состоянии увеличивать время дыхания, пока, наконец, не дойдете до 16 ударов пульса. При этом всегда помните, что задержка после вдоха и выдоха будет равняться половине числа ударов пульса при вдохе и выдохе.

Желая увеличить продолжительность дыхания, не делайте слишком больших усилий, главное внимание обращайте на ритм, который важнее, чем длительность дыхания. Практикуйтесь и пробуйте, пока не достигнете «мерного» размаха и пока не почувствуете ритма вибрирующих движений во всем теле. Для этого нужны настойчивость и практика, но удовольствие, которое вам доставит успех, облегчит задачу. Йоги отличаются громадным терпением и настойчивостью и многим в своем искусстве они обязаны этим качествам.

Упражнение выполняется следующим образом.

Исходное положение: сидя в удобной позе.

Выполнение: вдох, задержка, выдох, задержка по формуле 6—3—6—3 или 8—4—8—4.

Внимание: накопление праны в солнечном сплетении.

Средство № 393

Уддияна-Бандха Крийя. Упражнение делается так: выполняется Уддияна-Бандха, и после секундной паузы делаются быстрые выбросы и втягивания живота. К концу первой недели делать 100 движений, к концу второй недели до 200 движений. Довести до 1000 движений в день.

Это упражнение дает прекрасный массаж внутренних органов.

Кроме того, это упражнение является подготовительным к выполнению Наули. Без выполнения Уддияна-Бандха Крийя в течение 1—2 месяцев выполнить Наули сложно.

Средство № 394

Поза лука (Дханурасана) — одно из лучших упражнений йоги.

Исходное положение: лечь на пол лицом вниз, руки вдоль туловища.

Выполнение: согнуть ноги в коленях, взяться руками за голени ног. Поднять как можно выше ноги и голову. Для увеличения эффекта следует немного покачиваться. Дыхание свободное. Сознание на позвоночник в области поясницы.

Терапевтический эффект: стимулирует работу органов брюшной полости, развивает гибкость позвоночника.

Средство № 395

Упражнение «Возбуждение кровообращения».

Исходное положение: ноги на ширине плеч, стопы параллельны.

Выполнение: полный йоговский вдох, на задержке после вдоха быстро наклониться вперед; представить, что вы берете штангу: сжимаете кулаки, начинаете с усилием поднимать штангу, тело поднимается выше, грудь распрямляется, голова поднимается. После секундной паузы выдох через рот с «ха».

Внимание на два круга кровообращения.

Терапевтический эффект: усиливает кровообращение, разогревает тело.

Средство № 396

Упражнение «Поглощение праны».

Исходное положение: лечь на пол, положить руки на область солнечного сплетения.

Выполнение: дышать ритмически. После того как установился ритм, представить, что при вдохе как можно большее количество праны накапливается в солнечном сплетении, а на выдохе прана распространяется по всему организму и доставляется в каждый орган, каждую клеточку.

Терапевтический эффект: упражнение освежает и укрепляет нервную систему, дает ощущение покоя.

Упражнение выполняется в случае утомления и недостатка энергии.

Средство № 397

Упражнение «Заряжение энергией» используется в случае низкого уровня жизненной энергии. Дает возможность увеличить уровень в нервных центрах. Повышает жизненный тонус, улучшает настроение.

Исходное положение: примите удобную позу, поставьте ноги рядом и соедините пальцы рук. Тем самым мы замыкаем силовые линии в теле и препятствуем истечению праны через конечности.

Выполнение: дышать ритмически в течение нескольких минут.

Средство № 398

Упражнение «Пальма». Исходное положение: ноги на ширине плеч, голова, шея, спина — прямая линия.

Одновременно с вдохом плавно поднимаем руки вверх, вытягиваем позвоночник, становимся на носки. Фиксируем это положение 5—7 секунд, а затем опускаемся в исходное положение вместе с выдохом.

Внимание на позвоночнике. Улучшает настроение, оказывает тонизирующее воздействие на организм.

Средство № 399

Упражнение «Возбуждение мозговой деятельности». Выполняется перед усиленной умственной работой. Обеспечивает ясность ума (ясность ума во время работы).

Исходное положение: Поза алмаза или полулотоса.

Выполнение: дышать ритмически, используя поочередно правую и левую ноздри: зажимая большим пальцем левую ноздрю, сделать вдох через правую; после задержки на вдохе, оставляя зажатой указательным пальцем правую ноздрю, сделать выдох через левую ноздрю. Следующий вдох через левую ноздрю, выдох через правую, далее вдох через правую, выдох через левую и т. д.

Средство № 400

Упражнение «Обезболивающее дыхание».
Исходное положение: сидя на пятках или лежа на полу.
Выполнение: полностью расслабиться, установить ритмичное дыхание, мысленно представляя себе, что при вдохе в легкие поступает поток энергии, а при выдохе прана направляется

к больному месту и подавляет чувство боли, как бы изгоняя его вместе с выдыхаемым воздухом. Повторить упражнение 5—7 раз. Отдохнуть и сделать упражнение еще несколько раз.

Средство № 401

Упражнение, которое делает тело сильным и укрепляет органы дыхания.

Исходное положение: стоя, ноги на ширине плеч, руки вдоль туловища.

Выполнение: с полным йоговским вдохом поднимаем руки до уровня плеч вперед ладонями внутрь, зажимаем большие пальцы в кулаки.

На задержке после вдоха делаем маховые движения обеими руками столько, сколько можем. Затем останавливаем кулаки перед собой, делаем выдох через широко открытый рот с «ха» и одновременно разжимаем кулаки.

Сознание в области сердца. После выполнения упражнения сделать очистительное дыхание.

Терапевтический эффект: делает тело сильным и эластичным, укрепляет органы дыхания.

Средство № 402

Упражнение, которое делает тело сильным и укрепляет органы дыхания.

Исходное положение: стоя, ноги на ширине плеч, руки вдоль туловища.

Выполнение: с полным йоговским вдохом руки поднимаются перед собой до уровня плеч. Указательный палец зажимается большим пальцем, остальные пальцы прямые. На задержке дыхания после вдоха делаем вращательные движения обеими руками в плоскости, перпендикулярно плоскости груди, сначала в одну сторону, затем в другую сторону. Затем останавливаем кулаки перед собой, делаем выдох через широко открытый рот с «ха» и одновременно разжимаем кулаки.

Сознание в области сердца. После выполнения упражнения сделать очистительное дыхание.

Средство № 403

Упражнение, которое повышает жизненный тонус и укрепляет органы дыхания.

Исходное положение: встать у стены на расстоянии вытянутой руки плюс длина кисти. Ноги вместе, руки вдоль туловища.

Сознание в области сердца.

Выполнение: с полным йоговским вдохом поднимаем руки вперед до уровня плеч. Затем на задержке, после вдоха, поднимаем пальцы рук вверх и падаем на стену. Коснуться стены лбом и отжаться медленно (в конце — отталкивание пальцами). Снова падаем и отжимаемся столько, сколько можно. В последний раз оттолкнулись и сделали вдох через рот с «ха». Очистительное дыхание после каждого выполнения упражнения.

Терапевтический эффект: тонизирует, укрепляет органы дыхания.

Средство № 404

Упражнение, которое повышает жизненный тонус и оздоравливает органы брюшной полости.

Исходное положение: ноги на ширине плеч, руки на бедрах, большим пальцем назад.

Выполнение: полный йоговский вдох, с выдохом наклоняемся вперед как можно ниже. Задержка дыхания после выдоха 3—4 секунды. С полным вдохом поднимаем туловище в исходное положение, с полным выдохом наклоняем туловище как можно больше назад, задержка на выдохе 3—4 секунды. С полным вдохом распрямиться. С выдохом наклониться влево, с вдохом вернуться в исходное положение, с выдохом наклониться вправо, с вдохом возвратиться в исходное положение. Повторить упражнение 2—3 раза.

Сознание в области солнечного сплетения.

Терапевтический эффект: тонизирует, благоприятно воздействует на органы брюшной полости.

Средство № 405

Упражнение, которое делает тело сильным и укрепляет органы дыхания.

Исходное положение: стоя, руки вдоль туловища.

Сознание в области сердца.

Выполнение: с полным вдохом поворачиваем руки ладонями наружу. Бицепсы руки при этом должны касаться кончиков ушей.

Задержка на вдохе, с большой силой давим ладонью на ладонь. Руки не гнуть. Все туловище напряжено, как будто стремимся улететь. Глаза закрыты. Можно чуть-чуть покачиваться (от пояса вверх), ноги и бедра неподвижны.

С полным выдохом поворачиваем ладони в стороны и опускаем (через стороны) руки. Вдох равен выдоху; задержка — сколько можно. Затем очистительное дыхание.

Средство № 406

Упражнение, которое благоприятно воздействует на эндокринную систему.

Исходное положение: сидя в Позе алмаза или полулотоса.

Выполнение: полный йоговский вдох рывками, с силой (слышать собственное сопение). Задержка дыхания от 7 до 14 секунд и медленный полный йоговский выдох.

Сознание в области сердца.

Терапевтический эффект: тонизируется эндокринная система.

Средство № 407

Упражнение для развития голоса.

Исходное положение: стоя или сидя.

Выполнение: полный йоговский вдох, небольшая задержка, а затем резкий с силой выдох через широко открытый рот с «ха».

Сознание сосредоточено на связках.

Терапевтический эффект: делает голос звучным и сильным.

Средство № 408

Отжим от пола.

Исходное положение: лежа лицом вниз, руки вдоль туловища.

Выполнение: сделали полный йоговский вдох. На задержке после вдоха положили ладони возле плеч и отжались от пола (тело прямое), затем опустились на пол. Повторили отжимание сколько можно. В последний раз, опустив туловище на пол, сделаем выдох через рот с «ха» и выбросом рук вперед.

Сознание — на солнечном сплетении.

Терапевтический эффект: укрепляет мышцы всего тела, нормализует работу дыхательной системы.

Средство № 409

Упражнение, очищающее энергетические каналы. Срединный канал Сушумна проходит в середине костного мозга позвонков. С левой стороны от позвоночника идет канал Ида (лунный канал), состоящий из нервных окончаний — плексусов. Справа такой же, как Ида, — солнечный канал Пингало.

Правый канал — агрессивный, левый — спокойный. Ноздри — наш барометр. Если больше открыт Ида — человек уравновешен, спокоен, если же больше открыт Пингало, человек чувствует себя возбужденным.

Исходное положение: Поза алмаза или полулотоса.

Выполнение: ритм 4—16—8 (вдох на 4 секунды, задержка на 16 секунд, выдох на 8 секунд).

Указательный палец поставить на «третий глаз» (в центр лба), большой и безымянный пальцы попеременно закрывают ноздри. Внимание на «третий глаз». Вдох на 4 секунды через левую ноздрю. Затем на задержке после вдоха энергию из «третьего глаза» направить по Иде до копчика. В конце задержки производим 3 витка по часовой стрелке в области копчика (смотреть сверху). Выдох на 8 секунд через правую ноздрю. На выдохе ведем энергию вверх по каналу Пингало до шейного позвонка. Затем вдох через правую ноздрю, выводим энергию через канал Ида. Повторить упражнение 3 раза.

Упражнение очищает каналы Ида и Пингало, повышает тонус организма, способствует укреплению нервной системы, пробуждает защитные силы организма.

Средство № 410

Упражнение «Упор, присев на левой и правой ноге».

Исходное положение: левая нога согнута в колене под углом 90°, правая на носочке, выпрямлена, руки вдоль туловища.

Выполнение: с полным йоговским вдохом отводим сначала голову назад, затем прогибаемся в спине и одновременно опускаем туловище до касания им левого колена. Ладони касаются пола. Остаемся в позе 5—10 секунд. С выдохом возвращаемся в исходное положение. Сознание скользит от щитовидной железы до области копчика как в Позе змеи. Выполняем позу, сменив положение ног.

Терапевтический эффект: нормализует работу органов таза.

Средство № 411

Упражнение «Зигзаг».

Исходное положение: лежа лицом вниз, руки на уровне груди.

Выполнение: на задержке после полного йоговского вдоха отжаться от пола. С полным йоговским выдохом делаем фигуру «зигзаг» (таз поднимаем вверх и опускаемся одновременно на 5 точек: колени, грудь, подбородок, руки, ноги). Задержка на выдохе сколько можно, затем отжимаемся от пола в фигуре «зигзаг», делаем вдох, ложимся и отдыхаем.

Терапевтический эффект: укрепляет мышцы рук и ног, тонизирует дыхательную систему.

Средство № 412

Упражнения для укрепления мышц живота. Выполняется одно из четырех упражнений.

1. Исходное положение: стоя, руки вдоль туловища. С выдохом втянуть насколько возможно живот внутрь, затем с вдохом выдвинуть его максимально вперед. Сначала выполнять это упражнение медленно, тщательно следить за синхронностью дыхания и движения. Постепенно увеличивать скорость и довести число упражнений до 25 раз.

Внимание сосредоточено на животе.

2. Выполнить первое упражнение, наклонив верхнюю часть туловища вперед под углом 45° и положив руки на поясницу.

3. Поставить ноги на ширину плеч, наклонить верхнюю часть туловища вперед, слегка согнув ноги, и упереться вытянутыми руками в колени. Выполнить первое упражнение.

4. Упражнение (см. первое упражнение) выполнять на задержанном после выдоха дыхании.

Терапевтический эффект: эти упражнения тонизируют органы брюшной полости, желудочно-кишечный тракт, укрепляют мышцы живота, способствуют удалению жировых отложений, устранению коликов и других желудочно-кишечных заболеваний. Укрепляют солнечное сплетение.

Средство № 413

Упражнение для боковых мышц живота.

Исходное положение: лежа на спине, ноги вместе, руки в стороны на уровне плеч.

Выполнение: поднять ноги вверх до угла 90° и затем медленно опустить их в сторону (сначала влево, затем вправо), не отрывая лопаток от пола.

Внимание сосредоточено на органах живота.

Терапевтический эффект: тонизирует органы брюшной полости, улучшается их работа.

Средство № 414

Неполная Поза верблюда (Ардха Устрасана).

Исходное положение: сидя на пятках.

Выполнение: с полным йоговским вдохом отводим голову назад, а затем поднимаем туловище вверх до тех пор, пока ладони не коснутся пяток. Держаться за счет мышц спины и туловища. Находиться в позе 20—30 секунд. С выдохом опускаемся в исходное положение.

Внимание — на позвоночнике.

Терапевтический эффект: тонизирует эндокринную систему, улучшает циркуляцию крови.

Средство № 415

Стойка на голове (Ширшасана) — знаменитое йоговское упражнение.

Исходное положение: стоя на коленях.

Выполнение: поставить голову на пол в чашу сплетенных рук и выпрямить ноги, подняв таз вверх как в Позе дельфина. Согнуть ноги в коленях, оттолкнуться от пола и встать на голову. Вытянуть ноги вертикально. Находиться в позе от 10 секунд до нескольких минут. Внимание на щитовидной железе. Выход из позы: согнуть ноги в коленях и бедрах и опустить ноги на пол.

После выполнения Ширшасаны выполнить Матсиасану (Позу рыбы).

Терапевтический эффект: тренирует тонус кровеносных сосудов головного мозга, активизирует работу гипофиза, гипоталамуса и других отделов мозга. Воздействует на сердечно-сосудистую систему и нервную систему, улучшает работу желудочно-кишечного тракта.

Средство № 416

Наули — выделение прямых мышц живота. Приступать к выполнению Наули следует тогда, когда вы в течение нескольких недель выполняли Уддияна-Бандху Крийя (500—1000 движений в день). Оздоравливает органы желудочно-кишечного тракта.

Исходное положение: Поза рыбака.

Выполнение: выполнить Уддияну-Бандху. Затем сократить прямые мышцы живота и толчком подать их вперед. В этом состоянии находитесь столько, сколько можете.

Это Мадхъяма-Наули.

Теперь, нажимая левой рукой на левое колено и отклоняясь в левую сторону, сократите и вытолкните левую прямую мышцу живота. Это Вами-Наули. Так же, но только с правой прямой мышцей живота, выполняется Дакшина-Наули.

Наули Крийя выполняется путем вращательного движения прямых мышц живота. Для чего предварительно выделяются обе прямые мышцы живота.

Средство № 417

Сурья Намаскар — комплекс упражнений под названием «Здравствуй, Солнце» посвящен силе и могуществу Солнца, источнику жизни на Земле.

Последовательность упражнений напоминает о различных фазах восхода и захода солнца.

Упражнения предназначены для развития гибкости позвоночника, мышц передней и задней частей тела. Сочетаясь с дыхательными упражнениями, они оказывают тонизирующее воздействие на внутренние органы.

Выполнение: встать лицом к восходу солнца. Мысленно видеть солнце и в дальнейшем набирать из него энергию на выдохе, задержке. На выдохе распределять энергию во все органы тела. С полным йоговским вдохом поднимаемся на носки, руки вверх; несколько секунд — задержка после вдоха, в течение которой мы прогнулись в спине назад, затем выполняется Падахастасана с выдохом. С вдохом делаем упражнение «Упор, присев на левой ноге». Сознание скользит, как в Позе змеи, от щитовидной железы до копчика. Несколько секунд задержка после вдоха, в течение которой левую ногу подводим к правой, и с выдохом выполняем упражнение «Зигзаг». Задержка после выдоха 2—3 секунды, и выполняем Позу змеи на вытянутых руках. После короткой задержки (после вдоха) с выдохом выполняем Позу кошки. На задержке после выдоха правая нога сгибается в колене, и мы выполняем с вдохом упражнение «Упор, присев на правой ноге». На задержке после вдоха подводим левую ногу к правой, выпрямляемся и с выдохом выполняем Падахастасану. С вдохом возвращаемся в исходное положение.

Средство № 418

Поза лотоса (Падмасана) — знаменитое упражнение йоги. Одна из лучших поз для дыхательных упражнений, концентрации внимания и медитаций; благоприятно воздействует на органы таза, способствует лечению простатита.

Выполнение: сесть на коврик, вытянуть ноги вперед. Согнуть правую ногу, взять ступню руками и положить ее на левое бедро так, чтобы пятка упиралась в нижнюю часть живота. То же самое проделать с левой ногой. Колени должны лежать на коврике. Позвоночник, шея и голова должны быть совершенно прямыми. Кисти рук положить на колени. Находиться в позе минуту, затем отдохнуть с вытянутыми ногами и повторить асану, сменив положение ног.

Средство № 419

Супта Ваджрасана.

Исходное положение: сесть сначала на пятки, затем пятки раздвинуть и сесть на пол.

Выполнение: с помощью локтей и рук кладем туловище на спину, руки за голову, под шею. Лежать спокойно, дыхание произвольное.

Сознание на солнечном сплетении.

Находиться в позе до признаков усталости. Вернуться в исходное положение.

Терапевтический эффект: благоприятно воздействует на органы таза.

Средство № 420

Великое психическое дыхание йогов.

Исходное положение: лежа на спине, расслабьтесь.

Выполнение: дышать ритмически по формуле 8—4—8—4, пока не установится ритм. Делая вдохи и выдохи, мысленно представить себе, что прана втягивается костями ног, а затем выталкивается через них; то же самое относительно костей рук, черепа, позвоночника; то же самое относительно живота, половых органов и, наконец, каждой поры кожи.

Продолжая дышать ритмически, посылаем прану ко всем семи чакрам от Сахасрары до Муладхары. Затем несколько раз проводим поток энергии от головы к ногам и обратно. Сделать очистительное дыхание.

Терапевтический эффект: упражнение наполняет организм праной. Каждый орган, каждая клеточка получает приток энергии.

Средство № 421

Поза полумесяца (Ардха Чандрасана). Исходное положение: стоя, ноги вместе, руки вдоль туловища.

Выполнение: выполняем Позу треугольника вправо; правая ладонь кладется рядом с правой ступней, правая нога сгибается в колене. Делаем выдох и поднимаем левую ногу, вытянутую прямо до угла 90° к правой ноге, выпрямляем левую ногу и руку. Левая ладонь кладется на левое бедро; вытянуться и расправить плечи. Разворачиваем грудь влево. Находиться в позе около полуминуты. Возвращаемся в исходное положение и повторяем позу в другую сторону.

Терапевтический эффект: развивает гибкость позвоночника, благоприятно воздействует на органы таза.

Средство № 422

Поза вытянутых рук (Учасана).
Исходное положение: Падмасана (Поза лотоса).
Техника выполнения: поднять руки над головой, соединив ладони вместе. Внимание сосредоточено на солнечном сплетении, находиться в позе минуту.

Развивает гибкость позвоночника, кроме того, хорошо растягиваются мышцы живота и рук, а также межреберные и грудные мышцы.

Средство № 423

Поза ласточки (Вирабхадрасана).
Исходное положение: ноги на ширине плеч, руки вдоль туловища.

Выполнение: с полным йоговским вдохом поднять руки над головой и соединить ладони. Выдох и одновременно повернуть туловище и ступни вправо (правую на 90°, левую на 60°). Правая нога образует в колене прямой угол, левая нога вытянута. Откинув голову назад, расправить плечи. Находиться в позе 10—20 секунд, с вдохом возвращаемся в исходное положение. Повторить позу в другую сторону.

Внимание сосредоточено на пояснице.

Терапевтический эффект: способствует устранению жировых отложений на бедрах, укрепляет мышцы спины, ног, плеч.

Средство № 424

Поза лодки (Доласана).
Исходное положение: лежа лицом вниз, вытянув руки перед собой.

Выполнение: руки и ноги приподнять вверх, прогнувшись в пояснице. Опускать и поднимать попеременно верхнюю и нижнюю части тела, раскачиваясь вперед и назад. Находиться в позе около полуминуты.

Внимание — на пояснице.

Терапевтический эффект: ликвидирует чувство неполноценности, устраняет цистит.

Средство № 425

Обратная Поза лодки (Навасана).
Исходное положение: лежа на спине, ноги вместе, руки вдоль туловища.

Выполнение: с оттянутыми носками приподнять прямые ноги на высоту 10—20 сантиметров. Одновременно на ту же высоту приподнять верхнюю часть тела. Находиться в позе до ощущения усталости.

Внимание — на мышцах живота.

Терапевтический эффект: активизирует работу желудочно-кишечного тракта, предотвращает грыжу.

Средство № 426

Мула-Бандха.

Исходное положение: сесть на пятки.

Выполнение: после выдоха задержать дыхание и несколько раз сократить и расслабить мышцы ануса. Внимание — на промежности.

Терапевтический эффект: тонизирует органы брюшной полости, помогает при запорах.

Средство № 427

Упражнение «Прогиб в позвоночнике» (Сетхабандхасана).

Исходное положение: лежа на спине, ноги вместе, руки вдоль туловища.

Техника выполнения: согнуть руки в локтях и, положив плечи и локти на коврик, прогнуться в пояснице. Опираясь на локти, плечи и голову, лежащую затылком на коврике, тело образует мостик.

Внимание на позвоночнике. Находиться в позе от 1 до 3 минут.

Терапевтический эффект: развивает гибкость позвоночника, укрепляет мышцы спины, живота, ног, рук, благоприятно воздействует на симпатический отдел вегетативной нервной системы. Улучшает работу легких.

Средство № 428

Упражнение «Наклон корпуса вперед» (Прасарита Падотта-насана).

Исходное положение: стоя, ноги на ширине плеч.

Выполнение: с полным йоговским вдохом наклонить туловище до положения, параллельного полу, прогнуться в спине, ладони положить на пол. Продолжительность этого положения 10—15 секунд. Наклонив туловище вниз, ставим голову на пол, руки согнуты в локтях. При этом ступни, ладони и голова на одной линии. Оставаться в этом положении около полуминуты. Одновременно с полным йоговским вдохом возвращаемся в исходное положение.

Терапевтический эффект: развивает гибкость позвоночника, тонизирует органы брюшной полости.

Средство № 429

Упражнения для укрепления мышц шеи. Выполняют 3 упражнения.

Исходное положение всех упражнений: стоя, ноги вместе.

1. Расслабив мышцы шеи, сделать резкий поворот головы влево до отказа, затем такой же резкий поворот головы вправо. И так 5 раз подряд, считая поворот влево — вправо за один раз. Постепенно довести число поворотов до 25 раз.

2. Расслабив мышцы шеи, резко опустить подбородок на грудь и также резко откинуть голову назад как можно дальше. Начав с 5 раз, довести число упражнений до 25 раз. Плечи должны оставаться неподвижными.

3. Опустить подбородок на грудь и произвести медленные круговые вращательные движения сначала слева направо, потом справа налево, прижимая голову как можно ближе к туловищу. Вначале повороты в каждую сторону выполнять по 2 раза, потом довести их до 10 раз. Внимание на шее.

Терапевтический эффект: способствуют укреплению мышц шеи, борьбе с тонзиллитами, различными заболеваниями горла и голосовых связок. Они помогают устранять жировые отложения на шее, тренируют вестибулярный аппарат, снимают гиперфункцию щитовидной железы.

Средство № 430

Упражнение «Мула-Бандха с ритмическим дыханием». Один из видов бандхи («замка»), выполняется как отдельное упражнение.

Исходное положение: сидя, но лучше всего сесть в Сихасану.

Выполнение: упереть пятку одной ноги в промежность, руки положить на колени. Тело расслаблено, дыхание полное ритмическое. Во время выдоха задержать дыхание и несколько раз сократить и расслабить мышцы ануса.

Внимание на промежности. Выполнить это упражнение 5—8 раз. Бандху следует выполнять на пустой желудок.

Терапевтический эффект: эта Бандха тонизирует органы брюшной полости, помогает при запорах и импотенции.

Средство № 431

Поза героя (Вирасана).
Исходное положение: сидя на пятках.
Выполнение: развести ступни врозь и сесть так, чтобы таз оказался на коврике, а ступни по бокам бедер. Носки обращены назад, кисти рук держать на коленях ладонями вверх. Спина прямая.
Внимание на ногах. Находиться в позе примерно минуту. Применяется как исходная поза для тренировки дыхания, концентрации внимания и медитации.
Терапевтический эффект: помогает при лечении ревматизма, подагры, плоскостопия, солевых шпор на пятках, снимает боли в коленях.

Средство № 432

Поза льва.
Исходное положение: сидя на пятках.
Выполнение: сделать выдох, затем полный йоговский вдох.
1) Вместе с выдохом высунуть язык наружу, напрячь все мышцы и растопырить пальцы.
2) Убрать язык к небу, челюсть вперед.
3) Снова высунуть язык на несколько секунд.
4) Язык убрать к небу, челюсть вперед.
5) Снова выдвинуть язык на короткое время.
Затем расслабить все мышцы. Повторить так несколько раз. Глаза открыты. Закатываются на лоб.
Концентрация внимания на щитовидной железе.
Терапевтический эффект: благотворно влияет на кровообращение в носоглотке и миндалинах, в бронхах и пищеводе (способствует сохранению и улучшению работы всех вышеназванных органов). Особенно эффективно при ангине, а также людям с дефектами речи.
Классический вариант позы льва: во время высовывания языка рычать на выдохе.
Дополнительный терапевтический эффект: тонизируется система эндокринных желез.

Средство № 433

Упражнения, улучшающие работу пищеварительного тракта.
1. Исходное положение: лежа на спине расслабьте все тело.
Выполнение: поднимите левую ногу вверх как можно выше, не сгибая в колене. При этом правая нога остается прямой.

Затем верните левую ногу в исходное положение. Подъем ноги и опускание проделайте в быстром темпе, дыхание произвольное — через нос. Повторите 5—10 раз.

2. Исходное положение то же. Теперь расслабьте левую ногу и начните в быстром темпе поднимать и опускать правую ногу так же, как делали это левой ногой. Следите за тем, чтобы не сгибать ноги в колене. Упражнение повторить 5—10 раз.

3. Исходное положение то же. Медленно поднимать и опускать обе ноги вместе до угла 90°, колени не сгибаются. Повторите от 5 до 10 раз (считая подъем и опускание ноги за один раз). Дыхание произвольное.

Терапевтический эффект: улучшает деятельность желудка и кишечника.

Средство № 434

Упражнение «Тадаги-мудра» — «Озеро».
Исходное положение: лежа на спине расслабиться.

Выполнение: сделайте полный йоговский выдох и задержите дыхание. Затем насколько возможно втяните живот. Образуется впадина, напоминающая озеро; оставайтесь в позе до тех пор, пока вы не почувствуете, что дальше дыхание задерживать невозможно. Затем, делая очень медленно вдох через нос, вернитесь в исходное положение.

Во время выполнения упражнения следите за тем, чтобы дыхание было задержано настолько, чтобы затем во время возвращения в исходное положение не вдохнуть резко большого количества воздуха через рот и нос.

Терапевтический эффект: при правильном выполнении упражнения ликвидируются недуги и расстройства в работе пищеварительного тракта; в частности, улучшается деятельность кишечника и усиливается выделение желудочного сока.

Средство № 435

Упражнение после пробуждения. Только проснулись — внушение радости и счастья: « Я счастлив, я бодр, я жизнерадостен. Сейчас я буду заниматься гимнастикой, чтобы укрепить свое здоровье, наполнить себя энергией, жизненной силой» — и делаете в постели упражнение.

Исходное положение: лежа на спине, ноги вместе, руки вдоль туловища.

Выполнение: потягивание ног поочередно.

1) Потягивание пяткой вперед левой ногой, расслабление.

2) Потом потягивание пяткой вперед правой ногой, расслабление.

3) Потягивание двумя ногами.

Фиксация при потягивании до 5 секунд. Сделать 2—3 раза (до 5 раз).

Терапевтический эффект: нормализует кровообращение, нормализует нервную симпатическую систему, снижает боли в пояснице.

Средство № 436

Поза кушетки.

Исходное положение: Поза героя (сесть между пяток).

Выполнение: с выдохом прогибаемся в спине назад и ложимся с помощью рук и локтей на пол. Руки перевести за голову и вытянуть назад. Выгнуть спину, опираясь на пол только макушкой. Сплести руки, согнув их в локтях, положить их за голову. Продолжительность позы около минуты. Сознание на солнечном сплетении.

Терапевтический эффект: активизирует работу органов брюшной полости.

Средство № 437

Неполная Поза черепахи (Адрха Курмасана).

Исходное положение: сидя на пятках.

Выполнение: поднять руки со сложенными ладонями вверх и, медленно наклоняя корпус вперед, положить голову и руки ребрами ладоней на коврик. Вытянуться как можно дальше вперед. Руки, прижатые к голове, держать прямыми. Ягодицы плотно прижать к пяткам. Внимание на животе. Находиться в позе 1—2 минуты.

Терапевтический эффект: помогает удалить лишний жир в области живота и ягодиц. Активизирует пищеварительные процессы.

Средство № 438

Поза вороны.

Исходное положение: сидя на корточках.

Выполнение: сделать полный выдох, сложить губы трубочкой и резко втянуть воздух, заполняя им легкие до отказа. Затем небольшую часть воздуха, оставшуюся в полости рта, проглотить. Задержав дыхание, опустить подбородок на грудь и оставаться в этом положении столько, сколько сможете. Смотреть на кончики пальцев ног. Затем поднять голову и сделать медленный выдох через нос. Внимание на щитовидной железе. Упражнение выполняется 2—3 раза.

Терапевтический эффект: способствует ликвидации желудочных заболеваний, хорошей работе эндокринных желез, улучшает цвет лица.

Средство № 439

Поза колеса.
Исходное положение: стоя, руки вдоль туловища.

Выполнение: поставить ноги на ширине плеч, руки поднять над головой. Медленно наклонять корпус назад; когда руки опустятся до уровня бедер, согнуть ноги в коленях. Продолжать наклоняться до тех пор, пока руки не коснутся коврика, после чего ноги выпрямить, чтобы увеличить прогиб спины.

Внимание на пояснице. Находиться в позе от 20 секунд до 1 минуты.

Терапевтический эффект: тонизирует спинные нервы, помогает при лечении желудочно-кишечного тракта.

Средство № 440

Упражнения для глаз — выполняются для того, чтобы глаза сохраняли зоркость и не потухали, а были наполнены молодым блеском.

Упражнения, выполняемые каждое утро, помогут сохранить зрение острым и живым вплоть до глубокой старости.

1. Движения глазными яблоками вверх и вниз до предела. Движения медленные. Повторить несколько раз.

2. Движения глазными яблоками вправо и влево до предела. Движения медленные, без чрезмерного напряжения. Повторить несколько раз.

3. Движения по диагонали взором из верхней части левого глаза в нижнюю часть правого глаза туда и обратно, затем движения по диагонали взором из верхней части правого глаза в нижнюю часть левого глаза туда и обратно. Повторить несколько раз.

4. Движения глазными яблоками по кругу по часовой стрелке, а затем против часовой стрелки. Повторить несколько раз. Такие же движения, но по периметру квадрата, а затем по периметру ромба.

Упражнения для глаз, выполняемые периодически (1 раз в неделю), имеют следующую особенность: во всех упражнениях на вдохе набираем энергию (прану) в «третий глаз» (гипо физ), а на выдохе укрепляем глаза, направляя прану в область глаз, и одновременно выбрасываем токсины из области глаз. Всего 6 упражнений:

1. Сесть или лечь, расслабиться. Скосить глаза на кончик носа (глаза открыты). Делаем полный вдох, а затем полный выдох. Поначалу ставить указательный палец правой руки на кончик носа.

2. Поставить указательный палец на лоб в области «третьего глаза». Скосить глаза на кончик этого пальца. Сделать одно глубокое дыхание.

3. Указательный палец — на кончик носа. На полном вдохе отводим палец от кончика носа как можно дальше, продолжая смотреть на кончик носа. На полном выдохе подводим палец к кончику носа.

4. Указательный палец — на лоб в области «третьего глаза». На вдохе отводим палец как можно дальше, продолжая смотреть на область «третьего глаза», на выдохе подводим палец ко лбу, продолжая смотреть на область «третьего глаза».

5. Голову откинуть как можно дальше назад. Смотреть на кончик носа. Сделать одно глубокое дыхание.

6. Голову откинуть как можно дальше. Смотреть в область «третьего глаза». Сделать одно глубокое дыхание.

Средство № 441

Упражнения для улучшения зрения.

1. Фиксация между бровями — Бру Мадья Дришти.

Сидя на пятках, делаем глубокий вдох, а затем, равномерно дыша, смотрим на точку между бровями (то есть направляем глаза в точку над переносицей). Если почувствуете усталость, нужно отдохнуть, а затем повторить упражнение, глядя на этот раз на кончик носа (то есть следующее упражнение).

2. Фиксация на кончике носа — Насагра Дришти.

Выполняется так же, только глядим на этот раз на кончик носа. Сразу же после первых двух упражнений хорошо выполнить два последующих, которые при ежедневных занятиях помогают сохранить и развить хорошее зрение.

3. Поворот глаз.

Сидя в Ваджрасане, смотреть вперед. С глубоким вдохом возвращаем глаза в исходное положение. Затем с медленным и глубоким вдохом поворачиваем глаза как можно больше влево. Затем с медленным выдохом возвращаем глаза в исходное положение и снова ставим их прямо.

Это нужно повторить 3 раза.

4. Вращение глаз.

Смотрим прямо, с выдохом смотрим вниз, с медленным вдохом начинаем глазами описывать окружность вправо вверх. Когда глаза придут в верхнее положение, мы продолжаем описывать ими окружность уже влево вниз, делая выдох, который заканчивается, когда глаза придут в нижнее положение. Здесь снова начинается вдох, и глаза продолжают свое круговое движение.

Сделать глазами 3 круга. Короткий отдых. Затем начинаем вращение в другую сторону — 3 круга. Очень важно выполнять эти упражнения сознательно, со всем вниманием и сосредоточенностью и очень медленно. Только в этом случае они принесут настоящую пользу.

Упражнения улучшают остроту зрения и в то же время являются хорошей профилактикой здорового состояния глаз.

Средство № 442

Упражнения для улучшения слуха и вестибулярного аппарата. Упражнение для тех, кто плохо слышит.

Исходное положение: сесть в удобную позу.

Выполнение: большими пальцами заткнуть уши, указательные положить на глаза, средние — на крылья носа, безымянные смыкаются над верхней губой, мизинцы — на уголках губ. Губы вытянуты в форме клюва ворона. С вдохом засасывать через рот воздух, надуть щеки и сделать Джаландхару-Бандху (опустить подбородок в яремную ямку). Задержка после вдоха как только возможно, при этом щеки держатся полностью надутыми. С выдохом поднимаем голову, открываем глаза и в несколько раз выдуваем воздух через рот.

Упражнения для развития вестибулярного аппарата и укрепления мышц шеи:

1. Исходное положение: Тадасана (стоя, ноги вместе), мышцы шеи расслаблены. Выполнение: 5 раз сделать резкий поворот головы влево, затем вправо.

2. Исходное положение: Тадасана. Выполнение: 5 раз резко опустить подбородок на грудь, а затем откинуть голову назад.

3. Исходное положение: Тадасана. Выполнение: опустив подбородок на грудь, произвести круговые вращательные движения сначала слева направо 2 раза, затем справа налево 2 раза.

Внимание на шее.

Терапевтический эффект: устраняет жировые отложения на шее, тренирует вестибулярный аппарат, лечит заболевания горла и голосовых связок.

Средство № 443

Маха-мудра. Выполняется следующим образом.

Сесть на коврик, развести ноги в стороны пошире. Согнуть левую ногу и поместить пятку в промежность между анусом и половыми органами, а ступню повернуть вдоль правого вытянутого бедра. Угол между ногами должен быть прямым или тупым. Взяться руками за большой палец правой ноги, опустить подбородок на грудь, так, чтобы он уперся в углубление между ключицами в яремную ямку. Сделать глубокий вдох, сжать мышцы промежности и брюшной полости — от ануса до диафрагмы. Закрыть глаза и сконцентрировать внимание на щитовидной железе. Находиться в позе столько, сколько сможете. Расслабить мышцы, медленно выдохнуть, снова вдохнуть и напрячь мышцы. Повторить упражнение от 6 до 12 раз, меняя положение ног.

Терапевтический эффект: мудра тонизирует печень, почки, селезенку, надпочечники, половые органы, желудочно-кишечный тракт, предотвращает выпадение матки и способствует ее возвращению в нормальное положение; укрепляет дыхательную систему.

Средство № 444

Поза шейного моста.
Исходное положение: лежа на спине.
Выполнение: согнуть ноги в коленях так, чтобы пятки, обращенные внутрь, касались ягодиц (ноги можно развести в стороны). Согнуть руки в локтях и положить ладони по обе стороны головы. С выдохом прогнуться в пояснице, опираясь макушкой головы о коврик. Сложить руки на груди, сделать 2—3 дыхательных цикла и поднять таз еще выше, вытягивая одновременно ноги до тех пор, пока они не станут прямыми. Тело напоминает мост или арку. В этом положении раскачивать корпус вперед и назад — от плечей до макушки головы и обратно. При раскачивании тела от плеч к голове делать вдох, от головы к плечам — выдох. Находиться в позе 20—30 секунд.
Терапевтический эффект: стимулирует работу эндокринной системы, шишковидной железы, гипофиза, зобной железы, благоприятно воздействует на спинные нервы, укрепляет мышцы шеи, спины, ног, особенно подколенные сухожилия.

Средство № 445

Перекладина.
Исходное положение: стоя на коленях.
Выполнение: вытянуть правую ногу в сторону, на одну линию с туловищем и левым коленом. Ступню этой ноги развернуть вправо, ногу в колене не сгибать. Развести руки в стороны на уровне плеч. С выдохом наклонить корпус вправо. Левую руку перенести через голову и вытянуть вправо. Внимание на позвоночнике. Находиться в позе 30—60 секунд. С вдохом прийти в исходное положение и повторить позу в другую сторону.
Терапевтический эффект: тонизирует органы брюшной полости, развивает гибкость позвоночника, укрепляет мышцы живота. Воздействует на Мумтхара и Манипура чакры.

Средство № 446

Поза венка.
Исходное положение: сидя на корточках, ступни полностью на полу.
Выполнение: развести колени и наклонить туловище вперед. Руки согнуть в локтях, поместить впереди ног, ладонями упереться в коврик. Затем перевести руки за спину, сцепить пальцы в замок, грудь и голову поднять вверх. Внимание на солнечном сплетении. Оставаться в позе 30—60 секунд. С выдохом наклонить корпус вперед и коснуться головой коврика. Оставаться в этом положении 30—60 секунд. С вдохом вернуться в исходное положение.
Терапевтический эффект: тонизирует органы брюшной полости, развивает гибкость позвоночника, укрепляет мышцы спины, ног. Рекомендуется для женщин, страдающих нарушением биологического цикла.

Средство № 447

Джива-Бандха — благоприятно воздействует на органы таза, способствует лечению простатита.
Исходное положение: сидя на пятках, коснуться кончиком языка десен за передними зубами, затем поднять язык вверх так, чтобы он лег всей плоскостью на твердое и частично на мягкое небо. Замок выполняется легче, если язык будет расслаблен, тогда он как бы присасывается к небу. Рот закрыт, лицо расслаблено. Языковый замок необходимо выполнить по 10 раз в минуту в течение 3 минут. Внимание на щитовидной железе.

Терапевтический эффект: Бандха хорошо укрепляет мышцы шеи, тонизирует гортань, голосовые связки, щитовидную железу, слюнные железы. Предупреждает и способствует лечению тонзиллита, ангины, глухоты, приобретенной за счет утолщения барабанной перепонки.

Средство № 448

Поза петли.
Исходное положение: на корточках, ступни всей поверхностью на коврике.

Выполнение: колени и ступни держать вместе. Повернуть корпус на 90° вправо так, чтобы левая подошва оказалась за наружной стороной правого бедра у колена. Левую руку обвести вокруг правой ноги, а правую завести за спину и сцепить пальцы в замок за спиной. Внимание на позвоночнике. Находиться в позе 30—60 секунд. Вернуться в исходное положение и выполнить поворот в другую сторону.

Терапевтический эффект: улучшает работу почек, печени, селезенки, поджелудочной железы.

Средство № 449

Поза палки.
Исходное положение: лежа лицом вниз, ноги на ширине плеч.

Выполнение: согнуть руки в локтях, положить ладони по обе стороны груди. При вдохе поднять туловище вверх на 10—15 сантиметров, удерживая его на руках и носках. Тело прямое, параллельно полу, колени напряжены. Находиться в позе 30—60 секунд.

Терапевтический эффект: тонизирует органы брюшной полости, укрепляет мышцы рук.

Средство № 450

Маха-Бандха.
Исходное положение: сидя на полу (лучше всего в позе Сидхасана).

Выполнение: подтянуть левую пятку к промежности, правую — ко лбу. Медленно выдыхая, сокращать мышцы промежности. Задержать дыхание на несколько секунд, с выдохом расслабиться. Повторить эти движения 10—20 раз.

Тонизирует органы брюшной полости, помогает при запорах.

Средство № 451

Ситкари.

Исходное положение: сесть в удобную позу.

Выполнение: поместим кончик языка между губами; закрыть обе ноздри и втянуть воздух через щель, образованную языком и верхней губой, со звуком «ш-ш-ш». Затем закрыть рот и задержать дыхание насколько возможно, выполнив одновременно Джаландхара-Бандху. После этого сделать медленный выдох через обе ноздри. Начать с 5—10 циклов и довести с течением времени до 3 минут 2—3 раза в день.

Терапевтический эффект: Ситкари охлаждает организм, помогает развить слух и зрение, оздоравливает печень и селезенку.

Средство № 452

Ситали.

Исходное положение: сесть в удобную позу.

Выполнение: сложить язык трубочкой и поместить его между округленными в виде «о» губами так, чтобы он выходил изо рта на толщину пальца. Втянуть воздух через образовавшийся желобок с шипящим звуком «с-с-с». Появляется приятное ощущение свежести. Закончив вдох, закрыть рот, сжать губы и выполнить Джаландхара и Мула Бандхи, задержав дыхание насколько возможно. Выдохнуть через обе ноздри. Проделать 5—10 таких циклов.

Терапевтический эффект: освежает рот, оказывает охлаждающее действие на весь организм, помогает преодолеть сонливое состояние, чувство голода и жажды; помогает развить слух и зрение, активизирует работу печени и селезенки.

Средство № 453

Асвини-мудра.

Исходное положение: сидя на корточках.

Выполнение: сделать глубокий выдох и одновременно медленно и плавно сократить анальные мышцы. Эти сокращения должны ощущаться и в области промежности. Задержать дыхание на несколько секунд и сделать медленный вдох, расслабляя мышцы ануса. Это чередование сокращений и расслаблений с вдохом и выдохом не должно быть резким. Внимание на промежности. Вначале выполнять 4 движения в день по 5 секунд на каждое сокращение и расслабление.

Постепенно довести общее количество сокращений до 10—20.

Терапевтический эффект: мудра активизирует мышцы мочеполовой системы, помогает при лечении импотенции, усиливает кровообращение в области промежности, оказывает массажирующее действие на прямую кишку.

Средство № 454

Бандха Трайя и Агнейя мудра.
Первое упражнение (Бандха Трайя).
Исходное положение: стоя, ноги вместе.
Выполнение: слегка расставить ноги, согнуть руки в локтях, сжать кисти в кулаки и поднять их к подбородку. Сделать полный выдох и выполнить одновременно Джаландхара, Уддияна и Мула Бандхи. Держать позу столько времени, сколько сможете. При ощущении легкого удушья расслабиться и сделать медленный вдох через нос. Повторить упражнение 2—3 раза.
Терапевтический эффект: тонизирует органы брюшной полости, помогает при запорах.
Второе упражнение (Агнейя-мудра).
Исходное положение: сидя на пятках.
Выполнение: расслабить тело, сделать несколько вдохов — выдохов ритмического дыхания. Сосредоточиться на солнечном сплетении несколько минут.
Терапевтический эффект: укрепляет нервную систему, помогает контролировать мыслительные процессы.

Средство № 455

Дыхательные упражнения для оздоровления дыхательной системы, системы кровообращения, желудочно-кишечного тракта.
1. Исходное положение: стоя, ноги вместе.
Выполнение: развести ноги врозь. С медленным вдохом вытянуть руки перед собой ладонями вниз. Задержать дыхание и сделать 3—5 быстрых ритмических движений руками назад и вперед. Медленно опуская руки, энергично выдохнуть через рот.
2. Исходное положение: стоя, ноги вместе.
Выполнение: ноги развести врозь. С медленным вдохом вытянуть руки перед собой ладонями вниз. Задержать дыхание и сделать круговые движения 3 раза в одну сторону и столько же в другую. Энергично выдохнуть через рот.
3. Исходное положение: лежа лицом вниз, ладони у плеч.
Выполнение: вдохнуть, задержать дыхание и медленно приподнять напряженное тело. Медленно опуститься на коврик. Повторить движение 3—5 раз. Сделать энергичный выдох через рот.

4. Исходное положение: стоя, ноги вместе.

Выполнение: коснуться вытянутыми руками стены. Вдохнуть, задержать дыхание и несколько раз отжаться, сгибая руки в локтях. Тело должно быть напряженным. Повторить цикл от 3 до 5 раз, затем энергично выдохнуть через рот.

5. Исходное положение: стоя, ноги вместе.

Выполнение: развести ноги врозь, руки на поясе. Вдохнуть, задержать дыхание на короткое время и, медленно наклоняясь вперед, выдохнуть через нос. С вдохом выпрямиться. Задержать дыхание и с выдохом наклониться назад. Медленно вдыхая, выпрямиться. Сделать такие же наклоны вправо и влево.

Средство № 456

«Волевая нормализация дыхания» по Бутейко — для лечения бронхиальной астмы, стенокардии, гипертонической болезни и других заболеваний.

1. Больному следует прежде всего познакомиться с методикой волевой нормализации дыхания, установить по приведенной далее таблице степень своей гипервентиляции и сделать гипервентиляционную пробу (желательно под контролем врача), для чего необходимо углубить дыхание на 1—5 минут до появления симптомов болезни (приступы астмы, стенокардии, головных болей, головокружения, похолодания конечностей и др.); после появления этих симптомов необходимо немедленно уменьшить глубину дыхания и частоту для ликвидации вызванных усиленным дыханием симптомов с целью предупреждения поражения соответствующей системы. Это устраняет легкомысленное отношение к нормализации дыхания.

2. Нормализация дыхания уменьшает атеросклероз, излечивает спазмы сосудов головного мозга и сердца, эмфизему легких, экзему, зуд, уменьшает возбудимость, количество холестерина в крови, снимает слабость и одышку, головную боль, головокружение, бессонницу, приводит к норме вес тела больного, ликвидирует ожирение и худобу.

При многократном изучении на «комплексаторе» (физиологический комбайн) перечисленных заболеваний в лаборатории функциональных методов Института цитологии и генетики при содействии других институтов Сибирского отделения Академии наук была вскрыта одна из ведущих непосредственных причин возникновения и прогрессирования названных болезней. Этой причиной является нарушение дыхания в виде гипервентиляции (углубленное и учащенное сверх нормы дыхание в покое и движении).

В лаборатории установлено, что неправильное дыхание поддается волевому исправлению. На этой основе были пересмотрены старые теории и разработаны принципиально новые методы ранней диагностики, предупреждения и безлекарственного лечения болезней волевой нормализацией (исправлением) дыхания.

Хроническая гипервентиляция, наблюдаемая у больных, страдающих перечисленными выше болезнями, практически не увеличивает насыщение артериальной крови кислородом, так как кровь при нормальном дыхании почти до предела (96—98%) насыщена кислородом.

Но усиление легочной вентиляции вызывает чрезмерное удаление углекислоты из организма, что приводит к сужению (спазмам) бронхов и сосудов головного мозга, сердца, конечностей, а также к более прочному связыванию кислорода с кровью.

Уменьшение количества углекислоты в организме, сужение сосудов и простое соединение кислорода с кровью уменьшает доступ кислорода к клеткам сердца, мозга и других органов, повреждает бронхи и сосуды, возбуждает нервную систему, ухудшает сон, вызывает одышку, головные боли, приступы стенокардии, шум в ушах, нарушение обмена веществ, ожирение, увеличение холестерина в крови, повышение или понижение артериального давления, дискенизацию желчных путей, запоры и другие нарушения.

3. Нормализация дыхания сразу же начинает ликвидировать ряд вышеуказанных симптомов в зависимости от дыхания, тяжести болезней, возраста больного. В основном от его настойчивости в исправлении дыхания зависит скорость исчезновения основных симптомов болезни. Облегчение наступает в сроки от нескольких часов до 3 месяцев. Нормализация дыхания предупреждает инфаркт миокарда, инсульт, прогрессивные склерозы сосудов, эмфизему. Больной обязан твердо знать, каким должно быть нормальное дыхание, уметь считать его частоту и определять длительность задержки дыхания.

1) Частота дыхания. Цикл дыхания состоит из вдоха, выдоха и паузы. В покое и при небольшой физической нагрузке дышать нужно только через нос.

Вдох медленный (2—3 секунды), как можно менее глубокий (0,3—0,5 л), почти незаметный на глаз. За ним пассивный спокойный выдох (3—4 секунды), затем пауза (3—4 секунды) и т. д. Частота дыхания 6—8 раз в минуту, легочная вентиляция 2—4 л в минуту, CO_2 в альвеолах 6,5—5,0%.

2) Надежным показателем полноценности всех систем дыхания и очень важным фактором в его перестройке является длительность задержки после обычного выдоха (см таблицу)

У здорового человека длительность задержки дыхания после выдоха не менее 60 секунд:

Вдох	Выдох	Задержка дыхания
2—3 секунды	3—4 секунды	60 секунд

Больные даже в покое дышат через рот. Вдох быстрый (0,5—1 секунда), выдох быстрый около 1 секунды, неполный, легкие вздуты, они все время на вдохе, пауз нет. Частота дыхания достигает 20—50 раз в минуту. Легочная вентиляция 10—20 л в минуту. CO_2 в альвеолах ниже 6%, а у тяжелобольных падает до 3% и ниже.

Тяжелобольные могут задержать дыхание только несколько секунд.

Чем глубже дыхание, тем короче пауза после выдоха и задержки после него, чем тяжелее болен человек, чем быстрее идет склероз органов, тем ближе гибель. Поэтому необходимо как можно быстрее исправлять дыхание.

4. Исправление дыхания делается следующим образом: усилием воли должно постоянно не менее 3 часов в сутки в покое или в движении (ходьба, спорт) уменьшать скорость и глубину вдоха, а также вырабатывать паузу после полного спокойного выдоха, стремясь постоянно приблизить дыхание к нормальному (см. таблицу). Кроме того, необходимо не менее 3 раз в сутки (утром, перед обедом и перед сном) проделать 3—6 максимальных задержек, доведя их длительность до 60 секунд и более.

После каждой длительной задержки больные должны 1—2 минуты отдохнуть на малом дыхании. Эти длительные задержки, хотя и вызывают иногда неприятные субъективные ощущения (пульсации) в висках, ноющие боли в различных областях тела и др., нормализуют содержание CO_2 в крови, снижают симптомы болезней, облегчают и ускоряют лечение. Комплексные исследования и многолетние наблюдения за процессом лечения больных показали, что усилием воли больные не могут уменьшить дыхание настолько, чтобы оно стало вредным для организма.

Чем меньше глубина дыхания и меньше его частота, тем здоровее и долговечнее человек.

Поддаются лечению все формы и стадии названных выше болезней. Относительные противопоказания: острый период инфаркта и инсульта, терминальное состояние, нарушение психики, хронический тонзиллит.

Осложнений при лечении не отмечено. На 2—3-й неделе, а иногда позднее у тяжелобольных на фоне общего постепенного улучшения состояния временно возвращаются некоторые симптомы болезней, что является следствием «ломки» болезни. После этого при постоянном поддержании дыхания на нормальном уровне обычно быстро наступает улучшение состояния или же полное исчезновение болезни.

Лекарства, как правило, отменяются (за исключением тяжелобольных, плохо исправляющих дыхание в начале лечения).

Контроль: врачебный в стационаре, поликлинике или дома с использованием обычных клинических и лабораторных методов. Обязательное наблюдение за частотой дыхания в минуту и длительностью задержки, содержанием CO_2 в альвеольном воздухе.

Диета: обычная для больных с ограничением молочных продуктов.

Больным бронхиальной астмой назначается витамин А.

Наиболее частые ошибки больных:

1) Бросают тренировку дыхания, испугавшись неприятных ощущений.

2) Не уменьшают дыхание до требуемой нормы, усиливают дыхание; оставшиеся нарушения в организме возвращают болезнь.

3) Путают понятие «пауза» с задержкой дыхания.

4) После излечения ежедневно не проверяют частоту дыхания и длительность задержки.

5) Не увеличивают физические нагрузки на свежем воздухе.

6) Злоупотребляют лекарствами.

7) Для определения степени гипервентиляции по таблице необходимо сосчитать число дыханий в минуту и проверить длительность максимальной задержки после обычного выдоха в покое.

Степень гипервентиляции	Частота дыхания в мин.	Длительность задержки в секундах	CO_2 в альвеолах в мм рт. столба	CO_2 в %
1	2	3	4	5
Норма	6—8	60	46	6
1	9—11	50	42	6
2	12—15	40	38	5
3	16—20	30	34	5
4	21—25	20	30	4

Симптомы гипервентиляции (углубленного дыхания), исчезающие в процессе ее ликвидации, за которыми необходимо следить в период нормализации дыхания:

173

1) Нервная система: головные боли (по типу мигрени), головокружение, обмороки (иногда с эпилептическими судорогами), нарушение сна (бессонница, плохое засыпание, раннее пробуждение, сонливость днем), шум в ушах, ухудшение памяти, быстрая умственная утомляемость, раздражительность, плохая концентрация внимания, чувство беспричинного страха (ожидание чего-то), ухудшение сна, потеря всех видов чувствительности, чаще конечностей, вздрагивание во сне, тремор, тик, ухудшение зрения, увеличение старческой дальнозоркости, различные мелькания в глазах, сетки перед глазами, увеличение внутриглазного и внутричерепного давления, болезненность при движении глаз вверх и в стороны, проходящее косоглазие, радикулит и т. д.

2) Нервная вегетативная система: кризисы типа диэнцефальных, потливость, зябкость, бросание в холод, жар, беспричинные ознобы, неустойчивость температуры тела.

3) Эндокринная система: признаки гипертиреоза, ожирение или истощение, явления патологического климакса, нарушение менструального цикла, токсикозы беременных, фиброма и фиброзная бластопатия и т. д.

4) Система движения: одышка при физической перегрузке и в покое, частое глубокое дыхание с участием гладкой мускулатуры, отсутствие паузы после выдоха и в покое, дыхательная аритмия, постоянные или периодические ощущения ограничения подвижности грудной клетки (ощущение стеснения грудной клетки), боязнь духоты, затрудненное носовое дыхание в покое, при небольшой физической нагрузке (привычка дышать ртом), ринит по типу вазомоторного, склонность к простудным заболеваниям, частые катары дыхательных путей, бронхиты, грипп, кашель сухой или с мокротой, хронический тонзиллит, фарингит, гайморит, острая и хроническая эмфизема легких, пневмония, бронхоэктазы и спонтанный пневмоторакс, как следствие гипервентиляции. Потеря обоняния, спазмы гортани и бронхов (приступы астмы). Боли различного характера грудной клетки. Вздувание надключечных областей (эмфизема верхних отделов легких), уменьшение парциального давления CO_2 в альвеолярном воздухе, увеличение парциального давления кислорода.

5) Сердечно-сосудистая система и система крови: тахикардия, экстрасистолия, пароксизмальная тахикардия, спазм сосудов конечностей, мозга, сердца, почек (белок в моче), дизурические явления (никтурясор). Похолодание, зябкость конечностей и других областей. Боли в сердце, стенокардия, повышение или понижение артериального давления, варикозное расширение вен, в том числе и геморроидальных. Мрамор-

ность кожи, ломкость сосудов, кровоточивость десен, частые носовые кровотечения и т. д.

Ощущение пульсации сосудов различных областей, пульсирующие шумы в ушах, сосудистые кризы, инфаркт миокарда, инсульт, повышение свертываемости крови, электролитные нарушения, гипохолестерикемия, гипо- и гиперглобулинемия, изменение РН крови, уменьшение парциального давления углекислоты, увеличение парциального давления кислорода и артериальной крови в начальной стадии болезни.

6) Система пищеварения: понижение, усиление, извращение аппетита, слюнотечение, сухость во рту, извращение или потеря вкуса, спазмы пищевода, желудка, сжимающие боли в подложечной области и т. п. Камни, запоры и поносы, боли в правом подреберье (дискенезия желчных путей), изжога, частая отрыжка, тошнота, рвота, некоторые симптомы гастрита, язвенная болезнь желудка и двенадцатиперстной кишки.

7) Костно-мышечный аппарат: мышечная слабость, быстрая утомляемость, ноющие боли в мышцах, судорога мышц (чаще икроножных мышц).

Подергивание различных групп мышц, усиление или ослабление тонуса мышц, боли в трубчатых костях.

8) Кожа и слизистые: сухость кожи, кожный зуд, экзема псорная, бледность с серыми оттенками кожи, экроцианоз, экзематозный блефарит, длительность задержки после выдоха.

9) Обменные нарушения: ожирение или истощение, лилиматоз, длительные нерассасывающиеся инфекционные инфильтраты, остокофиты, отложения солей в области суставов по типу подагры, отложение холестерина в различных участках, чаще в веках (тканевая гипапсия, открытые отеки, нарушение тканевого обмена, проявляющееся по типу аллергических реакций).

Опросник для больных

1. Каковы причины возникновения бронхиальной астмы, стенокардии, гипертонической болезни, эндартериита?

Причиной возникновения вышеуказанных болезней является глубокое дыхание.

2. Что важнее: глубокое дыхание или частота дыхания?

Глубокое дыхание важнее, т. к. от него в основном зависит вентиляция легких.

3. Как измерить глубину дыхания?

Глубина дыхания измеряется длительностью задержки дыхания (анное) после обычного выдоха по формуле:

$$\frac{60}{\text{длительность задержки в секундах}}$$

4. Чем вредно глубокое дыхание?

При глубоком дыхании из организма улетучивается угле-кислота, необходимая как компонент для нормальной жизни клетки.

5. Что происходит с кислородом в тканях при глубоком дыхании?

При глубоком дыхании кислород в крови почти не увели-чивается. А в тканях уменьшается за счет сужения сосудов, более прочной связи кислорода с гемоглобином крови, повы-шения обмена.

6. Что такое нормальное дыхание?

Нормальное дыхание состоит из неглубокого вдоха, обыч-ного выдоха и паузы, во время которой в основном происхо-дит газообмен в легких. Частота дыхания 6—8 раз в минуту.

7. Различие между паузой и задержкой дыхательного цикла?

Задержка делается для контроля глубины дыхания. Задер-жка должна быть не менее 60 секунд после выдоха.

8. Какой должна быть длительность паузы и задержки?

Задержка делается максимальной длительности, пауза рав-на 0,1 длительности задержки. Так, если длительность задер-жки после выдоха равна 60 секундам, то пауза равна 6 секундам.

Тренировать дыхание нужно до тех пор, пока задержка пос-ле выдоха в любое время будет дольше 60 секунд. В последую-щем всю жизнь, утром и вечером, проверять длительность задержки после выдоха, и если она вдруг начнет уменьшаться, вновь возобновить тренировки для нормализации задержки ды-хания.

9. Возможно ли возвращение болезни?

Да, возможно, если вновь углубить дыхание, т. е. тогда за-держка станет меньше 60 секунд.

10. Что такое «ломка» болезни?

На фоне постепенного улучшения дыхания и состояния больного человека через несколько дней от начала трениров-ки становится труднее тренировать дыхание, частично возвра-щаются симптомы заболевания — это реакция выздоровления. «Ломка» длится 27 дней.

11. Как нужно вести себя во время «ломки»?

Нужно усиленно тренировать дыхание, стараться избегать лекарств.

12. Почему при лечении «волевой нормализацией дыхания» (ВНД) нужно прекратить прием лекарств?

Прием сосудисто-бронхорасширяющих средств при глубо-ком дыхании не полезен, так как при расширении бронхов (со-судов) еще более увеличивается удаление CO_2 из организма.

13. Может ли быть вредным уменьшение дыхания?

Уменьшение дыхания никогда не может быть вредным.

14. Может ли быть вредной задержка дыхания?

Задержка дыхания после выдоха всегда полезна.

15. Полезен ли бронхоспазм?

Да, полезен, т. к. гладкая мышца бронхов автоматически сужает утечку из организма CO_2 и является защитной реакцией организма от глубокого дыхания.

Средство № 457

Ходьба и бег в сочетании с физическими упражнениями — устраняют застой крови, повышают обмен веществ во всех органах, тонизируют и тренируют все внутренние и внешние мышцы: за счет этого усиливается приток питательных веществ ко всем органам, вывод токсинов из всех органов и особенно вывод токсинов в виде пота через кожу. Это помогает оздоровить органы желудочно-кишечного тракта, почек, печени, сердца, органов дыхания.

В качестве физических упражнений можно использовать наклоны туловища вперед, назад, в стороны; приседания, махи руками и ногами, отжимания от земли, подтягивания двумя руками.

При освоении ходьбы и бега нужно помнить о принципе постепенности. Начинать нужно с ходьбы. В течение месяца ходьба только с равномерным глубоким дыханием. Первая пробная процедура ходьбы не должна превышать 10 минут. Каждый день увеличивайте время движения на 1—2 минуты. Доведя его до 30 минут, можно ускорить движение в ходьбе. Если заниматься только ходьбой помимо физических упражнений, то ходить нужно довольно много — не менее одного часа в день. Для молодых скорость ходьбы 6—7 км в час.

Ходить нужно на свежем воздухе по скверу или парку. Конечно, эффект от ходьбы по улице меньше, чем по парку, из-за нечистого воздуха, но и такая ходьба приносит большую пользу.

Методика ходьбы пешком:

— Не чеканьте шаг, не маршируйте, идите свободно, естественно, но с высоко поднятой головой, не сутулясь, расправив грудную клетку. Идите гордо, прямо и легко. Только тогда вы будете чувствовать физический отдых.

— Устраните все мысли о ваших заботах, обратив ваш взор на внешний мир (на деревья, пейзаж или на здания, если прогулка на улице). Если внешний мир вас не интересует, обратите ваш внутренний взор внутрь себя.

— С середины третьего месяца активной ходьбы можно начинать бег трусцой (после 15—20 минут ходьбы) в тихом темпе, невысоко поднимая колени. Сделав одноминутную пробежку, переходите на спокойный шаг с равномерным глубоким дыханием. Прибавлять время можно по одной минуте через день, а еще лучше через 2 дня. Когда достигнете 5-минутного бега, остановитесь на этом времени на 10 дней. Потом начинайте опять прибавлять по одной минуте через день. 10-минутный бег следует выполнять 15—20 дней, столько же 15-минутный бег, а на беге 20—25 минут задержитесь около месяца. 30-минутный бег должен выполняться 2—3 месяца. Можно остановиться на беге в 30 минут, но если есть потребность в более длительном беге, увеличивайте длительность бега по 5 минут в неделю.

Средство № 458

Ходьба в сочетании с контролируемым дыханием. Это средство устраняет застой крови, повышает обмен веществ во всех органах, тонизирует и тренирует все внутренние и внешние мышцы.

Идти следует ровным шагом с поднятой головой, со слегка поднятым подбородком, отведенными назад плечами и расправленной грудью. В одном цикле дыхания вдох-пауза, выдох-пауза. Вдох и выдох делаются на 8 шагов, а задержки — на 4 шага.

Средство № 459

Создание красивого тела за счет созидающей силы сознания. За счет этого средства развития мускулатуры каждый может создать себе симметричную пропорциональную фигуру без дорогостоящего оборудования. При этом затрачивается очень мало времени. Все, что нужно для этого, — это зеркало и 15 минут ежедневно. Кроме того, это средство оздоравливает организм: тонизируются и тренируются все внутренние и внешние мышцы, устраняется застой крови, повышается обмен веществ во всех органах.

Эта система замедленных упражнений состоит из движений, подобных игре, в сочетании с сильной умственной концентрацией. В короткий срок развиваются сильные мускулы. Напрягая силу воли и создавая воображение того, чего хотим достигнуть, мы смотрим на двигающиеся мышцы и посылаем им поток праны.

Секрет методики — созидательная работа сознания.

В выполняемом сознательно и целенаправленно упражнении мы используем нашу способность воображения и подавляем сопротивление подсознания, сомнения и скептицизм. Если, например, мы будем медленно сгибать правую руку, непрерывно следя за этим движением и воображая, что в этот самый момент в наш бицепс с кровью вливается большое количество праны, — мы уже сделали первый шаг. Через несколько недель усердных занятий этим простым упражнением (в сочетании с умственной концентрацией) мы вдруг увидим, что мышца нашей руки выросла так, как если бы мы в течение месяца занимались тяжелой работой. Созидательная сила сознания придает мышце форму и размер, который мы себе представляем.

Попробуем этот метод на других частях тела. Если мы будем использовать воображение, чтобы посылать жизненную силу в разные части тела и упорно развивать силу, и если мы будем следить за мышцами во время выполнения упражнения и смотреть при этом в зеркало, то мы скоро построим такое тело, которое бы хотели иметь.

Выполнение упражнений по созданию красивого тела:

1. Поднятие тяжестей. Исходное положение: ноги на ширине плеч.

Выполнение: наклонившись вперед, берем двумя руками воображаемую тяжелую штангу и поднимаем ее на грудь. Сгибая колени, выталкиваем штангу вверх на вытянутых руках.

Выполнение — 1 минута, стоя перед зеркалом и наблюдая за своими движениями. В конце потряхиваем расслабленными мышцами и делаем несколько глубоких дыханий.

2. Колка дров. Исходное положение: стоя, ноги врозь — перед зеркалом.

Выполнение: поднять обе руки, вообразить, что держим ручку тяжелого топора, медленно поднимаем и опускаем топор. Колоть настолько медленно, что каждый удар должен длиться 1—2 минуты. В конце опять потряхивание мышцами и глубокое дыхание.

3. Перетягивание каната. Это попеременное движение является одним из самых лучших упражнений для спины, но нужно помнить, что движение должно быть до предела замедленным, чтобы можно было контролировать сознанием каждую его фазу. Все движения должны быть гармоничными.

Исходное положение: стоя перед зеркалом, ноги врозь.

Выполнение: вытягиваем правую руку и хватаем воображаемый канат, изо всей силы тянем его, поворачивая туловище вправо. Затем проделываем то же левой рукой и тянем влево.

4. Лазание по канату. Это упражнение подобно предыдущему, только воображаемый канат располагается вертикально, а не горизонтально, и для того, чтобы залезть на него, нужно тянуть вниз.

5. Метание копья. Сжимаем пальцы правой руки, будто держим кортик или копье. Стоя, ноги врозь, с вытянутой в сторону левой рукой, наклоняемся всем телом назад, отводим назад правую руку и слегка сгибаем назад туловище.

Проделываем весь цикл упражнений до конечного положения: левая рука вытягивается вперед, правая рука отводится назад, как при метании копья.

Средство № 460

Восстановление нормального положения пупочного центра — способствует оздоровлению органов грудной полости, брюшной полости и органов таза.

Пупочный центр занимает довольно важное положение в человеческом организме. Он связан с большим количеством нервов и артерий. Если пупок смещается со своего положения, это ведет к расстройствам и болезням. Смещение может быть от резкого поднятия тяжестей и прыжков на одну ногу. Обычно у мужчин пупок получает смещение влево, а у женщин вправо.

Осмотр пупка у мужчин. Пациент, лежа на полу лицом вверх, поднимает голову и ноги с упором только на ягодицы, а затем постепенно опускается в положение лежа на полу. Осматривающий должен положить один конец шнурка на пупок пациента, другой конец на один из двух сосков груди. Теперь этот конец шнурка прилагается к другому соску. Если расстояние между двумя сосками одинаковое, то пупочный центр находится в правильном положении. При неодинаковых расстояниях пупок смещен.

Условия осмотра пупка у женщин такие же. В Шавасане пятки ног вместе, носки разведены в стороны. Один конец шнурка помещается на пупок, а другой прикладывается к правому большому пальцу, затем к левому большому пальцу ноги. Если расстояния одинаковые, то пупок находится в правильном положении.

Ставят пупок на место следующим образом. Массируют пупок с растительным маслом в таком направлении, чтобы смещенный пупок переместить к его первоначальному положению. Если пупок имеет смещение вверх и влево, правая нога пациента должна держаться внизу, а левая нога должна получить рывок. Затем подошва правой ноги должна получить толчок ладонью руки. Если пупок имеет смещение вверх и вправо, два эти процесса должны быть противоположными. В случае, если пупок не поддается вышеописанному воздействию, пациент должен вначале лечь лицом вниз, а лечащее лицо должно держать его правую кисть и левую ногу, каждую в одной руке, поставив свою ногу на поясницу. Теперь врач должен приподнять пациента вверх. Повторить процесс с противоположными конечностями. Если тем не менее пупок не сдвинется со своего положения, что может быть установлено с помощью шнурка, тогда пациент должен взяться своими руками за свои ноги, как в Устрасане, а врач должен поднимать его вверх, стоя верхом над пациентом.

Если услуги специалиста не помогли, пациент помогает самому себе. Выполняется Уттана Падасана, после Устрасана, потом Чакрасана, затем Матсиасана.

Уттана Падасана выполняется так: лечь на спину, руки вдоль тела. С выдохом приподнять грудь, прогнуться в спине и опереться макушкой головы о коврик. Если сделать это окажется трудно, обопритесь о коврик руками и продвиньте голову как можно больше назад, приподнимая также и спину. Затем приподнимите прямые ноги под углом 45—50°. Ладони рук соедините и держите параллельно ногам. Внимание на позвоночнике. Находиться в позе 30—60 секунд.

Устрасана выполняется следующим образом: исходное положение — стоя на коленях, ноги вместе. Наклонять корпус назад до тех пор, пока голова не коснется коврика. Продолжая подтягивать голову к ногам, взяться руками за пальцы ног и подтянуть к ним голову.

Чакрасана: исходное положение — стоя, ноги вместе, руки вдоль тела. Техника выполнения: поставить ноги на ширине плеч, руки поднять над головой. Медленно наклонять корпус назад. Когда руки опустятся до уровня бедер, согнуть ноги в коленях. Продолжать наклоняться до тех пор, пока руки не коснутся коврика, после чего ноги выпрямить, чтобы увеличить прогиб спины. Можно выполнить эту асану до половины, если руки не достают до коврика. Внимание на пояснице. Находиться в позе вначале 20 секунд, довести время выполнения асаны до 2 минут.

Матсиасана: исходное положение — сидя на пятках. Техника исполнения: с помощью локтей, выгибая грудь, опускаем туловище назад, пока теменем не опустимся на пол.

Ладони сложены на груди пальцами вверх, произвольно дышим. Сознание направляем на щитовидную железу.

Средство № 461

Упражнения для тазового дна, предназначенные беременным женщинам, — значительно облегчают процесс родов.

Упражнения базируются на простых движениях; их можно выполнять даже тем, кто не имеет опыта занятий физическими упражнениями.

1. Стоя, ноги вместе. Постараться сесть на невидимый стул. Ступни не отрывать от пола, спину держать прямо.

2. Стоя, руки на бедрах. Поднимите правую ногу, согнув колено, потом двигайте ее вперед, в сторону. Опустите и повторите левой ногой.

3. Руки на бедрах, ноги немного врозь. Поднимайтесь на носки, потом сядьте на корточки. Согнув колени и держась на носках, поднимитесь, сядьте и так повторите несколько раз.

4. Лежа на спине, поднимите обе прямые ноги под прямым углом к полу и качайте их сбоку набок, как маятник, двигая телом только ниже талии.

5. Сидя на полу, вытяните ноги вместе. Постепенно отводите левую ногу, не сгибая ее и стараясь образовать прямой угол с правой ногой. Потом медленно верните левую ногу в исходное положение. Повторите еще раз. То же самое проделайте правой ногой.

6. Лежа на спине, поднимите обе прямые ноги под прямым углом к полу и несколько раз скрестите ноги, занося поверх то одну, то другую ногу.

7. Сидя на полу. Пятка одной ноги — в области паха, а другая лежит в одну линию с ней. Колени стремятся коснуться пола; руки покоятся на коленях. Вдохните, выдохните и начинайте качаться вперед, устремляя голову к полу. Затем выпрямляйтесь; и так несколько раз.

Средство № 462

Упражнения для выработки прямой осанки — оздоравливают органы дыхательной системы, сердечно-сосудистой системы, желудочно-кишечного тракта. В жизни нужно следить за своей осанкой, т. к. неправильная осанка (согнутая спина, сутулость) приводит к накоплению солей в суставах, к хроническим болям в спине, усталости в плечах, слабости бедер, застойным явлениям в венах ног.

Прямая осанка важна для всех людей, но особенно важна для женщин в период беременности. В период беременности важно поддерживать правильную осанку. Привычка стоять с искривленной спиной и выпяченным животом может сказаться при родах. Тело беременной женщины все время должно быть прямым (голова и шея на одной линии с позвоночником). Ступни нужно держать вместе. Правильная осанка не только уменьшает напряжение мышц и помогает сохранять организм в хорошем состоянии, но и хорошо маскирует беременность.

Если правильная осанка не была освоена еще до беременности, то, учитывая важность правильной осанки и для состояния организма матери и ребенка, и для хода родов, нужно осваивать правильную осанку в период беременности. Для этого нужно делать следующие упражнения:

1. Встаньте около стены и выпрямите все тело, касаясь стены пятками, икрами ног, ягодицами, верхней частью спины и затылком. Постойте так в течение одной минуты. Затем лягте на пол, стараясь прижаться к нему всем позвоночником, особенно поясницей.

2. Лягте на спину, руки сцеплены над головой, колени согнуты, подошвы ступней на полу. Не меняя положения ног, постарайтесь поднять только голову и плечи.

3. Лежа на спине, поднимите прямые ноги до угла 45° к полу. Подержите так ноги 10 секунд. Опустите ноги. Затем поднимите прямые ноги до угла 90°. Подержите 10—15 секунд и опустите.

4. Лежа на спине, руки вдоль туловища; поднимайте только ягодицы, выгибая позвоночник и не отрывая плечи и пятки от пола.

5. Лежа на спине, руки вдоль туловища; поднимайте только грудь, выгибая дугой позвоночник.

Средство № 463

Подскоки с выбросом ног и рук — улучшают обмен веществ, кровообращение, способствуют выводу солей из суставов.

Выполнение: делая подскок, выбрасываем по очереди левую и правую ногу пяткой вперед; одновременно с выбросом правой ноги выбрасывается правая рука со сжатым кулаком, а с выбросом левой ноги — левая рука, при этом можно вращаться вокруг своей оси, сначала по часовой стрелке, затем — против часовой стрелки. Продолжительность подскоков 1—3 минуты.

Средство № 464

Комплекс оздоровляющих упражнений, выполняемых женщиной в послеродовой период. После родов упражнения, выполняемые женщиной, важны не только для здоровья и быстрого восстановления ее фигуры, но и для здоровья ребенка, т. к. ребенок питается молоком матери, а качество молока зависит от ее физического и психического состояния. Упражнения благоприятствуют также непосредственно выработке молока.

После родов половые органы постепенно начинают принимать свое исходное положение и размер. Другие брюшные органы, которые были смещены увеличенной маткой, и мышцы живота, таза, которые были сильно растянуты, также должны быть возвращены к норме. Осторожные упражнения помогут ускорить все эти процессы. Они предотвратят также образование тромбов и застой крови в матке и в венах, помогут при запорах.

Упражнения можно делать уже через несколько дней после родов (если нет противопоказаний, таких, как швы). На этом этапе делается в качестве упражнения пока только брюшное дыхание или полное йоговское дыхание, если вы им владеете. Это упражнение не только заряжает энергией и очищает кровь, оно мягко массирует брюшные органы. Улучшая кровообращение, оно препятствует образованию тромбов и застою крови. После нескольких дней занятий брюшным дыханием переходим к комплексу упражнений, выполняемых каждый день.

1. Исходное положение: сидя в постели, напрягите все мышцы. В том числе живот, ягодицы, бедра, анус. Вдыхайте при напряжении, выдыхайте при расслаблении. Затем отведите плечи назад и вверх медленным и постепенным движением. Опустите плечи. Теперь круговые движения плечами. После 5 движений назад двигайте плечами в обратном направлении, вперед: плечи в это время идут вперед, вниз и назад. Руки висят мягко, они не должны двигаться независимо от плеч. Затем вращайте плечами попеременно — почти как при плавании на спине, но без рук. Когда левое плечо идет назад, правое движется вперед. Позвонки вращаются в своих гнездах, усиливается кровообращение, и это препятствует искривлению позвоночника.

2. Сидя или лежа. Несколько раз подвигайте носками вверх и вниз. Затем вращайте ступнями несколько кругов вправо, несколько влево. Затем несколько раз поднимите и опустите ступню, тренируя лодыжки. Ногами ниже коленей делайте движение, будто хотите стряхнуть что-то со ступней, сначала одной, потом другой ногой.

3. Сидя с вытянутыми ногами, руки на бедрах, сделайте несколько «шагов» ягодицами вперед, потом назад.

4. Поднимите руки, согнутые в локтях, в стороны и постарайтесь свести лопатки, сжимайте их плотнее. Опустите руки, повторите несколько раз.

5. Сядьте, соедините ступни вместе и возьмитесь руками за щиколотки. Качнитесь из стороны в сторону, массируя ягодицы. Это улучшает кровообращение в анусе, промежности и влагалище.

6. Руки вытянуты в стороны. Вращайте их маленькими кругами вперед, увеличивая размер круга. Потом вращайте назад, уменьшая круг.

Средство № 465

Комплекс упражнений, восстанавливающих фигуру и препятствующих образованию жира и выполняемых женщиной после рождения ребенка. Во время беременности брюшные мышцы растягиваются, чтобы вместить растущую матку. После рождения ребенка они остаются увеличенными, и если ничего не делать, чтобы предотвратить это, обвисают из-за потери тонуса, в них скапливается жир. С этим можно бороться упражнениями для таза. Ведь беременность совсем не обязательно должна портить фигуру женщины. Если женщина сознательно тренируется, используя определенные упражнения, ее фигура после родов должна остаться без изменения.

1. Лежа на спине, вдохните и поднимите колени к животу. Выдыхая, медленно опускайте их, ощущая давление в животе.

2. Стоя, руки над головой, вдохните и вытягивайте их вверх, напрягая все мышцы, в том числе живот. Выдыхая, расслабьтесь.

3. Стоя, руки вдоль туловища. Вдохните и поднимите одну только голову, ощущая напряжение мышц живота, выдыхая, расслабьтесь.

4. Стоя, ноги на ширине плеч, руки вдоль туловища. Наклонитесь и достаньте обеими руками правую ступню, потом выпрямитесь, раскиньте руки в стороны и в то же время прогнитесь назад. Повторите дважды, потом то же самое с другой стороны.

5. Откинувшись на спину и опираясь на локти, несколько раз энергично достаньте правым коленом правое плечо. Потом то же самое левой ногой.

6. Стоя, ноги врозь, руки на задней стороне бедер. Наклонитесь вперед, достаньте головой правое колено, выпрямитесь и достаньте левое. Руки должны при наклоне скользить по задней стороне ноги до лодыжек.

7. Держа сжатые кулаки перед грудью, разведите их, как бы преодолевая сопротивление, до линии плеч. Сведите назад. Повторите.

8. Стоя, руки вдоль тела. Сожмите кулаки и одним махом сведите их перед грудью. Опустите и опять сведите.

9. Сделайте движение руками, как будто разрываете веревку, напрягая мышцы груди, расслабьтесь. Повторите.

Средство № 466

Упражнения, возвращающие влагалище к нормальным размерам. После родов следует избегать половых сношений в течение 3 месяцев, т. к. для того, чтобы влагалище приняло нормальные размеры, нужно время (около 100 дней). Это важно для обоих супругов, иначе влагалище останется растянутым и никогда не приобретет своей нормальной величины, что будет влиять на степень полового возбуждения. Если такое ограничение невозможно для супругов, то тогда женщине через несколько дней после родов в течение 3 месяцев каждый день нужно делать следующие упражнения:

1. Присесть на корточки. Сделать глубокий выдох и одновременно медленно и плавно сократить анальные мышцы. Эти сокращения должны ощущаться в области промежности. Задержать дыхание несколько секунд и сделать медленный вдох, расслабляя мышцы в области ануса. Это чередование сокращений и расслаблений с вдохом и выдохом не должно быть резким. Внимание на промежности. Вначале выполнять 4 движения в день по 5 секунд на каждое сокращение и расслабление. Постепенно довести общее число сокращений до 10—15.

Это упражнение помимо укрепления мышц влагалища помогает избежать геморроя, который часто появляется после родов. Кроме того, упражнение оказывает массирующее действие на прямую кишку.

2. Сидя или лежа, сжимайте мускулы ягодиц, туго соединяйте их. Напрягайте так, чтобы появилось ощущение, что ваши бедра стали меньше.

Средство № 467

Упражнения для повышения половой потенции — тонизируют половые железы, улучшают кровообращение в половых органах, усиливают гибкость и подвижность тела и особенно гибкость позвоночника. Последнее особенно важно для мужчин, ибо действенность мужчины в половом сношении во многом зависит от здоровья и гибкости его позвоночника.

Упражнения нужно выполнять регулярно (желательно каждый день) утром перед завтраком или вечером перед ужином.

1. Лежа на спине, поднимайте вверх одни только бедра. Через 3—4 секунды опустите. Повторить 5 раз.

2. В той же позиции поднимите только бедра и покачайте ими сбоку набок несколько раз, не отрывая плечи и ступни от пола. Повторите 3 раза.

3. На четвереньках, руки прямые, ладони на полу. Наклонитесь немного вперед, потом назад и сядьте на пятки. Потом опять вперед и опять назад. Упражнение ритмическое: движение вперед на счет 1, назад — на счет 2, 3, 4. Повторить 2 раза.

4. Стоя, ноги вместе. Сжимайте ягодицы, втягивая мышцы внутрь, потом разжимайте. При этом сжимаются и раз-

жимаются анус и мышцы промежности. Повторить движения 5—7 раз.

5. На корточках, колени раздвинуты широко, ягодицы выше колен, на пятки не опираться. Руки держите на бедрах или на пояснице. Двигайте тазом вперед, потом назад, сначала медленно, осторожно, потом быстрее. Сделать 9—11 движений тазом.

6. Лежа на спине, поднимите ноги, не сгибая их, и описывайте ими круги (каждая нога описывает свой круг), сначала внутрь, потом наружу. Отдохнуть 10—15 секунд, затем повторить упражнение.

7. Лежа на спине, колени согнуты, ноги вместе, ступни на полу. Попытайтесь раздвинуть ноги как при сопротивлении, потом сведите их вместе и повторите еще раз. Если не получается ощущения напряжения и сопротивления, придется раздвигать колени руками, а ногами сопротивляться этому.

8. Встаньте, широко расставив ноги. Присядьте, наклоните туловище вперед и достаньте ладонями пол между ног так далеко назад, как сможете. Пальцы должны быть направлены назад. Повторите упражнение.

9. Встаньте на правое колено, прямая левая нога отставлена в сторону. Сложите руки над головой и качнитесь несколько раз над левой ногой. Повторите с другого бока.

Средство № 468

Упражнения для усиления половой потенции — это так называемые «перевернутые» асаны: Полусвеча, Свеча, Стойка на голове (Сиршасана). Эти асаны тонизируют эндокринную систему, восстанавливают увядающее либидо и половую потенцию.

Полусвеча выполняется так: лечь на спину, вытянуть руки вдоль туловища; с вдохом поднимаем ноги до угла 90°, затем поднимаем таз, помогая себе руками. Фиксировать пятки на уровне глаз. Туловище опирается только на локти при поддержке ягодиц руками. Голову от пола не отрывать, не касаться подбородком груди. Находиться в позе полминуты.

Свеча выполняется следующим образом: лечь на спину, вытянувшись полностью с расслабленными мускулами.

Выполнение:

1) Сделав полный выдох, с плавным вдохом поднимаем ноги плавно и медленно под углом 90° к туловищу.

2) Выполняется Випарита Карани, а потом переходим непосредственно к Березке.

3) Вытягиваются ноги прямо. Прижмите подбородок к груди — подбородочный замок Джаландхара-Бандха.

Помнить при этом:

• Грудь прижимается к подбородку, а не подбородок к груди (голова не отрывается от пола во время выполнения асаны).

• Задняя часть шеи и плечи касаются пола. Дышите медленно животом. Сосредоточьте внимание на щитовидной железе.

Начинающим находиться в этой позе не более 30 секунд, последующие дни прибавлять по 5 секунд ежедневно, доведя от 1 минуты до 5 минут. По завершении асаны согните ноги в коленях и медленно опустите ноги.

Сразу после Позы свечи, чтобы получить от нее максимальную пользу, нужно выполнить Матсиасану (Поза рыбы) как контрпозу: сев на колени, с помощью рук и локтей наклонять тело назад до тех пор, пока голова не ляжет на коврик. Выдохнуть, выгнуть спину, подняв шею и грудь, голову приблизить как можно ближе к пяткам, руками взяться за лодыжки. Внимание на солнечное сплетение и в область сердца. Находиться в позе от 30 секунд до 1 минуты. С вдохом возвратиться в исходное положение, лечь, расслабиться. Вариант: поза выполняется из положения лежа, ноги прямые на полу.

Стойка на голове требует (особенно при освоении) большой осторожности. Делается это упражнение так: исходное положение — стоя на коленях; выполнение: поставить голову на пол в чашу сплетенных рук и выпрямить ноги, подняв таз вверх, как в Позе дельфина. Согнуть ноги в коленях, оттолкнуться от пола и встать на голову. Вытянуть ноги вертикально. Находиться в позе от 10 секунд до нескольких минут. Внимание на щитовидной железе. Выход из позы: согнуть ноги в коленях и бедрах и опустить ноги на пол.

После выполнения Сиршасаны выполнить Матсиасану.

Средство № 469

Поза спокойствия, улучшающая половую функцию через успокоение нервной системы. Эта поза очень полезна: она усиливает добавочный приток крови к нервным центрам затылка, приносит почти полное нервное успокоение (рекомендуется и при бессоннице, так как способствует крепкому и спокойному сну). Кроме того, поза благотворно воздействует на половые железы. Выполнение позы: лягте на спину, вытяните руки над головой, по полу. Не сгибая ног, поднимите их до угла 45° относительно пола. Затем поднимите руки и упритесь коленями в ладони. Освоив позу, вы сможете держать ее довольно долго: она очень удобная и успокоительная. Завершая позу, опустите ноги за голову, держа колени врозь, и коснитесь ими пола — по обе стороны головы, чтобы щитовидная и паращитовидная железы были под давлением. Потом медленно опустите ноги и руки на пол.

Средство № 470

Позы для сидения, увеличивающие половую потенцию и способствующие лечению простатита. Несложными, но в то же время достаточно эффективными являются позы со скрещенными ногами Сукхасана (приятная поза) и Сидхасана. Упражнения напоминают позу, в которой портные в старые времена сидели на стульях без спинок. Тело должно быть прямым, смотреть прямо перед собой. Находиться в позе около 1 минуты, затем поменять положение ног. Сукхасана выполняется следующим образом: сидя на полу, согнуть левую ногу внутрь, прижать стопу к внутренней поверхности правого бедра, ближе к паху. Далее согнуть правую ногу и положить ее параллельно левой. Колени широко раздвинуты и лежат на полу, руки свободно лежат на коленях ладонями вверх. Выполнение Сидхасаны: сидя на полу, вытянуть ноги перед собой, затем согнуть левую ногу в колене и с помощью рук прижать стопу к внутренней стороне правого бедра, ближе к паху. Согнуть правую ногу в колене и положить ступню между бедром и икроножными мышцами левой ноги. Руки положить на колени ладонями вверх, колени широко раздвинуты и лежат на полу.

Сидя в одной из двух поз с перекрещенными ногами (Сукхасана или Сидхасана), можно выполнять Асвини-мудру, улучшающую половую деятельность и тонизирующую влагалищные мышцы (помогает также против увеличения простаты, выпадения матки и нерегулярных менструаций). Выполнение Асвини-мудры: вдохните, выдохните и с выдохом сжимайте мышцы заднего прохода (ануса), стараясь втянуть их внутрь. Подержите позу, потом расслабьтесь. Повторите 3—5 раз.

Средство № 471

Упражнения, способствующие лечению простатита. Особенностью этих упражнений — Маха-мудра, Поза звезды, Угловая поза — является улучшение кровообращения в половых органах (кроме того, эти позы благотворно действуют при увеличении простаты).

Выполнение Маха-мудры: сидя на полу, развести ноги врозь пошире. Согнуть левую ногу и поместить пятку в промежность между анусом и половыми органами, а ступню повернуть вдоль правого вытянутого бедра. Угол между ногами должен быть прямым или тупым. Взяться руками за большой палец правой ноги, опустить подбородок на грудь так, чтобы он уперся в углубление между ключицами, в яремную ямку. Сделать глубокий вдох, сжать мышцы промежности и брюшной полости от ануса до диафрагмы. С выдохом наклониться вперед. Внимание на щитовидной железе. Находиться в позе столько, сколько сможете. Расслабить мышцы, медленно с вдохом вернуться в исходное положение. Повторить упражнение меняя положение ног.

Для выполнения Позы звезды нужно сесть на пол, раздвинуть колени, подошвы ног приложить друг к другу. Вдохнуть, выдохнуть, обеими руками взяться за ступни и наклоняться вперед, пока лоб не коснется больших пальцев ног, а локти — пола, по обе стороны ног.

Выполнение Угловой позы: сядьте на пол, держа ступни вместе, колени врозь. Возьмитесь за большие пальцы ног и медленно вытягивайте ноги вперед и вверх, в то же время слегка отклоняясь назад. Держитесь так несколько секунд, потом опускайтесь. Повторите упражнение несколько раз.

Средство № 472

Охлаждающее дыхательное упражнение — используется при сильном жаре при простудных заболеваниях с высокой температурой. Сидя в удобной позе, установить ритмическое дыхание, мысленно представляя себе, что с каждым выдохом прана трансформируется в приятное ощущение прохлады. Внимание сосредоточить на позвоночнике.

Средство № 473

Закаливание воздухом — стимулирует защитные силы организма, предотвращает и лечит заболевания дыхательной системы, сердечно-сосудистой системы. Закаливание воздухом начинается со слабых мягко действующих процедур, постепенно продолжительность воздушных ванн удлиняется с одновременным снижением температуры. Действие воздуха воспринимается нервными окончаниями кожных покровов и слизистых оболочек дыхательных путей. Характер влияния воздуха на организм определяется соотношением его качественных показателей: температуры, влажности, движения, давления, ионизации.

Под влиянием низких температур происходит сокращение периферических кровеносных сосудов как защитная реакция организма против массовой отдачи тепла. Благодаря мышечным движениям (дрожь) сосуды вновь расширяются, вследствие чего теплоотдача увеличивается. Последнее обстоятельство уравнивается большой выработкой тепла в самом организме, а также усилением в нем окислительных процессов. Так, изменение периферического кровообращения влияет на всю функциональную деятельность кожи, секреторную и дыхательную функцию. Изменение периферического кровообращения сказывается на работе внутренних органов, приводит к улучшению сердечной деятельности. Раздражающее действие воздуха на рецепторы кожи сказывается тем сильнее, чем больше разница между температурой тела и окружающей среды.

Воздушные ванны можно условно разделить на теплые (30—20 °C), прохладные (20—14 °C), холодные (ниже 14 °C). Воздушные ванны принимают в обнаженном виде, постепенно увеличивая пребывание на воздухе более низкой температуры. Лучшее время приема воздушных ванн — утренние часы, когда воздух насыщен ультрафиолетовыми лучами солнца.

Очень хорошо воздушные ванны сочетать с физическими упражнениями, ритмической гимнастикой, бегом. Не следует доводить себя до озноба. В таком случае нужно немедленно одеться, выполнить ряд согревающих упражнений, пробежаться до полного согревания. Нельзя принимать воздушные ванны сразу же после еды, а также при истощении и резкой слабости, во время острых инфекционных заболеваний.

Организм испытывает действие воздуха, ветра непрерывно в течение всей жизни. Человек может и должен использовать это постоянное воздействие себе на пользу так, чтобы оно всегда оказывало только благоприятное влияние, стимулировало защитные силы организма.

Средство № 474

Закаливание водными процедурами — пробуждает защитные силы организма, предотвращает и лечит заболевания органов дыхательной системы, сердечно-сосудистой системы.

Действие воды на кожу аналогично действию воздуха, но сильнее, т. к. вода обладает большей теплопроводностью и, следовательно, отнимает больше тепла. Сущность физиологического действия на организм водных процедур и конечный результат их влияния подобны действию воздушных. Соприкосновение воды с кожным покровом сопровождается раздражением нервных окончаний и ведет к изменению тонуса и просвета кровеносных сосудов с последующим влиянием на все органы и системы человека.

Температура воды в начале закаливания водными процедурами должна быть такой, чтобы человек мог ее переносить спокойно, без раздражения. Температура воздуха +18—20 °C. Лучшее время года для начала закаливания водой — весна, лето, а лучшее время дня — утро.

В порядке нарастающей силы воздействия водные процедуры распределяются следующим образом: обтирание, обливание, ванны, душ, купание в закрытых и открытых водоемах. Сила раздражения водой достигается увеличением времени ее воздействия.

Обтирание — наиболее мягко действующая водная процедура, которую можно применять не только здоровым, но и слабым людям. Выполняется процедура следующим образом. Смоченным концом полотенца или рукавичкой обтирают руки, шею, грудь, живот, ноги, спину, сразу же вытирая насухо, до легкого покраснения кожи и приятного тепла.

Обливание — прекрасное средство закаливания, простое и доступное. Вначале надо проводить обливание теплой водой, затем комнатной температуры, постепенно доводя длительность процедуры до 2 минут и снижая температуру воды до +15 °C.

После обливания желательно делать массаж по Мюллеру, который активно воздействует на рефлекторные токи всей поверхности тела. При этом тело быстро высыхает и согревается.

Массаж по Мюллеру выполняется следующим образом:

1) Стоять прямо, правая стопа подошвой растирает верхнюю часть стопы левой ноги. При этом правая рука круговыми движениями растирает верхнюю часть спины, шею, левая рука — поясницу.

20—30 раз. Поменять руки и ноги. Концентрировать внимание на трущейся поверхности.

2) Стоять прямо, носки, пятки вместе. Начиная с подбородка, кисти рук внутренней стороной, не касаясь головы, проходят вокруг головы. Кисти рук касаются шеи с небольшим усилием, грудь проходится по сторонам выше сосков, затем кисти рук идут назад на поясницу, соединяясь вместе. Корпус сгибается в пояснице. Кисти рук скользят по телу от ягодиц до пяток, переходят спереди на пальцы ног и скользят по поверхности вверх к середине живота, груди, шее, не касаясь головы, назад за голову. Корпус разгибается в пояснице.

20—30 раз. Концентрация внимания на трущейся поверхности.

3) Массаж рук.

Правая кисть руки скользит по внешней поверхности левой руки до максимально возможного положения, за спину на плечевом поясе, возвращается и скользит по внутренней поверхности левой руки, возвращается обратно, по ребру левой руки до лопатки сзади, при этом левая рука сгибается, и кисть ее переходит на правое плечо и возвращается по правой руке до кончиков пальцев кисти.

Повторить 20—30 раз на одной и другой руке.

4) Массаж верхней части живота и груди.

Ноги на ширине плеч. Положить кисти рук ладонями навстречу друг другу, со смещением, с широко разведенными пальцами на верхнюю часть живота и грудь. Поворачивать корпус то в правую, то в левую сторону до максимально возможного положения. Кисти рук скользят по груди в ту же сторону. Делать 4 раза в одну сторону, 4 раза в другую.

Всего 4—6 циклов. Концентрация внимания на растираемую поверхность тела.

5) Массаж отдельных групп мышц и частей тела.

Массаж живота по часовой стрелке. Массаж поясницы: тыльной стороной руки сильно растереть поясницу. Массаж плечевого пояса, спины щипковыми движениями. Массаж головы, лица, шеи.

6) Массаж спины и голосовых связок.

Правая рука идет впереди вверх до уровня плеча, левая — растирает поясницу, при этом следует высунуть язык до отказа вниз к подбородку, взгляд направить вперед, произносить сильные звуки (рычание льва).

Поменять руки. Делать 3—5 раз. Концентрация внимания на горле.

7) Вращательное движение корпуса.

Сильный взмах руки в горизонтальном направлении. Правая кисть тяжелая. Сильный взмах (желание нанести сильный удар).

Поменять руки. Концентрация внимания в кистях рук и при взмахе.

8) Массаж бедер.

Стойка: ноги шире плеч, ступни параллельны, левая нога полусогнута, правая прямая, охватить руками правое бедро от коленного сустава и скользить вверх по правому бедру до живота, слегка касаясь живота, скользить вниз по левому бедру, причем левая нога прямая, правая полусогнута и т. д.

20—30 раз. Концентрация внимания на растираемую поверхность.

9) Чулочки.

Пятки, носки вместе, корпус прямой. Не сгибаясь, поднять левое колено, прижать его к груди и, начиная от пальцев ног, скользить руками по поверхности ноги, поднимаясь до паха (аналогично движению надевания чулок на ногу), поменять ногу.

20—30 раз. Концентрация внимания на растираемую поверхность.

10) Стойка прямо, пятки и носки вместе. Делать как упражнение 2, только не сгибаясь в пояснице.

Душ сочетает термическое и механическое раздражение, поэтому особенно эффективен. Эта водная процедура тонизирует нервную систему, придает бодрость, положительно действует на аппетит и сон. Продолжительность его для закаливания от 1 до 5 минут. Начинать с температуры воды +30—32 °C, постепенно доводя ее до +21—22 °C, снижая на 0,5—1° через каждые 2—3 дня.

Контрастный душ является прекрасным средством для тренировки кровеносных сосудов, его применение может предупредить различные сосудистые нарушения. Кроме того, он тонизирует организм, вызывает чувство бодрости, легкости тела. Сущность процедуры состоит в чередовании горячего и прохладного душа. Вначале на тело сверху донизу направляется струя горячей воды (+39—40 °C) в течение 1—2 минут. Затем из заранее приготовленной емкости все тело залпом обливается прохладной водой (+18—20 °C). После этого на тело снова направляется струя горячей воды, и снова обливание прохладной водой. Таким образом делают 5 циклов. После процедуры следует хорошо растереться полотенцем и сделать самомассаж.

Купание в открытых и закрытых водоемах чрезвычайно полезно, так как оно сопровождается физической нагрузкой в воде и вызывает положительные эмоции, укрепляет мускулатуру, сердечно-сосудистую и нервную системы, развивает дыхательный аппарат, происходит усиление обмена веществ. Иначе говоря, закаливается весь организм человека, повышается его работоспособность. Начинать надо плавать весной при температуре воды +15—17 °C.

Морские купания оказывают на организм более сильное действие, чем купание в реке, озере, так как при них сочетаются термическое и механическое воздействия (давление большой массы воды, удар волны и т. д.). Кроме того, сказывается влияние и химического состава морской воды (соли, йода и т. д.). При появлении малейших признаков озноба надо насухо вытереться и сделать комплекс согревающих упражнений или пробежаться до ощущения теплоты в теле.

Ванны являются одним из самых сильных, удобных и общедоступных средств закаливания. Их можно применять ежедневно, через день. Температуру воды в ванне можно устанавливать и регулировать по своему усмотрению, в зависимости от закаленности организма. Для начинающих первоначальную температуру воды в ванне устанавливают +28—30 °C и постепенно через 3—4 дня снижают на 1°, доведя ее до +16 °C. Дальнейшее снижение температуры воды на 1 °C проводится через 5—7 дней и доводится до температуры водопроводной холодной воды, что соответствует +2—4 °C (в зимнее время). Продолжительность пребывания в ванне должна быть кратковременной и для начала достаточно просто окунуться. Все определяется по самочувствию, настроению. Главное не переохлаждаться. После принятия ванны следует растереть тело полотенцем, надеть тренировочный костюм и выполнить физические упражнения до появления приятной теплоты.

Средство № 475

Закаливание обтиранием снегом — стимулирует защитные силы организма, предотвращает простудные заболевания. Выполняют процедуру практически здоровые люди после предварительного длительного закаливания холодной водой. В ветреную погоду эту процедуру делать нежелательно.

Средство № 476

Закаливание моржеванием — стимулирует защитные силы организма, поднимает жизненный тонус, предотвращает и лечит заболевания дыхательной системы, сердечно-сосудистой системы, желудочно-кишечного тракта. Не утихают споры вокруг такой чрезвычайно сильнодействующей процедуры, как зимнее плавание. Любители называют ее моржеванием.

Зимнее плавание пока не стало массовым, хотя число поклонников ледяной воды растет. Почти в 100 городах у нас уже созданы федерации и секции зимнего плавания, объединяющие более 50 тысяч организованных «моржей». Популярность такого закаливания объясняется не только стараниями телепропаганды и газетных статей. Ледяная вода — великолепный бездопинговый стимулятор всего организма, сильный способ тренировки системы его терморегуляции, источник положительных эмоций.

Однако установлено, что человек, не прошедший школы закаливания, оказавшись в воде с нулевой температурой, через 12 минут теряет сознание, а через 18 минут может погибнуть. Ученые-медики не пришли еще к единому мнению, полезно ли зимнее купание для детей и подростков: предельные холодовые нагрузки на организм детей и подростков требуют чрезвычайного напряжения всех физиологических механизмов, всех его защитных сил. Поэтому предельные холодовые нагрузки для растущего организма должны применяться с большой осторожностью. Для взрослых продолжительность купания в ледяной воде в первую зиму не более 40 секунд, в третью — до 1 минуты. Такие купания можно проводить не чаще 3 раз в неделю. До купания необходимо разогреться (физические упражнения, бег). После купания также, в зависимости от состояния кожи, нужно растереть тело полотенцем докрасна, сделать несколько физических упражнений до появления приятной теплоты. Зимнее плавание требует от занимающегося всесторонней физической и моральной подготовки. Надо всегда соблюдать принцип постепенности, и желательно, чтобы занятия зимним плаванием проводились в составе какой-либо секции или группы.

Средство № 477

Закаливание с помощью бани или сауны с купанием в холодной воде — мобилизует защитные силы организма, предотвращает и лечит заболевания дыхательной системы, заболевания желудка, кишечника, почек, печени. Жара, как и холод, закаливающий фактор, и это прежде всего баня, которая не мыслится без контрастных процедур. После банной жары — в бассейн с холодной водой. Собственно, на разумном сочетании могучих раздражителей — жары и холода — и построен широкий спектр физиологического воздействия бани. Выйдя из бани, становишься бодрее, а это тоже весьма существенный оздоровительный фактор. Давно доказано, что положительные эмоции рождают стойкие защитные реакции организма.

Банный жар открывает и прочищает все поры тела, удаляет грязь. Чрезвычайно мягко снимает с верхнего слоя кожи отжившие, омертвевшие клетки, создавая благоприятные условия для рождения новых. Гибнут в жару и микробы на теле человека. Баня превосходный тренажер кожи, стимулятор деятельности сальных желез. В бане кожа сильно нагревается. Увеличивается потоотделение, а пот уносит с собой не только излишки тепла, но и конечные продукты обмена веществ. Способствуя энергичному выводу шлаков, банная процедура тем самым облегчает работу почек, улучшает водно-солевой обмен. После бани лучше дышится, так как поры прочищены, кровообращение усилено. Воздух бани воздействует на гортань и на слизистые оболочки носа, улучшает воздухообмен в легочных альвеолах. Возрастает вентиляция легких. Баня снимает утомление, так как вместе с потом удаляются излишки молочной кислоты, которые накапливаются в мышцах. Баня — союзник в борьбе с тучностью. В бане надо пройти 3 воздействия, или периода.

Период адаптации, период основного прогревания и период окончательного охлаждения, которые, в свою очередь, в зависимости от степени закаленности, подготовленности и состояния имеют 3 режима: щадящий, умеренной тепловой нагрузки и выраженной тепловой нагрузки. Эта рекомендация разработана в университете комплексного закаливания человека под руководством Крамских В.Я., целью которой является научное применение холодовых и тепловых воздействий при закаливании организма. В бане надо хорошо прогреться. Период прогревания наступает тогда, когда человек пропотел, но чувствует себя еще хорошо. После надо смыть пот и окунуться в бассейн или прорубь и затем пойти в предбанник, где будет идти второе потоотделение. После выпить жидкость (настой из трав), чтобы кровь не сгустилась, что может привести к образованию тромбов, закупорке сосудов. Лучше принимать томатный сок, шиповник, курагу и другие напитки, содержащие калий, кальций. Делается несколько заходов. После бани необходимо состояние покоя.

Средство № 478

Закаливание солнечными ваннами. Солнце и воздух в комплексе с плаванием оказывают благотворное воздействие на организм, вызывают положительные изменения в нервной, дыхательной системах и опорно-двигательном аппарате. Однако, чтобы обеспечить максимальный оздоровительный эффект и не принести вреда, необходимо соблюдать правило пользования солнечной радиацией в летнее время: использовать ее следует осторожно. В погоне за загаром можно нанести ущерб своему здоровью, ведь оздоровительное действие солнечной радиации появляется при таких дозах, которые не вызывают интенсивной пигментации кожи. Неумелое пользование солнцем может привести к перегреванию организма (тепловой удар) и солнечным ожогам на коже. Первые признаки — головокружение, головная боль, тошнота, одышка.

На организм человека влияет не только прямая солнечная радиация, но и рассеянная, поэтому солнечные ванны можно принимать и в тени. Солнечные облучения улучшают обмен веществ, увеличивают количество красных кровяных телец и содержание гемоглобина в крови, улучшают состав лимфы, благотворно действуют на деятельность пищеварительной системы и функцию поджелудочной железы, повышают общий тонус организма, его устойчивость против инфекций. Солнечные лучи обладают противорахитным действием (под влиянием лучей в организме образуется витамин D, необходимый для нормального развития костной системы).

Для солнечных процедур благоприятны утренние часы: на юге до 11 часов, в средней полосе до 12 часов. Принимать их нужно через 1,5 часа после приема пищи. После приема солнечных ванн полезно обливание прохладной водой (+16—18 °C), а затем хорошо растереться.

Средство № 479

Улучшение памяти — это развитие внимания, а внимание лежит в основе укрепления силы воли, а также в основе производительности труда, успехов в деловой деятельности. В свою очередь, успехи в деловой деятельности ведут к повышению жизненного тонуса, укреплению нервной системы и сердечно-сосудистой системы.

Можно говорить о непроизвольном внимании — в случае, когда предметы изучения представляют интерес сами по себе, и о направленном внимании — при помощи определенного усилия. Непроизвольное внимание не требует никаких усилий и специальной тренировки, в то время как направленное требует и тренировки и практики.

Интерес развивает внимание и удерживает его, в то время как неинтересные вещи требуют усилий для удерживания внимания на них. Но и внимание также развивает интерес, так как открываются новые сферы для интереса и исследования.

Человек с хорошо развитым вниманием достигает гораздо большего, чем просто способный человек. Произвольное внимание и усердие — вот основные признаки способных людей.

Произвольное внимание заключается в намеренной фиксации ума на каком-либо определенном предмете (при этом из сознания удаляются другие мысли и предметы). Эта фиксация должна сочетаться с интересом и желанием. При помощи концентрированного произвольного внимания мы имеем возможность не только видеть и думать о предмете с максимально возможной степенью ясности, но и ум в подобных ситуациях имеет тенденцию собирать вместе разницу, информацию, знания, идеи, имеющие какое-либо отношение к изучаемому предмету, и находящиеся в нашей голове (ум собирает вместе и связывает с исследуемым предметом массу ассоциаций и информации).

Внимание увеличивает остроту и силу восприятия. Один из признаков гения заключается в умении концентрировать внимание, постоянно изучать предмет, пока он не будет полностью изучен. Необходимым условием успеха в какой-либо сфере деятельности является умение делать, изучать, обсуждать одну вещь одновременно, избегая всего отвлекающего и постоянно храня и исследуя основной вопрос в уме. Все это помогает отыскать необходимые связи и информацию.

Ухудшение памяти в старости происходит из-за резкого упадка внимания в силу каких-либо причин. Ведь помнят же старики свое прошлое в деталях.

Упражнение. Развитие внимания и памяти — запоминание элементов предмета: поместите перед собой знакомый предмет и постарайтесь получить от него как можно больше впечатлений и информации. Изучите форму, цвет, размер и тысячи других мелких подробностей. Затем рассматривайте часть предмета: анализируйте ее, анатомируйте, мысленно детально изучите ее.

Чем проще и меньше рассматриваемая часть, тем полнее впечатление. После полного, детального изучения предмета возьмите карандаш и изложите ваши впечатления об изучаемом предмете в целом и по деталям. Сравните написанное с самим предметом — вы увидите, как много пропущено.

На следующий день снова возьмите этот предмет, вновь изучите и опишите его — и вы обнаружите новые детали.

Это упражнение укрепляет память и внимание, так как они взаимосвязаны. Не утомляйте себя этим упражнением, так как утомленное внимание — это плохое внимание.

Упражнение. Развитие внимания и памяти — запоминание элемента комнаты: войдите в комнату и бросьте быстрый взгляд вокруг, затем выйдите и напишите все, что видели, с описанием каждой вещи. Это нелегко, многое будет пропущено, но небольшая практика укрепит силу внимания.

Для развития внимания можно использовать витрину: бросив на нее быстрый взгляд, перечислите находящиеся в ней предметы. Или же с одного быстрого взгляда скажите сумму точек на фишке, постепенно увеличивая число фишек.

Средство № 480

Положительный настрой через тонизирующие мысли и улыбку. Общеизвестно, что качество нашего настроения (радостное или пасмурное) и отношение к себе и к окружающему миру (оптимистическое, терпимое, доброе или, наоборот, пессимистическое, завистливое, ворчливое) определяет наше физическое здоровье. И часто является причиной отрицательного настроения и отношения к себе и окружающему миру, является причиной многих заболеваний. Поэтому для оздоровления организма очень важен положительный настрой.

Каждый день с самого утра наш мозг должен получать импульсы в форме мыслей, способных в течение дня влиять на внутренний настрой, на тонус мысленно-творческой активности. Ведь от настроя во многом зависит характер протекания всех наших нервно-психических процессов и, что очень важно, оптимальный уровень наших эмоциональных реакций на различные раздражители. От господствующего в нашем сознании мысленно-эмоционального настроя во многом зависит и характер нашего поведения в семье, в коллективе, в социальной среде.

Нужно иметь определенный набор тонизирующих мыслей. У разных людей набор слов может быть разным, но смысл должен быть один: оптимизм, счастье, вера в свои силы. Например, может быть использован такой набор тонизирующих мыслей: «Я счастлив. Любые трудности я встречаю с улыбкой. В течение дня я буду бодр и энергичен». Время положительного тонизирующего настроя — первые минуты после пробуждения ото сна.

В качестве положительного настроя используется улыбка. Если лицо неулыбчивое и неулыбчивость стала привычкой, следует отрабатывать улыбку каждое утро перед зеркалом, создавая доброжелательное выражение лица, ибо доброжелательное выражение лица возбуждает центры положительных эмоций, приводит в хорошее настроение. Человек с естественной приветливой улыбкой и сам обретает бодрость и жизнерадостность, и окружающим повышает настроение.

Нужно обращать внимание на выражение своего лица и не допускать скучного, мрачного, недовольного выражения, так как такое выражение не так уж безобидно: люди с недовольным лицом похожи на сито: все явления жизни просеиваются через их сознание, хорошее проскакивает, не задерживаясь, а плохое остается и фиксируется, продолжая формировать неуживчивый характер.

В повседневной жизни улыбка, как правило, вызывает улыбку и соответствующий настрой у окружающих, создает атмосферу для приятельского или делового общения. Лучезарная улыбка помогает доброжелательно относиться к людям, с которыми общаешься, и избегать критических ситуаций, способных испортить настроение.

Улыбка является пусковым механизмом к чувству радости, к радостному мироощущению, а радость, в свою очередь, является фоном, настраивающим психику на жизнеутверждающий лад. Радостно настроенный человек преображается. Его сердце стучит веселее, глаза излучают доброту, движения становятся более выразительными, а полет мыслей — более устремленным. У такого человека обостряется восприятие искусства и красоты природы, улучшаются отношения с окружающими, становится более плодотворной творческая деятельность.

Средство № 481

Положительный настрой через внутреннюю улыбку улучшает настроение, укрепляет нервную систему.

Утром нужно выбрать время для положительного настроя на весь день. Перед утренним комплексом упражнений нужно войти в состояние внутренней улыбки. Это делается следующим образом: сядьте удобно, расслабьте нижнюю челюсть и слегка откройте рот. Начните дышать, но не глубоко. Пусть дышит тело, тогда дыхание будет становиться поверхностным. Когда почувствуете, что дыхание стало поверхностным, ваше тело обретает глубокую расслабленность.

В этот момент попробуйте ощутить улыбку, но не на лице, а внутри. Это не та улыбка, которая играет на губах, а улыбка внутренняя, улыбка, пронзающая все ваше нутро.

Попробуйте и убедитесь в этом сами, потому что это объяснить невозможно. Как будто улыбаетесь вы не ртом, а животом, улыбка будет мягкой, едва уловимой, подобно цветку розы, распустившемуся у вас в животе и источающему свой аромат по всему телу.

Испытав такую улыбку, вы сможете оставаться счастливым в течение всего дня.

В течение дня, почувствовав, что приятное ощущение улыбки и вместе с ней хорошее настроение уходят, постарайтесь уловить эту внутреннюю улыбку опять. Перед тем как выйти из дома к месту работы, нужно настроить себя на спокойную, размеренную деятельность в течение дня. При этом еще раз вспомнить основные правила поведения при выполнении любой работы:

1) не спешить, спешка пагубно действует и на результаты работы и на психику;

2) последовательно делать одно дело за другим.

Средство № 482

Создание положительного мышления укрепляет нервную систему, оздоравливает все системы организма.

Положительные мысли производят в окружающих людях такие же мысли и привлекают их к вам, а отрицательные действуют обратно, отталкивают от вас. Для вас приятнее и полезнее быть привлекательным, поэтому развивайте в себе только положительные, притягательные мысли, которые совместно с вашим положительным магнетизмом дадут вам большую силу воздействия на людей.

Вырывайте с корнем все отрицательные мысли, связанные с ненавистью, страхом, печалью, гневом, недовольством, обидой, завистью, недоверием и т. п., и заменяйте их положительными, связанными с любовью, смелостью, радостью, спокойствием, довольством, доброжелательством и т. д. Как думаете вы о других, так думают и о вас другие. Как думаете вы о себе, так думают о вас и окружающие. Поэтому думайте о себе и о других только положительно.

Вы не любите других или думаете, что вас не любят окружающие, и вас не будут любить. Вы боитесь всех и всего, и вас будут устрашать. Вы не верите в свои силы, и вам не будут доверять. Вы не желаете никому добра, и вам его не пожелают. Навстречу каждой вашей мысли стремятся мысли окружающих и увеличивают силу ваших мыслей. Никогда не думайте: «Я не могу». Все будут думать, что вы не можете. Думайте всегда: «Я могу, я хочу и достигну, чего хочу» — и действительно сможете сделать все. Великие люди становятся великими, потому что захотели быть таковыми, но были они такими же, как и вы: рождаются все «маленькими» людьми.

Не забывайте, что мысли влияют на вас самих — на ваш дух и тело. Каковы мысли — таков человек. Известны случаи, что увлекающиеся и неутомимо читающие «уголовные» романы становились впоследствии преступниками. Поэтому избегайте книг, наполненных отрицательными мыслями.

Отрицательные мысли — духовный яд, а положительные — противоядие. Мысли ненависти, зависти, страха, печали и т. п. возбуждают в нашем организме опасные физиологические процессы, которые вредно, самым пагубным образом влияют на наше здоровье. Наоборот, мысли любви, доброжелательства, радости и т. п. улучшают психическое состояние и благотворно влияют на организм.

Следовательно, отрицательные мысли отравляют организм, положительные — оздоравливают. Вот почему и следует любить ближнего, как самого себя, ибо, в сущности, любя окружающих, мы любим себя, желаем себе добра, благополучия. Вырабатывая в себе положительные мысли, вы развиваете в себе такой же магнетизм и добрую силу воли, ибо прежде, чем думать хорошо, нужно хотеть так думать.

Таким образом, при позитивном мышлении развиваются все 3 аспекта сильного влияния на людей: магнетизм, сила мысли и сила доброй воли.

Средство № 483

Замена отрицательных мыслей на положительные оздоравливает все системы организма. Прежде всего нужно научиться управлять желаниями своего тела. Не позволяйте отрицательным желаниям вашего тела влиять на ваш ум и смущать его. Если вы действительно считаете, что желание вашего тела (похотливость, желание поесть, лень и другое) отрицательно на данный момент и удовлетворение этого желания принесет вам вред, отбросьте это желание. Тело глупо и в то же время податливо к руководству со стороны мозга. Так позвольте вашему разуму диктовать свои решения телу, иначе произойдет обратное: ваше тело будет управлять разумом — и тогда ваша жизнь будет составлена из болезней и рабства.

Когда вы научитесь управлять желаниями вашего тела, вам легче будет перейти к управлению вашими мыслями, а именно к замене отрицательных мыслей на положительные. Как только вам в голову придут отрицательные мысли (пожелания зла кому-либо, мысли, связанные с беспокойством, страхом, зависть и др.), немедленно замените их положительными, противоположного характера. Нужно твердо усвоить и помнить, что отрицательные мысли — это разрушительные мысли, калечащие и отравляющие разум и душу, приводящие к внутренней моральной пустоте и неудачам в жизни. Причем отрицательные мысли, связанные с длительным беспокойством, медленно, но неуклонно приводят к «интоксикации» организма, а отрицательные мысли, связанные со страхом и гневом, приводят к интоксикации быстро. И в том и в другом случае с соответствующей скоростью человек получает расстройство здоровья, болезни.

Через некоторое время, когда вы уже приобретете стабильный навык замены отрицательных мыслей на положительные, отрицательные мысли будут возникать меньше и меньше, а положительные — все чаще и чаще. Очень помогает этому процессу положительный ежедневный настрой, который сам по себе очень важен: положительно тонизирует психику, дает хорошее настроение. Каждое утро, как только вы проснулись, внушайте себе, что вы счастливы, уверены в себе, удачливы, а мир вокруг прекрасен; люди, окружающие вас, хороши и полны достоинств. Вы готовы простить их недостатки и готовы любить их.

Средство № 484

Положительный настрой и положительное мышление через красивую внешность. Хорошая внешность (хорошее состояние волос и кожи лица, а также красивая одежда) и положительное мышление для большинства людей взаимосвязаны. Хорошее настроение и положительные мысли сказываются на улучшении состояния волос и кожи тела, стимулируют желание нравиться людям и одеваться красиво. И наоборот, красивая одежда и хорошее состояние тела поднимают настроение, часто делают его праздничным, поднимают уровень положительности мышления. Вот почему так важно при любых условиях и при любых обстоятельствах жизни не опускаться, а стараться все время хорошо одеваться и поддерживать хорошее состояние волос и кожи лица. Это и задерживает старение, и действует через поддержание положительности мышления омолаживающе (помимо того, что красивая одежда и средства для поддержания хорошего состояния волос и кожи лица непосредственно, визуально, так сказать, омолаживают человека).

Сначала об одежде. Все испытывают ощущение морального и духовного подъема, облачаясь в модную и красивую одежду, — прекрасная привычка, и ее нужно все время поддерживать (если, конечно, для этого есть условия). В красивой одежде меняется осанка (позвоночник стремится выпрямиться) и походка. Появляется не только легкость движений, но и уверенность в себе. Старую одежду желательно не носить. Одежда поглощает элементы нашей мысленной эманации и со временем пропитывается ими. Кто носит старую одежду, входит в атмосферу эманации, поглощенной когда-то этой одеждой, и ощущает отголоски старых настроений и огорчений, забот и неприятностей. Новая одежда освобождает нашу психику и сообщает ей легкость. Она является как бы свежей оболочкой нашего тела, еще не пропитанной мысленной эманацией многих дней. Не следует сохранять даже одежду, которую вы носили в счастливое для вас время. Носить из экономии старую одежду — значит надевать на себя старые, отжившие части прошлого и непроизводительно тратить свои силы. Даже змеи из «экономии» не вползают в старую кожу. Природа не признает старой одежды, не скупится на перья, меха, краски.

Интуиция заставляет людей надевать определенную одежду в определенных случаях, оставляя дома будничные мысли с будничной одеждой. Каждая профессия должна бы иметь свое особое изящное платье, надевая которое люди приходили бы в настроение, соответствующее данному занятию без лишнего расхода сил. Во всех религиях священник облачается в особое священническое одеяние, предназначенное для определенной службы, и не надевает его в другое время для предохранения его «ауры» от низких мыслей. Если бы священник постоянно носил его, то в священное одеяние проникли бы все дурные настроения и неприятности его будничной жизни.

Большинство людей не первой молодости пренебрегают туалетом, одеваясь в темную и немодную одежду. Это начало умирания. Эти люди морально сдаются и стремительно входят в старость.

Все испытывают ощущение морального и духовного подъема, облачаясь в модную и красивую одежду. Привычка носить модную и красивую одежду замечательна (если есть, конечно, для этого условия), так как она воздействует не только морально и духовно, но и делает человека красивым, осанка и походка становятся соответственно одежде красивыми и уверенными.

Древние наставления йоги по уходу за кожей включают следующую процедуру: «Разрежьте лимон на две половины и, сидя в удобной позе с перекрещенными ногами, натирайте ими локти, и так грубость кожи ликвидируется. Смойте и натрите их растительным маслом. Сделайте то же самое с коленями и шеей. Расплющите половину лимона и натирайте кожу под подбородком движениями вверх и вниз. Затем тело натрите растительным маслом». Растирание растительным маслом (можно назвать эту процедуру «промывание», ибо растительное масло хорошо очищает кожу; недаром растительное масло снимает даже краску с кожи) лучше всего сделать после теплой ванны или душа, когда откроются поры кожи. Масло втирается обильно (нагретое, но не до горячего состояния), и втирание заканчивается при полном расслаблении. Можно использовать любое растительное масло, но лучше всего оливковое.

Периодически нужно делать маски (1 раз в 2—3 недели). Маски не являются изобретением современной косметики. Еще много тысяч лет назад египтянки и гречанки накладывали на свое лицо различные маски, чтобы сохранить кожу молодой и свежей. Действие маски заключается в том, что она вызывает усиленный прилив крови к кожным тканям, после чего они становятся эластичными, мышцы упругими, поры начинают усиленно выделять продукты кожных желез, кожа становится свежей и молодой.

Лучшего эффекта можно достигнуть, накладывая маску вечером перед сном. На ночь ее оставлять не следует, по истечении некоторого времени маску нужно смыть. Прежде чем наложить маску, тщательно очистите кожу от пыли и пота, лучше всего с помощью компрессов попеременно из горячей и холодной воды. Кожу с повышенной чувствительностью следует перед этим намазать жирным кремом. Наложите маску на лицо, лягте удобнее и расслабьтесь. Это необходимо даже в том случае, если у вас очень мало времени. Не будет никакого эффекта, если вы, наложив маску, будете ходить по квартире и заниматься хозяйством. Пользоваться определенной маской следует до тех пор, пока она будет оказывать хорошее действие. Вообще, рекомендуется время от времени менять состав масок. Вот несколько рецептов масок, которые следует применять.

1. Маска из одной большой картофелины, сваренной в небольшом количестве молока, мгновенно снимает следы усталости на лице и разглаживает морщины. Когда получившаяся жидкая кашица остынет, ее надо нанести на лицо.

2. Огуречная маска оздоравливает кожу, разглаживает ее, сужает расширившиеся поры, белит; рекомендуется для кожи увядающей и уставшей. Натрите на терке сочный огурец, кашицу положите на лоскут марли и прикройте им лицо.

3. Морковная маска особенно эффективна при бледной увядающей коже, а также при жирной коже, покрытой угрями. Большую сочную морковь натрите на терке, положите на марлю кашицу, нанесите на лицо.

Средство № 485

Положительный настрой и положительное мышление через процесс работы поднимает жизненный тонус, укрепляет нервную систему.

От стиля работы, от отношения к работе и от внутреннего состояния во время работы зависит состояние организма, ибо работа, выполняемая без интереса, без любви, вызывает у человека физическую и психическую усталость и неудовлетворенность.

Любую работу можно сделать интересной. Во-первых, можно использовать элементы ролевого тренинга: играть какую-то роль при выполнении работы. Представить себя изобретателем, воплощающим в работе свое изобретение, или представить, что выполняется заказ для любимого человека, и т. д. Во-вторых, можно использовать в работе метод медитации. Методика выполнения работы как медитации следующая: в течение 3—5 минут делайте полное йоговское дыхание. Представьте, что с выдохом вы выбрасываете все свои мрачные мысли и о жизни, и о работе. Вы почувствуете облегчение — и приступайте к работе. Отбросив все остальные мысли, обратите свое внимание на удовольствие, которое может дать и дает работа. И постепенно это удовольствие будет расти и, в конце концов, станет привычным.

Средство № 486

Положительный настрой и положительное мышление через общение с природой укрепляет нервную систему, оздоравливает сердечно-сосудистую систему.

Проводите как можно больше времени на природе. Самое лучшее, если это будет ежедневно, хотя бы несколько минут (в лесу, в парке или хотя бы в сквере). При этом попробуйте раскрыть у себя восприимчивость к окружающей жизни, стараясь понять внутренне, почему и как раскрываются цветы, поют птицы, летают и ползают насекомые, качаются деревья, принимая во всем этом, так сказать, участие путем углубления и сосредоточения мысли. Это спокойное время на свежем воздухе не только улучшит ваш физический внешний вид, но будет постепенно развивать в вас внутреннюю силу, спокойствие, уравновешенность.

Когда вы освоите это медитационное упражнение (для этого нужно немного — 3—4 выхода на природу), вы будете готовы к освоению следующего упражнения, замечательного упражнения, которое значительно осветит и обогатит вашу жизнь. Назовем это упражнение «Любовь к стихиям». Оно научит вас любить, получать удовольствие, чувствовать в полной мере каждое настроение стихий — быть восприимчивым к ним и осведомленным о них; а это значит, увеличит радость жизни в этом мире. Методика та же, что и в первом упражнении, то есть, выбрав одну из стихий (допустим, дождь), обратим все внимание только на эту стихию. Думайте только о дожде, думайте о том, почему он возник и зачем нужен, а затем думайте о том, что если природе он нужен, то и вам он нужен. Этот дождь, какой бы он ни был (теплый или холодный), приятен вам и вызывает у вас прилив сил. Это упражнение увеличивает нашу энергию и обогащает душу (факт, признаваемый многими талантливыми артистами, которые инстинктивно обращались к стихиям, даже к буре, чтобы обновить и пополнить свои душевные силы).

Средство № 487

Положительный настрой через музыку поднимает жизненный тонус, укрепляет нервную систему.

Выберите мелодичную красивую музыку. Включите магнитофон. Лягте на пол, расслабьтесь. Дышите ритмическим дыханием (полный йоговский вдох и полный йоговский выдох одинаковой продолжительности, допустим по 8 ударов пульса, а продолжительность задержек дыхания после вдоха и выдоха вдвое меньше, чем продолжительность вдоха и выдоха, то есть по 4 удара пульса). Лучше всего принять такое же положение тела, как в Шавасане, и расслабиться так же, как в Шавасане. Не пытайтесь понимать музыку, воспринимайте ее всем вашим телом и душой, принимайте ее полностью, безоговорочно, позвольте ей свободно протекать внутрь вас; старайтесь поддаться ей и слиться с ней, постепенно растворив себя в ее звучании.

Средство № 488

Настрой на здоровье перед сном и после сна повышает жизненный тонус, укрепляет нервную систему, пробуждает защитные силы организма.

Вторым таинством (первое таинство — прием пищи) должно быть приготовление ко сну и вход в сон. Это важно и для физического и для психического состояния человека.

Во время сна наше «Я» пребывает в таком духовном (астральном) мире, который соответствует нашему настрою перед сном, и возвращается «пропитанным» его специфическим мысленным элементом, сообщающим телу силу или слабость, благополучие или расстройства. Настрой на озабоченность, ворчливость, зависть способствует пребыванию «Я» именно в сфере озабоченности; при пробуждении эта озабоченность усиливается. Настрой на болезни (мысли о болезни) переводит «Я» в мир страданий, и это усиливает страдания в дневной жизни. Поэтому больной перед сном должен думать о здоровье, должен твердить: «Поврежден лишь инструмент, которым я пользуюсь. Я — то, что думаю о себе. Мое духовное «Я» здорово и принесет во время сна выздоровление моему телу». Это нужно повторять каждый вечер, если результат скажется не сразу, значит, нужно задуматься вообще об изменении своего стиля мышления на положительный. Настрой на состояние молодости и силы направляет «Я» в соответствующие сферы астрального мира; по выходе из сна укрепляется тело и уверенность в своем состоянии силы и молодости.

Чтобы было понятно вышеизложенное, нужно дать некоторые пояснения. Согласно представлению йогов, человек, помимо «Я», состоит из тел: физическое тело, эфирное тело, астральное тело (тело желаний), ментальное тело (тело мысли), тело причинности (казуальное тело). Энергия каждого тела отличается по качеству от других, и каждое тело как бы пронизывает собой, будучи более тонким, более грубые. Физическое тело состоит из огромного количества клеток, каждая из которых выполняет две задачи — поддерживает свое собственное существование и часть самой себя отдает на поддержание всего организма как целого (специализация клетки). Комплекс однородных клеток выстраивается в ткань или даже в целый организм. Все органы пронизаны группой управляющих клеток, клеток, обеспечивающих дыхательную или питательную функцию. Каждая клетка живет определенный срок жизни, затем или гибнет, как клетки крови, или делится. Несмотря на все это, организм постоянно сохраняет свою форму и структуру. Этот процесс сохранения осуществляется эфирным телом. Эфирное тело представляет собой точную копию физического тела, оно как бы содержит постоянную форму тела. Внутри эфирного тела находится астральное, или тело эмоций и желаний. Ментальное тело строит план нашей деятельности в процессе всей нашей жизни как разумную структуру поведения. Внутри ментального тела находится тело причин.

Во время сна наше астральное тело выходит из физического и начинает путешествовать в невидимом пространстве, осуществляя те желания, которые не были реализованы днем, и тем самым как бы освобождаясь от внутреннего энергетического напряжения. Во сне желания (особенно желания, которые овладевают человеком перед сном) и настрой управляют человеком. При этом он видит события, но не может на них повлиять.

Из вышесказанного ясно, что перед сном нужно избегать неприятных и минорных разговоров, выяснения отношений и печальных размышлений. Наоборот, нужно всеми доступными средствами — прогулка перед сном, расслабление (обычное расслабление с оптимистическим самовнушением в виде аутогенной тренировки), слушание красивой жизнеутверждающей музыки, воспоминания о прекрасных и счастливых мгновениях в своей жизни, короткий разговор с хорошим человеком, с которым вас связывает взаимная симпатия, — настроиться на ощущение себя личностью, и личностью в принципе счастливой, достаточно сильной и молодой (несмотря ни на какой возраст).

А когда проснулись, нужно подключить сознание к единой жизни Вселенной и попросить свою долю от всего живущего у Мирового разума. Во Вселенной все живое едино (деревья, тучи, океаны, птицы, звезды, Солнце), все обладает энергией. Наша душа при определенном настрое (особенно утром) обладает способностью притягивать к себе часть этой живой силы и сохранять ее в течение дня. Словесная форма просьбы произвольна, главное — смысл. И во время дневной жизни нужно повторять эту просьбу в течение 1—2 минут, как бы вы ни были заняты. Получаемые силы идут не только на тонизацию и омоложение организма, но и дают возможность нашему «Я» проникать во сне как можно глубже в астральный мир. Чем дальше «Я» проникает в астральный мир, тем более утонченные эмоции «Я» приносит с собой, облагораживая тело и душу (если, естественно, перед сном был положительный настрой).

Если вы не можете сразу уснуть, сделайте 5—7 полных йоговских дыханий (предварительно убрав подушку, чтобы туловище и голова были на одной прямой линии). Представляйте, что на вдохе прана через органы дыхания проходит в солнечное сплетение (в Манипурачакру) и накапливается там, а вместе с выдохом расслабляется каждая клеточка тела и одновременно из солнечного сплетения прана направляется в каждую клеточку, для того чтобы укрепить ее жизнеспособность и способствовать очищению ее от токсинов. Затем расслабьте все тело и мозг (освободить от мыслей); это можно сделать с помощью Шавасаны.

Средство № 489

Отпускание болезни способствует выздоровлению. Отпустив от себя свое прошлое, вы одновременно отпускаете от себя все свои неприятности. Точно так же нужно отпускать и свою болезнь. Когда вы не готовы с чем-то расстаться, значит, это служит каким-то вашим целям; но если вы упорно держитесь за что-то, что фактически мешает вам жить, придется признать, что никакие методы исцеления не помогают. Если вы не можете морально отпустить болезнь или отрицательную привычку (что-то подсознательно вас держит), спросите себя с помощью маятника или метода моментального ответа, какие мотивы заставляют подсознание держаться за это. Если ответа не последует, спросите, что произошло бы, если больше не было бы болезни (или отрицательной привычки). Скорее всего, ответ будет в том плане, что жизнь стала бы лучше. И это косвенно подтверждает, что присутствие и удержание болезни или отрицательной привычки имеет какие-то мотивы, а это, в свою очередь, заставляет нас задуматься о том, что мы себя не считаем достойными лучшей жизни. В этом случае укрепите веру в себя положительными установками.

Итак, отпустите свою болезнь и сделайте это таким же образом, как вы отпускаете свое прошлое. Желательно, прежде чем отпустить болезнь, иметь уже опыт в отпускании прошлого. Отпускание прошлого делается следующим образом: взгляните на свое прошлое как на некое воспоминание. Посмотрите последовательность картин прошлого, отражающих какие-то этапы вашей жизни с самого раннего детства до начальных, средних и старших классов школы и так далее. При этом смотрите на последовательность указанных картин как на некую иллюзию, без всякой эмоциональной реакции, совершенно нейтрально; ведь эти картины, по существу, реально уже не существуют, и прошлого нет, потому что *его* действительно нет, ибо вся последовательность событий прошлого уже не существует. Скажите себе: «Я отпускаю прошлое с добром». При отпускании своей болезни представьте ее в виде какого-либо символа или даже в виде какого-либо существа, представьте нейтрально, без эмоциональной реакции этапы возникновения и протекания болезни и в завершение скажите своей болезни, что отпускаете ее с добром.

Никогда не нужно осуждать и корить себя за свои заболевания. Ведь все негативное в нас самих и в жизни вообще — составная часть процесса космического плана; за каждой неприятной ситуацией, в том числе и болезнью, стоит определенная причина. Человеку важно понять, что к любой проблеме имеют непосредственное отношение его взгляды на жизнь, и любая неприятная ситуация, а также болезнь есть сигнал о том, что эти взгляды на жизнь нужно изменить. Д. Харрисон считает, что человек не только не должен корить себя за то, что он заболел, но даже поздравить себя с болезнью, ибо она может стать отправной точкой при изменении взглядов на жизнь. Эту идею развил В. Куповых, который разработал и активно применил в своей жизни так называемую акцию благодарения. Вместо сопротивления болезни Куповых предлагает благодарить ее, благодарить ее за то, что она предупреждает нас о том, что будет третировать нас до тех пор, пока мы не поймем, что нужно искать выход и найти этот выход, а выход не в преодолении болезни (можно только на время заглушить болезнь таблетками), а в изменении отношения к жизни, и в частности, в изменении отношения к болезни. Как считает Куповых, нужно благодарить болезнь, и вскоре она остановится, а затем и совсем исчезнет, и это он испытал на своем опыте. «Благодарение» предполагает дарение болезни (с которой вы разговариваете, как с живым существом) всего самого ценного, что может быть у человека: здоровья, силы, душевной гармонии, покоя, радости. Это своего рода игра, но игра искреннего характера, и суть игры заключается в том, что если вы сделаете предложение о дарении от чистого сердца, то существо, которое олицетворяет болезнь, в скором времени вернет вам заимствованное. С болезнью нужно разговаривать на равных и добиться успеха можно только при искренней игре. Болезнь, как это ни странно звучит, нужно искренне полюбить и ни в коем случае нельзя укорять ее в том, что она никак не насытится вашими предложениями, вашими дарами, и не задавать вопросов, когда же она покинет вас. В общем, это серьезная работа, своего рода творчество, и главное — это выработать в себе желание благодарить. «Подношение» нужно делать не только во время серьезного заболевания, но и по поводу каждого сигнала: заболела поясница — осуществить акцию благодарения, поскользнулись или споткнулись — снова делаем подношение. Приведем пример акции благодарения (это может быть болезнь, относящаяся к любой части тела). Ваш монолог должен быть такого плана: «Дорогая боль! Благодарю тебя за предупреждение, что здоровье мое может ухудшиться. Искренне готов подарить то, что ты хотела бы иметь от меня. Предлагаю прекрасный солнечный свет, воздух соснового бора». Если вы попали в точку и угадали, результат будет немедленный — боль стихнет. Если боль не утихает, пробуйте еще: «Предлагаю прекрасный летний вечер, берег чудесного озера, закат солнца...» Если не подходит, предлагаем далее свою силу, внутреннюю гармонию, здоровье.

Средство № 490

Положительный настрой и одновременно создание положительных свойств характера через гармонию действий, эмоций и мыслей — повышает жизненный тонус, укрепляет нервную систему, мобилизует защитные силы организма.

Мысли человека, его чувства и действия взаимообразно связаны между собой: физическое действие сопровождается определенными эмоциями и мыслями и, наоборот, мысли и эмоции вызывают определенные действия или соответствующее положение тела и выражение лица. Независимый вид, расправленные плечи ведут к подъему духа и бодрости, угнетенный вид и опущенные плечи — к угнетенному состоянию. Для приобретения определенных качеств характера (исправления характера) нужно не только делать специальные упражнения — медитировать, но и в качестве предварительных мер перед началом медитирования привести в гармонию мысли, эмоции и действия, направив их к определенной цели. Допустим, вы имеете слабую силу воли и робки. Первым вашим шагом будет направление действий, чувств и мыслей к одной цели: действие — поднимите голову, расправьте плечи, говорите громко, ясно, не торопясь, смотрите в глаза собеседнику; чувства — старайтесь чувствовать себя сильным и решительным; мысли — вообразите себя человеком решительным, энергичным, самоуверенным. Уверенные жесты вызовут соответствующие эмоции, которые, в свою очередь, окажут влияние на ход мыслей. В свою очередь, содержание мыслей усилят эмоции, которые повлияют на действия, поступки, изменят внешний вид. Таким образом, каждый элемент цепочки действия решителен и уверен в себе. К работе мысли присоединяем воздействие эмоций и действия, учитывая взаимосвязь цепочки мысли — эмоции — действия: одновременно с произнесением фраз мысленно представляем желаемое (представляем себе, что уже обладаем желаемым качеством) и затем в процессе произнесения фраз придаем мысленному образу эмоциональную окраску (стараемся вызвать у себя такое чувство, какое испытывает человек, обладающий соответствующим качеством).

Средство № 491

Избавление от привычки негативно мыслить и воспитание оптимизма — повышает жизненный тонус, тонизирует защитные силы, укрепляет нервную систему.

Будьте оптимистом и не допускайте мрачных мыслей, помня о том, что, каковы наши мысли, таково и наше положение в этом мире. Мрачные, негативные мысли притягивают к нам людей с такими же мыслями и притягивают соответствующие обстоятельства.

Люди, имеющие привычку мрачно мыслить, ссылаются на беспокойство по поводу своей безопасности и безопасности своих близких и по поводу своего материального положения. По поводу своей безопасности нужно сказать себе следующее: «Я доверяюсь своему высшему «Я», оно не только ведет меня по пути духовного роста, но и обеспечивает мне полную безопасность в этой жизни». И в самом деле, когда человек любит себя и, находясь в состоянии внутренней свободы, открывается радости, покою, исцелению, жизненные обстоятельства складываются таким образом, что описанные ситуации исключаются.

Если вы боитесь остаться без работы или без жилища, напомните себе, что любые негативные для вас обстоятельства порождаются вашими негативными внутренними убеждениями.

В ваших силах заменить негативные убеждения на позитивные, и в этом случае обстоятельства будут складываться таким образом, что вы не останетесь без работы и без жилища. Если вас волнует проблема вашего материального обеспечения, нужно сказать себе, что и эта проблема разрешима. Нужно позволить себе допустить достаток в свою жизнь, используя положительные утверждения типа: «С каждым днем мой доход все увеличивается и увеличивается».

Чтобы избавиться от привычки негативно мыслить, выберите любой образ, приятный вам, которым вы сможете в любой момент замещать отрицательные мысли. Это может быть прекрасный пейзаж, букет цветов, вид на прекрасное озеро и так далее. Когда появится мрачная, отрицательная мысль, скажите себе: «Об этом я больше не буду думать. Мне приятнее думать о букете цветов, о прекрасном пейзаже» — и позвольте возникнуть указанному образу перед вашим внутренним взором.

Не беспокойтесь по поводу наступления старости. И в старости человек будет себя чувствовать превосходно, если он уберет негативные установки (и в частности, негативные установки по поводу того, что старость обязательно сопровождается слабостью, немощью, болезнями) и заменит их на положительные утверждения, будет любить себя. Не бойтесь смерти: во-первых, смерть не обязательно должна проходить в каком-то мучительном состоянии в соответствии с положительным мировосприятием человека (положительным отношением к себе и другим людям); во-вторых, наше существование не заканчивается этой жизнью на Земле, и при следующей реинкарнации мы снова появимся на этой планете.

Средство № 492

Проявление доброты, мягкости и терпимости по отношению к себе — тонизирует защитные силы, оздоравливает нервную систему, повышает жизненный тонус.

Доброта, мягкость и терпимость по отношению к себе особенно необходимы в тот период вашей жизни, когда вы осваиваете новые методы или системы оздоровления, включающие в себя такой фактор, как изменение себя. А изменяться человеку не так уж просто. Большинство людей считают, что изменяться — это просто, имея в виду других, но сами, приступая к изменению себя с помощью какой-либо системы оздоровления, часто оказываются в течение некоторого времени в состоянии, которое можно назвать переходным, когда человек колеблется, мечется между старым и новым. Иногда в этот период от человека можно услышать оправдание своего метания от того, что было, к тому, что должно быть: «Я все думаю, а принесла ли эта система мне пользу. Ведь она уже существует давно, и что-то я не вижу, чтобы ею занимались многие люди». Ему, скорее всего, понятно, если система существует давно, то это вовсе не значит, что ею должны заниматься многие (человек должен быть готов к этой системе, должен дорасти до осознания того, что эта система ему необходима). Просто он пытается найти уловку, чтобы немного растянуть переходный период (самое главное, чтобы это растягивание не было длительным). И это вполне нормальный и естественный процесс, характерный для освоения чего-то нового или изменения себя. Поэтому не ругайте себя, проявите к себе доброту и мягкость в этот переходный период; все равно, если у вас есть желание измениться, после непродолжительного переходного периода вы начнете меняться.

Проявляйте не только терпимость к себе, но и определенное терпение, необходимое при использовании средств работы над собой. Если рассматривать с этой точки зрения положительные утверждения, то нужно указать, во-первых, что положительные утверждения не дадут эффекта, если они будут произнесены 2—3 раза. Этого недостаточно, ибо любое изменение требует длительного и часто непрерывного (имеется в виду периодичного с тем или иным интервалом времени) действия определенного метода. Положительные утверждения нужно произносить в течение длительного времени. Во-вторых, важно и то, что вы делаете в промежутках между повторениями положительных утверждений, а в этих промежутках нужно поддерживать определенную позитивную внутреннюю атмосферу; нужно хвалить себя за малейшие достижения в процессе изменения.

Средство № 493

Положительный настрой и положительное мышление через возврат к состоянию мироощущения детства — тонизирует защитные силы организма, укрепляет нервную систему, повышает жизненный тонус.

Многие люди, совершив неприятные для себя и окружающих поступки или допустив какие-то серьезные просчеты в той или иной сфере жизни, долгое время потом вспоминают и переживают все нюансы этих поступков, просчетов, ошибок. И несмотря на то, что все это было в прошлом, это омрачает настоящую жизнь, мрачные мысли мешают жить, снижают уровень положительности мышления в настоящем. Конечно, как говорят, на ошибках учатся, и анализ своих ошибок нужно сделать, но это нужно делать только один раз, а затем постараться забыть все неприятное в вашей жизни и радоваться жизни, самому процессу жизни, как умеют это делать дети. Скажите себе: «Достаточно и того, что неприятное постоянно о себе напоминает в окружающей среде. Зачем же я буду лелеять и взращивать неприятное в самом себе? Долой все неприятное в прошлом и настоящем, я радуюсь жизни, самому процессу жизни».

Иногда человек, жалуясь на множество забот в своей жизни, на многие неприятные стороны своей жизни, восклицает: «О, если бы я мог снова стать ребенком!» Это мечта многих людей. Им хочется не столько освободиться от своих многочисленных забот, сколько почувствовать радость жизни, ибо повседневные заботы отучили людей радоваться жизни и чувствовать себя счастливыми.

Взрослому человеку вернуться к прекрасным мироощущениям детства, снова научиться радоваться жизни помогает специальная медитация, которую можно назвать «Радость жизни».

Медитация «Радость жизни» выполняется следующим образом. Исходное положение: стоя, руки вдоль туловища. Представим солнечное яркое синее небо. Конец мая, только что прошел дождь. Воздух прозрачен и свеж. Мы счастливо смотрим на прекрасное небо, на ветки деревьев с молодыми листочками. На цветках еще висят капли от дождя. Дотрагиваемся губами до этих капель и ощущаем их вкус. Как хочется раскинуть руки, запрокинуть голову и, оттолкнувшись от земли, со смехом радости и счастья взлететь над мокрым лугом. Взлетаем! И купаемся в ласковом свете солнца. Приземляемся. Встаем прямо. Над нами сгущающийся солнечный свет, облако искрящейся золотой солнечной энергии, очень тонкой, нежной, любящей. Пусть она сгустится еще больше над головой. Раскроемся перед ней! Возжелаем всем своим существом слиться с нею, предоставим ей заполнить наше тело. Чувствуем, как она вливается сверху в голову.

Средство № 494

Снятие боязни старения — пробуждает защитные силы, укрепляет нервную систему, оказывает омолаживающее воздействие.

Боязнь старения снижает настроение, вызывает тревожные мрачные мысли. Для снятия боязни старения выполняем психическое упражнение. Сев в удобную позу, 1—2 минуты глубоко дышим. Затем перед мысленным взором представим зеркало (зеркало души). Вызвав в зеркале свой портрет (представив его), думаем о будущем, о годах, которые пройдут, и о том, что через много лет зеркало души покажет вас таким же, каким отражает в настоящее время. Думаем: «Годы пройдут, но это лицо не постареет».

Еще раз повторяю, этот метод не только снимает боязнь старения, но и задерживает старение. На этой же методике (с использованием зеркала души) выполняется психическое упражнение, имеющее своей целью омоложение через образные представления. Так же как и в предыдущем упражнении, при выполнении этого упражнения помимо веры в силу упражнения и большого желания достигнуть результата (стать молодым) необходима большая сосредоточенность. Сев в удобную позу, подышав глубоко несколько минут (6 тактов пульса на вдохе и столько же на выдохе), вызываете в зеркале души свой сегодняшний портрет. Затем вызываете свой образ, каким он был 10 или 20 лет назад, и наложите этот образ на сегодняшний портрет. Сливайте эти два портрета таким образом, чтобы, в конце концов, более молодое лицо затмило более старое лицо.

Средство № 495

Положительный настрой и положительное мышление через рациональную организацию своей деятельности и веру в себя — повышает жизненный тонус, укрепляет нервную систему.

Разумное отношение к делу ведет к успеху. У всех людей есть такая обязанность, которая исполняется неохотно. Приучите себя такие обязанности исполнять с любовью. Не откладывайте на завтра того, что можно сделать сегодня (для каждого дня довольно своих забот). Беритесь всегда за более трудное дело, а потом уже за легкое. Упорно стремитесь к своей цели. Не удается так, поступите иначе. Наконец, найдите верный и легкий путь. Подумайте, как работали изобретатели. Читайте биографии людей успеха и сильной воли. Учитесь у них.

Необходимо выработать веру в свои силы и способности, доверие к самому себе. Кто сам не верит в себя, в того другие и подавно не поверят. Подумайте, ведь вы делаете одно дело, следовательно, сумеете делать и другое, только стоит взяться.

Говорите чаще себе: «Я верю в себя, верю в свои силы и способности. Я могу и хочу и достигну, чего хочу». Нет того, чего не достиг бы человек при сильном желании, непоколебимой уверенности в успехе и твердой решимости достигнуть желаемого. Но работайте. Будете терпеливы — разовьется настойчивость, будете настойчивы — разовьется энергия.

Средство № 496

Положительный настрой и положительное мышление через снятие напряженности лица — повышает жизненный тонус, тонизирует защитные силы, укрепляет нервную систему.

Состояние мышц лица взаимообразно связано с качеством мышления человека. Чем более отрицательно мышление, тем скованней лицо (сдвинутые брови, хмурый взгляд, сжатые губы и тому подобное); и наоборот: положительное мышление кладет как бы светлый отпечаток на лицо — оно расковывается, становится привлекательным, как бы излучает свет. Существует и обратная связь: степень раскованности лица влияет на качество мышления. Исходя из этой обратной связи мы можем, снимая скованность мышц лица, изменять свое мышление с отрицательного на положительное.

Главными причинами напряженности лица являются такие отрицательные эмоции (и соответствующие им отрицательные мысли), как тревога, напряженное ожидание, зависть, постоянная поспешность с целью выиграть время. Все это откладывает сковывающие следы на лице. Понаблюдайте на улице за лица́ми прохожих. У многих можно увидеть вертикальные линии между бровями, даже у очень молодых девушек. Скованность лица не только отрицательно влияет на мышление, она старит лицо. Чтобы ясно себе представить, как старит и искажает лицо напряженность, понаблюдайте за лицом спящего, его незнакомая моложавость — результат полного расслабления.

Для снятия скованности лица нужно научиться так называемому «мышечному чувству», т. е. научиться чувствовать тонус мышц лица (чувствовать, расслаблена или напряжена та или иная часть лица) и сбрасывать напряжение в тот момент, когда вы, обратив внимание на лицо, почувствовали напряжение в той или иной части лица. Помогают приобретению мышечного чувства упражнения, которые строятся на контрасте напряжения и расслабления и «улавливании» ощущений. В процессе упражнений нужно запомнить ощущения напряженности и расслабленности мышц лица. Чтобы сбросить напряжение в той или иной части лица, то есть сбросить мышечный зажим, нужно сделать небольшое, едва заметное движение; это микродвижение, движение, как внутреннее дуновение, при этом мышца даже не движется, а как бы слегка оседает.

Для приобретения навыков «мышечного чувства» делайте следующие упражнения: каждое утро 7—10 минут в течение 2 недель:

1) Напряжение и расслабление щек. Напрягите мускулы щек (надуйте щеки), задержите их в этом состоянии, а затем расслабляйте в течение нескольких секунд. Повторите несколько раз.

2) Откройте широко рот, опустите челюсть в положение, которое она примет сама.

3) Сожмите челюсти, затем расслабьте.

4) Сморщите лоб, подняв брови — расслабьте. Постарайтесь сохранить лоб гладким в течение минуты.

5) Нахмурьтесь — расслабьте брови.

6) Сильно напрягите мускулы шеи, сделав их выступающими. Удержите их в напряженном состоянии несколько секунд, а затем расслабьте.

7) Напрягите мускулы подбородка, опустив нижнюю губу вниз и втянув ее вовнутрь. Затем расслабьтесь.

8) Поднимите верхнюю губу, сморщивая нос, расслабьтесь.

9) Зажмурьтесь — расслабьте веки.

10) Расширьте ноздри — расслабьтесь, сузьте ноздри — расслабьтесь.

11) Оскальте зубы — расслабьте щеки и рот. Это своего рода улыбка.

Улыбка сбрасывает напряженность лица и поднимает настроение. Если чаще улыбаться, уровень положительного мышления поднимается.

Средство № 497

Снятие неприятного осадка на душе после какого-либо жизненного инцидента и укрепление нервной системы — повышает сопротивляемость в себе при встрече с другими людьми.

Для того чтобы на душе стало спокойно, выполняется следующее упражнение.

Исходное положение: стоя прямо, ноги на ширине плеч.

Техника выполнения: глубоко вдохнуть, медленно поднимая прямые руки над головой. Задержать дыхание на несколько секунд, затем резко наклониться вперед, опустить руки и, сокращая мышцы живота, выдохнуть через рот, произнося слог «ха». Возвращаясь в исходное положение, сделать медленный глубокий вдох, поднять руки над головой, затем медленно выдохнуть через нос, одновременно опуская руки вниз.

Концентрация внимания на задержке дыхания после вдоха: представить, что в руках находится сосуд или мешок с нашими неприятностями, с тем, что осложняет жизнь. С выдохом «ха» бросаем сосуд с горы, этот сосуд катится по склону горы, разбивается. Содержимое уничтожается, исчезает. На душе становится спокойнее.

После этого желательно сделать упражнение для укрепления нервной системы: поставив ноги на ширине плеч, сделать выдох и, медленно вдыхая, вытянуть руки перед собой ладонями вверх. Сжать кулаки и, с напряжением согнув руки в локтях, подвести их к плечам. Разогнуть руки, снова быстро согнуть. Сделать несколько раз, не прерывая максимальной паузы. Затем наклониться вперед, сделать выход, одновременно расслабляясь и опуская руки вниз.

Средство № 498

Комплексное очищение организма — очень эффективное оздоровительное средство. Начав и проведя полную чистку организма от всего лишнего, ненужного и вредного, что в нем накопилось за десятилетия, вы гарантируете себе то, что каждая последующая создаваемая в вас клетка — здоровая. Человеческая клетка живет около 9 месяцев. Следовательно, через 9 месяцев после начала комплексного очищения у вас не останется ни одной клетки от больного человека. И тогда возникнут идеальные условия для занятий физическими упражнениями, ходьбой, бегом, закаливанием. Тренировки вашего очищенного тела из метода вытряхивания шлаков превратятся в способ укрепления всех систем организма. При этом никакие осложнения вам не грозят.

Комплексное очищение организма — это очищение органов и систем от камней, шлаков, солевых и прочих отложений, замедляющих, а то и вовсе останавливающих жизненные процессы. Методики очищения просты, эффективны и безопасны. Учитывая свою психологическую реакцию на впервые исполняемые методики, неплохо было бы найти человека, уже опробовавшего на себе данное комплексное очищение, и взять у него необходимый заряд уверенности.

Комплексное очищение действует, если осуществлять его в определенной последовательности этапов очищения. Каждый этап связан с очищением определенных органов или систем организма, и эту последовательность нужно соблюдать неукоснительно, чтобы не было нежелательных последствий. В самом деле, не очистив толстый кишечник, вы безуспешно будете бороться с камнями в печени, не промыв печень, не сможете эффективно очистить другие органы организма.

Первый этап — очищение кишечника. В 2 литра кипяченой охлажденной воды заливается столовая ложка яблочного уксуса или сока лимона, процедура проводится при помощи кружки Эсмарха (клизма). Положение — на локтях и коленях. Вдыхать ртом, живот расслаблен. В первую неделю делать очищение ежедневно, во вторую — через день, в третью — через два дня, в четвертую — через три дня, все дальнейшее время раз в неделю.

Эта процедура в первую очередь избавляет от проникновения в кровь и в организм вредных веществ, фактически останавливает развитие всех болезней, с нее начинается процесс оздоровления организма.

Второй этап — очищение печени. Эта процедура, хотя проста по исполнению и совершенно безвредна, вызывает изумительный положительный эффект. Учитывая важность этой процедуры, ее следует делать сознательно, понимая, как работает печень.

Длительность существования красных кровяных телец — 120 дней. При их разрушении из гемоглобина образуется билирубин, подкрашивающий желчь. В здоровом организме печень отфильтровывает билирубин, очищая кровь. С желчью он выходит в двенадцатиперстную кишку и затем выбрасывается из организма.

Но вследствие употребления молочных продуктов, бульонов, спиртного, из-за патологического состояния паренхиматозной ткани печени и желчных протоков печень теряет способность идеально выполнять эту свою функцию: часть билирубина остается в крови, часть оседает на стенках желчных протоков. В протоках, в желчном пузыре выкристаллизовываются зеленые билирубиновые камни, величина которых достигает порой двух и более сантиметров. В забитых билирубином протоках скапливается холестерин, образуя коричневато-желтые воскообразные пробки.

Подобное нарушение в работе печени — не только итог общей засоренности и болезни организма, но и причина множества заболеваний, поскольку не отфильтрованный из крови билирубин разносится по всему телу, вместе с прочими ненужными продуктами закрывает в кровеносных сосудах выходы из желез внутренней секреции. В общем, о важности очистки печени можно уже не говорить, тем более что одновременно при выполнении предлагаемой методики очищаются и желчный пузырь, и желчные протоки.

Для процедуры необходимы 300 г лимонного сока, 300 г оливкового масла и солидная доза решительности, поскольку длится процедура 3 суток.

Набравшись решительности, вы утром первых суток промываете кишечник при помощи кружки Эсмарха и целый день питаетесь только свежим яблочным соком. То же самое предстоит вам выполнить и на вторые сутки, и на третьи тоже. Процесс промывания печени начинается в 19 часов вечера третьих суток.

Заранее приготовьте рюмку для неразмешанного коктейля из сока лимона и оливкового масла, налейте в нее 3 столовые ложки воды, пометьте уровень стеклографом или помадой, затем налейте еще 3 столовые ложки воды и вновь пометьте ее уровень.

Подготовьте грелку с очень горячей водой, обмотайте ее полотенцем так, чтобы не обжигала. Подготовьте себе интересную книгу, включите телевизор, короче — настройтесь на то, что вечер вам придется полежать.

Как уже было сказано, в 19 часов приступайте к процедуре: лягте так, чтобы грелка у вас была под печенью, то есть у подреберья с правого бока. Устройтесь удобнее. Затем налейте в рюмку 3 столовые ложки лимонного сока — до нижней отметки и осторожно влейте 3 столовые ложки оливкового масла — до верхней отметки. (Само собой, столовая ложка вам при этом не понадобится.) Выпейте этот коктейль и, не меняя положения и не убирая грелки, займитесь книгой или телевизором. Через 15 минут выпейте следующую рюмку коктейля. Через 15 минут — еще одну и так далее, пока сок и масло не кончатся.

Следите за тем, чтобы положенная под правый бок грелка вас грела, и если температура ее покажется вам недостаточной, смотайте с нее часть полотенца.

Вы должны осознать, что ни сок лимона, ни оливковое масло, ни коктейль из этих продуктов никакого вреда вам не принесут, и принести не могут. Но если вы убеждены в том, что ваш организм не терпит сока или масла, и если вдруг у вас возникнут позывы на рвоту, — постарайтесь прекратить питье коктейля, когда почувствуете, что еще глоток — и все выбросится наружу. Само собой, меньшее количество коктейля произведет меньший эффект при очищении печени, но лучше уж хоть как-то промыть, чем вовсе не добиться ничего.

Итак, вы выпили коктейль. Теперь можете, не меняя положения и не вынимая грелки, продолжать читать, смотреть телевизор или вообще заснуть. Ваша задача выполнена.

На следующее утро (у каждого это бывает по-разному), сходив в туалет, вы обнаружите размягченные зеленые билирубиновые камни различной величины или холестериновые пробки, похожие на порезанные цилиндрические тела червей. Не пугайтесь, ибо вы уже от этого избавились. Промойте кишечник обычным методом и позавтракайте соком, легкой кашей или фруктами. Процедура закончена. Рекомендуется через 12 часов вновь промыть кишечник. Выбросы шлаков будут повторяться. Неделю принимайте вегетарианскую пищу.

По количеству выпавших камней вы легко определите состояние своей печени и поймете, нужно ли повторить процедуру через некоторое время, а вообще промывку, очистку печени проводят первый год — каждый квартал, а затем для профилактики — раз в год.

Результат очистки вы увидите по своему самочувствию, потому что у вас исчезнет утомляемость и произойдет резкая стимуляция деятельности всех органов.

Третий этап — рациональное совмещение продуктов.

Речь идет о раздельном употреблении белков и углеводов.

К белкам относятся: мясо, рыба, яйца, бульон, семечки, орехи, фасоль, бобовые, грибы, баклажаны.

К углеводам относятся: хлеб и мучные изделия, картофель, крупы, сахар, мед.

Белковые и углеводные продукты не должны совмещаться, и время между употреблением тех и других не менее двух часов. Зато и белковые, и углеводные продукты можно смешивать в любых пропорциях с жирами, маслами и так называемыми живыми продуктами, то есть зеленью, фруктами, овощами (картофель, как вы уже знаете, относится к углеводам), сухофруктами, ягодами, соками, арбузами.

Молоко и молочные продукты из рациона изымаются вовсе.

Дыня потребляется отдельно от всех продуктов, после 2-часового перерыва в еде и за 2 часа до следующей еды.

Манная крупа не используется.

Что это дает? Отказ от молочных продуктов позволяет избавиться от проникновения в кровь казеина, который не переваривает организм взрослого человека. Методика рационального питания предотвращает проникновение в кишечник непереварившихся продуктов, значительно экономит силы и энергию, которые при обычном питании уходят на попытки переварить несовместимые продукты.

Четвертый этап — избавление от дисбактериоза.

Микрофлора желудочно-кишечного тракта нашего современника создана его неправильным питанием и содержит не только полезные, но и вредные бактерии. Из-за потребления лекарств, дрожжевого теста, молока там в значительных количествах поселяются конидии, дрожжи, стафилококки, другие паразиты. Они внедряются в слизистую пищеварительных путей, питаются нашей кровью и выделяют ядовитые продукты жизнедеятельности.

Чтобы избавиться от дисбактериоза, нужно за час до завтрака и через час после ужина съесть зубок чеснока. Одного чеснока, без хлеба, не запивая его водой.

Не удивляйтесь и не пугайтесь, если почувствуете в желудке жжение. Знайте: убив паразитов, чеснок попадает в обнажившиеся ранки (кстати, и дезинфицирует их). Отсюда и неприятные ощущения.

Через какое-то время, максимум недели через две, вы заметите, что жжение прекратилось и желудок после приема пищи перестало пучить. Это признаки исцеления.

Методику лечения от дисбактериоза можно повторять по мере необходимости или как профилактику раз в квартал, раз в год. Она абсолютно безвредна.

При лечении чесноком может участиться сердцебиение. Это тоже положительный эффект, так что не волнуйтесь и, даже наоборот, отметьте его как удачу. Дело в том, что чеснок — единственный продукт, содержащий в растворенном виде германий. А германий восстанавливает и укрепляет клапаны в нашем организме. Особенно он необходим при язвенных болезнях желудка, причина которых — в нарушении работы привратника, клапана, ведущего в двенадцатиперстную кишку. Через нарушенный привратник в желудок забрасывается желчь, поражая слизистую. Естественно, при этой болезни лечение чесноком вызывает уже не просто жжение, а настоящие боли. Но причина их теперь вам ясна. Впрочем, это тема другого разговора.

Пятый этап — очищение суставов. При регулярной внутренней гигиене, правильном питании, спорте, соблюдении прочих правил здорового образа жизни, как мы уже говорили, прекращается рост болезней и происходит постепенное самоочищение организма. Но тянется оно годами, в частности, на очистку суставов от отложений солей требуется столько времени и усилий, что без специально направленной методики тут трудно обойтись.

Возьмите 5 г лаврового листа, опустите в 300 мл воды и прокипятите в течение 5 минут. Затем все это слейте в термос и настаивайте 3—4 часа. Затем раствор слейте. Он готов к употреблению.

Пить настой нужно маленькими глотками так, чтобы растянуть процедуру на 12 часов. Чтобы быть поточнее, получается по чайной ложке каждые 12 минут.

Ни в коем случае не пейте настой большими дозами или весь сразу: можно спровоцировать кровотечение.

Процедуру нужно выполнять 3 дня подряд, затем через неделю этот же трехдневный курс можно повторить. В первый год очистку суставов повторяйте раз в квартал. В последующем для профилактики — раз в год.

Обязательное условие для очистки суставов — тщательно промытый кишечник и вегетарианское питание во все дни процедуры. Имейте в виду: если вы не прошли курс внутренней гигиены, то при употреблении настоя лаврового листа начнут интенсивно растворяться залежи каловых камней, и заключенные в них вредные вещества, проникнув в кровь, вызовут явления почесухи, крапивницы и других форм аллергии.

Описанная методика очистки суставов помогает избавиться от отложения солей, от погодных болей, суставной усталости, остеохондрозов, инфекционного неспецифического полиартрита. Будьте готовы к тому, что ваш лечащий врач, увидев такой эффект, произнесет магические слова: «Ошиблись в диагнозе!»

Шестой этап — очищение почек. Почти все болезни почек начинаются с появления песка, а затем и образования камней в почках и мочевом пузыре (что является следствием использования в пищу молочных продуктов). Наша задача — освободиться от этих образований, для чего используется процедура настолько безопасная, что о каких-либо последствиях не может быть и речи. Эту процедуру лучше всего проводить в арбузный сезон. Запаситесь хорошими арбузами — они и черный хлеб станут вашим единственным питанием на неделю. Не забудьте, что наилучших результатов и в этом случае вы добьетесь на фоне внутренней гигиены и рационального питания — здорового образа жизни каждого культурного человека.

Итак, в конце недельной диеты, то есть питания арбузами и черным хлебом, ночью вам предстоит принять теплую ванну и совместить это приятное времяпрепровождение с другим — едой арбуза. Наиболее подходящее время для выведения из почек или мочевого пузыря песка и камней — 2—3 часа ночи, час биоритма почек. Надеемся, что мочеиспускание прямо в ванне с теплой водой вас не очень шокирует.

Через 2—3 недели эту методику можно повторить, пока не добьетесь существенного результата. Есть еще один способ очистки почек. Для этого необходимы пихтовое масло, а также сбор трав: по 50 г зверобоя, душицы, шалфея, мелиссы и спорыша. Траву нужно измельчить, как крупный чай.

На неделю посадите себя на вегетарианское питание и пейте чай из этих трав с медом. А начиная с седьмого дня, вам предстоит еще в течение 5 дней пить настой этого сбора с пихтовым маслом.

Настой пьется 3 раза в день за 30 минут до еды. Каждый раз в 100—150 г приготовленного настоя добавляется 5 капель пихтового масла, после чего настой тщательно размешивается. Пить его надо обязательно через соломинку, чтобы предохранить зубы от разрушения.

Результат вы обнаружите через несколько дней: целый месяц и более у вас во время мочеиспускания будут выпадать тяжелые бурые маслянистые капли, пахнущие пихтой. Они легко размазываются, часто со скрипом, от песка в них.

Седьмой этап — очищение лимфы крови. Следствием этой процедуры является совершенно изменившийся, нормализованный состав крови. Процедура в виде питья смеси соков проводится в парной или сауне.

Смесь приготавливается из 900 г апельсинового сока, 900 г сока грейпфрута, 200 г лимонного сока и 2 л талой воды. Для получения талой воды лучше всего использовать ледяную «шубу» из морозилки (только не со дна ее, где лежат продукты).

Еще раз напоминаем вам об обязательности внутренней гигиены и рационального питания, потому что если толстая кишка у вас не промыта и в желудочно-кишечный тракт попадает непереварившаяся пища, то после очистки лимфа крови обретет исключительную проницаемость и будет интенсивнее разгонять по организму вредные вещества. Да и вся процедура пройдет даром.

Итак, приготовьтесь провести день без пищи. Придя в парную, в сауну или просто расположившись дома под теплым душем в ванной, выпейте стакан воды с растворенной в ней столовой ложкой глауберовой соли. После этого у вас начнется сильное потоотделение. Вот и восполняйте потерю влаги в теле, попивая смесь соков по 100 г каждые полчаса. И так 3 дня подряд.

В результате этой методики кровь очищается от многих шлаков. Потеря веса быстро восстанавливается. Процедуру рекомендуется проводить первый год каждый квартал, а в последующем — раз в год.

Восьмой этап — очищение сосудов. Очищаются не только сосуды, но и протоки из желез внутренней секреции, которых в организме несколько десятков. Функции желез — выделение в кровь гормонов, регулирующих деятельность того или иного органа и антител, призванных бороться с нашими болезнями.

Но когда даже у «практически здорового» человека стенки кровеносных сосудов, а вместе с ними и протоки из желез закрыты всевозможными отложениями, выделение в кровь гормонов и антител уменьшается.

Чтобы очистить сосуды, нужно сделать специальный настой. Смешайте стакан укропного семени с двумя столовыми ложками молотого валерианового корня, двумя стаканами натурального меда. Затем эту смесь засыпьте в термос и залейте кипятком так, чтобы общий объем настоя был равен 2 л. Настаивать его нужно сутки, а затем принимать по столовой ложке за полчаса до еды.

Средство № 499

Комплексное закаливание — это повышение адаптивных возможностей человека путем оптимальных нагрузок, физических, психических, температурных, в различное время года в зависимости от возраста, пола, состояния физической подготовленности. В состав комплексного закаливания входят средства физического и психического воздействия:

— закаливание холодом и теплом в сочетании с физической активностью (ходьба, оздоровительный бег, динамические упражнения, плавание, самомассаж, суставная гимнастика);

— рациональный режим солнечного облучения;

— дыхание по Е.А. Лукьяновой (Е.А. Лукьянова, будучи преподавателем дыхательной гимнастики в Московском академическом хореографическом училище, за долгие годы работы сумела не только поставить дыхание сотням будущих балерин, но и помогла многим людям, страдающим такими заболеваниями, как астма, стенокардия, гипертония, заикание, и рядом других);

— закаливание в экстремальных условиях (ледяная вода, проруби, снежные ванны, бани);

— элементы аутогенной тренировки.

Комплексное закаливание эффективно пробуждает защитные силы организма, предотвращает и лечит заболевания дыхательной системы, сердечно-сосудистой системы, желудочно-кишечного тракта, нервной системы.

Основателем комплексного закаливания человека является к.м.н. В.Я. Крамских, который в 1982 г. организовал Народный университет комплексного закаливания человека. В университете не только обучали приемам комплексного закаливания, но и давали возможность получить общественную профессию методист-инструктор по закаливанию. Каждое практическое занятие в университете имело определенную структуру и выполнялось по определенной методике.

1. Замер показания пульса (за 15 секунд) и закаливание на воздухе в состоянии покоя (10 минут).

Методика закаливания на воздухе.

1) Массирующие поглаживания тела через одежду, а затем легкий массаж в течение 1 минуты обнаженного кожного покрова (для активизации холодовых рецепторов).

2) Элементы аутогенной тренировки для отвлечения сознания от холодовой нагрузки (время регулируется в зависимости от дозировки холодовой нагрузки).

Последовательность и примерная схема аутотренинга:

— прикрыть веки;

— потянуться и расслабиться (особое внимание — на расслабление рук и мышц лица);

— спокойное дыхание;

— легкая улыбка — генератор положительных эмоций;

— мысленный образ картины природы — летнего, теплого сезона (нарисовать картину);

— ощущение тепла в теле (последовательно во всех частях тела);

— мысленный возврат к реальной обстановке;

— напряжение в мышцах и расслабление.

3) Повторный замер пульса после холодовой нагрузки (за 15 секунд). Отклонение пульса в сторону увеличения или уменьшения не должно превышать 10—15% от первоначального замера (при больших колебаниях — холодовая нагрузка дозирована неверно).

4) Оценка состояния кожи (не должны наблюдаться посинение, «гусиная кожа», венозная пятнистость, синие пятна)

2. С целью подготовки основной и дыхательной мускулатуры к восприятию физических нагрузок выполняются дыха-

тельные упражнения по Лукьяновой (в одетом состоянии) — 10 минут.

Упражнения выполняются стоя с соблюдением трех фаз дыхания:

1) выдох;

2) ожидание вдоха (пауза);

3) возврат дыхания (вдох).

Упражнение «ПФ» (3 раза):

— 1-я фаза — выдох через рот сквозь плотно сжатые и подобранные внутрь губы на 2/3—3/4 воздуха легких; выдыхать ровно, плотной струйкой воздуха (поколебать, но не задувать пламя «воображаемой свечи»);

— 2-я фаза — мышцы лица расслабить, губы освободить;

— 3-я фаза — возврат дыхания через нос.

Упражнение со звуковыми элементами для вибрации грудной клетки (верхней доли легких) с произнесением согласных звуков на низкой ноте — в первой фазе выдоха, вторая и третья фазы как в упражнении «ПФ»:

— звук «С», кончик языка упирается в нижние зубы, форма губ — широкая улыбка;

— звук «Ж», зубы плотно сжаты, губы оттопырены;

— звук «З», зубы плотно сжаты, губы в широкой улыбке.

3. С целью раскрепощения поверхностных мышц и замедления скорости охлаждения кожи в течение 3—4 минут проводится массаж в следующей последовательности (10 минут).

1) Стоя у опоры, оперевшись на нее ногой, выполнить растирание ее круговыми движениями снизу вверх, последовательно (голеностоп, голень, тазобедренный сустав, бедро); повторить с другой ногой (выполнить растирание двух ног 3—4 раза).

2) Последовательный массаж активным поглаживанием и растиранием поочередно рук от кистей до плеча включительно (3—4 раза).

3) Попарно или в общем кругу всей группы, стоя друг за другом, выполнить растирание больших мышц спины от поясничной зоны до лопаток впереди стоящего (3—4 раза).

4) Растереть верхнюю часть груди (от грудины к периферии и плечам).

5) Массаж живота круговыми движениями по часовой стрелке.

4. С целью разработки крупных суставов, разогрева связок, подготовки к двигательной активности выполняются упражнения суставной гимнастики (15 минут).

1) Упражнение для суставов ног (голеностопный, коленный, тазобедренный суставы) поочередно для каждой ноги:

— Оттянуть носок от себя, затем на себя (3—4 раза).

— Вращение (для всех суставов) (3—4 раза).

— Пружинистые сгибания в коленных суставах без отрыва стопы от земли (3—4 раза).

— То же, приседая на корточки с отрывом пяток от земли (3—4 раза).

2) Упражнение для суставов рук (запястий, локтевой, плечевой), одновременно для двух рук:

— Ладони сгибать в запястьях на себя — от себя, внутрь — в стороны (руки вытянуты вперед).

— Руки развести в стороны, вращение в локтевых суставах внутрь — наружу (по 4—5 раз).

— Вращение рук в плечевом суставе в одном, затем другом направлении (по 5 раз).

3) Упражнение для разных отделов позвоночника (по 5 раз):

— Вращение верхней части корпуса с наклоном по часовой и против часовой стрелки (ноги вместе, зафиксированы и неподвижны).

— Вращение головы по и против часовой стрелки.

— Вращение нижней части корпуса (верхняя часть зафиксирована и неподвижна) по и против часовой стрелки.

— Повороты и наклоны головы в разные стороны.

— Наклон вперед, сгибание в тазовой области (не в талии) до горизонтального положения верхней части корпуса, руки опущены и расслаблены.

5. С целью включения в работу крупных суставов, а также совершенствования осанки, развития работоспособности мышц и общей выносливости проводится оздоровительная ходьба (5 минут). При этом:

1) нога ставится на весь каблук, носок приподнят на 1—2 см, активный перекат и толчок;

2) корпус прямой, тазовая область чуть подается вперед, шея разогнута, голова поднята, подбородок чуть опущен. При этом позвоночник близок к прямой вертикальной линии;

3) верхняя часть тела (грудь, плечи) почти неподвижна, вращение бедра в тазобедренном суставе, вправо при левой опоре, влево при правой опоре;

4) руки расслаблены, чуть согнуты в локтях, двигаются назад-вперед.

6. С целью наиболее полного активизирования использования резервов организма для более эффективного оздоравливающего воздействия и адаптирования организма к физическим нагрузкам проводится оздоровительный упругий бег в одежде (10 минут).

Перед бегом замерить пульс (за 15 секунд). Обратить внимание на технику бега: вынос ноги и отталкивание (вынос тела над стопой вперед, перекат и отталкивание в слитном движении в «одно касание»). Следить за расслабленностью кистей рук и лица.

Во время бега с целью включения в работу максимального количества суставов, связок, мышц используются различные варианты постановки ног и корпуса (поднятые колени, движение правым и левым боком по ходу с приставкой стоп). Кроме того, используется импульсивный бег с увеличением скорости и переходом на оздоровительную ходьбу. После завершения бега подсчет пульса.

7. Бег с обнаженным корпусом (в течение 5 минут).

8. Продолжение бега в одежде (в течение 10 минут). Затем замедление бега и переход на ходьбу с выполнением дыхательных упражнений по Лукьяновой (в течение 7—15 минут). Поглаживание кожи через одежду, а через 15—20 занятий в прохладное время обнаженной части поверхности кожи. Включение отдельных элементов АТ: расслабление с формулой: «Я спокоен, мысли ясные и спокойные. Я удовлетворен сегодняшним занятием, оно дало мне бодрость и легкость». Повторить формулу 10 раз и стараться представить в воображении это состояние. Далее следует замер пульса с целью проследить восстановление пульса для оценки правильности дозирования нагрузки (через 5—7 минут после бега нормализация пульса свидетельствует об умеренности нагрузки, после 10 минут — нагрузка велика).

9. Если занятия приходятся на зимний сезон (декабрь—февраль), то следует выполнить динамические упражнения (для рук, ног, позвоночника), а затем принять воздушные и снежные ванны (с целью повышения сопротивляемости организма к действию холода). Порядок проведения воздушных и снежных ванн:

1) Обнажить верхнюю часть тела.

2) Первый захват снега — растереть лицо и шею, второй — грудь и живот, третий — плечи, четвертый — руки.

Общая продолжительность растирания снегом 10—15 секунд вначале (за 12 занятий продолжительность растирания увеличивается до 20—30 секунд).

3) Обтереться сухим полотенцем и одеться.

10. Гигиенический душ температуры 37—38 °C или сауна.

По приведенной структуре занятий групп комплексного закаливания можно заниматься самостоятельно. При этом каждому самостоятельно занимающемуся следует помнить о постепенности наращивания физических и холодовых нагру зок, не забывать сочетать указанные нагрузки с дыхательными упражнениями по Лукьяновой, самомассажем, суставной гимнастикой и элементами АТ.

Средство № 500

Комплексное оздоровительное воздействие на кожу тела, осуществляемое в системном виде в течение дня и недели. Способствует чистоте кожи, закаливает организм, предупреждает и лечит болезни кожи, дыхательной системы, сердечно-сосудистой системы.

Средство включает в себя следующие натуропатические процедуры:

1) если есть возможность, нужно подвергать тело солнечным и воздушным ваннам: как только встали с постели, нужно перед открытой форточкой сделать массаж обнаженного тела в течение 0,5—1 минуты; в выходные дни и в отпуске использовать солнечное время для солнечных ванн;

2) каждое утро после очищения кишечника — водные процедуры: холодная ванна или холодный душ. Вместо холодной ванны или холодного душа можно принимать контрастный душ (горячая вода, затем — холодная и так 3 раза). Контрастный душ помимо очищения поверхности кожи оказывает тонизирующее воздействие на сосуды кровеносной системы, а также закаливает.

Один раз в неделю нужно мыться с мылом в теплой ванне, затем принять холодный душ.

Средство № 501

Комплексный подход к своему здоровью через принятие для себя так называемого здорового образа жизни. Здоровый образ жизни, который предупреждает многие болезни и способствует лечению многих болезней, называют еще рациональным образом жизни.

Основные элементы рационального образа жизни следующие: физическая и умственная деятельность, питание, очищение, отдых.

Освоение необходимых физических нагрузок, методов питания и очищения организма не может быть одинаковым для всех людей. Каждый человек в зависимости от состояния своего здоровья, особенности своей психики должен выбрать наиболее щадящие для здоровья и психики режимы физических нагрузок, питания, очищения организма и затем постепенно при необходимости увеличивать интенсивность нагрузок, изменять характер нагрузок, изменять характер питания и очищения организма.

Можно предложить режимы физических нагрузок, питания, очищения и отдыха, которые будут служить максимальными по напряженности моделями; моделями, к которым нужно по возможности приближаться.

1. Режим необходимых физических нагрузок.

— Для людей умственного труда необходимо, чтобы половина нерабочего времени в течение дня приходилась на физическую деятельность.

— Ежедневные и периодические физические нагрузки.

1) Каждый день. Утром: суставная гимнастика — 10 минут, бег трусцой — 15—60 минут; днем или вечером: быстрая энергичная ходьба — 1 час.

2) Еженедельно: в субботу — физическая работа (в квартире или на даче), в воскресенье — поход за город в лес на целый день.

3) Ежегодно в течение отпуска 2—3 похода на длительные расстояния (20—30 км) пешком или на лодке по реке.

— В течение дня проявлять физическую активность.

1) Через каждые 50 минут умственного труда — 5—10 минут физические упражнения или ходьба.

2) Там, где только можно, заменять пассивное состояние на физическую активность (вместо использования лифта подниматься по лестнице пешком, вместо использования городского транспорта идти на работу пешком).

— Физическая нагрузка на организм должна вводиться постепенно.

Во всех физических упражнениях и беге не допускается перенапряжения; следует прислушиваться к себе и в случае перенапряжения уменьшать нагрузки.

2. Режим питания.

— Есть только тогда, когда хочется есть.

— Не переедать, есть столько (по объему), сколько необходимо.

При определении объема принимаемой пищи необходимо исходить из трех стадий питания. Первая стадия — утоление голода, вторая — насыщение, после которого есть аппетит на такое же количество пищи (имеется желание съесть еще столько же). Третья стадия (обжорка) исключается. Отсюда вывод: нужно встать из-за стола несколько голодным (через 5—10 минут это ложное ощущение голода исчезнет).

— Есть по Флетчеру, тщательно пережевывать пищу. При этом все внимание направлено на поглощение праны из пищи.

Питаться по программе здорового питания Поля Брегга.

1) Состав продуктов: 60% — сырые фрукты и овощи; 20% — белок (отварное мясо, приготовленная на пару рыба, яйца всмятку, сыр, орехи, семечки, проросшие злаки); 7% — крахмал (хлеб из муки с отрубями, каши); 7% — натуральные сахара (сухофрукты — финики, изюм, мед); 7% — жиры (нерафинированные растительные масла).

Здесь еще раз подчеркнем, что состав продуктов дан как ориентир — вы вправе выбрать более приятный для вас состав продуктов. Главное — поменьше есть острого, жареного, консервированного и ограничить потребление чая и кофе (чай пить на травах).

2) Перед обедом или ужином ежедневно есть овощной салат.

3. Режим очищения: голодание 24—36 часов в неделю (нужно выбрать один удобный для себя день недели для этой процедуры). После приобретения навыков в однодневном голодании (через 1—2 месяца) можно перейти к трехдневному голоданию в течение каждого месяца. Каждый квартал — голодание длительностью 7—10 дней (желательно, но не обязательно).

4. Режим рационального соотношения работы и отдыха.

1) Не допускать физической и умственной усталости. При первых признаках усталости отдыхать или сменить один вид работы на другой.

2) Высыпаться. Раньше ложиться спать и раньше вставать. Желательно засыпать до наступления полуночи. Изголовье должно быть обращено по возможности к северу, положение тела — вдоль магнитного поля Земли. Перед сном рекомендуется 20-минутная прогулка, сочетаемая с умеренным и ненапряженным дыханием.

Следите за тем, чтобы у вас ежедневно опорожнялся кишечник. Приучите кишечник опорожняться в определенное время (утром или после еды).

Как можно чаще ходите босиком (по лесу, полянам, берегам рек и озер). Через подошвы ног вы получаете земную радиацию, необычайно укрепляющую и обновляющую организм.

После ежедневной утренней гимнастики полезно принимать воздушную ванну и водную процедуру, что улучшает функции кожных покровов и совершенствует терморегуляцию. Особенно полезны прохладные процедуры в виде обтирания или душа. Под их влиянием усиливается поглощение кислорода организмом, увеличивается количество гемоглобина в крови.

Каждому человеку следует знать и учитывать свои биологические ритмы.

Все функции нашего организма проходят под влиянием того или иного ритма. Более того, биоритмы человека связаны с движением нашей планеты и Луны, с солнечной активностью Солнечная активность представляет собой совокупность наблюдаемых на Солнце явлений, связанных с образованием солнечных пятен, возникновением солнечных вспышек, увеличением ультрафиолетового, рентгеновского и других излучений.

Все функции нашего организма протекают ритмично, в зависимости от внешней или внутренней цикличности. Утром, с 8 до 12 часов, и вечером, с 17 до 19 часов, наш мозг наиболее работоспособен. В эти же периоды обострены наши эмоциональные реакции, зрение, слух.

Активность нервной системы снижается в периоды между 2—5 и 13—16 часами. Однако, как всегда, и у этого правила есть исключения. Встречаются люди, которых называют «жаворонками»: утром их работоспособность высока, а к вечеру они выдыхаются, и, наоборот, есть «совы», которые с утра встают разбитыми, вялыми, однако к полудню они как бы просыпаются, работоспособность их во второй половине дня повышается; вечером такие люди долго не спят, способны долго работать. «Жаворонок» в это время хочет спать.

Согласно утверждениям немецкого физиолога Р. Хамма, 1/6 всех людей — «жаворонки», 1/3 — «совы», а остальные легко приспосабливаются и к утренней и к вечерней деятельности. Людей, чья жизнедеятельность зависит от суточного режима, называют ритмиками, а остальных — аритмиками.

Основные биоритмы человека: физический — 23 дня, эмоциональный — 28 дней, интеллектуальный — 33 дня. Если каждый из ритмов записать в виде графика (каждый цикл ритма — в виде синусоиды с положительной и отрицательной фазами; длительность синусоиды — соответственно 23, 28 и 33 дня; начальная общая точка — день рождения), то в первых половинках синусоид окажутся «светлые» дни, то есть дни той или иной активности, а во вторых — «черные», когда активность снижена. Если ваш физический ритм находится в положительной фазе, а эмоциональный или интеллектуальный — в отрицательной, то в это время лучше поработать физически, а все связанное с эмоциональной или интеллектуальной деятельностью отложить. Если все три кривые пересекаются в отрицательной фазе, то лучше в эти дни ничего серьезного не предпринимать. Свои «светлые» дни целесообразно использовать наиболее активно, особенно если у вас творческая работа.

Очень важно дышать свежим воздухом в течение всего дня. Проветривайте помещение, где вы работаете и живете. Воздух в непроветриваемых помещениях наполнен веществами, выделяемыми легкими, а вещества, выделяемые легкими, настолько непригодны для дальнейшего потребления, как и вещества, выделяемые кишечником.

Больше гуляйте на свежем воздухе. Для извлечения большей пользы из прогулки используйте самовнушение: «Я дышу и с каждым новым вдохом ощущаю новый прилив здоровья, энергии, бодрости. Я наслаждаюсь воздухом и стараюсь извлечь из него всю возможную пользу».

Обратите особое внимание на чистоту воздуха во время сна. Во время сна организм восстанавливает дневные потери. Для правильного хода этой работы необходимо снабжение организма воздухом, содержащим определенное количество кислорода, то есть свежим воздухом. Поэтому во время сна форточка должна быть открытой.

Средство № 502

Комплексное расслабление в течение дня. Между состоянием мускулов и состоянием нервной системы имеется взаимообратная связь: при напряженных мускулах напрягается нервная система, и наоборот, при расслабленных мускулах успокаивается нервная система, мыслительная работа становится более спокойной и более управляемой. Поэтому расслабление тела важно не только для физического отдыха, но также важно для отдыха мозга и успокоения нервной системы.

Самым универсальным упражнением в расслаблении является Шавасана.

Кроме этого упражнения можно применять другие упражнения расслабления, в зависимости от обстановки. Вот некоторые из них.

Упражнение «Потягивание»

Исходное положение: лежа на полу. Растягивание мускулов ведет к их расслаблению; начните осторожно растягивать члены тела последовательно. Начните со ступни, перейдите к туловищу, рукам, голове. Потягивайтесь в различных направлениях, вытягивайте ноги, туловище, руки, переворачивайтесь. Не удерживать зевоту — это одна из форм потягивания. Конечно, при потягивании мускулы сокращаются и напрягаются, но поочередное расслабление позволяет им в то же время отдохнуть.

Потягивание может быть заменено потряхиванием всего туловища и отдельных его частей.

Следующее упражнение используется для расслабления и отдыха периодически после часа умственного или физического труда.

Исходное положение: стоя, подняв голову, отодвинув плечи назад.

Выполнение: медленно приподнимите от пола пятки, в то же время поднимите руки, не сгибая их, пока они не достигнут на ного уровня с плечами, как распростёртые крылья орла. Сделав глубокий вдох, почувствуйте, будто вы поднялись в воздух. Затем медленно сделайте выдох, постепенно опускаясь на пятки и опуская руки в прежнее положение. Повторите упражнение.

Средство № 503

Комплексный отдых в течение суток. Отдых в течение суток включает в себя два важных элемента: восстановление организма во сне и расслабление в течение дня. Восстановление организма во сне играет большую роль. Отходы жизнедеятельности, токсины и продукты окисления «вычищаются» из организма во время сна, так же как и на заводе машины останавливаются, когда начинается чистка и ремонт. В результате чего организм как бы восстанавливается и снова готов к правильному функционированию. Помимо восстановления необходимо расслабляться. Расслабление необходимо потому, что это естественное свойство живых существ. Так отдыхают животные (поднимая кошку или собаку, можно заметить, что их тело обвисает как тряпка, мышцы совершенно мягки и расслаблены, как кусок теста). Цивилизованные люди в силу быстрого ритма жизни утеряли это свойство. Они торопятся даже тогда, когда нечего делать и когда, по их мнению, они отдыхают (при этом их мышцы наполовину напряжены). Расслабление очищает кровь от токсинов, дает отдых мышцам и органам тела. Расслабляться нужно в течение дня, как минимум, 3 раза.

Средство № 504

Комплексный отдых в течение месяца. Каждый человек должен проводить в полном физическом и умственном расслаблении по крайней мере месяц. Для того чтобы накопить достаточно энергии и жизнеспособности на следующий год, отдыхать желательно в спокойных местах, там, где нет большого скопления людей (в деревне, на даче, в горах). Наслаждайтесь природой, чистым воздухом, солнцем.

Средство № 505

Комплексный подход к поведению в жизни — тонизирует защитные силы организма, укрепляет нервную систему, повышает жизненный тонус, оздоравливает сердечно-сосудистую систему, дыхательную систему, желудочно-кишечный тракт.

Комплексный подход к поведению в жизни выражается в следующих положениях.

У человека в жизни должны быть цель, свое дело, работа. Свою работу он обязан выполнять как можно лучше, весело, жизнерадостно, вносить элемент новизны, новаторства. Работать надо ради радости процесса работы, самовыражаться в работе. Человек всегда должен быть активен, а не сидеть сложа руки. С радостью впитывайте в себя каждый миг жизни. Но при этом надо сознательно пользоваться радостями и удовольствиями жизни, быть хозяином, а не их рабом.

Будьте счастливы, встретив неприятность, поднимитесь над ней, вырвите на корню плохие привычки в области образа мыслей и поступков. Гордость, а не заносчивость человек должен культивировать в себе, твердо стоять на своих ногах, быть ответственным за свои поступки, и прежде всего перед самим собой. Преодолевая что-либо, не считайте «мили», наслаждайтесь самим процессом борьбы. Это сделает весь путь быстрым, легким, поможет быстро достигнуть поставленной цели. Помните о своей индивидуальности и не забывайте, что человек живет в обществе. Ведь каждому индивидууму отведены определенное место и роль в обществе, и он обязан выполнять их должным образом. При этом не следует ожидать от окружающих признания, понимания себя, а просто прямо и спокойно идти к намеченной цели. Не будьте «святым» и «чересчур хорошим для этой жизни», будьте естественным, не чурайтесь улыбки или смеха, ведь юмор — прекрасный дар природы.

Помните о «законе случая», который на самом деле является результатом целевой совместной работы вашего сознания и подсознания, который многим помог в жизни при достижении цели, ждите и верьте в него. Никогда не отчаивайтесь. Надо всегда верить. Помните, что ценность вещей относительна и преходяща, человек, получив желаемое, часто не ощущает радости, а, наоборот, испытывает горечь, так как он связывал с ними свое счастье, успех, а достиг всего-навсего обладания материальной вещью. С этим тесно связана проблема любви. Когда человек говорит, что любит кого-то, обычно имеет в виду, чтобы тот человек любил его. Это эгоистическая любовь. Истинная любовь ничего не требует взамен. Помни о принципе «убей честолюбие».

Для продуктивной работы необходимо избегать думать о нереальных вещах, иллюзиях. Это испортило многих, нельзя связывать себя с нереальными вещами, ибо это превратит вас в пустого мечтателя, раба, а не хозяина.

Жизнь имеет свое предназначение — цель, которой надо достигнуть. Пусть же при этом ваши глаза будут раскрыты, а ум безоблачен. Идите по жизни с улыбкой, любите жизнь, будьте похожи на любовь, излучайте и получайте ее. Идите по жизни солнечным путем.

IV. СРЕДСТВА, ОСНОВАННЫЕ НА САМОВНУШЕНИИ И ВНУШЕНИИ

1. Принципы проведения самовнушения и внушения

Самовнушение и внушение — действенные способы приведения человека в состояние покоя, в состояние гармонии внутри себя и с окружающим миром. Кроме того, самовнушение и внушение помогают снимать боль, мобилизоваться для ответственных решений и действий, способствуют лечению многих заболеваний.

Существует выражение: «Ты таков, каким себя мыслишь». Имеется в виду, что качества характера человека, его самочувствие, эмоциональное состояние и тонус зависят от характера мыслей (активных или пассивных), преобладающих на определенном этапе жизни или в течение всей жизни. Сам процесс мышления и есть, по существу, самовнушение, так как ни одна мысль не пропадает даром, а оказывает определенное, соответствующее характеру мысли, воздействие на источник мысли.

Эффективность самовнушения зависит от силы мысли и степени расслабления.

Мысли можно разделить на пассивные и активные. Пассивные мысли (случайные, разбросанные, вялотекущие) оказывают слабое воздействие, зато активные мысли (создаваемые сознательно и целенаправленно) сильно воздействуют на мыслителя, и сила воздействия пропорционально зависит от силы мысли. Следует отметить, что и определенные пассивные мысли, если они являются преобладающими в течение длительного времени, оказывают значительное влияние.

Наиболее эффективно самовнушение, когда активные мысли в виде целевых формул (мысли, несущие четкую осмысленную установку подсознанию) протекают на фоне состояния расслабления организма (расслабления мышц, сосудов, дыхания). Чем больше расслабление организма, тем податливее становится подсознание для целевых установок, так как «исчезновение» сознания, мешающего вводу целевых установок в подсознание, находится в прямой зависимости от степени расслабления организма.

Установки в подсознание могут быть выражены в виде слов или в виде мысленных представлений. Одновременное использование словесных формул и соответствующих им мысленных представлений усиливает самовнушение.

Сила установки и, следовательно, сила самовнушения находится в прямой зависимости от степени желания (желания достижения поставленной конкретной цели), от степени концентрации внимания на установках для подсознания, а также от степени повторяемости установок.

Целенаправленные самовнушения (выполняемые человеком сознательно) могут быть реализованы в виде:

1) мысленного настроя на определенное психическое состояние или самочувствие, на определенное поведение, на определенную работу;

2) аутогенной тренировки (АТ), где мысленные установки протекают на фоне той или иной степени расслабления организма.

В методике АТ по И. Шульцу различаются 2 ступени. Первая ступень предназначена в основном для управления работой внутренних органов и для создания положительного психологического настроя, вторая ступень (высшая АТ) — для овладения психическими процессами. Занятие делится на 3 части: создание состояния дремоты, произнесение формул самовнушения и выход из дремоты.

На первой ступени АТ по И. Шульцу используются 6 определенных стандартных формул («Моя правая рука тяжелая», «Моя правая рука теплая», «Сердце бьется спокойно и ровно», «Дыхание спокойное и ровное», «Солнечное сплетение излучает тепло», «Лоб приятно прохладен») для создания состояния дремоты, а также целевые формулы. Формулы произносятся про себя по 2—5 раз с интервалом 20—30 секунд. Перед началом и после каждой формулы произносятся слова «Я спокоен».

На второй ступени с помощью определенного набора формул занимающийся входит в состояние расслабления. Далее следует вход в состояние высшей АТ. Находящийся в состоянии аутогенного погружения человек последовательно в течение многих занятий отрабатывает определенные упражнения: учится «видеть» заранее заданный цвет (цвета ассоциируются с определенными состояниями организма), «видеть» вещи и предметы, «видеть» динамические картины, отрабатывает способность придавать каким-либо абстрактным понятиям конкретное содержание.

Сущность внушения та же, что и самовнушения, только объекты внушения разные: при самовнушении — собственное подсознание, при внушении — подсознание других людей. При внушении определенные установки в виде мыслей и мысленных представлений принимаются подсознанием другого человека. Установки могут быть двух типов:

1) на исправление характера (на выработку тех или иных новых привычек) или на выполнение тех или иных действий (включая изменение отношения к какому-либо лицу),

2) на восстановление нормального функционирования организма (целительная сила находится внутри нас). Этой силой является настроенность подсознания на безотказную работу организма. Только вмешательство собственного сознания в виде неправильных стереотипов мышления мешает работе подсознания и ведет к функциональным расстройствам и болезням.

При мысленном внушении установка передается другому лицу в виде мысленных посылок телепатически. При словесном внушении телепатическая посылка установки усиливается воздействием через словесное воздействие.

Гипнотическое внушение — внушение, вызывающее у объекта внушения особое состояние, называемое гипнозом. Несмотря на то, что о гипнозе написано много книг, природа его воздействия до конца еще не выяснена. Пока мы можем сказать, что гипноз — это особое психофизиологическое состояние, возникающее под влиянием психофизиологического, главным образом, словесного воздействия на человека: в этом состоянии объект внушения активно реагирует на то, что внушает ему гипнотизер.

Некоторые исследователи гипноза отмечают 3 стадии, или фазы, гипноза, другие — 4. Укажем 4 фазы гипноза.

Первая фаза характеризуется легкой дремотой и общей мышечной расслабленностью. Сознание и память остаются в этой фазе ясными.

Вторая фаза: появляется так называемая восковидная гибкость мышц, позволяющая телу без утомления подолгу сохранять ту или иную позу. Сознание «мутнеет».

Третья фаза — это гипноз в собственном смысле слова. Мир ощущений и переживаний загипнотизированного ограничивается лишь той информацией, которая вводится посредством словесного воздействия. В этой фазе можно ввести гипнотизируемого в каталептическое состояние, когда все тело становится одеревенелым.

Четвертая фаза: в этой фазе достигается сомнамбулическое состояние, в котором проявляются такие феномены, как ясновидение, телепатия.

Следует сказать, что, для того чтобы пользоваться гипнозом в лечебных целях, нужно сначала получить диплом врача.

Следует еще указать, что использование гипноза в корыстных целях недопустимо. Это нанесет серьезный ущерб духовному развитию экспериментатора (это и небезопасно для экспериментатора: согласно йоговскому положению о карме, наказание за отрицательный поступок неотвратимо).

Что может гипноз? С помощью гипнотического внушения можно заставить людей (поддающихся гипнозу) делать все, что угодно (кроме того, что органически противоречит натуре гипнотизируемого), во время состояния гипноза, а также в определенное, назначенное гипнотизером, время после гипноза. При использовании гипноза в лечебных целях он:

— излечивает нервные заболевания, меланхолию, умственные расстройства, снимает боли;

— устраняет вредные привычки: лень, пьянство, наркоманию;

— развивает умственные способности.

Гипноз наступает от сосредоточенного внимания, направленного гипнотизируемым на тот или иной предмет (или звук, свет, взгляд гипнотизера, монотонную речь). Ум может охватить только одну мысль, и гипнотизер на фоне сосредоточенного внимания должен внедрить в гипнотизируемого именно свою мысль, свое внушение.

Гипнотизер должен обладать следующими качествами:

— властная осанка и властная речь, самоуверенность;

— магнетический, могущественный, как иногда говорят, взгляд;

— честность, порядочность.

Методы гипнотического внушения имеют следующее деление:

— механические методы, в которых на объект внушения воздействуют с помощью физических методов, имеющих монотонный характер: монотонный звук, свет и другие;

— психические методы, в которых применяется в основном словесное внушение;

— магнетические методы, в которых основную роль играет лечебный магнетизм.

Следует отметить, что одним из эффективных методов является комплексный метод — сочетание психического метода с магнетическим.

В некоторых случаях пациент, соглашаясь на гипнотическое внушение, психологически не готов к состоянию гипноза и поэтому внутренне оказывает сопротивление гипнотизеру. В этом случае в начале гипнотического внушения нужно убедить пациента в безопасности и пользе проводимого сеанса.

Если сопротивление пациента осознанное, а гипнотизеру по каким-либо некорыстным причинам нужно ввести пациента в гипнотическое состояние, то нужно помнить следующее:

1) никогда не терять самообладания и использовать малейший шанс для усыпления пациента, исходя из того, что большая часть людей вне зависимости от степени их сопротивления может быть введена в гипнотическое состояние;

2) заменить не оправдавший себя метод **гипнотического** внушения другим;

3) использовать краткие акцентированные на сон внушения в совокупности с определенными движениями рук. Предположим, пациент отверг внушаемое, в знак чего качает головой и говорит: «Я не усну. Вы не заставите меня спать». В таком случае не стоит стоять на месте и повторять внушение сна, а нужно положить руку на лоб гипнотизируемого, а другой рукой закрыть ему глаза и сказать: «Ты не можешь бодрствовать, если бы даже и пытался. У тебя есть потребность сна, ты чувствуешь себя сонным и тотчас же уснешь. Спи же крепко». Затем один или два раза провести рукой по лбу пациента. И далее продолжить гипнотическое внушение.

Если пациент не выходит из гипнотического сна после нескольких попыток пробудить его, то в этом случае нужно дать ему доспать. Гипнотизер может положить руку на лоб пациента и настоятельно сказать: «Как я вижу, вы не хотите просыпаться. Так и спите спокойно, пока чувствуете в этом потребность. Когда же проснетесь, вы будете вполне хорошо себя чувствовать».

Гипнотические установки гипнотизера могут выполняться пациентом не только во время сеанса гипноза, но и в послегипнозное время. Для того чтобы послегипнозные действия пациента осуществились, гипнотизеру нужно в канву своего гипнотического внушения включить так называемое послегипнозное внушение, где нужно конкретно указать вид действия (что сделать) и время выполнения действия. На послегипнозном внушении основано лечебное действие гипноза (подсознание пациента приводит в гармоническое состояние весь организм или нормализует работу какого-либо определенного органа согласно установке послегипнозного внушения). Приведем примеры послегипнозного внушения. Гипнотизер обращается к спящему глубоким гипнотическим сном пациенту: «Десять минут спустя после того, как я вас разбужу, у вас появится сильнейшее желание надеть свой головной убор и вернуться домой. Вы возьмете головной убор, наденете его и сразу же забудете, что намерены были делать. Вы останетесь сидеть в своем кресле и будете говорить со мной, но вы не будете сознавать, что это я внушил вам все это сделать». Пациент это обязательно сделает (не выполняется только то внушение, которое хотя и нравственно, но противоречит убеждениям пациента).

Время выполнения внушения может быть любым — через час, день, месяц, год, и выполняется оно пунктуально. Другой пример послегипнозного внушения. Когда пациент находится в гипнотическом сне, гипнотизер говорит: «Я дам тебе бумагу, с помощью которой ты сам будешь погружаться в здоровый освежающий сон. Погружаться в сон ты будешь тогда, когда вынешь эту бумагу из кармана и будешь смотреть на нее». Гипнотизер пишет на листе бумаги черными буквами «Спи». Приказывает пациенту смотреть на бумагу, которую дает ему в руки, и настоятельно повторяет, что всякий раз, когда его взгляд будет падать на бумагу, он будет тут же погружаться в глубокий гипнотический сон. При этом он будет слышать голос гипнотизера, говорящего «Спи». Много лет может пройти, а эта бумага все еще будет действовать. В качестве третьего примера может служить послегипнозное внушение о хорошем состоянии здоровья после проведения сеанса гипноза: «После пробуждения вы будете здоровы, и в дальнейшем здоровье будет улучшаться». Послегипнозное внушение используется для получения в дальнейшем эффекта мгновенного гипноза. В самом деле, мгновенный гипноз легче всего осуществить с тем человеком, с которым гипнотизер уже работал, использовав послегипнозное внушение. Послегипнозное внушение в этом случае выглядит так: «Как только я скажу тебе в любой день и любое время после этого сеанса «Спи», что бы ты ни делал, ты моментально бросишь это делать и заснешь». Или: «При прикосновении или при произнесении мною какого-либо слова ты впадаешь в глубокий сон».

При проведении гипноза внушение, как правило, осуществляется вслух. Достижение гипнотического погружения возможно и без внушения вслух. В этом случае гипнотизером осуществляется передача мыслей. Пациент при этом воспринимает мысли гипнотизера, смысл которых выражается словами: «Вы должны спать, сейчас же спите». Так как очень немногие гипнотизеры обладают ярко выраженной способностью передавать свои мысли на расстояние, способ гипноза без внушения вслух (способ мгновенного гипноза) применяется довольно редко.

В самогипнозе различают 3 стадии гипнотического транса, или гипнотического погружения: легкая, средняя, глубокая. Гипнотический характер транса определяется способом погружения в транс и характеризуется признаками своего проявления, так как уже легкая стадия имеет признаки мышечного расслабления: расслабление мышц лица (особенно в области лба, шеи, губ); неподвижность позы, вследствие тяжести во всех членах тела; фиксация взгляда и расширение зрачков; замедление дыхания; подергивание век; подергивание рук и вздрагивание; снижение частоты пульса и сердечных сокращений; снижение реакции на внешние шумы. Признак средней стадии гипнотического погружения (помимо признаков легкой стадии) — апатия. Признак глубокой стадии — резкое искажение пациентом хода времени. Можно работать над собой при самогипнозе, используя легкую (первую) стадию погружения, но наиболее удобна вторая стадия.

При лечении болезней психического плана в самогипнозе используется прием «Возвращение», позволяющий путем переживания определенного инцидента, имевшего место в прошлом (переживания содержимого записи инцидента), выпустить эмоциональный заряд из записи, тем самым сократив потенциальную силу записи и снизив уровень болезни психического плана до нуля. При отработке приема для начала выберите недавний контакт с каким-либо человеком. Допустим, сегодня днем вас вызвал к себе начальник. Погрузитесь в легкую стадию гипнотического транса и сделайте самовнушение такого типа: «Я возвращусь сейчас по трапу времени в тот момент (сегодня в 2 часа дня), когда меня к себе вызвал начальник, и я переживу все, что происходило сегодня со мной в кабинете начальника. Итак, я возвращаюсь по трапу времени в момент, когда я вошел в кабинет начальника». Повторив самовнушение несколько раз, начинайте на внутреннем экране воссоздавать общую картину, которая постепенно из смутной и расплывчатой превращается в конкретизированную, возникнут конкретные детали: предметы на столе начальника, особенности его одежды, голос начальника, особенности окружающей обстановки. Повторите весь ход общения с начальником еще раз, переживая все то, что вы пережили во время этого общения. Пережив событие, мысленно вернитесь в настоящее и не забывайте это делать каждый раз после возвращения в прошлое. А поводом для возвращения в прошлое могут быть события (инциденты), которые травмировали тело и психику.

2. Средства оздоровления

Средство № 506

Вера в свое здоровье. Это средство пробуждает целительные силы, повышает жизненный тонус.

Целью любой оздоровительной системы является освобождение и развитие в человеке положительных начал, чтобы пробудить в человеке могучие психологические и духовные силы, дремлющие в каждом, подавленные неправильным воспитанием, ложным мнением, малодушием, недостаточной уверенностью в себе, всевозможными запретами и страхами.

Именно эти внутренние силы являются целительными. Причем эти целительные силы должны быть разбужены внутри себя самим пациентом (здоровье не должно быть полностью отдано во власть внешних влияний или врачебного лечения).

Поэтому, если хотите быть здоровыми, поверьте в свое здоровье. Представьте себе, что вы абсолютно здоровы. Ведь если во что-то веришь, то всегда за это борешься.

Человек с отрицательным самомнением воображает себя больным. Поэтому у него появляется множество болезней. Боритесь за свое здоровье. Периодически делайте следующее психологическое упражнение.

Дышите спокойно, глубоко. Пишите много раз на бумаге: «Я — здоровье». Оставьте бумагу, закройте глаза, успокойтесь совсем и думайте: «Я — здоровье». Воображайте себя совсем здоровым. Исследуйте самого себя мысленно. Если, например, слабо работает ваш желудок, вообразите его хорошо работающим и т. п. Если при упражнении дремлется — засыпайте спокойно, но думайте, пока сознаете: «Я — здоровье». Дайте волю воображению, оно играет огромную роль.

Когда вы так упражняетесь, то ваше сознание, воображая вас здоровым, отдает приказание подсознательному разуму работать в определенном направлении, изменить материю по вашему желанию, по вашей воле.

Воображая себя здоровым, вы сосредоточиваете мысли на перемене, которая как бы уже произошла с вами, предполагаете факт осуществившимся, а осуществляется он уже впоследствии постепенно, незаметно, благодаря работе подсознания. Кроме того, ваша сосредоточенная мысль «Я — здоровье» привлекает к вам силу других подобных мыслей, и они вместе уже влияют на вас, производят то, что вы предполагаете произошедшим с вами.

Вместо выражение «Я — здоровье» можно использовать выражение «Я — красота».

Средство № 507

Снятие границ своих возможностей — мобилизует целительные силы, улучшает работу эндокринной системы, отдаляет наступление старости.

Люди совершают ошибки, слишком раздумывая о своих недостатках; они, таким образом, лишь укрепляются. Достаточно осознать свой недостаток. И не нужно постоянно твердить: «Я малодушен и слаб, или угрюм, или неосторожен». Если вы осознали свой недостаток, нужно вызывать противоположные мысли (о силе, отваге, осторожности) и из них создавать образ своего «Я».

Законы красоты и полного здоровья тождественны. Оба они зависят от состояния души или, другими словами, от качества мыслей. Каждый признак упадка в человеческом теле, все, что придает отталкивающий вид наружности человека, проистекает от преобладающего настроения его души.

Веками из поколения в поколение в человека вдалбливается мысль о непреложной необходимости закона природы, по которому наше тело по истечении определенного времени увядает, теряет свою прелесть, а интеллект истощается. В наших силах значительно отдалить наступление старости, отвергнув общепринятую привычку думать, что человек в 70 лет обязательно должен быть стариком. Поверьте и внушите себе, что вы молоды и красивы и будете таким до 100 и более лет.

Преобладающее настроение (подавленное или победоносное) заранее обусловливает наши физические условия жизни. Никогда не ставьте границ своим возможностям. Никогда не думайте: «Я всегда буду ниже того или иного человека» или: «Мои способности и таланты самые посредственные, я буду жить и умру, как миллионы вокруг меня».

Если вы так будете думать, так и будет. Ставьте перед собой большие цели и думайте о себе как о человеке способном достичь больших целей.

Средство № 508

Самовнушение при приеме пищи, воды и на прогулках — способствует оздоровлению органов желудочно-кишечного тракта, дыхательной системы, нервной системы.

При приеме пищи самовнушение необходимо для лучшего усвоения пищи и извлечения праны из пищи. Есть нужно медленно, внимательно (концентрируя внимание на пище) Нужно мысленно представлять, что при пережевывании извлекается все количество праны, заключенное в пище.

При приеме воды в течение дня (в течение дня желательно выпивать 0,8—1 л воды) пьют воду маленькими глотками мысленно повторяя: «Я снабжаю свое тело влагой, которая необходима ему для правильного функционирования. Эта забота о теле вознаградится: здоровье мое улучшится».

Каждое утро следует выпивать стакан воды для лучшего функционирования кишечника. Питье воды сопровождается самовнушением — словесным обращением к кишечнику. «Я очищаю тебя, я даю тебе достаточно влаги для правильного функционирования Я придерживаюсь этой регулярной привычки, чтобы ты мог правильно действовать». При этом нужно поглаживать живот правой рукой по часовой стрелке. Похлопав несколько раз по области кишечника, повторите несколько раз: «Ты должен повиноваться».

На каждой прогулке при утреннем солнце следует наслаждаться солнцем: поднять голову, откинуть назад плечи и, вдыхая насыщенный праной воздух, мысленно повторять слова, создавая в уме соответствующий образ: «Я купаюсь в прекрасном солнечном свете природы и пью из него жизнь, здоровье, крепость и жизнеспособность. Этот солнечный свет делает меня сильным и наполняет энергией. Я чувствую в себе приток праны. Я чувствую, как прана разливается по моему организму с головы до ног, укрепляя мое тело. Я люблю свет солнца и наслаждаюсь им».

На прогулке при отсутствии солнца (но наличии чистого воздуха) самовнушение выражается в следующих фразах, произносимых мысленно (при соответствующем мысленном воображении): «Я дитя природы. Природа дает мне этот чистый воздух, чтобы стать крепким и здоровым. Я вдыхаю в себя здоровье, силу и энергию. Я наслаждаюсь ощущением обвевающего меня свежего воздуха и чувствую на себе его благотворное влияние. Я дитя природы и наслаждаюсь ее дарами».

Средство № 509

Оздоровление органов тела самовнушением — лечит заболевания печени, желудка, кишечника, сердца и других органов.

Каждая клетка организма обладает своим разумом. Существует коллективный разум групп клеток и, естественно, коллективный разум клеток, входящих в состав любого органа тела, то есть разум любого органа тела.

На наличии у органов тела разума основано использование метода самовнушения, который может быть назван «Оздоровление органов тела самовнушением».

Методика этого метода следующая: обращайтесь к любому органу своего тела мысленно или вслух, при этом отдайте твердое, ясное приказание, выражающее полностью то, что вы от него требуете, повторите это приказание несколько раз тоном не допускающим возражения. Для усиленного привлечения внимания клеточек можно слегка похлопать или поглаживать ту часть тела, где находится орган. Слова помогают составить умственную картину того, что вы хотите выразить. Образ этой умственной картины идет через нервную систему к месту расстройства, где воспринимается не только группой клеток, но и отдельными клетками. Сюда же стремятся усиленные потоки праны и питания через кровь, направленные сосредоточенным вниманием.

Нет необходимости произносить какие-то обязательные формулы, говорите то, что вам покажется наиболее подходящим, и вкладывайте в ваши слова как можно больше убедительности и непреклонной воли. Если вы не знаете, как сформулировать приказание, вы можете составить его приблизительно в таком роде: «Я чувствую облегчение, боль утихает, она должна совершенно утихнуть». Если вам неясно, какой орган причиняет страдание, то, во всяком случае, можно найти область расстройства и направить туда ваше приказание. Не обязательно знать название органа, обращайтесь к нему во втором лице. Этим методом самовнушения можно оздоравливать любой орган тела.

Приведем примеры применения данного метода самовнушения.

1) Оздоровление печени. Потирайте слегка ладонью место печени и с твердостью говорите: «Печень, исполняй лучше свою работу. Ты слишком медлительна, и я тобой недоволен. Теперь ты должна работать лучше. Работай, работай». Клеточки печени, по йоговскому представлению, имеют упрямый характер, и здесь необходимо твердое приказание.

2) Желудок имеет клетки с более развитым разумом, чем печень. Поэтому обращение к желудку должно быть несколько мягче, чем к печени.

3) Оздоровление сердца. Группа клеточек сердца обладает большей разумностью, чем клетки печени и желудка. С ними нужно обращаться гораздо почтительнее. Скажите сердцу о вашей надежде, что оно станет лучше работать, скажите это мягко, избегая резких выражений и понуканий.

Интересен по этому поводу рассказ И.Я. Евтеева-Вольского, одного из первых советских йогов (И.Я. Евтеев-Вольский, будучи очень больным, начал заниматься йогой в 60 лет; занятия йогой укрепили его здоровье и помогли раскрыть его экстрасенсорные способности): «Как только у меня заломило и закололо сердце, что обычно продолжается длительное время, я не стал пить валидол и нитроглицерин, а стал легонько, нежно поглаживать область сердца, очень при этом сосредоточенно и сконцентрированной волей давая приказания: «Милые клеточки, работайте хорошо и дружно, укрепляйте мышцы и ткани моего сердца, перестаньте болеть, и пусть сердце бьется ровно и хорошо, пусть полно разносит кровь по всему моему телу». Так я приговаривал и легонько растирал область сердца ладонью правой руки с полчаса. Боли прошли, сердце выравнивалось в ритме. В дальнейшем я применял этот метод всякий раз, когда возникали боли в области сердца. Сейчас я не страдаю ничем и много лет не принимаю лекарств, здоров».

Средство № 510

Оздоровление органов тела сосредоточением — лечит заболевания кишечника, желудка, печени, почек, сердца и других органов.

Воздействовать на клетки и органы можно без слов, с помощью сосредоточения. Речь идет о направлении в любое место тела энергетических токов путем простой концентрации мыслей. Способность вырабатывать энергетические токи и понимать силу направленного сознания достигается путем упражнений.

Клетки любой части тела могут стать носителями сознания (одушевленными) с помощью сосредоточения.

С помощью волевого усилия мы направляем наше сознание к другим нервным клеткам в любую часть тела, если эти клетки с таким же свойством, как и клетки серого вещества, и эти клетки могут стать носителями сознания, как высшие клетки серого вещества.

Можно привести многочисленные случаи, когда другие нервные волокна брали на себя функции погибших нервных волокон.

Приспособляемость и эластичность нервов велика. Одушевление каждой части тела осуществляется с помощью практики. Тот, кто занимается сосредоточением, может сам сделать свои клетки в любой части тела проводниками токов более высокого порядка.

По прошествии определенного времени при направлении сознания к нервным центрам какой-либо части тела произойдет реакция, но не настолько сильная, чтобы можно было использовать часть тела для мышления: нервные центры возбуждаются, и мы чувствуем покалывание от циркулирования крови и тепла.

Если в течение ряда лет мы будем направлять наше сознание на определенную группу нервов, они начнут развиваться и передавать более высокое направление сознания.

Таким образом, мало-помалу мы можем каждую часть тела сделать сознательной.

Примером этого служат подготовленные йоги, которые могут полностью прекратить работу пищеварительных органов и сердца. Методы и примеры воздействия на клеточки тела с помощью сосредоточения.

1) «Я вхожу в кончик пальца» — эксперимент.

Сожмите пальцы правой руки в кулак, выпрямите указательный палец, сосредоточьте ваше внимание на выпрямленном пальце с мыслью и чувством, что вы входите в кончик пальца.

Через короткое время вы почувствуете в пальце покалывание и тепло. Если сосредоточитесь достаточно сильно, тепло увеличится до ощущения жжения, и палец покраснеет.

2) Предотвращение простуды.

Глубоко сосредоточиваемся на ногах (создаем положительную энергию и тепло и тем самым предотвращаем такое переохлаждение ног, когда бациллы могут взять верх).

3) Предотвращение воспаления легких.

Глубоко сосредоточиваемся на мышцах спины, если охлаждена спина (то есть вырабатываем больше энергии).

4) Лечение толстой кишки.

Направление сознания есть также и направление тока крови к любой точке тела.

Для тех, кто страдает от вялости толстых кишок, следует сосредоточиться на толстой кишке и ощутить, что вы сами и есть та кишка.

Воздействие на клеточки и органы тела увеличивается при использовании совместно с сосредоточением полного йоговского дыхания.

Во время вдоха сосредоточиваемся на накоплении внутри нас праны, при выдохе мысленно посылаем свежую прану или во все части тела, или в каждую его часть, в зависимости от цели, преследуемой упражнением.

Прана направляется и·скапливается при каждом сосредоточении сознания.

Подобным образом (путем посылки праны в любую часть тела) можно укрепить или исцелить любую часть тела. То место, на котором мы сосредоточиваем наше внимание, получает особенно большой поток праны. Это подтверждается следующими фактами:

1) ученый держит свое сознание в мозгу, в результате чего в мозговых клетках особенно много праны, что позволяет ученому работать напряженно и продуктивно;

2) борец или боксер сосредоточивает внимание на захватах или руках, в результате чего растут мышцы.

Средство № 511

Вытеснение отрицательных установок положительными утверждениями — осуществляет перепрограммирование подсознания, в результате чего оздоравливаются все системы организма.

Поведение человека определяется определенными программами, представляющими собой разного рода установки, являющиеся следствием влияния окружающей среды. Установки в подсознании могут быть положительными и отрицательными. Отрицательные установки (устойчивые отрицательные программы в подсознании) являются в большинстве своем записями «Эффект внушения». Эти записи, как любые записи, носят аберрирующий характер и ведут, по определению Колина Киссона, к самодиверсиям, то есть поступкам, наносящим вред прежде всего тому человеку, который их совершает. Причины самодиверсии в том, что люди привыкли разделять все, что есть в этом мире, на плохое и хорошее. И человек на уровне подсознания многие вещи считает плохими, опасными, вредными и старается избегать их или подавляет собственные ощущения, связанные с ними. Это приводит к тому, что он часто ведет себя как робот, ибо в ситуации, вызывающей у него отрицательные ощущения, он руководствуется не логикой, а отрицательными установками, сформировавшимися в подсознании. Под влиянием отрицательных установок человек может воспринимать окружающий мир как жестокий и опасный, а себя считать как человека неустроенного, робкого, неудачливого и вообще не заслуживающего счастья. Наиболее типичная отрицательная установка — это самоотрицание, основанное на убеждениях типа «Меня не за что любить, и поэтому меня никто не любит», «Я себя ненавижу», «Я нехороший человек», а также на ярлыках, которые мы сами на себя навешиваем, типа «У меня нет способностей к математическим предметам», «Я слишком худой или толстый», «Я не способен руководить», «Я стеснительный». Самоотрицание опасно тем, что, делая нас сверх меры восприимчивыми к мнению окружающих, оно затрудняет выражение собственного мнения или заставляет вообще не иметь его. Другой вид типичных отрицательных установок — предубеждения, которые заставляют нас обожествлять людей, не замечая их недостатков, и, наоборот, не видеть положительного в тех людях, которые почему-то нам не нравятся.

Для того чтобы отрицательные установки перестали делать нас роботами и несчастными людьми, нам нужно усвоить три вещи:

1) перестать считать указанные установки правильными. Человеку не нужно прилагать никаких усилий, чтобы жить, любить, творить, работать, развлекаться. Усилия требуются тогда, когда мы блокируем себя от естественного, свободного и эффективного существования. На самом деле легче любить, чем ненавидеть, легче быть счастливым, чем несчастным, легче преуспевать в жизни, чем быть неудачником.

2) нужно попытаться жить настоящим моментом. Настоящий момент — это единственная существующая реальность. Если человек несчастлив в настоящей ситуации, то это потому, что он сравнивает ее со счастливыми воспоминаниями прошлого или приятными ожиданиями будущего. Если человек научится жить настоящим моментом, он сможет ощущать собственное совершенство и наслаждаться жизнью;

3) вытеснить из подсознания отрицательные установки установками противоположного характера, так называемыми положительными утверждениями типа «Я счастлив», «Я люблю себя», «Я замечательный человек», «Я все могу», «Я принимаю только правильные решения», «Я — совершенство».

Положительные утверждения нужно произносить с использованием следующих правил.

1. Не употреблять частицу «не» и строить утверждения настолько конкретно, чтобы не было никаких разночтений. Ведь подсознание чересчур прямолинейно и не разбирается в смысловых тонкостях. Нужно сказать ясно и четко, чего именно вы хотите. Если утверждение будет оформлено в виде «Я не хочу больше бояться», то подсознание воспримет это как «больше бояться». Утверждение будет правильным, если оно будет оформлено в виде «Я чувствую себя уверенно и спокойно».

2. Делать это нужно уверенно, с твердым акцентом на положительный аспект утверждения, подразумевая, что положительное утверждение открывает путь к изменению и вы, по существу, сообщаете подсознанию, что берете на себя ответственность за это изменение.

Если мы поверили, что увязли в какой-то ситуации или проблеме и принимаем это как факт, так как оно и произойдет, и произойдет это потому, что наши отрицательные установки станут реальностью. Нам не нужно допускать, чтобы отрицательные установки стали реальностью, и этому служит внушение в наше подсознание положительных утверждений.

Положительные утверждения применяются не только для целенаправленного вытеснения из подсознания отрицательных установок или для создания в повседневной жизни благоприятной атмосферы внутри себя и внешней среде. Если, например, идя на работу под дождем, вы говорите себе или спутнику, что день неприятный и плохой, имея в виду пасмурную и дождливую погоду, действительно верите в это, то неприятностей вам не избежать, они будут сопровождать вас весь день. Если вы примените другое утверждение, сказав, что день просто сырой, то, скорее всего, день пройдет так, как вы его запланировали, и ничто не будет мешать вам получать удовольствие от жизни.

Положительные утверждения, которые вы приготовили для вытеснения отрицательных установок, можно повторять про себя или напевать как песенки в любое время, когда есть для этого возможность. При этом все утверждения должны относиться только к вам и не затрагивать напрямую другого человека, ибо это будет вмешательством в его жизнь. Нежелательно говорить: «Петр меня любит», ибо в результате Петр оказывается под вашим контролем, а любой контроль характерен тем, что возникает обратная связь, и в данном случае вы подвергаетесь опасности быть зависимым от Петра. Особенно если ваше энергетическое поле недостаточно сильное. Правильным было бы в этом плане другое утверждение: «Я любима замечательным человеком, который имеет следующие качества...» — и далее нужно перечислить те качества, которые вам необходимы в личных отношениях. В этом случае вы даете вашему подсознанию поработать и так определить вашу жизнь, ваше поведение, что вы в конце концов встретите такого человека (причем вполне возможно, что это и будет Петр). Даже если вы хотите, чтобы ваш знакомый немедленно выздоровел, не требуйте этого в своем утверждении по поводу этого человека, ибо это тоже будет вмешательством в чужую жизнь (ведь вы не знаете, как идет духовное развитие этого человека, возможно, ему необходимо некоторое время поболеть). Пошлите этому человеку в своем утверждении любовь и пожелайте ему счастья.

Для того чтобы выработать для себя самые важные на данный период времени положительные утверждения, выясните сначала, какие основные отрицательные установки мешают вам жить. Для этого нужно сделать своего рода умственную чистку. Возьмите лист бумаги и напишите в нескольких словах, что говорили отрицательного о жизни, о взаимоотношениях между людьми, о деньгах, о любви и о вас, вашем поведении, о внешности, ваших родителях. А ниже опишите также в нескольких словах негативные высказывания в ваш адрес от товарищей, учителей, которые вам приходилось выслушивать в детстве. Все, что вы записали, сформировало значительную часть ваших отрицательных установок, и все записанное представляет собой негативное программирование подсознания. А теперь возьмите список ваших отрицательных установок и скажите твердо и уверенно, стоя перед зеркалом: «Я совершенно свободен от всех своих отрицательных установок. Я чувствую себя легко и свободно, это состояние для меня естественно. Я внутренне свободен и нравлюсь окружающим». И в дальнейшем старайтесь следовать этой внутренней свободе и не создавайте условий для появления в вашем подсознании новых отрицательных установок, для чего никогда не слушайте и не принимайте на веру то, что о вас негативно говорят другие. Чтобы укрепиться в себе в том плане, чтобы негативные мнения и разговоры действительно никоим образом не действовали на вас, как можно чаще думайте о своем «Я», о своей индивидуальности и неповторимости, ведь каждый человек, в том числе и вы, конечно, уникален, и вы пришли в этот мир, чтобы выразить себя, а не сравнивать себя с другими.

Человек, который болен и хочет как можно быстрее излечиться, должен быть настойчивым в работе со своими положительными утверждениями, то есть в перепрограммировании своего подсознания. Прежде чем лечь спать, поблагодарите себя за то, что сделали в течение дня, затем произнесите несколько раз положительное утверждение: «Я выздоравливаю во время сна, а утром просыпаюсь бодрым и полным сил». Утром, едва проснувшись, поблагодарите свое тело за проделанную ночью работу. В течение дня, несмотря на временное ухудшение здоровья, что в принципе может быть, и это можно считать естественным ходом выздоровления, по нескольку раз произносите положительные утверждения типа «Я здоров и полон энергии», «Жизнь приносит мне радость и любовь», «Я достоин любви и любим» и, наконец, пожалуй, самое главное утверждение, которое вы произносите, обращаясь к себе: «Я люблю тебя». Желательно добавить еще свое имя.

Жизненные ситуации, в которые вы попадаете, как правило, являются отражением внутренних убеждений, в том числе и отрицательных установок. Если на вас постоянно обрушивается поток критики на работе, то, скорее всего, вы сами склонны к критике. Когда случаются у вас неприятности, прежде всего нужно искать причину в себе, заглянув внутрь себя и спросив себя, какие мысли или какая отрицательная установка вызвала эту ситуацию, ибо все происходящее в нашей жизни — это зеркальное отражение того, чем мы являемся на самом деле. Но выяснить наличие какой-либо отрицательной установки и ее значение в соответствующей жизненной ситуации, так же как и составление списка отрицательных основных установок с последующим применением положительных утверждений, — это хотя и основное средство против отрицательных установок, но неполное. Немаловажно еще осознать, что подсознание сопротивляется нашему желанию измениться. То есть сопротивляется замене отрицательных установок на положительные (само осознание — это уже половина успеха в борьбе с отрицательными установками). Одна из форм сопротивления — это тенденция переместить то, что исходит от вас, на других людей. Подсознание как бы пытается скрыть ваши негативные установки, распределив их среди других людей. Например, вы жалуетесь на что-то, что вам не нравится в других людях, но в то же время прежде всего вы являетесь носителями того, что вам не нравится. Подсознание как бы провоцирует ваши отрицательные установки, ваши отрицательные качества, которые вам не нравятся, на других людей. Поэтому всегда, когда вас что-то раздражает в людях, постарайтесь проанализировать, какая ваша отрицательная установка или ваше отрицательное качество проецируется на других людей. Сопротивление подсознания может носить форму каких-то лавирующих действий, когда нужно принять решение о серьезных изменениях в своей жизни, касающихся жизненных установок. Это может выражаться во внезапном заболевании, во внезапном желании поесть или выпить, закурить, в перемене темы разговора, опоздании на встречу, связанную с указанными изменениями. Это может выражаться в ответах, которые сами по себе отражают те же или им подобные отрицательные установки: «Я в такие игры не играю», «Это не для меня», «А что скажут другие?» и тому подобное.

Когда вы осознали сопротивление вашего подсознания на анализы вашего отношения к другим людям и анализы хода изменений ваших внутренних установок, помогите себе снять сопротивление вашего подсознания с помощью следующего упражнения. Сделайте два глубоких вдоха. Затем, сделав третий вдох, интенсивно выдохните из себя воздух до конца. Держите паузу после выдоха столько, сколько сможете. На этой паузе, расслабившись, внушайте себе: «Я испытываю чувство освобождения. Я освобождаю все мои отрицательные установки». Упражнение нужно делать каждый день в течение недели.

Средство № 512

Отработка любви к себе с помощью положительных утверждений — способствует сбалансированности внутреннего мира, успокоенности, хорошим отношениям с близкими, сотрудниками на работе и вообще с другими людьми, уверенности в себе, вследствие чего мобилизуются защитные силы, оздоравливаются все системы организма.

Некоторые люди думают, что любить себя — это эгоизм. Но это не так. Любить себя — это значит уважать свою личность, принимать и осознавать свое «Я», кроме того, это путь к другим людям: научившись любить себя, мы познаем, как любить других. Любить себя — это значит любить процесс жизни, саму жизнь, это значит приобрести внутренний покой.

Каждый должен пройти собственный путь. Научить людей, как жить, сложная проблема, доступная только духовным учителям. Но то, что доступно каждому человеку, — это познать самого себя, и любовь к себе, по существу, первый шаг в этом направлении. Познав самого себя, вы поймете, что любовь к себе усиливает ваше биополе, создавая сильную защиту. И если вы чувствуете, что кто-то на вас отрицательно энергетически воздействует, просто любите себя, осознавая эту любовь, и вы защитите себя.

Важно постоянно использовать положительные утверждения, и тогда в результате реализации их подсознанием произойдет именно то, что вы ожидаете и чего вы хотите. Любовь к себе не возникает просто так, ее можно и нужно вырабатывать с помощью определенной тренировки, где средством тренировки являются положительные утверждения и мысленные представления. В текущей жизни в любое время суток, если вы думаете о себе, то думайте только положительно и в настоящем времени. При этом давайте предпочтение осознанию: во многих случаях осознание оказывает на подсознание более сильное действие, чем внушение. Когда же приходит время для положительных утверждений, используйте уже применяемые кем-то утверждения или сформулируйте свои. При этом не делайте упор на то, что вы не хотите делать, используя частицу «не», наоборот, говорите в настоящем времени о том, к чему вы стремитесь. Например, не стоит говорить: «Я не хочу быть бедным», а следует утверждать: «Я — состоятельный человек. С каждым днем мои доходы все более увеличиваются». Можно начинать свой день после того, как вы полежите немного с закрытыми глазами после сна, поблагодарив высшие силы за то, что вы имеете возможность жить, с положительного утверждения (перед зеркалом): «Все замечательно, и этот день самый замечательный. Все, в чем ты нуждаешься, придет к тебе. Ты великолепен. Я люблю тебя». Затем благословите себя, и с уверенностью начинайте свой день. В конце дня можно применить то же положительное утверждение.

Иногда можно использовать просто короткое положительное утверждение «Я люблю тебя» — даже такое короткое утверждение очень действенно, при этом сам процесс произнесения утверждения вызывает удовольствие (это только первое время в силу внутреннего сопротивления, задачей которого является скрыть истинную проблему, некоторое раздражение или иронию). Действенность, эффективность такого утверждения можно увидеть хотя бы в решении проблемы людей, страдающих ожирением. Они страдают от ожирения потому, что не любят себя. Как только они начнут уважать и любить себя, используя положительное утверждение «Я люблю тебя», их лишний вес исчезнет.

Сочетайте такое средство духовного целительства, как мысленное представление, с образом внутреннего ребенка. Можно представить себя ребенком в любом возрасте, но лучше всего маленьким ребенком. Выразите ему свою огромную любовь, и если вы будете делать это систематически, это прекрасное чувство будет менять вашу собственную жизнь. Применяйте медитацию, в которой вы представляете себе, что купаетесь в море любви. Подумайте, как развить эту тему, представьте какие-то мелкие детали. В конце медитации представьте, как любовь из вашего сердца разливается по вашему телу.

Если вам сложно пока представить и ощутить, что вы достойны любви и достойны всех благ жизни, используйте следующее упражнение. У каждого человека был в жизни такой эпизод, когда он чувствовал себя счастливым: у него не было никаких проблем, все у него получалось, как было задумано, окружающие видели в нем сильную личность (да и он сам чувствовал себя сильной и значительной личностью). Представьте перед своим мысленным взором этот эпизод, переживите его заново во всех мельчайших подробностях и, самое главное, остановитесь на своем ощущении значимости и ощущении счастья. Вернитесь в настоящее. А ощущение своей значимости и счастья держите при себе. На него можно ориентироваться при выполнении положительных утверждений.

Средство № 513

Выработка любви к другим людям — создает гармонию внутри себя и с окружающим миром, внутренний покой, следствием чего является пробуждение защитных сил, повышение тонуса организма.

Для того чтобы действенно выражать свою любовь к людям, нужно совмещать любовь к себе со стремлением помочь выжить нашей планете. Если бы большинство людей на планете, вместо того чтобы тратить свою энергию на жалобы и стенания, вложили бы ее в положительные утверждения и мысленные представления (акт положительного плана), то состояние общества и вообще состояние планеты стало бы изменяться в лучшую сторону, ибо, стремясь к миру с самим собой, человек налаживает контакт с мыслящими сходным образом людьми, и образуется общее сильное поле. Выразите свою любовь к людям в медитации, которая не является абстрактной, а действительно помогающей людям и планете. Представьте, что в каком-то населенном пункте все люди счастливы. Они находятся в безопасности, материально обеспечены, в душе каждого мир и покой, жизнь доставляет радость и наслаждение. Постарайтесь каждый день по возможности представлять эту картину, вкладывая в это занятие всю свою любовь.

Средство № 514

Аутогенная тренировка по Шульцу — снимает физическую и моральную усталость, способствует выработке положительных свойств характера, укрепляет нервную систему, тонизирует защитные силы, повышает жизненный тонус организма.

Аутогенная тренировка (АТ) основывается на самовнушении в состоянии расслабления. При расслаблении мышц, дыхания, сосудов, сердца сознание не мешает подсознанию воспринимать самовнушения в виде целевых формул (формул, отражающих цели, которые преследует определенный курс занятий АТ). Например, если с помощью АТ вам нужно выработать уверенность в себе, целевая формула имеет соответствующее содержание: «При всех обстоятельствах я спокоен и уверен в себе».

Считается, что автором этого метода является немецкий врач Иоганн Шульц. Свое название «аутогенная тренировка» («аутогенная» — сделанная для себя) этот метод получил в 1932 году в связи с выходом монографии Шульца «Аутогенная тренировка».

Аутогенная тренировка делится на низшую и высшую.

Главным направлением в занятиях низшей аутогенной тренировки является постепенное овладение определенными упражнениями с целью научиться управлять работой внутренних органов и добиться психического и физического расслабления. Низшая аутогенная тренировка является способом переключения организма из напряженного рабочего состояния в состояние восстановительного покоя (одна из целей ее упражнений — сделать этот переход как можно более незаметным и скоротечным).

Умение расслабиться многим непосильно, так как при современном ритме жизни человек часто не успевает проанализировать свое состояние и отдохнуть: одна перегрузка накладывается на другую, один стресс сменяет другой. Современный человек похож на спортсмена, который разбегается перед прыжком, но спортсмен после разбега прыгает и расслабляется, а наш современник «разбегается» всю жизнь без результатирующего прыжка и, следовательно, без отдыха. Для многих людей гибельно отсутствие разгрузки и неумение расслабиться. Существуют проверенные способы снятия переутомления и перенапряжения: разумная смена физической и умственной деятельности, неспешные прогулки и туристические походы. Но современному человеку нужна не просто разрядка, а разрядка в концентрированной форме с помощью аутогенной тренировки, так как времени не хватает.

Другая не менее важная сторона АТ низшей — воспитание характера, отработка с помощью целевых формул на фоне глубокого расслабления определенных положительных свойств характера. Это и является непосредственным фактором закаливания психики.

В процессе аутогенной тренировки происходит смена состояний в определенной последовательности, а именно:

1) принимается нужная поза, и наступает релаксация;
2) закрываются глаза;
3) возникает чувство общего успокоения;
4) появляется ощущение чувства тяжести;
5) возникает приятное ощущение тепла, разливающегося по всему телу. При этом может оставаться прохладный лоб, ясная голова.

Для отработки навыков аутогенной тренировки требуется пройти определенный курс занятий. Длительность курса низшей ступени — 2—4 месяца, длительность курса высшей ступени — 6—8 месяцев. Продолжительность каждого занятия (каждой формулы) — 15—20 минут. Время отработки каждого упражнения — 1—2 недели. Занятия проводятся в одиночку (самостоятельно) или в группах под руководством опытного преподавателя.

Для занятий аутотренингом применяются позы, в которых тело может быть полностью расслаблено и находиться в них без применения мускульных усилий.

Основная поза аутогенной тренировки — Поза кучера. Занимающийся сидит на стуле. Поясница при этом выпрямлена, а верхняя часть туловища слегка согнута и напоминает согнутую спину кошки. Голова расслаблена и опущена. Ноги расставлены на уровень плеч, руки без упора лежат на коленях, причем кисти свободно свисают между бедрами, подобно кучеру, который расслабился, ослабив поводья, и его лошади бредут сами собой. Если запястья расслаблены полностью, то это верный признак того, что положение тела выбрано правильно.

Для вечернего аутогенного погружения желательно принимать позу лежа на спине, голова лежит на подушке. Ноги вытянуты, нельзя закидывать ногу на ногу, стопы слегка обращены наружу, что способствует снятию мышечного напряжения.

Руки вытянуты вдоль туловища ладонями вниз и слегка согнуты в локтях.

Поза полулежа принимается в кресле с высокой спинкой, чтобы поясница располагалась в нижней части спинки и можно было бы удобно откинуть голову. Подлокотники должны находиться на такой высоте, чтобы на них можно было положить слегка согнутые локти. Кисти должны свободно свисать с подлокотников.

Следует обратить внимание на следующие аспекты освоения аутогенной тренировки.

1) Перед началом курса освоения АТ или курса АТ, направленного на решение определенной задачи, необходимо стратегически определить то, чего вы хотите добиться.

Перед каждым занятием обязательно возможно четче определить цели занятия (что необходимо устранить, чего добиться).

2) Положительный настрой — это важное условие. Воспринимать каждое занятие АТ как праздник встречи с собой.

3) Не расстраивайтесь, если ваше самовнушение не реализуется сразу. Ни одно самовнушение не проходит зря (с каждым разом внедрение в подсознание происходит все быстрее и легче).

Занятие 1. Программа занятия.

1. Достижение чувства успокоения.

2. Выработка ощущения чувства тяжести.

3. Выход из аутогенного погружения.

Глаза закрываются только после того, как принята правильная расслабленная поза. После этого наступает время перехода к «общим формулам настройки» по Шульцу. «Настраивание» осуществляется с помощью фразы «Я совершенно спокоен». Эту фразу необходимо, сохраняя расслабленность тела при закрытых глазах, «создать» в своем воображении как можно отчетливее. Оказывается, фраза может возникать в воображении в различных формах в зависимости от личностных особенностей человека. Воображение может быть «оптическим», когда человек видит эту фразу как бы написанной «в темном пространстве глаза» (проецирование в темноте), или акустическим, при котором она воспринимается в форме звука, часто с различным и переменным ударением.

Формула «Я совершенно спокоен» не является упражнением для тренировки. Она служит для настройки собственного «Я». Она может открывать упражнение или появляться между упражнениями, но в любом случае представлять отдельную формулу. Как подчеркивал Шульц, фраза «Я совершенно спокоен» служит исключительно для приведения в состояние дремоты и не должна приниматься за «упражнение успокоения». Цель фразы — показать как испытуемому, так и руководителю, какая форма воображения наиболее подходит именно для этого конкретного индивидуума или, говоря другими словами, каков характер «состояния покоя» данного человека.

Выработка чувства тяжести является первым упражнением в ходе всей аутогенной тренировки. Для этого используется формула «Моя правая рука тяжелая» (левши используют формулу «Моя левая рука тяжелая»). Эти фразы нужно произнести 5—6 раз подряд. Только затем можно один раз представить себе формулу «Я совершенно спокоен» для сохранения состояния дремоты. Затем вновь 5—6 раз произносят: «Правая рука тяжелая», потом снова формулу успокоения, и так далее. Интенсивность формулы должна быть достаточной для того, чтобы не дать подавить себя посторонним мыслям, которые возникают в ходе каждого упражнения. Эти мысли стремятся проникнуть в сознание, и это им в большинстве случаев удается независимо от желания человека, но он удерживает их на периферии сознания и может их игнорировать. Центр же сознания предназначается для мысли, которая в данный момент внушается. Если упражнение выполнено успешно, то в соответствующей руке действительно появляется ощущение мышечной тяжести.

Для выхода из аутогенного погружения применяется формула «Руки напряжены» и далее: «Вытянуть руки, согнуть руки. Дышать глубоко. Открыть глаза!» Эта команда выполняется немедленно и в последовательности, соответствующей формуле:

1) энергично несколько раз распрямить и согнуть руки;
2) произвести глубокий полный вдох;
3) открыть глаза.

Последовательность действий при выходе из дремоты нужно соблюдать очень точно и строго. Нельзя относиться к ней небрежно, она неотъемлемая часть процесса аутотренинга и важна в такой же мере, как и предыдущие действия. При такой последовательности человек возвращается в нормальное бодрствующее состояние. Если же занимающийся нарушает последовательность действий и сначала открывает глаза (это наиболее распространенная ошибка), то это затрудняет последовательный и полный выход из гипнотического состояния. Самым малозначительным последствием ошибки является то, что рука спустя еще долгое время остается как бы чужой и закостеневшей.

Необходимо помнить, что вы фактически находитесь в состоянии самогипноза, которое тем глубже, чем эффективнее было самовнушение, хотя ваше сознание и не отключено.

После правильного выхода из гипнотического состояния первое занятие заканчивается. До следующего занятия усвоенные навыки закрепляются дома. Через 1—2 недели можно добиться четкого ощущения чувства тяжести в конечностях и во всем теле.

Занятие 2. После выработки ощущения чувства тяжести можно переходить к следующей ступени — выработке ощущения чувства тепла. Это упражнение направлено на улучшение притока крови к органам вследствие расширения кровеносных сосудов. При этом для вызова ощущения тепла используется формула «Правая рука теплая».

Все упражнение, учитывая и первую формулу, приобретает следующий вид (формулы упражнения):

«Я совершенно спокоен — 1 раз. Правая рука тяжелая — 6 раз. Я совершенно спокоен — 1 раз. Правая рука теплая — 6 раз. Я совершенно спокоен — 1 раз. Правая рука теплая — 6—12 раз» и далее формула выхода.

Ощущение тяжести и тепла легче всего вызвать в правой руке. Однако благодаря нервным связям между двигательными органами состояние расслабления мышц и сосудов передается от правой руки к левой, от рук к ногам и мышцам тела (согласно закону генерализации Шульца). Генерализация позволяет ускорить процесс саморасслабления и самоконцентрации.

В дальнейшем, используя процесс генерализации, можно заменять детализированные формулы самовнушения общими: «Руки тяжелые. Руки теплые», а в конце курса формула сокращается до фразы «Покой, тяжесть, тепло».

Занятие 3. Через 1—2 недели, в течение которых отрабатывалось чувство тепла в конечностях и во всем теле, приступают к третьему упражнению, выраженному формулой «Сердце бьется спокойно и ровно».

Овладение расслаблением мышц и сосудов («тяжесть» и «тепло») помимо устранения многих функциональных расстройств ведет к нормализации работы сердца. Ощущение тепла в левой руке рефлекторно переходит на всю левую половину грудной клетки и расширяет коронарные сосуды, которые получают дополнительный приток крови, а с ней и кислород.

Выполнению упражнения для сердца способствует последовательность наглядных представлений, образов типа «Сердце работает размеренно, как мотор, как автомат, не требующий внимания. Оно пульсирует ровно и ритмично».

Все упражнение (комплексное упражнение с учетом упражнения для сердца) формируется таким образом:

«Я абсолютно спокоен — 1 раз. Правая рука тяжелая — 6 раз. Я абсолютно спокоен — 1 раз. Правая рука теплая —

6 раз. Я абсолютно спокоен — 1 раз. Сердце бьется спокойно и ровно — 6 раз. Я абсолютно спокоен — 1 раз», а далее формула выхода из аутогенного погружения.

Занятие 4. Отрабатывается формула «Дыхание спокойное и ровное».

Формулу для дыхания следует произносить, сконцентрировавшись на работе органов дыхания. Например, представив себе, как легко и приятно дышится во время прогулки в сосновом лесу. Можно при выполнении этого упражнения представлять себя во время плавания на спине, когда над водой подняты только рот, нос и глаза.

С учетом формулы дыхания комплексная формула АТ имеет вид:

«Я совершенно спокоен — 1 раз. Правая рука тяжелая — 6 раз. Я совершенно спокоен — 1 раз. Правая рука теплая — 6 раз. Я совершенно спокоен — 1 раз. Сердце бьется спокойно и ровно — 6 раз. Мне хорошо дышится — 1 раз. Дыхание спокойное и ровное — 6 раз». И далее формула выхода.

Занятие 5. Отрабатывается упражнение, выражаемое формулой «Солнечное сплетение излучает тепло».

В солнечном сплетении находится важнейший центр нервных сплетений, управляющий деятельностью органов брюшной полости и через них существенными компонентами нашего самочувствия и настроения.

Во время упражнений аутотренинга возникает ощущение, что этот нервный узел нагревается и как бы излучает тепло.

Желаемый эффект достигается лучше и быстрее, если обращаться к наглядным представлениям: представить, что при выдохе обнажается солнечное сплетение и на него падают прямые лучи солнца, можно представить, что на месте солнечного сплетения лежит грелка, тепло которой проникает глубоко внутрь тела и достигает позвоночника.

Комплексная формула АТ с учетом пятой формулы:

«Я совершенно спокоен — 1 раз. Правая рука тяжелая — 6 раз. Я совершенно спокоен — 1 раз. Правая рука теплая — 6 раз. Я совершенно спокоен — 1 раз. Дыхание спокойное и ровное — 6 раз. Я совершенно спокоен — 1 раз. Солнечное сплетение излучает тепло — 12 раз», а далее формула выхода.

Занятие 6. Через 1—2 недели после начала освоения формулы «Солнечное сплетение излучает тепло» приступаем к освоению упражнения «Лоб приятно прохладен». Это упражнение делается, как правило, легче, чем предшествующие. Помогают образные представления: представить, что в жаркий день вы сполоснули лицо холодной водой из ручья и т. п.

Комплексная схема АТ с учетом шестой формулы:

«Я совершенно спокоен — 1 раз. Правая рука тяжелая — 6 раз. Я совершенно спокоен — 1 раз. Правая рука теплая — 6 раз. Я совершенно спокоен — 1 раз. Сердце бьется спокойно и ровно — 6 раз. Я совершенно спокоен — 1 раз. Дыхание спокойное и ровное — 6 раз. Мне легко дышится — 1 раз. Солнечное сплетение излучает тепло — 6 раз. Я совершенно спокоен — 1 раз. Лоб приятно прохладен — 6 раз. Я совершенно спокоен — 1 раз. Лоб приятно прохладен — 6 раз».

Далее можно переходить либо к формулам намерений (формулам цели), либо, ограничившись достигнутой психической и физической релаксацией, использовать формулу выхода.

Занятия 7—10. Приведенную выше комплексную формулу можно использовать до тех пор, пока аутогенное погружение не превратится в устойчивый автоматический навык. Тогда можно переходить к сокращенному варианту комплексной формулы:

«Покой, тяжесть, тепло. Сердце и дыхание совершенно спокойны. Солнечное сплетение излучает тепло. Лоб приятно прохладен».

Формула выхода: «Руки сжаты, дыхание глубокое, глаза открыты, руки расслаблены».

Средство № 515

Аутогенная тренировка по Леви — снимает физическую и моральную усталость, способствует выработке положительных свойств характера, укрепляет нервную систему, пробуждает защитные силы, повышает жизненный тонус.

Программа освоения АТ представляет собой 15-недельный курс.

1-я неделя. Освобождение мышц. Упражнение сосредоточения: «Прожектор внимания».

2-я неделя. Освобождение мышц. Упражнение сосредоточения: «Созерцание».

3-я неделя. Освобождение мышц. Упражнение сосредоточения: «Фиксация пальца».

4-я неделя. Местные расслабления. Свободное дыхание.

5-я и 6-я недели. Местные расслабления. Свободное дыхание. Тепло. Тонизация.

7-я неделя. Свободное дыхание. Тепло. Тяжесть.

8-я неделя. Тепло — тяжесть. Сонное дыхание.

9-я и 10-я недели. Тепло — тяжесть — углубление, тонизация в разных темпах.

11-я неделя. Тепло — тяжесть. Формулы самовнушений для разных ситуаций.

12-я неделя. Тепло — тяжесть — образ, ситуация, настрой.

13-я, 14-я и 15-я недели. Тепло — тяжесть. Быстрое засыпание и темповая тонизация, дальнейшая мобилизация резервов памяти и сосредоточения, прицельные формулы.

Такая методика освоения АТ позволяет выработать навыки «оперативного» АТ, используемого в основном в процессе общения с людьми или непосредственно перед общением. АТ оперативно позволяет улавливать моменты, когда начинают сковываться мышцы, дыхание и сосуды, и быстро расслабить себя (мышцы, дыхание, сосуды). Это быстрое оперативное расслабление в любой ситуации достигается путем отработки ощущения каждой клеточки тела.

В течение первых 6 недель вырабатывается мышечное чувство, то есть умение чувствовать состояние напряжения и расслабления мышц. Выработка этого чувства осуществляется с помощью упражнений, основанных на контрастности (сравнивать напряженное и расслабленное состояние мышц и в результате научиться чувствовать состояние мышц, что позволит сбрасывать напряженность мышц в любой части тела). Эти упражнения выполняются следующим образом: напрягается какая-либо часть тела, а затем расслабляется.

Чтобы иметь возможность чувствовать зажимы мышц лица, отрабатывается мышечное чувство лица с помощью аналогичных упражнений: сжать челюсти — расслабить их; сморщить лоб, подняв брови, — опустить брови; нахмуриться — расслабить брови; расширить ноздри — расслабиться.

Очень важно расслабить глаза. Расслабленные глаза — залог общего успокоения. Чтобы почувствовать состояние расслабленности глаз, нужно выполнять упражнение: закрыть глаза, затем опустить веки в положение, которое они примут сами (если вы в бодрствующем состоянии, веки приоткрыты). Запомнить это расслабленное состояние век.

Чтобы сбросить мышечный зажим, нужно сделать небольшое, едва заметное движение (как внутреннее дуновение). При этом мышца как бы оседает.

Вход в аутогенное расслабление осуществляется с помощью психического замедления.

Замедление осуществляется с помощью мысленного представления: представить, что вы черепаха и медленно передвигаетесь.

Целью выхода из аутогенной расслабленности является снятие вялости и сонливости. Выход осуществляется с помощью внутренней тонизации: представить, что вы разбегаетесь и совершаете прыжок или попадаете под прохладный, освежающий душ.

Одно из условий успешного выполнения АТ — умение управлять своим вниманием, то есть умение сосредоточиваться. Упражнение «Прожектор внимания» основано на мысленном представлении, что в вашей голове находится прожектор, лучом которого освещается то, на что направлено внимание (когда он нацелен на что-нибудь, ничего другого уже не существует, все прочее погружается во тьму). «Прожектор внимания» используется как средство концентрации внимания во время сеанса АТ.

Так называемые «Созерцания» — упражнения отработки сосредоточения на каком-либо предмете. В удобной расслабленной позе в течение 2—5 минут пристально рассматриваются какие-либо предметы (освещаются «прожектором внимания»). При этом моргать можно сколько угодно, но взгляд должен оставаться в пределах предмета.

Нужно быстро освобождать дыхание, делать его свободным и легким. Для отработки включения свободного дыхания используется следующая методика: сесть в позу АТ, расслабиться (сбросить мышечные зажимы). Дышите в обычном режиме. Затем начинайте проникновенно вслушиваться в «дыхательное удовольствие».

Через некоторое время дыхание само собой несколько замедлится и углубится, станет более равномерным. Больше расслабятся мышцы всего тела. Вы ощущаете, что дышите легко и с удовольствием.

Для отработки ощущения тепла используется следующий метод: примите позу АТ, сбросьте мышечное напряжение, освободите дыхание, сосредоточьтесь на кончике указательного пальца правой руки (упражнение «Фиксация пальца»). Через некоторое время в кончике пальца будет ощущаться пульсация, покалывание, тепло охватит всю кисть, а затем всю руку. На следующем занятии переведите ощущение тепла с правой руки на левую руку, а затем на все тело.

Средство № 516

Аутогенная тренировка по Бехтереву — успокаивает физически и морально, укрепляет нервную систему, пробуждает защитные силы, укрепляет уверенность в себе.

Одним из действенных методов АТ является метод, использующий в качестве фонового состояния состояние полусна перед засыпанием и сразу после пробуждения (самовнушение по В.М. Бехтереву). На фоне полусна мысленно произносятся короткие фразы без напряжения, как бы механически. Во фразах исключается отрицательная частица «не». Характер фразы конкретный, утвердительный. Например, назавтра вам предстоит ответственная встреча с аудиторией. Перед сном, когда наступит состояние дремоты, вы мысленно произносите 5—10 раз фразы следующего плана: «Я спокоен. Перед слушателями в аудитории я буду уверен в себе, голос будет звучать легко и свободно».

Средство № 517

Аутогенная тренировка по Куэ. Метод Эмиля Куэ направлен в основном против функциональных расстройств в организме. В любое время дня занимающийся принимает позу для расслабления и затем монотонно шепчет фразы самовнушения. Например, 15—20 раз нужно монотонно, как бы безразлично, прошептать фразу «Все проходит...» (имеется в виду, что постепенно проходит расстройство здоровья) или фразу «С каждым днем мне становится все лучше».

Средство № 518

Согревающее упражнение — используется при ознобе, простудных заболеваниях. Сидя в удобной позе установить ритмическое дыхание, концентрируя внимание на небольшом участке тела, например на указательном пальце, и внушая себе, что это место становится теплым. Когда такое ощущение станет возникать, можно тренировать ощущение тепла в руках, ногах, спине, во всем теле.

Средство № 519

Психорегулирующая тренировка (ПРТ) — предназначена для успокоения, мобилизации и восстановления сил. В ПРТ преобладают короткие формулы самовнушения, отрабатываемые поочередно для расслабления элементов тела. Формулы самовнушения следующие:

1) Я расслабляюсь и успокаиваюсь; 2) Мое внимание на моем лице; 3) Мое лицо спокойно; 4) Губы и зубы разжаты (уточнение формулы № 3); 5) Расслабляются мышцы лба, глаз и щек (уточнение формулы № 3); 6) Расслабляются мышцы затылка и шеи; 7) Лицо начинает теплеть; 8) Теплеет затылок и шея; 9) Мое лицо полностью расслабленное, теплое, спокойное, неподвижное; 10) Мое внимание переходит на мои руки; 11) Мои руки начинают расслабляться и теплеть;

12) Мои пальцы и кисти расслабляются и теплеют; 13) Мои предплечья и локти расслабляются и теплеют; 14) Мои плечи и лопатки расслабляются и теплеют; 15) Мои руки полностью расслаблены, теплые, неподвижные; 16) Мое внимание на моих теплых пальцах (согревание); 17) Мое внимание переходит на мое лицо; 18) Мое лицо полностью расслабленное, теплое, спокойное, неподвижное; 19) Мое внимание переходит на мои ноги; 20) Мои ноги начинают расслабляться и теплеть; 21) Мои подошвы и голеностопы расслабляются и теплеют; 22) Мои голени и колени расслабляются и теплеют; 23) Мои бедра и таз расслабляются и теплеют; 24) Мои ноги полностью расслабленные, теплые, неподвижные; 25) Мое внимание на моих теплых голеностопах (согревание); 26) Мое внимание переходит на мое лицо; 27) Мое лицо полностью расслабленное, теплое, спокойное, неподвижное.

На освоение перечисленных формул требуется определенное время. Формулы 1—3 прорабатываются в достаточно медленном темпе, каждая в течение 1 минуты. Желательно повторить эти формулы 5—6 раз в течение дня. Через несколько дней можно приступить к освоению формул 4—6 (формулы для уточнения понятия «Спокойное лицо»). Заниматься нужно 3—4 раза в день (на формулы 1—6 уходит 2,5 минуты). Формулы 8—9: в них используется представление о тепле; отрабатываются сразу все 9 формул; заниматься нужно 2—3 раза в день в течение 3 недель. Освоение последующих формул осуществляется присоединением к освоенной группе формул последующих групп формул: сначала формул 11—14, затем формул 15—18, затем формул 19—23, 24—25 и, наконец, 26—27. После курса освоения всех формул следует перейти к сокращенному варианту ПРТ:

— каждая формула произносится по одному разу;
— изымаются промежуточные формулы 3—8, 12—14, 21—23.

Средство № 520

Аутогенная тренировка высшая — включает в себя несколько упражнений, которые нужно последовательно освоить и выполнить.

Цель упражнений высшей АТ:
— раскрепостить психику, получив внутреннюю свободу;
— понять индивидуальные особенности своей психики, раскрыть причину возникновения недостатков в психике, иногда переходящих в болезненное состояние, и определенными методами эти недостатки (отклонения) ликвидировать.

Все упражнения АТ высшей имеют следующее построение (последовательность формул):

Формула 1. Вводит в состояние расслабленности мышц, дыхания, сосудов (вводит в фоновое состояние АТ низшей): «Руки и ноги теплые и тяжелые. Сердце и дыхание спокойны и равномерны. Телу тепло, лоб остается прохладным. Спокойствие углубляется».

Затем глаза обращаются вверх или внутрь на выбор (этого не делают близорукие). Продолжение формулы: «Обращаем взор вверх и держим его до тех пор, пока веки не станут тяжелыми, устанут и опустятся вниз».

Формула 2. Отработка образа высшей АТ. Формула строится по следующему трафарету:

1) «Перед моим внутренним взором появляется тот или иной образ».

2) После примерно пятикратного повторения предыдущей части формулы следует: «Образ становится все более четким». После некоторой паузы: «Образ стоит ясно передо мной».

Формула 3. Формула служит для удаления образа: «Образ постепенно уходит» (2—4 раза), «Образ исчез».

Уже в первых упражнениях и затем обязательно при более поздних переживаниях образов существует обязательное условие полного удаления образа, которое должно быть непременно разучено с преподавателем, перед тем как делать упражнения дома (иначе вследствие остающихся образов могут возникнуть психические осложнения). Это полное удаление образа достигается с помощью формулы 4.

Формула 4. «Я считаю до шести. Когда я скажу «шесть», я буду чувствовать себя совершенно спокойно, бодро и хорошо. Один — ноги легкие, два — руки легкие, три, четыре — сердце и дыхание совершенно нормальны, пять — лоб имеет нормальную температуру, шесть — руки сильные, глубоко вздохнуть, глаза открыть».

На занятиях в группах формулы произносит преподаватель, на занятиях дома занимающийся произносит формулы мысленно.

Следующие цветовые упражнения являются подготовительными для видения образов.

Упражнение 1

Занимающийся, находясь в состоянии аутогенного погружения, старается мысленно «видеть» цветовые пятна, выделять из них одно и удерживать его некоторое время.

Это упражнение начинается, как и все другие упражнения, с точного выполнения формулы 1.

Формула 2. «Перед моим внутренним взором проявляется цвет, это мой цвет». После примерно пятикратного медленного повторения следует сказать: «Цвет становится все более четким. Цвет стоит ясно передо мной».

Через 3—4 минуты действия формулы 2 следует формула 3: «Цвет постепенно уходит (2—4 раза). Цвет исчез».

Упражнение 2

Занимающийся учится видеть весь спектр цветов и выделять из этого спектра цветов определенный цвет.

Умение вызвать и удержать перед внутренним взором определенный цвет помогает занимающемуся создавать нужный эмоциональный фон.

Порядок выполнения упражнения:

Формула 1. Далее следует формула 2 (каждую фразу повторять 2 раза): «Перед моим внутренним взором проявляется цвет, он чисто-синий, синий делается все яснее, синий стоит ясно перед моими глазами, синий постепенно превращается в фиолетовый, фиолетовый становится все более отчетливым, фиолетовый стоит ясно перед моими глазами, фиолетовый постепенно превращается в красный, красный становится все более отчетливым, красный стоит ясно перед моими глазами, красный постепенно превращается в оранжевый, оранжевый становится все более четким, оранжевый стоит ясно перед моими глазами, оранжевый постепенно превращается в зеленый, зеленый становится все четче, зеленый ясно стоит перед моими глазами, зеленый постепенно превращается в синий, синий становится все четче, синий ясно стоит перед моими глазами». Формула 3. «Цвета постепенно исчезают, цвета исчезли». Формула 4.

Упражнение 3

Занимающийся отрабатывает способность придавать каким-либо абстрактным понятиям конкретное содержание. Например, слово «мир» ассоциируется у занимающегося чаще всего с мирными ландшафтами (формула 3: «Перед моим внутренним взором возникает образ. Я вижу и переживаю мир»). Можно использовать понятия «свобода», «красота» и т. д.

Это упражнение, являясь подготовительным по отношению к последующим упражнениям, одновременно способствует состоянию внутреннего покоя и раскрепощенности.

Упражнение 4

Это упражнение одно из самых главных и заключается в умении видеть ряд картин, отвечающих на вопросы чисто психологического порядка. Так, на вопрос «Кто я?» можно видеть ряд картин, которые должны ответить на этот вопрос, при этом должна наступить «аутогенетическая нейтрализация», то есть погасятся психотравмирующие факторы, вызвавшие расстройство здоровья.

Порядок выполнения упражнения: формула 1, далее следует формула 2: «Перед моим внутренним взором появляется образ. Образ показывает мне — кто я»; после пятикратного повторения предыдущей части формулы следует ее заключительная часть: «Образ становится все более четким. Образ стоит ясно передо мной».

Упражнения 5 и 6

Занимающийся должен уметь «видеть кинофильм», то есть представлять динамические картины и видеть себя в них. Он должен эмоционально реагировать на эти события, переживать их. Например, он может представить себя в пути на дно моря или в пути на вершину горы. Эти упражнения являются наиболее совершенными упражнениями для самопроявления (проявления своих внутренних психических шрамов, нанесенных еще в детстве); проявления своих негативных свойств характера и поведения, которые выплывают из подсознания и «призывают» сознание принять необходимые меры для стабилизации характера и поведения и внутренней психической гармонизации.

Людям с абсолютно нормальной психикой упражнения дают ощущение усиления внутренней гармонии и ощущение просветления. Людям с некоторыми психическими отклонениями (боязнь одиночества, мания преследования, попытки покушения на свою жизнь) упражнения позволяют избавиться от психических отклонений (особенно эффективно в этом отношении упражнение «Путь на дно моря», где занимающиеся в борьбе с образами своих «психических шрамов» и психических недостатков очищают свою психику).

Упражнения «Путь на дно моря» и «Путь на вершину горы» являются дальнейшим углублением самопознания. В образных переживаниях основными действующими лицами являются сами занимающиеся. В предыдущих упражнениях значительная часть занимающихся могут не иметь образных переживаний. В упражнениях «Путь на дно моря» и «Путь на вершину горы» почти все переживают образы. Объясняется это тем, что многие занимающиеся могут переживать образы только при картинном их собственном участии в переживаемых событиях.

Пережитые пути на дно моря и на вершину горы позволяют понять, что происходит в глубине человеческой души.

Упражнения пути выполняются обычно вместе друг за другом, но можно выполнять эти упражнения отдельно.

В упражнении «Путь на дно моря» после формулы 1 используется формула 2 в следующем виде: «Перед моим внутренним взором появляется образ: я представляю себя (или вижу себя) на берегу моря» (повторить 2—4 раза). И далее: «Образ становится все более четким. Образ ясно стоит передо мной».

При погружении на дно моря многие занимающиеся встречают многих чудовищ, являющихся образами негативных психических качеств человека, пугающих и вызывающих страх. Занимающиеся должны быть абсолютно уверены в безопасности пути в глубину моря. Эта уверенность может быть им сообщена только в языке, образах и мире представлений того магического мира символов, в котором живут образы (таким образом, не АТ покидает необходимую естественную научную базу, а мир образов достигает тех глубоких слоев, в которых они охватываются лучше всего сказочными образами и понятиями волшебного детско-архаического мира). Поэтому продолжение формулы звучит так: «В моей руке волшебная палочка. Я по желанию могу превратить ее в любое оружие, чтобы им защищаться. Палочка может превратить в безопасный объект любое агрессивное существо. На моей левой руке волшебное кольцо, его лучи проникают во всякую темноту». Далее: «Я иду совершенно спокойно шаг за шагом. Все дальше и глубже на дно моря».

Абсолютно здоровые психически люди обычно видят приятные ландшафты и приятные живые существа. Невротики переживают опасности и образы, вызывающие страх, но при этом переживают и победоносное, освобождающее и оказывающее целебное свойство ощущение.

Попасть на дно моря не всем легко. Иногда требуются определенные усилия (особенно для невротиков). У некоторых море все дальше и дальше отступает, чем ближе к нему приближаются. Тогда помогает образ набережной или мола, с края которого занимающийся может по лестнице спуститься в глубину, или удается поездка по морю на лодке, в процессе которой можно с помощью веревочной лестницы исследовать дно моря.

Большинство занимающихся проделывают следующий путь (типичный случай): сначала путь проходит сквозь неорганический мир, по песчаному дну, затем, как правило, путь долго проходит по растительности. Чудовищные змееобразные растения или непрозрачные колючие кустарники могут стать преградой, и здесь волшебная палочка, превратившись в меч, может стать оружием освобождения от агрессивной области (у других этот путь более приятен: через цветущие луга и шелестящие леса). Затем в этой области большинство занимающихся начинают ощущать все увеличивающуюся темноту. Но, оказывается, достаточно луча кольца, который, как прожектор, рассекает ее. У большинства вслед за этим следует мир подводных животных: преобладают рыбы различной величины, формы и цвета. Это и подвижные изящные и прекрасные по раскраске рыбы, а также и угрожающие рожи тропических рыб-чертей. Часто вызывают проявление тревоги появляющиеся целыми стаями акулы, которые приближаются к одинокому путешественнику и наполняют его парализующим ужасом. Не меньший ужас вызывают огромные каракатицы, которые извергают чернильную жидкость на свою жертву, иногда занимающиеся чувствуют прикосновение бесчисленных щупальцев чудовища.

Другой часто повторяющийся вариант пути на дно моря: два различных слоя — растений, зверей, рыб и чудовищ и далее находящийся под ними почти райский ландшафт с эфемерными прозрачными существами, полулюдьми-полурусалками. Но нужно пояснить, что у каждого занимающегося может быть свое видение пути на дно моря (в зависимости от состояния психики).

Встречающиеся на пути чудовища не столь опасны и агрессивны, как это кажется с первого взгляда. Символическое содержание образа зверя в жизненной ситуации часто и существенно разъясняется, если занимающийся попросит зверя подняться с ним на поверхность моря, где тот зачастую в таком случае превращается в определенное лицо, являющееся причиной психических отклонений занимающегося.

Если происходит нападение, то занимающийся должен бороться, и волшебное оружие оказывается сильнее. Мечом можно проткнуть любой панцирь. Акулы протыкаются копьями, змей убивают кнутами, а чудовищ — дубинками, каракатиц режут ножами и целые полчища крабов жгут огнеметом.

Агрессивные меры важны прежде всего для невротиков. Они ведут подлинно героические бои с драконами, чудовищами, акулами, крокодилами, ядовитыми змеями, и всегда эти бои завершаются успешно. Они заканчиваются всегда повторяющейся резней, жуткими драками, насаживанием на кол, надавливанием и прочими методами уничтожения врагов. Именно эти агрессивные действия оказывают важное терапевтическое воздействие (в особенности на покушавшихся на свою жизнь). Занимающиеся получают несомненное облегчение. Каждому невротику нужно не реже 1—2 раза в неделю при помощи этого упражнения разряжать свою агрессию, иначе она обратится против него самого.

Перед первым выполнением упражнения преподаватель сообщает невротикам, что они могут при опасных или неприятных ситуациях в любую минуту подозвать преподавателя и рассказать ему детали их положения. Преподаватели в этом случае дадут действенный совет.

Выход (обратный путь) достигается следующим продолжением формулы 2: «Я постепенно ухожу от своих переживаний и иду совершенно спокойно, шаг за шагом обратно». Далее следуют формулы 3 и 4.

В упражнении «Путь на вершину горы» после формулы 1 используется формула 2 в следующем виде: «Перед моим внутренним взором развивается образ: я представляю высокую гору. Образ делается четче. Образ ясно стоит передо мной». И далее: «Я спокойно, шаг за шагом поднимаюсь все выше».

Для некоторых подъем в гору может быть затруднен. В этом случае могут быть использованы подсобные средства (воздушный шар, самолет).

«В пути на гору» не нужны волшебная палочка и волшебное кольцо. Видения просторов верхнего мира («неба») обычно действуют положительно, и поэтому никогда «в пути на гору» не наблюдались опасности, от которых требовалась защита.

Когда занимающиеся ощущают, что они добрались до вершины горы, они произносят формулу (продолжение формулы 2): «Я смотрю вокруг, увижу ли я жилище отшельника — я стремлюсь с ним поговорить». Почти всем занимающимся удаются при употреблении этой формулы встречи с мудрым отшельником, который служит воплощением совести. Он всегда умеет дать совет в трудных жизненных вопросах, и его ответы соответствуют законам психотерапевтических консультаций.

Значительные трудности при психоаналитическом оздоровлении заключаются в трудноустраняемой зависимости пациента от своего аналитика. Для занимающегося важно прийти к зрелой, внутренней самостоятельности. Пространственное представление выси с образом отшельника в данном упражнении решает эту задачу. Занимающиеся, вместо того чтобы спрашивать другого человека, учатся спрашивать отшельника, то есть свою совесть.

Упражнение «Путь на вершину горы» дает:

— переживание света. Эти переживания часто сопряжены с приятной теплотой, они способствуют общей эйфории, состоянию душевного благополучия. Часто левая половина тела при выполнении упражнения ощущает прохладу и замерзает. Если ее на горе поворачивали к солнцу, то ее пронизывало приятное тепло, иногда с ощущениями «оттаивания». И неудивительно, что занимающиеся, обладающие холодными чувствами, после таких упражнений говорили о том, что они стали более сердечными в своей жизни;

— переживание просветления: путь на вершину горы приносит убеждение в том, что нужно делать, дает ясность, особенно когда нужно принимать решение (дается через образы).

Продолжение формулы 2 (спуск с горы): «Я постепенно избавляюсь от своих переживаний и совершенно спокойно, шаг за шагом иду вниз обратно». Далее следуют формулы 3 и 4.

На каждое из перечисленных выше упражнений высшей АТ требуется для отработки от 1 до 5 недель.

Средство № 521

Словесное внушение — используется для оздоровления человека или группы людей, являющихся объектом внушения: пробуждаются защитные силы организма, устанавливается душевное равновесие, лечатся болезни сердечно-сосудистой системы, желудочно-кишечного тракта и другие болезни. Внушение проводится следующим образом.

1) Прежде всего человека, подвергающегося внушению, нужно привести в спокойное миролюбивое состояние, проводя соответствующую беседу, так как спокойное миролюбивое состояние увеличивает восприимчивость к внушению.

2) Внушаемый должен находиться в удобном, расслабленном состоянии; чем более расслаблен внушаемый, тем больше у него восприимчивость к внушению.

3) Тот, кто внушает, должен привести себя:

а) в состояние сосредоточенности на своей работе (невнимательность и несосредоточенность ослабляет действие внушения);

б) в состояние уверенности в себе.

4) Особого красноречия не требуется, но нужно вложить в речь чувство и настойчивость. Голос должен быть звучен и силен, не требуется, чтобы он был громкий, но он должен быть проникнут силой (силой убеждения, уверенности в себе).

5) Сила внушения увеличивается от повторения. Повторение внушения утверждает его в памяти внушаемого; повторять можно, но неоднообразно, одну и ту же мысль, передавая ее разным сочетанием слов.

6) При внушении важно представить внушаемому желаемое состояние, то есть то состояние, которого вы добиваетесь с помощью слов и с помощью собственного мысленного представления.

7) При внушении не следует упоминать о расстройствах здоровья, нужно говорить о состоянии, которого необходимо достигнуть.

Средство № 522

Мысленное внушение — используется для оздоровления человека, являющегося объектом внушения: устанавливается душевное равновесие, лечатся болезни сердечно-сосудистой системы, желудочно-кишечного тракта и другие болезни.

Мысленное внушение в основном применяется при заочном воздействии (при воздействии на расстоянии). В этом случае нужно вообразить, что объект внушения возле вас в той же комнате. Но можно представить себе объект внушения на любом расстоянии, главное — мысленно видеть его в близкой к действительности обстановке. Нужно видеть, как мысли уходят и достигают этапа внушения. При этом можно мысленно беседовать с «пациентом» совершенно так же, как если бы он лично присутствовал. При заочном внушении нужно договориться заранее с объектом внушения об определенном времени сеанса внушения (если речь идет об оздоровлении организма).

Главным при мысленном внушении является способность мысленно представить себе выздоровление пациента. Сама передача мысли не требует особого напряжения. Нужно только представить себе, что передача мысли осуществляется.

Средство № 523

Гипноз с использованием вспомогательных средств: луча света монотонного звука, монотонных движений — излечиваются нервные заболевания, умственные расстройства, устраняется алкоголизм и наркомания, снимаются боли.

Луч электрического света, направленный рефлектором в лицо и глаза, может вызвать гипнотический сон (при этом необходимо, чтобы в комнате была темнота или полумрак). Медленнее, но зато спокойнее гипнотизируемый погружается в легкий гипнотический сон, если его слух непрерывно раздражается каким-либо монотонным звуком (метрономом, тиканьем маятника).

Эффективно также сосредоточение внимания гипнотизируемого на монотонных движениях какого-либо предмета около лица. Приведем пример процесса гипнотического внушения с использованием монотонного движения пальцев гипнотизера. Допустим, гипнотизер ставит своей целью снятие головных болей у пациента. Порядок действий гипнотизера.

1) Пациент усаживается в удобное кресло. Гипнотизер, стоя перед пациентом, кладет левую руку ему на голову, а правую руку (2 пальца) держит перед глазами на высоте 30 см так, что-

бы тот был вынужден несколько напряженно смотреть вверх, чтобы видеть 2 пальца.

2) Гипнотизер медленно ведет пальцами вокруг лба и под глазами пациента — в виде круга 30 см диаметром, потребовав от пациента внимательно следить глазами за этим движением. Движение продолжается 5 минут.

Одновременно с движением пальцев гипнотизер спокойно, хладнокровно и несколько монотонно говорит: «Вас не должно ничего пугать. По вашему и моему желанию вы перейдете из активного бодрствования в полусонное состояние, в котором вы будете слышать, что говорят, но не будете обращать на это внимания. Из этого полусонного состояния вы переходите в сон и не будете иметь никакого представления, что вокруг вас происходит». Вскоре сонное состояние овладевает пациентом.

3) Голос гипнотизера звучит все успокоительнее и однообразнее: «Ваши глаза начинают тяжелеть, вы чувствуете желание уснуть. У вас такое чувство, что всякое движение для вас трудно, кровь мало-помалу отливает от конечностей. Ваши ноги, руки и голова становятся все холоднее, сердцебиение медленнее, пульс понижается. Вы дышите свободнее, спокойнее и глубже и медленно погружаетесь в здоровый сон».

4) Гипнотизер несколько секунд молчит, после чего произносит успокаивающим тоном: «Закройте глаза и спите», причем слегка прикасается к векам пациента пальцами рук.

Далее продолжает: «Ваши боли мало-помалу угаснут, и через несколько минут вы будете спать здоровым сном, а когда проснетесь, ваши боли совершенно пройдут. Итак, спите спокойно дальше, пока я не вернусь».

5) Гипнотизер оставляет пациента на 10—15 минут. После возвращения гипнотизер говорит пациенту: «На следующем сеансе вы легче перейдете в сонное состояние, и сон ваш будет гораздо глубже. После нескольких сеансов боли совершенно пройдут».

6) Выход из состояния гипноза дается ниже.

На следующем сеансе гипнотизер приступает к погружению пациента в глубокий сон: «Ваши глаза крепко закрыты и вы не имеете силы их открыть. Вы теперь погрузитесь в глубокий сон, а когда проснетесь, не будете помнить, что с вами было. Ваша память на это время совершенно пропадет. Вы будете только сознавать, что крепко и глубоко уснули, и это будет весьма благотворно для вашего здоровья».

По возвращении, через 10—15 минут, гипнотизер проводит рукой поперек лба пациента, говоря при этом: «Вы хорошо отдохнули, освежились сном. Теперь вы не будете чувствовать никакой боли (в голове и т. д.), и ваш ум после этого сна станет живее и яснее. Вы проснетесь, как только я сосчитаю до трех, и если я впоследствии пожелаю вас гипнотизировать для вашей собственной пользы, то вы тотчас же будете погружаться в глубокий сон. Теперь же я вас спокойно разбужу: раз, два, три — проснитесь!»

Пациент открывает глаза и может подтвердить, что не чувствует ни боли, ни какого-либо неприятного чувства.

Пациент совершенно не может вспомнить, что ему говорили после закрытия глаз и до настоящего момента. Это признак того, что он был подвергнут глубокому гипнозу.

Средство № 524

Гипноз с использованием вспомогательных средств: блестящего предмета или, в крайнем случае, любого предмета — устраняет функциональные расстройства, лечит заболевания нервной системы, развивает умственные способности.

При гипнотическом внушении часто используется сосредоточение внимания гипнотизируемого на блестящем предмете (шарик, монета или другое). Как осуществляется гипнотическое внушение, видно из следующего примера.

1) Пациенту дают в руки блестящий предмет, он держит его на расстоянии приблизительно 10 см от глаз. Гипнотизер твердо говорит: «Смотри пристально на предмет. Не обращай внимания на окружающее, на шум. Твои веки становятся все более и более тяжелыми, ты будешь настолько сонным, что не сможешь открыть их». Гипнотизер становится сзади или сбоку, правую руку кладет на затылочную часть и крепко, но приятно надавливает.

2) Пауза для прихода пациента в сонное состояние.

Снова внушение: «Твои веки будут становиться все более тяжелыми. Ты будешь все более сонным, пройдет еще короткое время, и ты не будешь в состоянии держать глаза открытыми, но ты должен закрыть их не раньше, чем я прикажу это тебе. Теперь с трудом ты различаешь монету, все сливается, но тем не менее смотри».

Голос не такой повелительный, отчасти сонный: «Твои глаза готовы уже сомкнуться, ты с трудом можешь держать их открытыми».

Далее совершенно сонным голосом, растягивая слова, как бы сам сильно утомленный и желающий спать: «Теперь твои глаза должны закрыться, ты не можешь их держать более открытыми, они закрываются, и ты будешь спокойно спать, закрой теперь совсем глаза».

Правая рука лежит по-прежнему на затылке пациента, левую он кладет ему на лоб и говорит: «Спи!» Это приказание должно быть отдано вполне спокойно, но решительно.

Веки пациента будут слегка моргать, иногда даже продолжительное время, но вскоре мускулы ослабнут, устанут, и пациент со вздохом облегчения и удовольствия полностью откинется на спинку кресла. В этом положении его нужно оставить и несколько минут не обращаться к нему ни с какой речью. В комнате должно быть тихо.

3) Погружение в глубокую фазу сна. Гипнотизер произносит тихо: «Ты крепко уснул, и ничто тебя не разбудит, ничто тебя не встревожит. Ты тогда будешь в состоянии открыть глаза, когда я тебе прикажу. Ты остаешься в этом сне».

4) Опыт каталепсии: «Теперь я подниму твою руку, и это не должно тебя нисколько потревожить, ничто тебя не разбудит». Гипнотизер тихо отнимает свою руку от затылка пациента и проводит ею 2—3 раза по ближайшей его руке. Затем быстро приводит ее в горизонтальное положение и говорит: «Твоя рука неподвижно остается в этом положении». После этого проводит по ней 2—3 черты и произносит: «Рука остается твердой и неподвижной, и ты не можешь ее опустить».

Можно то же сделать с другой рукой или ногами.

«Теперь я поглаживанием твоей руки от затылка к плечу освобождаю ее от оцепенения. Твоя рука свободна, и ты можешь опустить ее вниз».

5) Игровые эксперименты. Гипнотизер: «Ты теперь находишься в глубоком сне и будешь делать то, что я тебе прикажу. Никто не может тебя разбудить, кроме меня одного».

Гипнотизер ставит пациента на ноги, быстро проводит руками от его головы по рукам вниз до ног, причем только слегка касается одежды пациента; проделывает это несколько раз с обеих сторон, спереди и сзади. Гипнотизер: «Ты можешь легко и спокойно спать стоя. Ты откроешь глаза, как только я тебе прикажу, и будешь видеть то, что я тебе прикажу, и все тебе покажется как бы в действительности. Хотя я тебе приказываю открыть глаза, но ты отнюдь не проснешься. Ты будешь продолжать спать».

Гипнотизер протягивает простую палку: «Ты не боишься змей. Открой глаза и смотри на змею». В это время пациент находится в состоянии активного сомнамбулизма. Гипнотизер берет палку у пациента, отводит ее в сторону, быстро и твердо проводит руками по его лицу, говоря: «Спи». Активный сомнамбулизм превращается в глубокий сон.

Аналогично проводится опыт с сырой картофелиной (превращение в яблоко), со скипидаром (превращение в одеколон), с мамой (пациент беседует с воображаемой мамой).

Во время опыта нужно быстро и решительно говорить, чтобы пациент не проснулся.

6) Гипнотизер: «Теперь иди в свое кресло, чтобы заснуть там глубоким сном, а я во время сна дам тебе внушение, чтобы избавить тебя от функциональных расстройств». Оставляет пациента на 5 минут. Затем гипнотизер кладет руку на голову пациента и говорит: «Твое здоровье поправится, и с этих пор ты будешь чувствовать себя крепким и сильным. Спи 10 минут, потом самостоятельно проснись и не вспоминай ничего, что произошло с тобой за это время».

7) Пациент ровно через 10 минут проснется.

8) Если пациент не проснется, гипнотизер кладет руку на голову пациента и говорит: «Ты хорошо отдохнул, чувствуешь себя совсем здоровым и в хорошем настроении. Когда я сосчитают до трех, ты совсем проснешься. Раз, два, три — просыпайся!» Пациент откроет глаза и проснется.

9) Вместо блестящего предмета можно использовать любой предмет (в этом случае требуется больше времени для достижения гипнотического состояния). Внушения гипнотизера здесь следующего плана: «Я держу перед вами предмет. Вы смотрите на этот предмет. Вы слышите мой голос. Если вы отведете взгляд, направьте его снова на предмет. Расслабьтесь и слушайте мой голос. Фиксируя предмет и слушая мой голос, вы чувствуете, что расслабляетесь все более и более. Мышцы ваших ног расслаблены, мышцы ваших рук, мышцы кистей расслаблены. Вы чувствуете также, что вы дремлете. Вы будете дремать все глубже и глубже. Слушайте хорошо мой голос, а теперь вас охватывает тяжесть, ваше тело становится тяжелым. Ваши ступни, ваши ноги, все тело становится тяжелым, тяжелым, тяжелым. Вы думаете о сне. Приятное тепло пронизывает ваше тело, как бывает, когда вы засыпаете. Ваши веки становятся тяжелыми, тяжелыми, тяжелыми. Думайте о сне и ни о чем другом. Вы не можете держать глаза открытыми, ваши веки становятся тяжелыми, тяжелыми, тяжелыми. Вы хотите спать, вы все больше и больше хотите спать, ваш взгляд утомлен, вам колет глаза. Дышите глубоко и медленно. Вы засыпаете. Спите, спите».

Средство № 525

Гипноз с использованием вспомогательных средств: дыхания пациента, глаза в глаза — снимает боль, устраняет функциональные расстройства, лечит заболевания нервной системы.

Внимание гипнотизируемого может быть сосредоточено на своем процессе дыхания. Гипнотизер, стоя перед пациентом, кладет левую руку ему на голову, а правой рукой держит левую руку пациента и сообщает ему, что нужно медленно, глубоко дышать и обратить все свое внимание на процесс дыхания. Посредством этого метода гипнотическое состояние достигается так же, как и посредством пристального непрерывного созерцания блестящего предмета (ибо состояние гипноза в большей степени зависит от сосредоточенного внимания, тем или иным способом направленного на соответствующий предмет).

Гипнотизер может использовать свой взгляд для удержания внимания пациента. Пациент может сидеть или лежать. Допустим, пациент лежит на кушетке. Гипнотизер садится на стул у изголовья пациента, наклоняется над его головой так, чтобы удобно было смотреть пациенту в глаза. Постепенно он наклоняется до расстояния 12—15 см от лица пациента и направляет пристальный взгляд в глаза пациента, требуя от пациента смотреть в его глаза. Он может не говорить ни слова, вокруг должна быть тишина. Такое положение гипнотизер занимает, если нужно, в течение часа, настоятельно думая о том, что пациент должен заснуть. Спустя полчаса или даже меньше веки пациента начнут мигать, но единственное слово из уст гипнотизера снова приковывает внимание пациента, и он пытается опять держать глаза открытыми, но, наконец, устанет и не будет в состоянии противиться сну, глаза его закроются. Этот метод может использоваться для достижения глубоких стадий гипноза.

Через 10 минут после погружения пациента в гипнотический сон гипнотизер кладет руку на голову пациента и говорит: «Вы хорошо отдохнули, теперь вы не будете чувствовать никакой боли, которая вас беспокоила, функциональные расстройства исчезли, нервная система приходит в нормальное состояние. Теперь я вас разбужу: раз, два, три — проснитесь!»

Средство № 526

Гипноз с использованием вспомогательных средств: глаза в глаза плюс магнетические пассы — излечивает нервные заболевания, меланхолию, умственные расстройства.

В этом способе гипноза существенным элементом является влияние гипнотизера на пациента своей биоэнергией с помощью так называемых магнетических пассов. Гипнотическое внушение может протекать в следующем порядке: пациент в удобном кресле. Гипнотизер садится прямо перед пациентом, его глаза должны быть несколько выше глаз пациента. Он берет правую руку пациента в свою левую, его левую — в свою правую, наклоняется к его лицу на расстояние 30 см, а затем приказывает смотреть в свои глаза не отрываясь и стараясь не моргать. Большими пальцами рук гипнотизер периодически нажимает на наружную часть рук пациента между средними и безымянными пальцами, попеременно увеличивая и уменьшая давление. Следует словесное внушение: «Вы чувствуете покалывание в кисти правой руки, покалывание переходит на всю руку, распространяется на плечо и мало-помалу по всему телу, вы чувствуете тепло во всем теле, чувство тепла овладевает вами. Когда вы не будете в состоянии держать глаза открытыми и устремленными на меня, то закройте их».

Когда пациент не в силах будет держать глаза открытыми, гипнотизер поднимает руку и закрывает ему глаза, говоря: «Не противьтесь, спите». Затем гипнотизер встает со своего стула, делает длинный магнетический пасс сверху вниз по всему телу, со вдохом поднимает руки над головой и, держа кончики пальцев на расстоянии 5 см от тела пациента, медленно проводит руками над телом до колен. Магнетические пассы продолжаются минут 10. Далее гипнотизер говорит: «Вы находитесь в состоянии магнетического сна. Спите глубже».

Через 10—15 минут после погружения пациента в гипнотический сон гипнотизер проводит рукой поперек лба пациента и говорит: «Вы хорошо отдохнули, освежились сном. Теперь вы освободились от нервных заболеваний. Вы будете чувствовать себя совсем здоровым и в хорошем настроении. Теперь я вас разбужу: раз, два, три — проснитесь!»

Средство № 527

Гипноз с использованием вспомогательных средств: манипуляции с глазами пациента (быстрый способ гипноза) — устраняет алкоголизм, наркоманию, снимает боль, излечивает нервные заболевания.

Достаточно быстро пациент входит в состояние гипнотического сна при использовании в качестве объектов сосредоточения голоса гипнотизера в сочетании с закрыванием и открыванием своих глаз. Гипнотизер говорит: «Я буду считать и усыплять вас под счет: по мере того как я буду считать, вы должны попеременно открывать и закрывать глаза. Теперь пока закройте глаза и держите их так, пока я не стану считать. И как только скажу «раз», на секунду откройте глаза, взгляните на меня и снова закройте и т. д.». Затем гипнотизер медленно считает от 1 до 20, причем между каждыми двумя числами делает паузу в 5 секунд. Пациент вследствие напряженного внимания на счете и своих глазах утомляется и после нескольких фраз гипнотизера о наступлении сна погружается в гипнотическое состояние.

Глаза в качестве объекта сосредоточения используются в следующем методе. Пациент садится в кресло, гипнотизер сидит на стуле рядом или стоит. Гипнотизер говорит: «Закройте глаза. Теперь закатывайте глазные яблоки насколько возможно под лоб так, чтобы вам казалось, будто они находятся в мозге. Внушайте самому себе, что вы не можете открыть глаз. Попытайтесь изо всех сил поднять веки; вы почувствуете, что невозможно открыть глаза. Но вы пытаетесь настойчиво делать это. При этом вы должны удерживать свои мысли там, в мозге, где находятся ваши глаза, и скоро вами овладеет глубокий гипноз. Вы ничего не будете слышать из того, что будет происходить в комнате, и все свое внимание будете сосредоточивать на моем голосе». Вскоре у пациента наступает состояние гипнотического сна.

Через 10 минут после погружения пациента в гипнотический сон гипнотизер кладет руку на голову пациента и говорит: «С этого момента у вас больше не будет потребности в алкоголе и в наркотиках. Вы будете чувствовать себя здоровым. Когда я сосчитаю до трех, вы проснетесь: раз, два, три — просыпайтесь!»

Средство № 528

Гипноз без использования вспомогательных средств — лечит умственные расстройства, расстройства нервной системы, устраняет вредные привычки в виде лени, пьянства, наркомании.

В этом способе гипноза объектом внимания пациента является непосредственно голос гипнотизера и состояние собственного тела. Гипнотическое внушение может протекать по следующей методике: уложив пациента на кушетку (голова на низкой подушке), гипнотизер произносит: «Вы чувствуете давление подушки на вашу голову, на ваш затылок и на ваши плечи. Вы чувствуете кушетку под всей вашей спиной. Теперь вы переносите внимание на ваши бедра и чувствуете, что кушетка поддерживает все ваше тело. Вы очень, очень расслаблены, как будто ваше тело углубилось в диван, углубилось туда полностью. Представьте себе, что вы дома или в другой спокойной и уютной обстановке, где удобнее всего засыпать. Может быть, это берег моря, или лес, или луг около реки в жаркий летний день. Вы дышите редко и глубоко. Ваше тело мягко и расслаблено. Вы очень расслаблены, очень, очень расслаблены. Все ваше тело очень расслаблено. А теперь можно засыпать. Спите, спите спокойно, глубоко, спокойно и глубоко спите. Вы засыпаете все глубже, глубже и глубже. Спите и слушайте мой голос. Спите спокойно, глубоко».

В случае отсутствия наступления сна у пациента нужно перевести внимание на руку: «Рука лежит свободно, вы ее начинаете чувствовать. В мышцах начинаются еще незаметные движения. Сейчас пальцы начнут медленно шевелиться. Интересно, какой палец начнет шевелиться первым? Вот пальцы начинают тихо вздрагивать. Между пальцами появляется пространство. Оно все увеличивается и увеличивается». Затем следует медленно поднять у пациента пальцы, кисть и руку. Внушить, что рука легкая, как перышко. «Пока рука поднимается, вы засыпаете все глубже, глубже. Засыпаете, а рука останавливается и потом начинает медленно опускаться. Пока она опускается, вы засыпаете все глубже и глубже. Когда рука коснется дивана, вы совсем уснете, и будете слушать только мой голос».

Через 10—15 минут после погружения пациента в гипнотический сон гипнотизер кладет руку на голову пациента и говорит: «С этого момента вы освободились от расстройства нервной системы и будете чувствовать себя здоровым. Теперь я вас разбужу: раз, два, три — проснитесь!»

Средство № 529

Внушение во время сна. Во время естественного сна с помощью словесных внушений можно вызвать у спящего гипнотическое состояние и использовать это гипнотическое состояние для его оздоровления.

Наиболее успешно этот метод можно использовать для оздоровления детей, страдающих от заикания, ночного недержания мочи, невроза и дурных привычек. Методика такова: отпуская ребенка спать, нужно сказать ему: «Ночью, когда ты будешь крепко спать, я приду к тебе и кое-что тебе скажу. Ты нисколько не должен удивляться этому и совсем не должен просыпаться. Но все-таки ты должен будешь мне отвечать, когда я задам тебе несколько вопросов». Когда ребенок уснул, нужно лечь к нему на кровать и гладить его по лбу, чтоб вызвать в уме ребенка представление, что вы возле него. Это делается тихо, чтобы не разбудить его. Если же ребенок проснется, сказать ему, что все в порядке, и он должен тотчас же закрыть глаза и крепко спать.

Говорить тихо, спокойно, но настоятельно: «Ты теперь хорошо спишь и не просыпаешься. Ты слышишь, что я с тобой говорю, но то, что я говорю, не должно потревожить твой сон. Ты можешь отвечать на мои вопросы. Ты теперь хорошо себя чувствуешь». Скорее всего, сначала он не ответит. В этом случае нежно, продолжая тихо гладить ребенка по лбу, чтобы возбудить его внимание, положить палец ему на губы и сказать: «Когда я положу тебе палец на губы, ты будешь в состоянии мне отвечать, ты можешь сказать «да». Если губы шевелятся, то нужно повторить внушение (на следующий день ребенок будет отвечать). Для исправления речи (заикания) вы добавляете: «Завтра ты будешь в состоянии мне отвечать, ты будешь в состоянии говорить так легко, хорошо и внятно, как я. Ты не будешь ни заикаться, ни медлить в ответах» (повторять 2 раза).

Средство № 530

Самогипноз с использованием гипнотизирующего объекта в виде точки на стене — излечиваются хронические головные боли, боли в любой части тела, ожирение, простудные заболевания, артрит, нарушение менструального цикла, бессонница.

Методика самогипноза следующая: сев в удобную позу и расслабившись, зафиксируйте свой взгляд на какой-нибудь точке на стене комнаты, после чего, сделав три глубоких вдоха, выразите информацию по трем каналам (зрительному, слуховому и чувствительному) в трех предложениях. По три предложения: что видите, что слышите и что чувствуете. Снова сделайте три глубоких вдоха и выразите информацию по каждому каналу в двух предложениях. В третьем цикле используйте по одному предложению. Обычно при переходе от второго цикла к третьему усиливается расслабление, тяжелеют веки, закрываются глаза, и вы оказываетесь в состоянии легкого гипнотического транса и, сделав три глубоких вдоха и выдоха, осуществляете самовнушение типа: «Я погружаюсь в огромный тонкий мир, где правит подсознание». После этого станьте совершенно пассивным (только наблюдайте за собой как бы со стороны): вы как лодка, без весел плывущая по течению реки.

Пробыв в таком состоянии несколько минут, приступайте к самовнушениям, в случае хронических болей мысленно произнесите: «Пройдет несколько секунд, и моя голова прояснится, кровь отхлынет от головы, и лишняя ее часть вернется в тело. Боль полностью пройдет, и я буду чувствовать себя хорошо». Внушение повторить 2 раза. При лечении ожирения используется самовнушение: «С этого момента я начну потреблять столько калорий, сколько мне необходимо для поддержания веса на столько-то килограммов меньше сегодняшнего веса». В случае простудных заболеваний применяется самовнушение, способствующее успокоению: «Я полностью успокоился. Я спокоен». При артрите — самовнушение: «Из моих суставов выходят соли. Суставы гибкие». При нарушении менструального цикла — самовнушение: «Мой менструальный цикл пришел в нормальное состояние».

С помощью самогипноза можно снимать напряжение, усталость, бессонницу. При напряжении и усталости (в том случае, если вам предстоит еще напряженная работа или встреча с деловыми людьми или просто гостями) нужно погрузить себя в гипнотический транс (даже легкой степени погружения) и несколько раз произнести самовнушение, что вы работоспособны, бодры, энергичны. По выходе из погружения так и будет. При бессоннице следует применять прекрасный метод, действующий без сбоев. Как только легли в постель, погрузите себя в гипнотический транс и мысленно произнесите самовнушение: «С каждым вдохом я все больше расслабляюсь, и мне все больше хочется спать. Через несколько минут ко мне придет крепкий сон, и я буду спать и не просыпаться всю ночь». В течение последующих нескольких минут любая мысль о сне должна отбрасываться (нужно переходить к другой теме). Вскоре гипнотический транс естественно переходит в обыкновенный сон.

С помощью гипнотического состояния при открытых глазах мы можем работать на оптимальном умственном режиме (предельная концентрация на объекте изучения или теме разговора, расширенные возможности соображения и памяти). Это можно использовать на экзаменах, в ответственных встречах. Многократное повышение умственных процессов объясняется тем, что в гипнотическом трансе размываются границы между сознанием и подсознанием. Научиться открывать глаза в состоянии гипнотического транса не так уж трудно, но нужно помнить, что в этом случае, впервые открыв глаза в состоянии гипнотического транса, нужно мысленно сказать: «Каждый раз, размыкая веки, я буду лишь еще глубже погружаться в транс». Это самовнушение нужно сделать для того, чтобы не уменьшить глубину погружения, ибо открыть глаза у человека ассоциируется с пробуждением ото сна.

Используя гипнотический транс, можно снимать боль в любой части тела. Анестезия, осуществленная вами, может помочь при ранениях, в стоматологическом кабинете, при операциях. В принципе можно уменьшить боль, не применяя гипнотического транса. Для этого нужно хорошо расслабиться или переключить свое внимание на что-то, не связанное с местом боли. Помогает и прием «Возвращение» — возвращение к моменту события, когда эта боль возникла в результате ушиба или травмы. Проиграйте, переживите несколько раз это событие, и боль будет утихать. Кстати, такое возвращение в прошлое усиливает оздоровительные процессы, способствует заживлению ран.

В состоянии гипнотического транса мы совсем снимаем боль. Для этого используется образное представление: в гипнотическом трансе представьте себе ряд выключателей, каждый из которых связан через лампочку с определенной частью тела. Если вам нужно, допустим, обезболить ступню правой ноги, мысленно поворачивайте соответствующий выключатель, и лампочка в соответствующей цепи гаснет. Можно применять самовнушение типа «Стопа моей правой ноги сейчас онемеет, появится ощущение прохлады. Ступня ноги начинает терять чувствительность». Сделайте паузу в несколько секунд. Затем: «Я ущипну себя сейчас 3 раза с нарастающей силой (слабо, сильнее, еще сильнее), и с каждым разом онемение будет нарастать. Щипок в 4-й раз не почувствуется вообще: ступня правой ноги будет полностью обезболена». Сделав паузу в 5—7 секунд, ущипните ступню 3 раза. В 4-й раз ущипните изо всех сил, и боли не почувствуете. Когда вы приобретете достаточный опыт в погружении в гипнотический транс, можно сделать более короткое самовнушение: «Сейчас я полностью обезболю правую ступню. Я 3 раза поглажу ступню пальцами руки, потом ущипну ее и не почувствую боли».

Таким же образом можно обезболить любую другую часть тела. Для того чтобы оценить степень достигнутого результата в обезболивании, нужно ущипнуть себя за другую часть тела.

Выход из самогипноза — сказать себе: «Сейчас я проснусь на счет до трех. Раз, два, три», после чего открыть глаза.

Средство № 531

Самогипноз с использованием гипнотизирующего объекта в виде предмета — излечиваются мигрень, артрит, нарушение менструального цикла, аллергия, фобия (сильный необъяснимый страх).

Методика имеет следующую последовательность выполнения.

1) Погружающая формула 1. Приняв удобную позу и выбрав так называемый гипнотизирующий объект (настольная лампа, пламя свечи или что-нибудь другое), сделайте 3 очень глубоких вдоха и выдоха (такое дыхание позволит быстро мышечно расслабиться), при этом, не отрывая взгляда от гипнотизирующего объекта, мысленно произнесите 3 раза: «Чем больше я смотрю на гипнотизирующий объект (назовите этот объект вместо двух предыдущих слов), тем тяжелее становятся веки. Очень скоро мои глаза закроются, и я войду в гипнотический транс». Время фиксации взгляда на гипнотизирующем объекте 1—2 минуты, то есть не обязательно долго смотреть, дайте векам свободно опуститься. Как только почувствуете, что они действительно отяжелели, переходите к следующему этапу.

2) Погружающая формула 2. Эта формула должна быть в виде команды, дающей подсознанию знать, что гипнотическое погружение начнется именно сейчас; поэтому формула звучит так: «Сейчас — расслабься». Произнести ее мысленно нужно очень медленно 3 раза.

3) Основательное расслабление. Последовательность расслабления снизу вверх (от кончиков пальцев ног по туловищу до рук). Расслабьте ноги, мышцы живота, груди, спины, плеч, шеи, рук. Расслабление осуществляется контрастным методом: напрягите мышцы ноги, отогнув пальцы назад и пошевелив ими, а затем резко сбросьте напряжение от пальцев до бедра, затем так же поступите со всеми перечисленными частями тела (обратите особое внимание на мышцы шеи). К моменту расслабления туловища обычно дыхание становится диафрагмальным, сердцебиение замедляется. К моменту же расслабления шеи лицевые мускулы сами собой расправляются и черты лица как бы деревенеют.

4) Погружающая формула 3 и образное представление. Формула звучит так: «Я продолжаю опускаться в гипнотический транс все глубже и глубже, глубже и глубже». Затем следует образное представление того, что вы стоите на вершине работающего эскалатора. В течение мысленного счета от 10 до 0 вы должны опуститься до площадки внизу эскалатора (на счет 10 ступаете на эскалатор, при счете 9—1 опускаетесь, стоя на ступеньке эскалатора, на счет 0 ступаете на площадку внизу эскалатора). Здесь нужно обратить внимание на то, что как в случае образного представления эскалатора, так и вообще в течение погружения не нужно форсировать спуск, излишняя старательность здесь не поможет, лучше быть пассивным и как бы безразличным.

5) Формула 3 и образное представление эскалатора (вначале можно работать с несколькими пролетами эскалатора, удлиняя спуск) привели вас в легкую стадию гипнотического транса, а некоторые люди в этом случае могут достигнуть средней стадии. При необходимости повторите формулу 3 и образное представление несколько раз.

6) Увеличение скорости погружения с помощью переключения внимания. Вы мысленно расслабляетесь и воображаете прекрасный пейзаж, на фоне которого вы отдыхаете.

Если с помощью данной методики не удается достигнуть результата, можно пойти на ее некоторую корректировку, заменив третий этап (основательное расслабление) и четвертый этап (погружающая формула 3 и образное представление) одним пространным самовнушением (на фоне воображения, что мы находимся около вершины эскалатора): «Мое тело полностью отдыхает, находится в удобной позе, глаза закрыты. У меня расслаблен каждый мускул, каждая клеточка тела, и с каждым вдохом и выдохом я все более и более расслабляюсь. Все тело наливается приятной тяжестью, и я испытываю счастливое успокоение; все беспокойства и волнения уходят от меня. Я все более расслабляюсь и все глубже погружаюсь в гипнотический транс. Я погружаюсь все глубже и глубже, с каждым вдохом и выдохом — глубже и глубже. Передо мной эскалатор, сейчас я начну отсчет и по уходящему вниз эскалатору войду в гипнотический транс. Вот я ступаю на ступеньку эскалатора и начинаю погружаться глубже и глубже». Мысленно представьте, как встали на счет 10 на ступеньку эскалатора, и далее считайте от 9 до 1, пока эскалатор опускается вниз, на площадке внизу произнесите: 0.

Время, затрачиваемое на погружение, в первые несколько сеансов будет в пределах 25—30 минут, в последующих сеансах оно будет уменьшаться. Глубокая степень погружения достигается обычно к 7—9-му сеансу.

7) На фоне любой стадии гипнотического транса можно осуществлять 2 вида действий: самовнушение и прием «Возвращение».

Если применяется самовнушение, то тут все просто: произносится фраза, смысл которой в том, что мы избавляемся от того или иного заболевания. Если же применяется прием «Возвращение», то предварительно (перед погружением в гипнотический транс) проводится диагностирование, имеющее своей целью выявление причины заболевания и ненормального поведения. При диагностировании используется маятник. Следует спросить разрешения у подсознания на выяснение причины заболевания с помощью маятника в форме вопроса: «Я сейчас могу узнать, что послужило причиной моего заболевания? Да или нет? Каково конкретное название заболевания или хотя бы место заболевания в организме?» Если через маятник будет получен ответ «да», то переходим к следующему действию, позволяющему выяснить вид записи: последовательно задаются вопросы подсознанию соответственно видам записей. Сначала задается вопрос, является ли причиной заболевания внушение (запись «Эффект внушения»). Если ответ отрицательный, переходим к следующему вопросу: являются ли причиной заболевания специфические самовнушения (запись «Элементы органической речи»). Следующий вопрос при отрицательном ответе на предыдущий вопрос — о записи «Конфликт» в качестве причины. Потом следует вопрос о записи «Мотивация»: является ли причиной болезни запись «Мотивация». Затем следуют вопросы по поводу записей «Идентификация», «Инграмма физической боли», «Инграмма болезненных эмоций».

Если на один из вопросов по поводу причины заболевания в виде определенной записи следует ответ «да», нужно попросить подсознание с максимальной точностью дать время появления записи, последовательно отбрасывая числа «за скобку». Спросить: «Запись произошла позже 5 лет?» — если «нет», то следует вопрос о времени позже 3 лет и так далее. Что касается записей типа инграммы, то здесь выяснять дату появления записи не обязательно, при использовании приема «Возвращение» мы автоматически выйдем на нужный момент по тракту времени.

При подтверждении наличия записи «Эффект внушения» нужно попросить подсознание открыть смысл внушения, задавая наводящие вопросы. При подтверждении записи «Мотивация» спросить о том, служит ли болезнь потребностям внимания и сочувствия у окружающих. При записи «Идентификация» — уточнить предполагаемый объект подражания, а при записи «Конфликт» или «Инграмма» уточнить, явилось ли причиной заболевания какое-либо происшествие. В заключение нужно обратиться к подсознанию (с использованием маятника): «Можно ли мне вернуться в прошлое и пережить инцидент (если есть возможность, указать, какой инцидент и какой вид записи появился в результате этого инцидента), являвшийся причиной моего заболевания?» Если последует ответ «нет», отложите лечение на 3—4 дня.

Прием «Возвращение» после погружения в гипнотический транс (идеальна для этого случая средняя стадия погружения, но в принципе приемлема и легкая стадия): после того как пациент сам себя погрузил в транс, он произносит: «Сейчас я по тракту времени возвращаюсь в прошлое, в инцидент (по возможности назвать инцидент, его сущность), явившийся причиной моего заболевания, и несколько раз переживу этот инцидент с использованием всех органов чувств. Я приближаюсь к началу инцидента. Я в начале инцидента». (Эти внушения может произносить другой человек с соответствующей корректировкой фраз.) Пациент переживает инцидент, он присутствует там, находясь в соответствующем инциденту возрасте, ощущая боль (если она была), все эмоции, соответствующие инциденту, видя обстановку и присутствующих, чувствуя запахи (иногда все-таки какие-то каналы информации по каким-либо причинам отсутствуют). Переживая инцидент, пациент рассказывает о том, что видит; пересказывает все, что слышит; передает все нюансы события. Такое переживание с пересказыванием повторяется несколько раз, в результате чего запись сокращается, боль проходит, эмоциональный заряд выпускается или стирается. После этого заболевание не должно беспокоить пациента.

Если подсознание подтвердило (с помощью маятника) наличие одной из записей, не связанных с каким-либо ярко выраженным инцидентом, а связанных с внушением, самовнушением, мотивацией, идентификацией, то тогда пациент на фоне гипнотического транса произносит самовнушения, лишающие перечисленные факторы (причины заболевания) их силы: «Внушение о том-то, полученное от такого-то лица и случившееся тогда-то, лишается силы», или «Мотивации, связанные с желанием внимания окружающих и являющиеся причиной заболевания, исчезают», или «Копирование такого-то лица не имеет силы». Если эту процедуру осуществляет целитель, то он в заключение спрашивает пациента, сможет ли он, осознав причину болезни, навсегда с ней расстаться. Ответ подсознания пациент выражает движением пальцев. Обычно ответ бывает положительным.

8) Выход из самопогружения — формула выхода. Мысленно произносим: «Сейчас я проснусь» — и далее счет до трех. Как правило, после выхода из гипнотического сна человек чувствует себя отдохнувшим и бодрым (только в редких случаях появляется легкая головная боль, которая через некоторое время проходит), но все-таки для подстраховки можно сделать самовнушение о своем хорошем, бодром состоянии.

Средство № 532

Самогипноз без использования гипнотизирующего объекта — излечиваются расстройства нервной системы, устраняются вредные привычки в виде лени, табакокурения, пьянства, наркомании, снимаются головные боли.

Приняв удобную позу, человек погружается в гипнотический транс с помощью следующей последовательности действий.

1) «Закрытие глаз». Так назовем состояние, при котором, находясь в бодрствовании, вы не сможете открыть глаза. Этого можно достичь следующим образом:

1-я фаза. Скажите «раз» и в это же время подумайте: «Мои веки становятся очень тяжелыми». Думайте только об этом, сосредоточьтесь на этой мысли, проникнитесь ею, верьте в нее в то время, пока вы о ней думаете. Отгоняйте всякую другую мысль, например, такую: «Посмотрю, удастся ли это». Думайте о своей единственной мысли: «Мои веки становятся очень, очень тяжелыми». Если у вас не будет никакой другой мысли в голове, если вы сосредоточитесь на ней, если вы проникнетесь ею и поверите в нее в то время, пока вы о ней думаете, ваши веки начнут тяжелеть. Не ждите, чтобы они стали очень тяжелыми. Когда они начнут тяжелеть, переходите к следующей фазе.

2-я фаза. Скажите «два» и в то же время подумайте: «Мои веки теперь тяжелые, они сами закрываются». Как и в первой фазе, думайте только об этом, сконцентрируйтесь на этой мысли, верьте в нее. Не закрывайте глаза насильно, не заставляйте себя держать их насильно, но сосредоточьтесь на том, что «мои веки очень тяжелые, они закрываются сами», и в то же время, пока вы повторяете эту единственную мысль, пусть ваши веки действуют самостоятельно. Если вы действительно сосредоточитесь на этой мысли, исключив все другие, если вы проникнетесь ею и будете верить в нее, пока вы о ней думаете, ваши веки медленно закроются. Когда ваши веки будут закрыты, оставьте их в этом состоянии.

3-я фаза. Скажите «три» и в то же время подумайте: «Мои веки крепко закрыты, я не могу их открыть, несмотря на мои усилия». Как и прежде, думайте только об этом, сосредоточьтесь на этой мысли, проникнитесь ею и поверьте ей. В то же время попытайтесь открыть глаза; вы заметите, что вы не можете этого сделать (пока не скажете «откройтесь», и в тот момент ваши глаза внезапно откроются). Попытайтесь 2—3 раза удостовериться, что вам хорошо удалось закрыть глаза.

2) «Ускорение № 1». Здесь также 3 фазы. Формулы мы полностью не произносим, а только думаем о них.

В 1-й фазе скажите «один» и подумайте о формуле внушения на этой стадии 1—2 раза. В то время, когда вы говорите «два», подумайте о формуле внушения 1—2 раза. То же в 3-й фазе. После 3-й фазы глаза открыть по приказанию «открыть».

3) «Ускорение № 2». Делайте снова все фазы. Произносим «один», «два», «три» на каждой фазе, а думаем о самовнушении более свернутой формы, чем на предыдущей стадии.

4) Делайте все фазы без чисел, думая в свернутом виде о каждой из фаз по очереди.

5) Здесь почти мгновенно закрываются глаза, при этом мы используем только мысль о фазе «три».

Пробным камнем удачи в самогипнозе является способность быстро закрывать глаза. Когда вы этого достигнете, вы сможете достичь той глубины транса, которая необходима для безбоязненной встречи с тревожащими вас проблемами.

6) «Релаксация». Внушайте: «Я буду глубоко дышать и совершенно расслабляться». Сделайте глубокий вдох, и, когда выдохнете, вы полностью расслабитесь. «Я буду нормально глубоко дышать и расслабляться при каждом выдохе все больше и больше». Вы добьетесь закрытия глаз и релаксации, которые появятся одновременно. Вы достигнете первой ступени транса самогипноза. Теперь вы в состоянии воспринять внушение, которое вы себе делаете с гипнотическим и постгип-

нотическим результатом. Если нужно излечить расстройства нервной системы, произносим самовнушение: «С этого момента моя нервная система приходит в нормальное состояние». Если нужно избавиться от лени, применяется самовнушение: «Я бодр, энергичен, люблю работать». При других заболеваниях применяются соответствующие самовнушения.

7) Выход из самогипноза. Произносим: «Сейчас я проснусь. Один, два, три», после чего открываем глаза.

V. СРЕДСТВА, ОСНОВАННЫЕ НА РАЗЛИЧНЫХ ВИДАХ МАССАЖА

Средство № 533

Самомассаж всего тела — снимает усталость, поднимает жизненный тонус, оздоравливающе воздействует на организм, делает эластичной кожу тела.

Самомассаж можно делать в любое время, зимой лучше после сна.

Выполняется в следующей последовательности.

1. Упражнение на возбуждение (применяется, если массаж выполняется после сна). Стоя, ноги на ширине плеч. Наносить короткие быстрые удары ладонями по лбу, щекам, шее, груди, бокам, пояснице, ягодицам, бедрам. Повторить 1—2 раза.

2. Руки. Массаж начинается с пальцев рук и идет вверх. Надавливаем пальцами правой руки на пальцы левой руки поочередно и наоборот. Обрабатываем предплечье сначала надавливанием, затем круговыми движениями подушечками пальцев рук. Плечо отжимаем (обхватывая пальцами рук), потом похлопываем. Так же отрабатываем другое плечо, обработав левую руку правой рукой, массируем правую руку левой рукой.

Следует иметь в виду, что нельзя массировать под локтями, под мышками, а также под коленками и в паху, то есть там, где расположены лимфатические узлы.

3. Голова. Постукивать пальцами рук снизу до макушки с разных позиций. Взлохматить волосы вперед и назад. Ладонями сдвигаем кожу вверх с разных сторон. Большим и указательным пальцами ударяем, вибрируем, двигаясь левой и правой рукой навстречу друг другу.

Расслабленными пальцами обеих рук проводим от середины лба в стороны и сверху вниз от лба по щекам. Вторыми фалангами больших пальцев делаем движения вверх-вниз по крыльям носа.

4. Шея. Пальцами сверху вниз и в стороны поглаживаем заднюю часть шеи. Наклонить голову и ребрами рук постучать

по задней части шеи. Тыльной стороной кистей поглаживать то одной, то другой рукой по передней части шеи.

5. Грудь. Массируется круговыми движениями снизу вверх и в стороны ладонями двух рук одновременно. Сначала широкие круговые движения, затем сужаем до сосков.

6. Спина. Тыльной стороной ладони массируем надавливанием от позвоночника в сторону двумя руками.

7. Живот. Массируем по часовой стрелке, сначала двумя пальцами от пупка, а затем, перейдя на ладонь, все шире и шире. Затем выполняем массаж в обратной последовательности. Низ поясницы и ягодицы растираем ладонями рук вверх-вниз.

8. Ноги. Ноги массируем так же, как руки. Начинаем с пальцев ног, затем голени и, наконец, бедра.

Средство № 534

Массаж рефлексогенных зон тела и стоп (рефлексотерапия) — лечит заболевания желудка, поджелудочной железы, кишечника, органов дыхательной системы, почек, печени, селезенки, органов сердечно-сосудистой системы, заболевания органов чувств и другие заболевания.

1. Эффективность и универсальность рефлексотерапии обосновывается следующим.

Рефлексотерапия основана на массаже определенных зон на теле человека (рефлексогенных зон) в виде наружных покровов, который целительно влияет на внутренние органы (уменьшает боль, лечит).

Рефлексолог В. Кольрауш утверждает, что «все, что совершается в организме, в особенности каждое внутреннее заболевание, вызывает изменение напряжения в покровах тела», имея в виду, что каждый внутренний орган связан с наружными покровами рефлекторными путями (в качестве примера можно привести зоны Геда, участки кожи, по которым достаточно провести мягкой кисточкой, чтобы больной вздрогнул от боли). Заболевания внутренних органов сказываются не только на коже, но и подкожном слое и мышцах.

1) На отдельных участках кожи происходят изменения, меняется цвет (желтоватые пятна, иногда усиливается голубизна, создаваемая подкожной системой вен), появляется ломкость, чешуйчатость, а иногда вздутия, бугорки, впадины.

2) Происходят изменения подкожного слоя, выражаемые в определенных напряжениях: прощупываются уплотнения под кожей, разглаживание кожи в определенных местах происходит с трудом, палец массажиста не может так же мягко про-

никнуть в глубину подкожного слоя, как на соседних участках, и, наконец, перемещающийся по коже палец может образовать впереди себя бегущие волны, как перед судном, режущим водную поверхность. Для сравнения указанных изменений со здоровым состоянием кожи и подкожного слоя скажем, что в последнем случае прощупывающие пальцы скользят по коже легко, ибо кожа и подкожный слой упруги, легко прогибаются под пальцами и сразу же приобретают прежнюю форму.

3) Возникают уплотнения в мышцах в форме горошины или фасоли и воспринимаемые на ощупь как валик в мышечной массе, при нажатии на такой валик возможна сильная боль.

Изменения в покровах нашего тела, включающих в себя, помимо кожи, подкожного слоя и мышц, также сухожилия и надкостницу, вызываются не только заболеваниями внутренних органов, но и весьма неприятными факторами современной жизни — нервным напряжением и физической перегрузкой. Нервное напряжение и физическая перегрузка могут образовать в покровах нашего тела как бы сигналы неблагополучия в виде уплотнений и узелков (миогелозы). И часто не помогают ни лекарства, ни лечебные ванны, ни иглоукалывание, пока существуют в организме эти сигналы неблагополучия. Примером могут служить колющие боли в области сердца. Врач не обнаруживает органических изменений в сердце, используя электрокардиограмму, то от этого пациенту не легче — боли продолжаются, не помогает и успокоительное. Только удалив массажем уплотнение мышц между лопатками в зоне сердца, которое было обнаружено при прощупывании кожного покрова, врач может облегчить состояние пациента: боли исчезнут.

Рефлекторный путь имеет два направления.

Первый путь только что описан нами, и суть его в том, что болезненные изменения во внутренних органах и психике отражаются в виде сигналов неблагополучия в кожном покрове. Второе (обратное) направление имеет не болезненную, а лечебную сущность: воздействуя (массируя) на определенные участки кожного покрова (особенно на кожный покров ступни), мы можем лечебно воздействовать на соответствующие внутренние органы. Воздействовать массажем можно не только на ступни, но на элементы рук и ног, а также на спину (массаж спины значительно улучшает самочувствие пациента при заболеваниях внутренних органов: почки, мочеточник, мочевой пузырь, поджелудочная железа, желчный пузырь, желудок, кишечник, легкие, селезенка).

Исходя из вышеизложенного, любой врач должен прощупывать кожный покров пациента с головы до пят, отыскивая изменения на коже, участки сопротивления в подкожном слое, уплотнения в мышечной толще, и затем применить массаж для удаления указанных аномалий в кожном покрове. Но, к сожалению, при том потоке больных, которых врач пропускает через свой кабинет, у него нет времени на прощупывание кожного покрова и массаж, да и многие пациенты могут не понять врача, который при болях в животе массирует ему спину (хотя при желании пациенту можно доказать правомерность своих массирующих действий, ведь при иглоукалывании, уже доказавшем свою эффективность, вовсе не обязательно ставить иглу в то место, которое болит).

Рефлексология сейчас является самостоятельной, законченной системой лечения, и довольно-таки эффективной, что доказывается тем фактом, что некоторые профессора университетских клиник на Западе добиваются поразительных результатов в лечении больных, используя исключительно массаж рефлексогенных зон.

2. Преимущества рефлексотерапии перед другими средствами лечения заболеваний заключаются в следующем.

1) Рефлексотерапия не только эффективный, но и весьма приятный вид лечения, ибо она основана на массаже, который приносит удовольствие и блаженство, особенно если его проводит опытный массажист. Но даже если вы сами себе делаете массаж (массаж рефлексогенных зон может проводиться как специалистом, так и в форме самомассажа), удовольствие в определенной степени вы все равно получите. Кроме того, рефлексотерапия способствует улучшению здоровья, одновременно способствует улучшению отношений между людьми: тот, кто овладел массажем рефлексогенных зон и практически применяет его в отношении других людей, приносит им добро и доставляет радость (не только радость удовольствия, но и радость излечения, ибо, как говорилось выше, рефлексотерапия — превосходное средство лечения).

2) Рефлексотерапия очень хорошо помогает обнаружить заболевание, как своего рода рентген, при помощи пальцев. Поэтому со всей ответственностью можно сказать, что рефлексотерапия — прекрасное диагностическое средство.

3) Рефлексотерапия, являясь самостоятельным средством, одновременно может быть катализатором эффективности любого другого вида лечения. Если какое-либо лечение не затрагивает изменений в покровах тела, являющихся такими же вредными факторами, как, например, нагноившиеся миндалины или кариесные зубы, это лечение может зайти в тупик или растянуться на довольно длительное время. Ведь, образно выражаясь, система водоснабжения дома не может обеспечить уют ее жителям, если в каком-то ее месте произошел разрыв. Только устранив разрыв, можно наладить водоснабжение; по

аналогии подобное можно сказать относительно организма человека. Только после устранения отрицательного фактора, в виде изменений в кожных покровах, вся система организма вернется к нормальной жизнедеятельности. Поэтому, если пациенту не помогают никакие виды лечения, за дело должен взяться рефлексотерапевт. Он должен обследовать внешние покровы тела пациента с целью обнаружения изменений в них и с помощью массажа эти изменения удалить.

4) Если сравнивать массаж рефлексогенных зон с иглоукалыванием, то нужно сказать, что массаж рефлексогенных зон обладает преимуществами. Во-первых, во многих случаях массаж зон эффективнее иглоукалывания. Во-вторых, обучение массажу зон намного легче. В-третьих, при массаже зон не нужно беспокоиться за точность нахождения той или иной точки на кожных покровах, ибо при массаже обрабатывается всегда достаточно большой участок кожного покрова, причем наводят на нужный рефлексогенный участок уплотнения под кожей и в мышечном слое, болезненные места и места с неприятным ощущением под рукой массажиста. В иглоукалывании же хорошие результаты приходят только в том случае, если воздействие производится по точно определенным точкам, диаметр которых может быть не более 1,5 мм.

3. Диагностика перед массажем рефлексогенных зон делается так.

Надавливая на рефлексогенные зоны ноги (в основном ступни), мы по силе боли определяем состояние той или иной части тела или иного внутреннего органа: чем сильнее боль, тем сложнее состояние части тела или органа.

Иногда при болезненном состоянии органа или части тела соответствующая зона ступни не испытывает боли при надавливании. Это может быть при затвердении покровных тканей. После ликвидации затвердения зона начинает реагировать на надавливание.

Зона не только регистратор болезненного состояния соответствующего органа, но может быть и причиной болезненного состояния:

1) в случае раздражения рефлексогенной зоны (неудобная обувь);

2) в случае нарушения кровоснабжения в рефлексогенной зоне, в результате чего в рефлексогенной зоне образуются уплотнения больших или меньших размеров, так называемые очаги отложения солей, в частности кристаллов мочевой кислоты, и других шлаков.

При хорошем кровоснабжении ни в кровеносных сосудах, ни в соединительной ткани не задерживаются какие-либо шлаки, ибо хорошее кровоснабжение можно сравнить с бурным потоком, увлекающим за собой камни.

4. Правила применения массажа рефлексогенных зон.

1) Выводы из диагностики нужно делать весьма осторожно, ибо наличие болезненности в какой-либо зоне может быть свидетельством не только органического заболевания, но и функционального расстройства. Например, было бы ошибкой сразу объявлять сердечным больным человека, у которого при массаже обнаружен участок между лопатками (сердечная зона), болезненно реагирующий на прикосновение рук массажиста. У человека в этом случае может быть функциональное расстройство, когда сердце здорово и никаких органических изменений в нем нет, но некоторые функции сердца вышли из согласованного режима работы.

2) При острых, тяжелых и опасных заболеваниях только специалист (в лице рефлексотерапевта) принимает решение делать или не делать массаж. Если специалист решил, что массаж рефлексогенных зон будет полезен, он не поручает делать массаж самому пациенту, а делает это сам. В остальных случаях (функциональные расстройства, хронические заболевания), когда есть явная возможность пробудить защитные силы организма и поддержать их работу, а также уменьшить боли или совсем их устранить, массаж рефлексогенных зон может делать сам пациент или кто-то из его окружающих. В этих случаях можно следовать совету А. Маркварда: «Тот, кто достаточно подвижен и гибок, чтобы подтянуть стопы к кистям рук, вполне может попытаться самостоятельно проводить себе массаж».

В том случае, когда пациент достаточно глубоко освоил массаж рефлексогенных зон, проконсультировался с рефлексотерапевтом и получил его одобрение, он может проводить самомассаж даже при весьма тяжелых заболеваниях. Та же А. Марквард заявляет: «Даже при рассеянном склерозе, болезни Паркинсона, раке и параличах можно смягчить ряд сопутствующих болезни явлений благодаря активизации деятельности органов выделения: кожи, почек, кишечника и дыхательных путей, уменьшить боли даже в конечной стадии болезни, улучшить управление сфинктерными мышцами мочевого пузыря и прямой кишки».

3) Массаж рефлексогенных зон противопоказан при инфекционных заболеваниях с повышением температуры тела, при опухолях или при опасности метастазов.

Нельзя массировать воспаленные суставы (но рефлексогенные зоны этих суставов массировать можно), воспаленные участки тела, подкожные уплотнения, участки стоп, пораженные грибком, варикозное расширение вен, бородавки, родимые пятна.

5. Состав массажа: исходя из того, что болезнь задевает не один орган, а целую группу органов, следует массировать несколько рефлексогенных зон за каждый сеанс массажа, включая рефлексогенные зоны тела и рефлексогенные зоны стоп. Поэтому в сеанс массажа входит массаж тела (туловища, рук, ног) и массаж стоп. Причем в какой последовательности — не важно. Отказ от массажа или самомассажа тела (остается только массаж стоп) целесообразен в двух случаях:

1) если в кожных покровах тела отсутствуют болезненные уплотнения, то есть на туловище, руках и ногах нет под кожей и в мышечной толще участков с нарушениями (миогелозов);

2) массаж делается малознакомому человеку.

Иногда, наоборот, приходится отказываться от массажа стоп (остается только массаж тела), что зависит прежде всего от условий: на работе, например, сложно сделать массаж стоп, а массаж тела вполне выполним.

6. Методика массажа рефлексогенных зон тела: из всех приемов, которыми владеет опытный массажист, наиболее важными являются разминание, вибрация, круговые движения, поглаживание. При разминании вытянутые четыре пальца руки прижимают захваченную этими пальцами складку ткани (в пределах рефлексогенной зоны) к большому пальцу этой руки и к ладони; при этом разминаемая часть мышечной массы как бы продавливается между пальцами. При вибрации, производимой всей ладонью, массажист, плоско положив выпрямленные пальцы на рефлексогенную зону пациента, производит расслабленной рукой очень короткие встряхивающие движения, передаваемые через ладонь мышцам пациента; при этом толчки должны быть плавными и мягкими. При вибрации пальцами массажист, мягко введя кончики пальцев при слегка согнутой ладони в рефлексогенную зону, таким же образом, как и при вибрации ладонью, производит короткие встряхивающие движения. Круговые движения выполняются одним пальцем по внутримышечному затвердению, имеющему форму горошины или фасоли. При поглаживании массажист ведет пальцы или ладонь без всякого давления по рефлексогенной зоне. При поглаживании двумя руками вдоль позвоночного столба движения производятся так: от ягодиц по направлению к голове поглаживание тыльной стороной кисти, а от головы к ягодицам — ладонями. При поглаживании пациент должен испытывать полное расслабление.

7. Методика массажа рефлексогенных зон стоп. Массаж стоп (этот массаж применим для всех людей, начиная от младенца и кончая стариком) может использоваться в двух видах: ручной массаж и подошвенный (ступательный) массаж.

При ручном способе массаж ступни осуществляет другой человек (врач, массажист, родственник) или сам пациент (лучше будет, если массаж будет делать другой человек).

При ступательном способе массаж подошвы ступни осуществляется автоматически. Для этого используются стельки с шипами. Собственного веса тела оказывается достаточно, чтобы с помощью шипов осуществлять массаж рефлексогенных зон.

Ценность ручного и ступательного массажа, по существу, одинакова. Большая часть пациентов, взятых в качестве примеров X. Мазафрест в своей книге «Здоровым в будущее», излечивались от самых различных болезней, применяя в качестве воздействия на рефлексогенные зоны именно ступательный массаж (и в частности, тремапластинку).

В процессе рефлексогенного массажа возможны преходящие реакции, которых не следует пугаться, и не следует в этом случае прекращать массаж:

— набухание связок, набухание вен (вены становятся более видны, ибо им приходится транспортировать большее количество крови);

— выделения из открытых ран на конечностях;

— подъем температуры при массаже лимфатических узлов (в организме содержится дремлющая инфекция);

— усиление боли в каком-либо органе, появление синих пятен (не сбалансирован уровень содержания кальция).

8. Методика ступательного способа массажа рефлексогенных зон стоп.

Ходить босиком как можно больше, при этом автоматически осуществляется массаж рефлексогенных зон. Так как все время ходить босиком нет возможности, используются шипы на обуви:

1) резиновые тапочки с шипами. Ходить в них дома, по возможности — 1/3 часть домашнего времени;

2) тремапластинка. Ходить вне дома, используя ее вместо стельки. Пластинка изготовлена из пластика с малыми, средними и большими шипами. Малые шипы — для воздействия на глубоколежащие зоны и на место прикрепления мускулатуры ног. Средние (менее острые) могут быть использованы пациентом с очень чувствительными ногами. Используются при работе стоя. Большие шипы — для тренировки сухожилий, переходящих со стопы в мышечный массив голени;

3) стельки магнитно-массажные. Рекомендуется пользоваться стельками по 2—3 раза в день, надев носки, колготки. Ходить дома и в дороге. Они изготовлены из гигиенического пластика с эластичными шипами, со встроенными лечебными магнитными шариками, напряженность которых близка к

естественному магнитному полю Земли: так что рефлексогенный массаж усиливается за счет магнитного воздействия.

Изготовители говорят, что стельки ведут к биологическому обновлению:

— кровь, подвергающаяся воздействию магнитов, активней растворяет соли и шлаки, очищает сосуды;

— происходит колоссальная оздоровительная работа, активизируется иммунная система и легче побеждаются вирусные заболевания, стабилизируется артериальное давление и работа сердца, улучшается зрение и слух, нормализуются пищеварение и обменные процессы. Успокаивается нервная система и углубляется сон, улучшается память и работа мозга, снижается утомляемость, повышается потенция.

В течение первых десяти дней здоровье заметно улучшается: ноги и руки становятся теплее, снимается отечность и усталость ног, активизируются кровоток и обменные процессы, происходит интенсивное выведение токсинов и шлаков из организма.

9. Методика ручного способа массажа рефлексогенных зон стоп.

1) Массаж рефлексогенных зон ступни осуществляется:

а) подушечками пальцев (в этом случае ногти должны быть обязательно коротко подстрижены);

б) межфаланговыми суставами.

Выполняются либо круговые движения, либо руки массажиста двигаются вверх или вниз.

2) Направление движения зависит от того, какую зону мы массируем. При массаже зон больших размеров (например, при ишиасе, когда массируется совокупность зон почек, мочеточника, мочевого пузыря, надпочечников, коленного сустава) движение устремлено по направлению к сердцу, при этом нажим усиливается, а в обратном направлении рука массажиста просто скользит (при воздействии на зоны перемещается лимфатическая жидкость, и если движение вниз осуществлять нажатием, лимфоток затормозится, что нежелательно, так как в своем большинстве люди и так страдают нарушением лимфотока).

3) Массаж начинается с небольшого нажима, а затем постепенно усиливается до определенной границы переносимости, которую можно определить по выражению лица пациента (поэтому во время массажа нужно поглядывать на лицо пациента).

4) Положение массажиста — удобное, а поза пациента — расслабленная:

а) при массаже зон в области подошвы пятка пациента кладется на колено массажиста, подошва обращена к массажисту;

б) при массаже зон стопы в области пальцев и тыльной ее части передняя часть стопы кладется на колено массажиста;

при этом подошва обращена к полу, пятка висит в воздухе, а соответствующая нога пациента согнута в колене;

в) при массаже зон в области пятки, лодыжек и в области голени пятка пациента кладется на колено массажиста, подошва почти перпендикулярна бедру массажиста; при этом в зависимости от положения зоны пациент подставляет массажисту край стопы.

10. Применяемые при лечении соответствия между рефлексогенными зонами (обозначенными определенными номерами) и органами или частями тела:

1) Подошвенная область правой стопы: 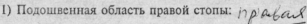 _правая_

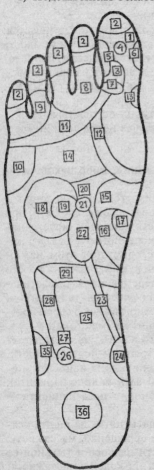

1 — голова (большие полушария), левая половина
2 — лобные пазухи, левая половина
3 — основание мозга, мозжечок
4 — гипофиз
5 — височная часть, левая; тройничный нерв
6 — нос
7 — затылок
8 — глаз, левый
9 — ухо, левое
10 — плечо, правое
11 — трапециевидная мышца, правая
12 — щитовидная железа
13 — паращитовидная железа
14 — легкие и бронхи, правые
15 — желудок
16 — двенадцатиперстная кишка
17 — поджелудочная железа
18 — печень
19 — желчный пузырь
20 — солнечное сплетение
21 — надпочечник, правый
22 — почка, правая
23 — мочеточник, правый
24 — мочевой пузырь
25 — тонкий кишечник
26 — червеобразный отросток (аппендикс)
27 — илеоцекальный клапан
28 — восходящий отдел ободочной кишки
29 — поперечно-ободочная кишка
35 — колено, правое
36 — половые железы (яички и яичники), правые

левая стопа

2) Подошвенная область левой стопы:

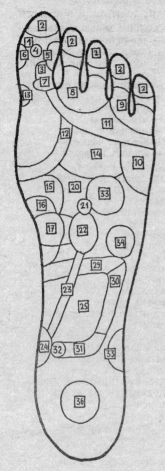

1 — голова (большие полушария), правая половина
2 — лобные пазухи, правая половина
3 — основание мозга, мозжечок
4 — гипофиз
5 — височная часть, правая; тройничный нерв
6 — нос
7 — затылок
8 — глаз, правый
9 — ухо, правое
10 — плечо, левое
11 — трапециевидная мышца, левая
12 — щитовидная железа
13 — паращитовидная железа
14 — легкие и бронхи, левые
15 — желудок
16 — двенадцатиперстная кишка
17 — поджелудочная железа
20 — солнечное сплетение
21 — надпочечник, левый
22 — почка, левая
23 — мочеточник, левый
24 — мочевой пузырь
25 — тонкий кишечник
29 — поперечно-ободочная кишка
30 — нисходящий отдел ободочной кишки
31 — прямая кишка
32 — задний проход
33 — сердце
34 — селезенка
35 — колено, левое
36 — половые железы (яички и яичники), левые

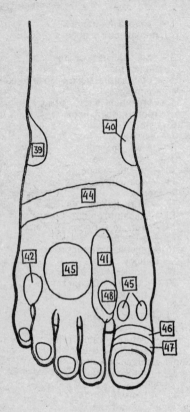

39 — лимфатические железы верхнего отдела туловища
40 — лимфатические железы нижней части туловища
41 — лимфатический проток, грудной отдел
42 — орган равновесия
43 — грудь
44 — диафрагма
45 — миндалины
46 — нижняя челюсть
47 — верхняя челюсть
48 — гортань и трахея

4) Внутренняя поверхность стопы:

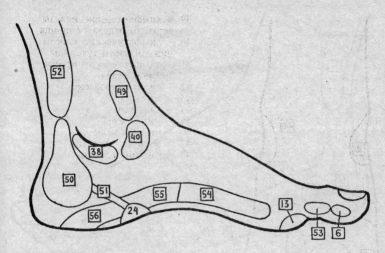

6 — нос
13 — паращитовидная железа
24 — мочевой пузырь
38 — тазобедренный сустав
40 — лимфатические железы, тазовые органы
49 — пах
50 — матка, предстательная железа
51 — половой член, влагалище, мочеиспускательный канал
52 — прямая кишка
53 — шейный отдел позвоночника
54 — грудной отдел позвоночника
55 — поясничный отдел позвоночника
56 — крестец и копчик

5) Наружная поверхность стопы:

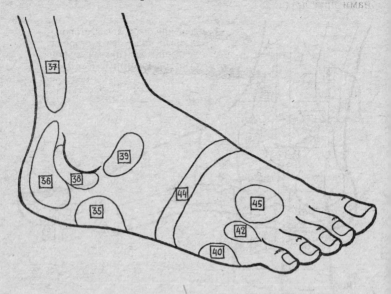

5 — височная часть, тройничный нерв
10 — плечо
35 — колено
36 — половые железы (яичники и фаллопиевы трубы или яички и
    придатки яичек)
37 — симптоматическая зона для снятия боли и расслабления орга-
    нов малого таза при болезненных менструациях и кровотечении
38 — тазобедренный сустав
39 — лимфатические железы, верхняя часть туловища
42 — орган равновесия
43 — молочная железа
44 — диафрагма

6) Части поверхности тела, являющиеся рефлексогенными зонами друг друга:

1. плечевой пояс, левая сторона — тазовый пояс, левая сторона
2. плечевой пояс, правая сторона — тазовый пояс, правая сторона

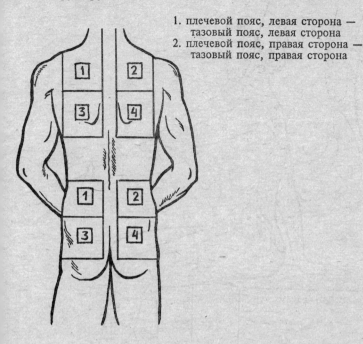

7) Части рук и ног, являющиеся рефлексогенными зонами друг друга:

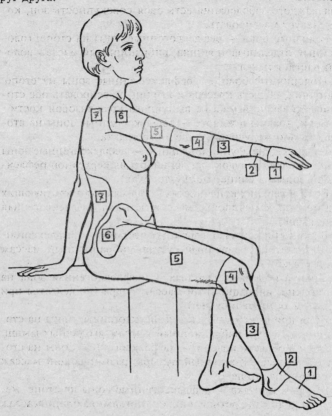

1. кисть руки — стопа ноги
2. лучезапястный сустав руки — голеностопный сустав ноги
3. предплечье руки — голень ноги
4. локоть — колено
5. плечо — бедро
6. плечевой сустав — тазобедренный сустав
7. плечевой пояс — тазовый пояс

11. Оптимальное количество зон, массируемых при определенных заболеваниях:

• можно массировать при заболевании определенного органа соответствующую точку, и определенный эффект будет;

• но наибольший эффект окажется, если будет массироваться совокупность рефлексогенных зон, так как организм представляет собой единое целое и все органы функционально взаимосвязаны.

Для каждого заболевания есть своя совокупность зон, которые следует массировать.

1) Головные боли — рефлексогенные зоны на стопе: голова, шейный отдел позвоночника; вибрационный массаж волосистой части затылка.

2) Поясничные боли — рефлексогенные зоны на стопе: позвоночник, область крестца и ягодиц, массировать обе стопы; поглаживающий массаж выпуклого края тазовой кости.

3) Боли, спазмы в животе — рефлексогенные зоны на стопе: массаж зон желудочно-кишечного тракта.

4) Боли в сердце функциональные — рефлексогенные зоны на стопе: сердце, желудок; легкая вибрация сердечной рефлексогенной зоны на спине (между лопаток).

5) Боли в верхних конечностях — массаж соответствующих зон на нижних конечностях, массаж затылка (рефлексогенная зона на стопе).

6) Боли в области тазобедренных суставов — рефлексогенная зона на стопе: бедренный сустав; вибрационный массаж паховой области.

7) Боли в коленных суставах — рефлексогенная зона на стопе: колено; вибрационный массаж бедра (не делается при варикозном расширении вен).

8) Боли при менструациях — рефлексогенные зоны на стопе: яичники, матка; вибрационный массаж ягодичных мышц.

9) Боли в области печени — рефлексогенные зоны на стопе: желудок, печень, желчный пузырь; разминающий массаж зоны печени на спине.

10) Боли в желудке — рефлексогенные зоны на стопе: желудок, двенадцатиперстная кишка; поглаживающий массаж области живота.

11) Ощущение холода в руках — рефлексогенные зоны на стопе: подлопаточная зона, затылок; разминающий массаж затылка и мышц над лопатками.

12) Боли в затылке — рефлексогенные зоны на стопе: шейный отдел позвоночника, грудной отдел позвоночника; разминающий массаж мышц затылка и надлопаточных мышц.

13) Боли в области лопаток и выше — рефлексогенные зоны на стопе: лопатка, шейный отдел позвоночника, грудной отдел позвоночника; круговой массаж вокруг уплотнения в толще надлопаточных мышц.

14) Почечные боли — рефлексогенные зоны на стопе: почки, мочеточник, мочевой пузырь; легкий поглаживающий массаж в области поясницы.

15) Боли в предплечьях — рефлексогенные зоны на стопе: шейный отдел позвоночника; поглаживающий массаж предплечий.

16) Ощущение холода в ногах — рефлексогенные зоны на стопе: почка, мочеточник, мочевой пузырь, голова, сердце; сильными движениями разминать область крестца до покраснения.

17) Отеки ног — рефлексогенные зоны на стопе: сердце, почки; очень сильными движениями проводят руками по области крестца.

18) Онемение ног — рефлексогенные зоны на стопе: почки, мочеточник, мочевой пузырь, кишечник; сильный вибрационный массаж крестцовой зоны до покраснения.

19) Кожные высыпания — рефлексогенные зоны на стопе: почки, мочеточник, желчный пузырь, надпочечники, паращитовидные железы; изменить условия питания.

20) Аллергия — рефлексогенные зоны на стопе: надпочечники (выработка кортизона), почки, мочеточник, мочевой пузырь (выделение токсичных веществ), желчный пузырь (обмен желчных пигментов).

21) Лишай — рефлексогенные зоны на стопе: почки, мочеточник, мочевой пузырь, надпочечники, паращитовидные железы; изменить условия питания.

22) Угри — рефлексогенные зоны на стопе: надпочечники, почки, мочеточник, мочевой пузырь, печень и желчный пузырь; изменить режим питания.

23) Свищи — рефлексогенные зоны на стопе: лимфатические железы, надпочечники.

24) Псориаз (чешуйчатый лишай) — рефлексогенные зоны на стопе: почки, мочеточник, мочевой пузырь, надпочечники, паращитовидные железы.

25) Экзема — рефлексогенные зоны на стопе: почки, мочеточник, мочевой пузырь, надпочечники, паращитовидные железы.

26) Выпадающие волосы — рефлексогенные зоны на стопе: голова, кишечник, печень, желчный пузырь; вибрационный массаж области заднего края зоны, где наблюдается облысение.

27) Гипертония (повышенное кровяное давление) — рефлексогенные зоны на стопе: почки, мочеточник, мочевой пузырь; поглаживающий массаж спины по всей ее поверхности.

28) Гипотония (пониженное кровяное давление) — рефлексогенные зоны на стопе: почки, надпочечники, сердце, голова, поглаживающий массаж зоны сердца на спине.

29) Варикозное расширение вен — рефлексогенные зоны на стопе: почки, мочеточник, мочевой пузырь; поглаживающий массаж в обе стороны от крестца кнаружи.

30) Сердечные нарушения — рефлексогенные зоны на стопе: сердце, желудок, надпочечники (адреналин), грудной отдел позвоночника; изменить питание.

31) Порок сердца — рефлексогенные зоны на стопе: сердце, лимфатические точки, надпочечники; изменить режим питания.

32) Сужение сосудов — рефлексогенные зоны на стопе: паращитовидные железы, надпочечники, почки, мочеточник, мочевой пузырь.

33) Астма — рефлексогенные зоны на стопе: почки, мочеточник, мочевой пузырь, надпочечники, паращитовидные железы, легкие, бронхи, лимфатические точки; изменить питание.

34) Бронхит — рефлексогенные зоны на стопе: легкие, бронхи, лимфатические точки, паращитовидные железы, надпочечники.

35) Язва желудка — рефлексогенные зоны на стопе: желудок; изменить питание.

36) Заболевание печени — рефлексогенные зоны на стопе: печень и желчный пузырь, двенадцатиперстная кишка; изменить питание.

37) Заболевания почек — рефлексогенные зоны на стопе: почки, мочеточник, мочевой пузырь, надпочечники, лимфатические точки.

38) Заболевания желчного пузыря — рефлексогенные зоны на стопе: печень, желчный пузырь; круговой массаж уплотнений в рефлексогенной зоне печени и желчного пузыря (на спине).

39) Повреждение межпозвоночных дисков — рефлексогенные зоны на стопе: позвоночник; легкое поглаживание по обе стороны от позвоночника.

40) Заболевания половых органов — рефлексогенные зоны на стопе: массаж зон соответствующих органов и лимфатических точек.

41) Ожирение — рефлексогенные зоны на стопе: паращитовидные железы, щитовидная железа, почки, надпочечники; вибрационный массаж средней части наружной стороны плеча.

42) Артрит и артроз — рефлексогенные зоны на стопе: почки, мочеточник, мочевой пузырь, надпочечники, зоны соответствующих суставов; изменить питание.

43) Мигрень — рефлексогенные зоны на стопе: желудок, кишечник, печень, желчный пузырь, у женщин дополнительно массируются зоны фаллопиевых труб и матка; вибрационный массаж шеи и затылка (во время приступа не делать).

44) Фригидность — рефлексогенные зоны на стопе: голова, яичники, матка; поглаживающий массаж внутренней поверхности бедра.

45) Импотенция — рефлексогенные зоны на стопе: мошонка, половой член; поглаживающий массаж области крестца.

46) Парадонтоз — рефлексогенные зоны на стопе: нижняя и верхняя челюсть, печень, желчный пузырь, двенадцатиперстная кишка, поджелудочная железа, тонкий и толстый кишечник; изменить питание.

47) Ревматизм — рефлексогенные зоны на стопе: почки, мочеточник, мочевой пузырь, надпочечники, паращитовидные железы, печень, желчный пузырь; массаж рефлексогенных зон, соответствующих пораженным органам.

48) Заболевание предстательной железы — рефлексогенные зоны на стопе: почки, мочеточник, мочевой пузырь, предстательная железа.

49) Нарушение зрения — рефлексогенные зоны на стопе: глаза, почки, мочеточник, мочевой пузырь.

50) Ухудшение слуха — рефлексогенные зоны на стопе: уши; ношение свободной обуви.

51) Склероз множественный — рефлексогенные зоны на стопе: почки, мочеточник, мочевой пузырь, печень, желчный пузырь, двенадцатиперстная кишка, поджелудочная железа, кишечник, паращитовидные железы, голова, позвоночник, лимфатические точки.

52) Усталость — рефлексогенные зоны на стопе: паращитовидные железы, надпочечники, голова; поглаживающий массаж всей спины.

53) Страх и подавленность — рефлексогенные зоны на стопе: надпочечники, голова, легкие и бронхи; сильный вибрационный массаж вдоль реберных дуг, лучше только при выдохе.

54) Повышенная нервозность — рефлексогенная зона на стопе: солнечное сплетение; поглаживающий массаж спины.

55) Нерегулярные и болезненные месячные — рефлексогенные зоны на стопе: яичники, матка; массаж икроножных мышц обеих ног по наружной поверхности.

56) Травмы — немедленно массировать соответствующие рефлексогенные зоны.

57) Утомляемость — рефлексогенные зоны на стопе: почки, мочеточник, мочевой пузырь, печень, желчный пузырь, голова.

12. Массаж рефлексогенных зон при чрезвычайных обстоятельствах (травма, сердечный приступ, приступы мигрени); следует помимо массажа соответствующей зоны (это надо делать сразу же) массировать еще следующую совокупность зон.

1) Почка, мочеточник, мочевой пузырь для вывода из организма шлаков (мочевой кислоты), отягощающих кровообращение. Вначале этому надо уделять больше времени.

2) Голова (это руководящий центр каждого органа).

3) Желудочно-кишечный тракт, печень, поджелудочная железа. От них зависит обмен веществ и возможность обеспечения органа необходимым строительным и питательным материалом.

4) Лимфатические узлы. От них зависит выработка защитных веществ и энергичность процесса распада шлаков.

13. Время массажа рефлексогенных зон (оптимальное безвредное) — примерно в течение 5 минут.

Исключения из правил:

1) в острых случаях длительность массажа можно удвоить или утроить;

2) осторожно с зоной печени; массировать зону печени более 5 минут можно только при удовлетворительной функции почек;

3) осторожно с зоной позвоночника; массировать зону позвоночника длительное время нежелательно, так как сильный приток крови может вызвать временное обострение.

Если нужно восстановить свой организм (в комплексе), нужно выделить для рефлексотерапии ежедневно не менее 30 минут.

1) Для выделительной системы: почка и надпочечник, мочеточник, мочевой пузырь — по 5 минут для обеих ступней (всего 10 минут).

2) Для нервной системы: голова и шея — по 5 минут для обеих ступней (всего 10 минут).

3) Для защитной системы: лимфатические узлы — по 2 минуты для обеих ступней (всего 4 минуты).

4) Для больного места: по 2 минуты для обеих ступней (всего 4 минуты).

14. Должно быть хорошее скольжение пальца по рефлексогенной зоне. Поэтому важно использовать достаточное количество крема. Достаточно даже самой дешевой мази, если будет достигнут эффект скольжения.

15. Особенности некоторых рефлексогенных зон и соответствующих им органов: прежде всего нужно обратить особое внимание на рефлексогенные зоны почек, мочеточника и мочевого пузыря, так как выход токсичных веществ в организме осуществляется почками через мочеточник и мочевой пузырь (а также печенью через желчный пузырь и кишечник, а также легкими и кожей).

Функции почек — выделение токсичных веществ (в частности, мочевой кислоты, где вода является носителем выделяемых веществ).

При наруше́нии функции почек (недостаточное выделение токсичных веществ) происходят следующие расстройства, связанные с отложением токсичных веществ в различных частях тела:

1) камни в почках;

2) повышение кровяного давления, обызвествление артерий, набухание вен — вследствие отложения токсичных веществ в кровяном русле;

3) артриты, а впоследствии их хроническая форма — артрозы вследствие отложения токсичных веществ в суставах;

4) приступы ревматизма — вследствие отложения токсичных веществ в мускулатуре и соединительных тканях;

5) кожные заболевания, и в частности экзема, — вследствие перегруженности выделительной функции кожи;

6) нарушение зрения — вследствие отложения токсичных веществ в теле.

Особенности рефлексогенной зоны почек:

а) зона располагается в таком месте подошвы ступни (в ее центре), где стопа в обычных условиях не ощущает такого нажима (кроме ходьбы босиком по неровной поверхности);

б) зона располагается достаточно глубоко.

Исходя из этого видно, что ручному массажу рефлексогенной зоны почек нужно уделять особое внимание.

Последствия массажа: улучшается кровоснабжение почки и ее выделительная функция. Усиление выделительной функции можно проследить в течение 1—6 недель по изменению цвета мочи и ее запаха. Запах на некоторое время становится неприятным, а цвет мочи может последовательно стать желтым, желто-коричневым и красно-коричневым.

Примеры нарушения деятельности почек и соответствующего массажа.

1) Камни в почках. Виктор почувствовал боли в пояснице. Боли усиливались, нарастала утомляемость. Сделан рентгеновский снимок почек. Камень перешел в мочеточник и там задержался. От операции отказался и пошел к рефлексотерапевту, который на основании чувствительности рефлексогенной зоны смог точно сказать, где застрял почечный камень.

После первого сеанса почувствовал себя лучше. Дома делал следующее: изменил весь ритм жизни; массировал себя по часу в день, затрагивая все важные зоны, но при этом уделяя особое внимание зонам почки (правой), мочеточника (правого) и мочевого пузыря.

Через 3 недели камень исчез, утомляемость также исчезла.

Другой случай. У Полины при диагностировании рефлексотерапевтом ступней зоны почек оказались исключительно чувствительными. Рефлексотерапевт массировал ей каждую ногу по 5 минут и рекомендовал ей делать то же самое дома. Когда Полина пошла домой, она почувствовала боли в мочеточнике. В туалете вышло 4 камня.

2) Полиартрит. У Киры опухли пальцы рук, суставы ступней и кистей, и все это сильно болело. При диагностике у рефлексотерапевта все важнейшие зоны были резко болезненными, а зоны надпочечников и почек были заблокированы исключительно большими отложениями, и функции этих органов были сильно снижены. Так что мочевая кислота выводилась недостаточно, оставаясь циркулировать в основной своей массе в кровяном русле и откладываясь в суставах. Чем больше накапливались соли в суставах, тем больше они деформировались и сильнее были боли.

Рефлексотерапевт начал массаж, а муж Киры продолжил массажную процедуру дома ежедневно в течение 30 минут. Сначала возникли реакции, состояние ухудшилось, через 2 месяца началось выведение шлаков (начал меняться цвет мочи), еще через год Кире стало лучше, а еще через год она вылечилась.

3) Ревматизм. У Даши ревматизм — пронизывающие боли в области плечевого пояса и плечевого сустава (плохо снабжаются кровью мускулатура, соединительная ткань).

При диагностировании у рефлексотерапевта повышенная чувствительность была в зонах почек, мочеточника и мочевого пузыря (ибо они ответственны за развитие ревматизма). В этих зонах возникли резкие боли. Рефлексотерапевт массировал эти зоны суставами пальцев, а не костями. Повышенная чувствительность отмечена также точками надпочечников (свидетельствует о недостаточной выработке кортизона, оказывающего противовоспалительное действие), паращитовидных желез (это говорит о нарушении кальциевого обмена), в зонах желудочно-кишечного тракта, печени, желчного пузыря (недостаточное выделение шлаков и недостаток пластических материалов). В питании Даша совершала ошибки. Пила ежедневно несколько чашек кофе с молоком, употребляла мясной бульон.

Первоначальные причины: а) ношение тесной узкой обуви (это блокировало рефлексогенную зону плеча, а плохое кровоснабжение этой зоны привело к ухудшению кровоснабжения мускулатуры плеча); б) неправильное питание, особенно употребление мясного бульона.

Лечение: а) Даша ежедневно уделяла массажу рефлексогенных зон 30—45 минут; б) было перестроено питание.

Через 3 месяца боли прекратились. Все-таки Даша продолжала массаж, чтобы окончательно привести зоны в порядок.

Сегодня в качестве профилактики она делает массаж зон стоп 2 раза в неделю.

4) Псориаз. Псориаз, или чешуйчатый лишай, появляется вследствие сильных эмоциональных нагрузок. Перегружается выделительная функция кожи вследствие нарушения функции почек.

У Иры высыпания были не только на коже головы и конечностей, но поражены были ногтевые ложи пальцев рук и ног. Ира следовала правилу — ежедневный массаж стоп по 20 минут. Вскоре через почки стали выделяться токсичные вещества, кожа перестала испытывать перегрузки и в ней начались восстановительные процессы. Через 8 месяцев поражение ногтевого ложа прекратилось, а через 10 месяцев кожа очистилась.

Если нарушается деятельность мочеточника, могут быть следующие расстройства:

а) ноющие или колющие боли в нижней части брюшной полости — вследствие воспаления мочеточника;

б) застойные явления в почке — вследствие сужения или перегиба мочеточника.

Если нарушается деятельность мочевого пузыря и мочеиспускательного канала, могут быть расстройства:

а) жгучие боли при мочеиспускании (чаще всего у женщин) — вследствие воспаления;

б) недержание мочи — вследствие слабости мышечного сфинктера;

в) спазмы мочевого пузыря.

Последствия массажа: воспаление и спазмы мочевого пузыря относительно легко поддаются лечению. Значительное улучшение состояния наступает уже после второго или третьего сеанса.

Пример нарушения деятельности мочевого пузыря.

У Анны после выделения нескольких капель мочи, сопровождаемого болями, мочевой пузырь вследствие спазматического сжатия не опорожнялся от мочи.

При диагностике было видно, что поражены обе почки, мочеточник и особенно мочевой пузырь.

Следует обратить также особое внимание на зоны, которые связаны с органами, ведающими обменом веществ.

Большое значение имеет не только то, что вы едите, но и состояние желудочно-кишечного тракта (полость рта, пищевод, желудок, двенадцатиперстная кишка, тонкая и толстая кишка, вплоть до заднего прохода), его способность переваривать и усваивать пищу.

Если нарушается деятельность челюстей, их функции, то происходят следующие расстройства:

а) парадонтоз;

б) зубная боль, воспаление челюсти, трудности протезирования зубов;

в) гайморит (нагноение придаточных пазух носа).

Примеры нарушения деятельности челюстей.

1) Зубная боль. Массируются соответствующие рефлексогенные зоны: зеркальное отражение правой стороны челюсти находится на большом пальце левой стопы, а левая сторона — на большом пальце правой стопы.

2) Если зубные протезы вызывают неудобства и боль, массируют по 10 минут зоны 46, 47 в течение 10 дней.

3) Гайморит. Массировать зоны 46 и 47, и быстро почувствуете улучшение.

4) Парадонтоз. Никита долго страдал парадонтозом. Он массировал зоны 46 и 47 (нижнюю и верхнюю челюсть) в течение 10 минут каждый день, тратя по 5 минут на каждую ногу. Он изменил режим питания, привел в порядок рефлексогенные зоны желудка, двенадцатиперстной кишки и печени, чем способствовал преодолению недостатка пластических материалов. Через месяц наступило видимое улучшение, а через 1,5 года он окончательно избавился от парадонтоза.

Если нарушается деятельность желудка (функция желудка — пища подготавливается к перевариванию, пропитываясь очень кислым желудочным соком, чтобы потом направиться через привратник в двенадцатиперстную кишку), возможны следующие расстройства:

а) язва желудка;

б) сердечные нарушения (сердечные нарушения в 90% могут быть ликвидированы путем изменения питания).

Пример нарушения деятельности желудка.

Боли в сердце — перестроить питание, чтобы не было вздутия желудка, давящего на сердце, и сердечные приступы прекратятся.

Функция двенадцатиперстной кишки — принятие пищи из желудка и пищеварительных соков и гормонов из поджелудочной железы через проток и желчи из печени через проток. При нарушении деятельности двенадцатиперстной кишки (нарушения возникают, когда пища поступает из желудка в слишком перекисленном состоянии, тогда двенадцатиперстная кишка сжимается, и из-за спазм сужаются протоки печени и поджелудочной железы, вследствие чего не поступают в достаточном количестве желчь и пищеварительные ферменты) возможны следующие расстройства:

а) неусвоение пищи и непереваривание жира;

б) плохое опорожнение кишечника;

в) токсичные вещества плохо выводятся из печени.

Пример нарушения деятельности двенадцатиперстной кишки.

Владимир испытывал непрекращающиеся боли. При диагностировании в рефлексогенной зоне желудка и двенадцатиперстной кишки прощупывалось отложение размером с ядрышко миндаля, при надавливании на которое испытывалась резкая боль. Необходимо было массировать это отложение, чтобы и рефлексогенные зоны, и соответствующие органы начали лучше снабжаться кровью. Владимир массировал ежедневно зоны желудка и двенадцатиперстной кишки в течение 20 минут и изменил питание. Состояние улучшилось через 5 недель, исчезла язва.

Печень является самым крупным органом тела и главным органом, ведающим процессами обмена веществ. Печень постоянно вырабатывает желчь, накапливаемую в желчном пузыре (до 1 литра в день), который сокращается и опорожняется в двенадцатиперстную кишку, когда пища содержит жирные продукты. От печени зависит формирование, перестройка и распад жизненно важных веществ. Она осуществляет дезинтоксикацию с конечными продуктами обмена веществ и чуждых организму веществ. При диагностике в зоне печени и желчного пузыря можно обнаружить отложения величиной с горошину, если есть камни в желчном пузыре или сделана операция на желчном пузыре.

При расстройстве деятельности печени и желчного пузыря возможны нарушения:

а) частая утомляемость и раздражительность, бессонница;

б) боли в области печени, пигментные пятна, недостаток пластических веществ;

в) желтуха.

Примеры нарушения деятельности желчного пузыря.

1) Быстрая утомляемость и раздражительность — причиной этого является то, что в кровь вновь поступают токсичные вещества (циркулирующие с ней по всему организму) вследствие недостаточного функционирования печени или невозможности опорожнения желчного пузыря.

2) Одной из причин бессонницы является то, что печень не в состоянии нейтрализовать во время сна токсичные вещества, которые в нее поступают, и будит своего хозяина в 2—3 часа ночи, через 6 часов после плотного ужина.

Максим весь день чувствовал усталость. При диагностике повышенной болезненностью обладали зоны желудка, двенадцатиперстной кишки, печени и желчного пузыря. После массажа этих зон и изменения питания исчезли усталость, а также боли в животе и вздутие кишечника.

16. На время лечения массажем рефлексогенных зон следует изменить питание.

1) Исключить продукты, которые ведут к нарушениям в пищеварительном тракте и, следовательно, ответственны за недостаток пластических материалов — смесь кофе или сладкого черного чая с молочными продуктами (это плохо переваривается, и поэтому возникают нарушения в желудочно-кишечном тракте, печени, желчном пузыре, в суставах — недостаток пластических материалов. Черный кофе со сниженным содержанием кофеина вреден — слишком пережаривают зерна). В качестве молочных продуктов здесь имеются в виду молоко и сливки.

2) Исключить молоко (это объясняется тем, что при больших глотках не происходит смачивание слюной и переваривание молока не происходит, отчего возникает большая нагрузка на двенадцатиперстную кишку. Кипячение и пастеризация разрушают ценные элементы, содержащиеся в молоке). Молочные продукты: сыр, масло, творог, сливки, кефир, простокваша, йоргут — можно употреблять.

3) Сырые фрукты с рынка и свежие соки из них. Фрукты поступают на рынок в незрелом виде и дозревают уже на складе, они опыляются пестицидами. Можно есть только созревшие на дереве фрукты, но при этом нужно помнить, что сырые фрукты содержат много кислоты, поэтому для нормальной работы желудка достаточно съесть в день 1 фрукт, и тогда рефлексогенные зоны будут чистыми. Заменять сырые фрукты можно вареными, консервированными фруктами, компотами, так как в этом случае кислоты остается не более 10%, с чем желудок хорошо справляется. Ягоды имеют щелочную реакцию, и их можно есть, срывая их спелыми. Бананы содержат мало кислоты, но они способствуют запорам. Цитрусовые из-за большого количества кислоты тоже нельзя считать полезными, а витамин С в виде аскорбиновой кислоты не усваивается организмом. Поэтому витамин С лучше употреблять из зелени салата, ревеня и т. д.

4) Исключить белое вино, все виды водки (белое вино делается из виноградного сока, при этом теряются важные составные элементы с потерей мякоти и кожуры).

5) Исключить чай из кожуры плодов и черный хлеб, все тяжелые сорта хлеба.

6) Кроме того, нужно быть осторожным со слоеным тестом (слишком жирное), кока-колой, шоколадом, крепким бульоном, потрохами, сырым луком и чесноком (они содер-

жат сильно пахнущие ароматические вещества, которые оказывают раздражающее действие на желудочно-кишечный тракт).

Идеальный набор продуктов во время лечения массажем рефлексогенных зон следующий.

Завтрак: 1) Напитки — любой вид чая из трав (липовый, мятный и т. д); долго не настаивать.

2) Хлеб серый, не очень свежий — бутерброд с маслом, маргарином, медом, вареньем, сыром, плавленым сыром.

3) Творог, яйцо всмятку.

Ничего отягощающего на завтрак.

Обед: 1) Никаких супов (только переполняют желудок).

2) Салат из зелени или салат из одного сорта овощей.

3) Мясо в умеренном количестве (вареное, на пару, слегка обжаренное).

4) Десерт — пудинг или компот, пироги, натуральный кофе с сахаром или без сахара; напитки — минеральная вода, красное вино с минеральной водой, чай, сироп.

После обеда не спать — нарушается нормальная работа желудка, а просто полежать для отдыха позвоночника.

Ужин (за 3—4 часа до сна): 1) Хлеб серый — бутерброды (смотри завтрак, но можно добавить немного колбасных изделий) или сухари.

2) Салат или компот.

3) Йогурт или йогурт в смеси с фруктовым соком (хорошо при этом съесть кусок хлеба).

Салаты и овощи употреблять только в свежем виде. Овощи никогда нельзя разогревать. Для поджаривания использовать растительное масло. Сахар — 1 кусок на стакан чая (у людей, которые вообще не употребляют сахар, наблюдается повышенное содержание холестерина).

17. Во время лечения массажем рефлексогенных зон и вообще в течение всей жизни нужно носить нормальную обувь. Нормальная обувь должна быть более узкой к пятке и расширяться к мыску. Обувь узкая к мыску искажает следующие рефлексогенные зоны: глаз, ушей, носа, висков (может возникнуть мигрень), лобной и гайморовой пазух, затылка, плечевого пояса, равновесия, молочных желез (могут возникнуть кисты), лимфотока, молочных протоков, щитовидной железы, легких, бронхов. В этом случае возникают заболевания в соответствующих органах.

Обувь должна соответствовать форме ноги, должна быть без высоких каблуков, из кожи, а не из синтетики. Вкладыши неприемлемы, ибо, если искусственно подпирается свод ноги, мускулы престают работать и атрофируются.

18. Во время лечения массажем рефлексогенных зон и вообще в течение всей жизни нужно как можно больше ходить босиком. Это своего рода ступательный массаж, и, кроме того, человек через подошвы ног получает благоприятное излучение Земли.

Но нужно учесть, что усиленное излучение Земли не полезно, а, наоборот, вредно. Такое излучение бывает в тех местах, где проходят подземные, водные магистрали, ибо металлы в воде, находясь под воздействием внутриземного излучения, получают заряд, и тем самым излучение усиливается. Если кровать человека оказывается под этим излучением, то: 1) возникает беспокойный сон, и он встает после сна неотдохнувшим; могут быть серьезные заболевания; 2) возникает нарушение солнечного сплетения, то есть вегетативной нервной системы. Деревья в этих местах плохо растут, но зато кошки предпочитают лежать там. Если кошка спит на кровати, это признак того, что она находится в сфере излучения подземных потоков.

Зона излучения зависит от размера водного потока и усиливается на перекрестке водных потоков. Излучение проходит через весь многоэтажный дом. Обнаружить излучение водных потоков можно с помощью рамок или маятника. Защита от излучений: 1) переставить кровать или рабочий стол в другое место; 2) заэкранировать себя от излучения. Самым дешевым приспособлением для экранирования являются поставленные рядом две пластиковые ванночки с зеркалом — отражателем. Это могут быть ванночки для птиц. Эти ванночки ставятся вверх дном под кровать.

19. Во время лечения массажем рефлексогенных зон не увлекаться водными процедурами, ибо во время долгого лежания в воде нарушается силовое поле человека. После длительной ванны человек устает и хочет спать. Длительное плавание нежелательно, в плавании полезны движения в воде, но нужно учитывать отрицательное действие воды при длительном плавании. Если вам совершенно необходимо плавать, то это нужно делать недолго, 5—10 минут плавать, после чего отдохнуть. Вообще, вместо длительного плавания лучше подвигаться в какой-либо другой форме.

20. Во время лечения массажем рефлексогенных зон нужно помнить о взаимосвязи психического и физического состояния. Поэтому старайтесь снизить уровень душевных переживаний за счет философского подхода к жизни. В то же время разрешить душевные конфликты можно и путем воздействия на рефлексогенные зоны. Улучшая кровоснабжение зон и соответствующих органов, мы изменяем в лучшую сторону общее состояние организма, появляется уверенность, активность, то есть повышается жизненный тонус.

Средство № 535

Массаж рефлексогенных зон кистей рук — способствует оздоровлению органов дыхания, сердечно-сосудистой системы, желудочно-кишечного тракта, органов чувств.

1. Методика массажа рефлексогенных зон: массировать зоны нужно подушечкой большого пальца — сначала на одной руке, потом на другой. Каждую зону нужно массировать по 10 секунд, особое внимание обращая на места, которые отзываются на давление легкой болью. Всегда нужно начинать массаж с кончика пальца, с подушечки, переходя затем к тыльной стороне ладони (полезно помнить, что, воздействуя на фаланги пальцев, мы тонизируем также весь организм).

2. Комплексность массажа: обычно массируют все зоны, окончив массаж зон первого уровня (они отмечены на рисунке пунктирными линиями), переходят ко второму уровню и так далее. В заключение энергично потрем ногти одной руки о ногти другой в течение минуты. Эта процедура укрепляет не только сами ногти, но и волосы, и ее можно повторять несколько раз в день. Усилит действие массажа работа ума: думайте о том, что вы молоды, здоровы и красивы, и мысленно повторяйте фразу: «Я добьюсь успеха».

3. Дополнительные приемы. Используйте то время в течение отдыха, когда ваши руки не заняты (когда смотрите телевизор и так далее). Оберните первые фаланги всех пальцев одной руки резинками так туго, чтобы ногти слегка посинели, и подождите минуту. Потом то же самое проделайте с пальцами второй руки. Вы сразу почувствуете, как благотворно скажется эта процедура на вашем общем состоянии. Вместо резинки можно пользоваться и обычными зажимами для белья, но тогда на массаж каждой руки потребуется не меньше 10 минут. Во время использования резинок или зажимов для белья неплохо было бы внушать себе, что вы молоды, здоровы, красивы и добьетесь успеха.

4. Соответствие рефлексогенных зон, отмеченных на схеме определенными номерами, органам или частям тела следующее:

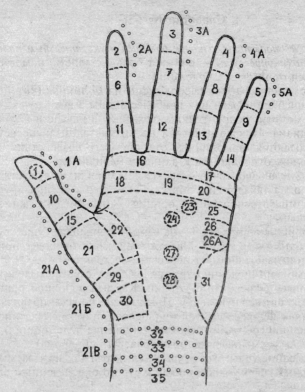

1 — гипофиз
1а — лобная пазуха
2 — глаз
2а — глазная впадина
3 — глаз
3а — глазная впадина
4 — ухо
4а — височная впадина
5 — ухо
5а — височная впадина
6 — глаз, нервы
7 — глаз, нервы
8 — ухо, нервы
9 — ухо, нервы
10 — затылок
11 — глаз
12 — глаз
13 — ухо
14 — ухо
15 — горло
16 — зубы
17 — ротовая полость

18 — бронхи
19 — грудь
20 — легкие
21 — щитовидная железа
21а — позвоночник
21б — крестец
21в — копчик
22 — желудок
23 — желчный пузырь
24 — центральная нервная система
25 — сердце (на левой руке)
26 — селезенка
26а — печень (на правой руке)
27 — надпочечники
28 — почка
29 — поджелудочная железа
30 — мочевой пузырь
31 — толстая кишка
32 — сигмовидная кишка
33 — прямая кишка
34 — седалищный нерв
35 — яичники

Средство № 536

Массаж биоактивных точек большим и указательным пальцами руки (акупрессура) — снимает боль, усталость, помогает избавиться от многих заболеваний.

1. Биоактивные точки расположены на 14 линиях (китайских меридианах). Среди них наиболее важны 3 вида точек:

1) гармонизирующие точки — лежащие в начале и в конце меридиана. При воздействии на них методом акупрессуры наблюдаются гармоничные отзвуки этого воздействия во всех органах, относящихся к данному меридиану;

2) возбуждающая точка — на каждом меридиане существует лишь одна такая точка. Массаж этой точки активизирует реакцию и работоспособность органов, относящихся к данному меридиану;

3) успокаивающая точка — на каждом меридиане существует лишь одна такая точка. Массаж этой точки наиболее приятен, успокаивает, снимает нервозное состояние.

Помимо перечисленных трех видов точек следует выделить «сигнальные» («тревожные») точки. Каждый основной орган имеет свою сигнальную точку. Правильная, по всем правилам проведенная акупрессура этой точки способствует немедленному улучшению состояния человека (снижение недомогания) и в особенности уменьшению боли (болевого синдрома).

В последние годы был открыт целый ряд так называемых специальных точек, относящихся к строго определенным заболеваниям.

2. Точку можно найти согласно рисунку, и, кроме того, помогает то, что искомая точка акупрессуры реагирует на сильное нажатие резким (четким) болевым сигналом (импульсом), что выделяет ее на искомом участке тела.

Возможны 3 вида воздействий при акупрессуре:

1) легкий круговой массаж, производимый кончиком указательного пальца. Применяется в основном при острых болях и при первичном лечении. Продолжительность такого массажа — от 1 до 5 минут;

2) при хронических заболеваниях лучше всего применять точечный массаж средней силы. Рекомендуется многократный массаж в течение дня, продолжительность массажа (в зависимости от обстоятельств) до 30 секунд;

3) сильная акупрессура производится главным образом с помощью большого пальца руки, однако в частных случаях возможны и другие варианты.

3. Методика массажа. Сядьте или ложитесь на спину. Следите, чтобы отсутствовали какие-либо раздражители (телефон-

ные звонки, разговоры родных и т. п.). На это время отвлекитесь от всего.

Когда искомая точка найдена, кончиком указательного пальца или большого пальца слегка прикасаются к кожному покрову (кладут на точку). Легко надавив на кожу, одновременно начинают производить круговые движения пальцем, сдвигающие кожу относительно костной или мышечной ткани, в ритме 2 оборота в секунду. При этом следует обращать внимание на то, чтобы палец постоянно оставался на одной (данной) точке тела. При симметричном воздействии на точки следует быть особо внимательным. Продолжительность акупрессуры — от 0,5 до 5 минут. Акупрессуру можно повторять многократно в течение дня. Действие всегда наступает быстро и ощущается долгое время.

4. Расстройства здоровья лечатся с помощью акупрессуры следующим образом.

1) Боли в суставах.

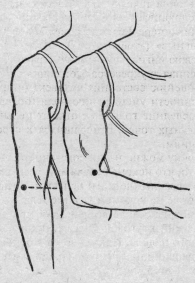

Наименование точки — «юинь-хан».

Свойство — гармонизирующая точка.

Воздействие — акупрессура проводится указательным пальцем. При острых болях — только легкая акупрессура, при хронических заболеваниях — сильная, интенсивная акупрессура.

Продолжительность — до наступления улучшения состояния.

2) Боли желчного пузыря (колики).

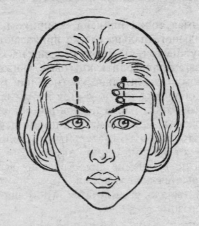

Наименование точки — «ху-сан»
Свойство — успокаивающая точка.
Воздействие — легкая акупрессура указательными пальцами обеих рук одновременно.
Продолжительность — до наступления улучшения состояния.
Эффективно применяется в качестве предупредительного средства.

3) Головная боль (боли лобной части).

Наименование точки — «хси-сан».
Свойство — успокаивающая (симметричная) точка.
Воздействие — легкая акупрессура, обязательно синхронная с двух сторон, с помощью больших пальцев. Во время акупрессуры глаза должны быть закрыты.

4) Головная боль (мигрень).

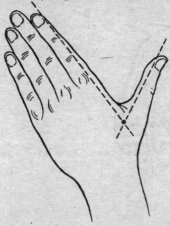

Наименование точки — «хо-гу».
Свойство — успокаивающая.
Воздействие — зажав точку между указательным и большим пальцами массирующей руки, проводить легкую, ритмичную акупрессуру с помощью указательного пальца.
Продолжительность акупрессуры — до 5 минут.

5) Насморк.

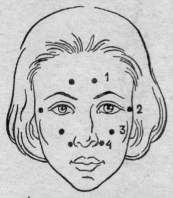

Наименование точек:
1. «хи-ши» — гармонизирующая;
2. «ку-сан» — возбуждающая;
3. «фу-сан» — успокаивающая;
4. «ни-ши» — специальная;
Все точки симметричные.

Акупрессура проводится в легкой форме кончиками указательных пальцев обеих рук синхронно с двух сторон.
Акупрессура каждой пары длится 1 минуту.
Последовательность проведения — 1, 2, 3, 4.
Акупрессура помогает также как предупреждающее профилактическое средство.

6) Грипп.

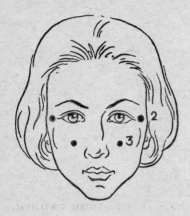

Наименование точек:
1. «ку-сан» — возбуждающая;
2. «фу-сан» — успокаивающая.

Акупрессура проводится в легкой форме кончиками пальцев рук синхронно с двух сторон, попеременно каждую точку массируя в течение 1 минуты.

7) Катар верхних дыхательных путей.

Наименование точки — «си-бай».
Свойство — специальная (симметричная) точка.
Сесть спокойно, глаза закрыты.
Акупрессура проводится с умеренным усилением указательными пальцами обеих рук (большие пальцы подпирают подбородок).
Продолжительность акупрéссуры — 64 круговых движения, 8 раз по 8 круговых движений.

8) Ушная боль.

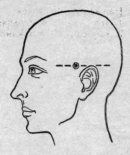

Наименование точки — «юнь-юа».
Свойство — гармонизирующая.
Легкая акупрессура. Проводится указательным пальцем. Действенна лишь в области пораженного уха.
Продолжительность — до наступления улучшения.

9) Похудение (притупление аппетита).

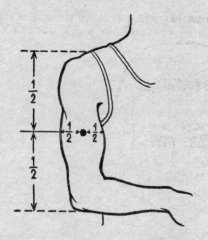

Наименование точки — «ю-пе».
Свойство — успокаивающая точка.
Акупрессура применяется в виде легкого массажа при возникновении аппетита.
Продолжительность — 30 секунд. Акупрессура проводится попеременно на обеих руках.
Воздействие на точку притупляет аппетит и регулирует обмен веществ.

10) Возбуждение аппетита.

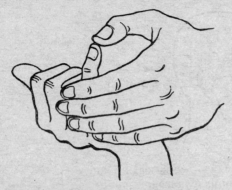

Наименование точки — «ан-минь».
Свойство — возбуждающая.
Воздействие на точку стимулирует аппетит и обмен веществ.

Акупрессура проводится в зависимости от обстоятельств, неоднократно в течение дня перед едой.

Проводится ритмично по 20 секунд, средней силы, нажатием ногтя большого пальца попеременно на обоих мизинцах.

11) Половые расстройства. Слабая эрекция.

Наименование точки — «ло-си-муй».
Свойство — специальная точка.
Легкая акупрессура указательным пальцем. Желательно проведение акупрессуры партнером.
Следует строго соблюдать требование полного покоя.

12) Половые расстройства. Импотенция, холодность, фригидность.

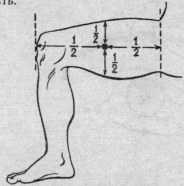

Наименование точки — «чли-бе».
Свойство — специальная точка.
Проводится чередованием легкой и сильной (интенсивной) акупрессуры указательным пальцем. Желательно проведение акупрессуры партнером. Состояние покоя необходимо.

13) Астма (одышка, кашель, отвыкание от курения).

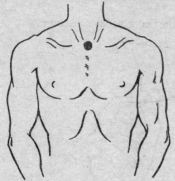

Наименование точки — «хаба-экс».
Свойство — специальная точка.
Воздействие — акупрессура проводится указательным пальцем, в легкой форме, продолжительностью до 1 минуты.

Акупрессуру можно проводить в любое время. В случае отвыкания от курения акупрессура проводится при возникновении желания курить. В данном случае проводится кратковременная, но интенсивная (до боли) акупрессура. Желательно проведение также терапии как при гипотонии (пониженном кровяном давлении).

14) Болезни глаз (рябь, дрожание век, боль глаз).

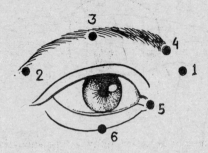

Наименование точки — «тай-юань».
Свойство — успокаивающая точка.
Воздействие — легкая акупрессура глазной впадины в последовательности, обозначенной цифрами. Во время акупрессуры глаза закрыты.

15) Расстройство сна.

Наименование точки — «ха-у-сан».
Свойство — специальная (гармонизирующая) точка.
Легкая акупрессура указательным пальцем в состоянии полного покоя.
Действует эффективнее (быстрее) с правой стороны, чем с левой.

16) Возрастные расстройства (переходный возраст).

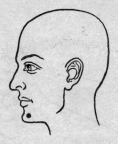

Наименование точки — «та-нейль» или «йен-май».
Свойство — гармонизирующая точка.
Проводится легкая акупрессура кончиком указательного пальца, по возможности по утрам, с соблюдением режима полного покоя.

17) Вегетативная дистония.

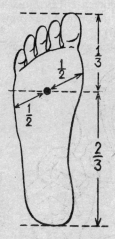

Наименование точки — «ха-ау-ха».
Свойство — специальная точка.
Воздействие — обхватив рукой ступню, проводят акупрессуру большим пальцем со средним усилием.
Акупрессуру следует проводить утром или вечером с длительными интервалами.
Благоприятное воздействие оказывает проведение дополнительной акупрессуры как при жажде — легкое покусывание передними зубами (резцами) кончика языка в ритме 20 секунд.

18) Усталость ног (переутомление после длительного бега или ходьбы).

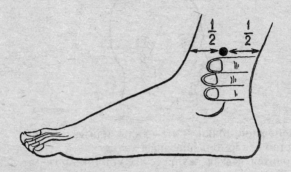

Наименование точки — «пи-ин-сан».
Свойство — возбуждающая точка.
Акупрессура проводится со средним усилием с помощью указательного пальца, не обхватывая при этом голень массируемой ноги (уставшей).
При необходимости акупрессура повторяется.

19) Острая зубная боль.

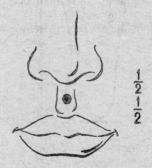

Наименование точки — «хо-ба».
Свойство — специальная точка.
Сильная интенсивная акупрессура в ритме 10 секунд с помощью указательного пальца (ногтем указательного пальца).

20) Боли ревматического характера.

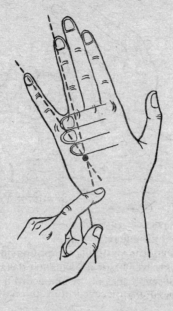

Наименование точки — «Трехстепенной обогреватель».
Свойство — успокаивающая точка.
Легкая, но продолжительная акупрессура до 7 минут с помощью указательного пальца.
Акупрессура проводится попеременно на обеих руках.

21) Боли сердца.

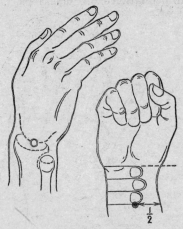

Наименование точки — «ха-ти».
Свойство — успокаивающая точка.
Воздействие — акупрессура проводится большим пальцем, зажав слегка кисть указательным и большим пальцами массирующей руки. Акупрессура легкая, лучше всего в лежачем положении при полном покое.

22) Усталость.

Наименование точки — «пья-сан».
Свойство — возбуждающая (специальная) точка.
Зажав мизинец правой руки между указательным и большим пальцами левой руки, кончиком большого пальца проводится, по возможности, сильная акупрессура.
Процедура длится в течение 1 часа. Рекомендуется повторение.

23) Нарушение кровообращения (закупорка сосудов, слабый кровоток и т. д.).

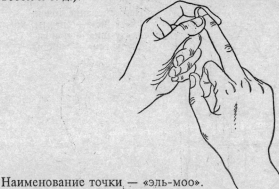

Наименование точки — «эль-моо».
Свойство — возбуждающая точка.
Зажать средний палец одной руки между указательным и большим пальцами другой, акупрессура проводится нажатием со средним усилием ногтем большого пальца в ритме биения сердца.
Акупрессура проводится попеременно на обеих руках через минуту, меняя средние пальцы рук.

24) Интенсивное кровообращение — коллапс (применяется также при пониженном кровяном давлении — гипотонии).

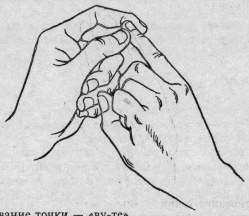

Наименование точки — «ву-те».
Свойство — возбуждающая точка. Интенсивная до боли, но кратковременная акупрессура ногтем большого пальца мизинца противоположной руки.
При пониженном давлении рекомендуется проводить акупрессуру по утрам в постели. Состояние покоя обязательно.

25) Расстройство желудка (желудочно-кишечные боли).

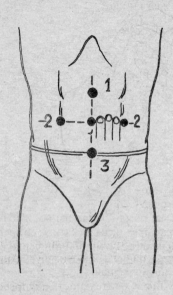

Наименование точек:
1. «ту-ше» — спазмы, колики;
2. «ту-ши» — понос;
3. «ту-кси» — запо(ы).

Свойство — гармонизирующая точка.

Только легкая, но длительная акупрессура. Желательно проведение акупрессуры лежа в постели.

Акупрессура проводится с помощью указательных пальцев. В случае акупрессуры точки «ту-ши» обязательна синхронность с обеих сторон.

26) Жажда.

Наименование точки — «юань-цзень».

Свойство — успокаивающая (единственная точка слизистой оболочки человеческого организма).

Акупрессура точки слизистой оболочки «юань-цзень», которая расположена на расстоянии примерно 1 см от кончика языка, проводится в форме легкого покусывания языка в данной точке передними зубами с ритмом 20 секунд.

27) Легочная недостаточность (используется также при женских расстройствах — спазмы влагалища).

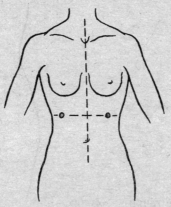

Наименование точки — «ту-ли».
Свойство — возбуждающая (симметричная) точка.
Легкая акупрессура большими пальцами обеих рук. Акупрессура кратковременная, но многократная.
При женских расстройствах продолжительность акупрессуры произвольная. Обязательно состояние покоя.

28) Расстройства в период менструации.

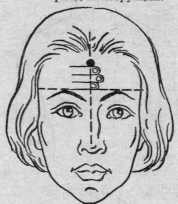

Свойство — гармонизирующая точка.
Легкая акупрессура, многократно повторяемая в течение «критических дней».
Продолжительность акупрессуры до наступления улучшения состояния.

29) Пояснично-крестцовый радикулит.

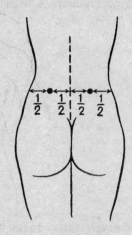

Наименование точки — «ха-те».
Свойство — специальная точка.
Проводится сильная акупрессура с помощью больших пальцев одновременно с двух сторон, продолжительность — до 2 минут.

30) Шейный радикулит (прострел).

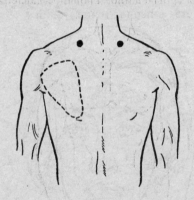

Наименование точки — «фай-юань».
Свойство — гармонизирующая точка.
Положить указательные пальцы рук на точки, а большими пальцами зажать тело в этом месте. Акупрессура проводится указательными пальцами синхронно с обеих сторон. Вначале легкая акупрессура, затем усиливаем ее. При необходимости акупрессуру повторить.

31) Головная боль (боль затылочной части).

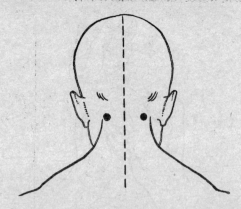

Наименование точки — «фен-хи».
Свойство — специальная (симметричная) точка.
Воздействие — ритмичная и синхронная, обеими руками, сильная акупрессура.
Акупрессура может проводиться как указательными, так и большими пальцами.

32) Гипертония (повышенное кровяное давление).

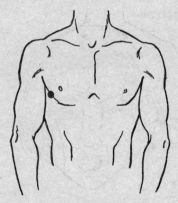

Наименование точки — «юань-си».
Свойство — гармонизирующая точка.
Легкая акупрессура с помощью указательного пальца. Продолжительность акупрессуры — до 5 минут.
Обязательный покой. При длительном применении следует делать недельный перерыв.

33) Боли в горле (воспаления и т. д.).

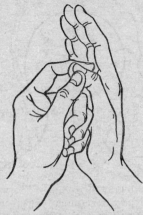

Наименование точки — «хси-кхин».
Свойство — возбуждающая точка.
Зажать большой палец руки между указательным и большим пальцами другой руки. Акупрессура проводится со средним усилием, преимущественно с помощью ногтя большого пальца, попеременно меняя руки.
Продолжительность — только 10 секунд.

34) Головокружение.

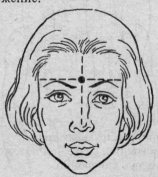

Наименование точки — «цень-цель».
Свойство — гармонизирующая точка.
Сильная, интенсивная, но кратковременная акупрессура с помощью указательного пальца. При необходимости следует комбинировать с акупрессурой точки «ву-то» (при гипотонии), проводимой с помощью ногтя большого пальца интенсивным нажимом области ногтевого ложа мизинца противоположной руки.

35) Потливость.

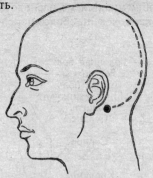

Наименование точки — «бру-май».
Свойство — специальная точка.
Легкая акупрессура с помощью указательного пальца.
Продолжительность — до 3 минут. Действие оказывается быстро при акупрессуре с правой стороны, действие с левой стороны значительно дольше.

36) Страх (подавленное состояние, общий невроз).

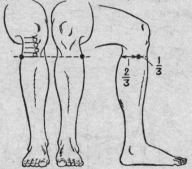

Наименование точки — «Божественное равнодушие».
Свойство — гармонизирующая точка.
Акупрессура проводится в сидячем положении указательными пальцами обеих рук синхронно.
Акупрессура легкая — до 5 минут.
5. Акупрессура применяется прежде всего как болеутоляющее средство, лечит некоторые заболевания, что видно из приведенного выше перечня заболеваний.
Противопоказана акупрессура при тяжелых органических заболеваниях сердца и системы кровообращения, в период беременности, при сильном переутомлении.

6. Ниже дана обобщенная схема расположения некоторых точек на теле человека, точек, наиболее используемых в акупрессуре.

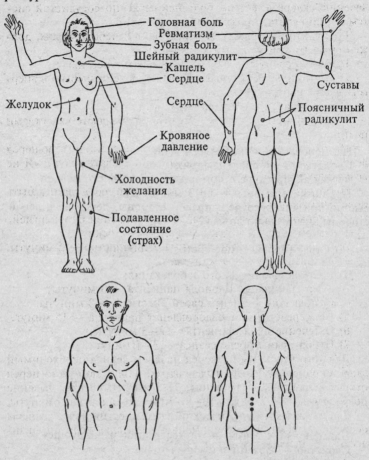

Средство № 537

Массаж шиатсу для усиления сексуальных возможностей — преждевременное семяизвержение устраняется частым воздействием на точки надчревной области и крестца. Эти же приемы позволят мужчине старше 50 лет совершить несколько половых актов с одним семяизвержением.

Надавливание на точки производится легко, тремя пальцами (щепотью), 10 раз по 3 секунды.

Средство № 538

Бесконтактный массаж (передача энергии) — способствует лечению склероза, астмы, болезней сердечно-сосудистой системы, радикулита, простудных заболеваний.

1. Тот, кто использует это средство в лечебных целях, должен обладать следующими качествами:

1) уметь правильно дышать и набирать энергию;

2) иметь сильное биополе, высокий уровень энергии в энергетических центрах (чакрах);

3) быть практически здоровым;

4) уверенность в себе, в том, что вы обладаете качествами целителя.

Необходим психологический настрой на целительство перед лечением. Нужно внушить себе (можно сказать вслух): «Я не возьму его болезни на себя».

Пробудить в себе уверенность, искреннее желание быть полезным пациенту.

2. Порядок проведения сеанса оздоровления биоэнергией.

1) Набор энергии перед сеансом — 3—5 минут.

2) Психологический настрой на целительство — 2 минуты.

3) Активация рук — 3 минуты.

4) В случае хронического заболевания:

   а) выравнивание биополя пациента — 3 минуты;

   б) подкачка пациента своей энергией — 3 минуты.

5) Непосредственное оздоровление пациента — 15 минут.

6) Отсечение поля пациента — 2—3 минуты.

7) Набор праны после сеанса — 3—5 минут.

Для того чтобы иметь перед началом сеанса необходимый запас биоэнергии в нервных центрах, целителю нужно перед открытой форточкой выполнить 7—8 раз ритмическое дыхание по формуле 8—4—8—4 или 10—5—10—5. Ноги и руки сомкнуты.

Так называемый космический набор энергии перед сеансом особенно рекомендуется применять целителю, если он физически или психически устал.

Техника выполнения.

Ноги сомкнуты, руки перед собой (как локаторы) ладонями вперед в направлении востока.

Двигать открытыми ладонями против часовой стрелки (при вращении рук создается резонансная цепочка космос — человек, в результате чего настраиваемся на поток энергии из космоса).

Скоро ощутим тепло или покалывание. Вдохнули, мысленно втянув энергию в ладони, положили руки крестом на солнечное сплетение, с выдохом направили энергию в солнечное сплетение, а оттуда в ноги, а затем во все части тела. Повторить 2—5 раз.

Используется один из следующих приемов активизации рук.

1-й прием. Руки согнуты в локтях, кисти рук с разведенными пальцами. Левая — статичный экран, правая «крутит воздух» по часовой стрелке, увеличивая и уменьшая расстояние между ладонями. Ощущения в ладонях индивидуальные: дуновение, покалывание, тепло, холод.

Спиралеобразное движение правой руки может быть заменено «вбиванием» правой руки в сторону левой руки.

В конце выполнения приема энергия сбрасывается потряхиванием обеих рук.

Затем повторяем прием, сменив функции рук.

2-й прием. Левая кисть образовала подкову, правая, при продолжении движения к левой, вводит пальцы в образованную подкову. В конце выполнения приема потряхиванием сбрасываем энергию. Повторяем прием, сменив функции рук.

3-й прием. Руки в стороны, горизонтально, с поднятыми вверх ладонями. Мысленно теплый биомагнитный шар перевести с правой руки, через плечи со спины, в левую ладонь и наоборот. Повторить несколько раз. Глаза закрыты.

4-й прием. Разводить и сводить ладони с разведенными пальцами от большого расстояния к малому, представив, что сжимаем и разжимаем теплый биомагнитный шар.

Последовательность действий при выравнивании поля следующая.

1) Провести раскрытой ладонью левой руки по всем чакрам (взмах от головы до пола).

2) Провести левой рукой по лбу на уровне Аджначакры слева направо.

3) Провести левой рукой по груди на уровне Анахатачакры слева направо.

4) Пересечь солнечное сплетение (Манипурачакру) левой рукой от левой стороны головы к правой стопе.

Подкачка пациента своей энергией производится в следующей последовательности.

1) Встали сбоку от пациента. Левой ладонью образуем экран со стороны груди, правая со стороны спины — активная. Правую ладонь двигаем круговыми движениями от затылка до пояса и обратно, совместно с экраном. Продолжительность движений — 1 минута.

2) Затем обходим пациента по часовой стрелке на другую сторону, руки меняются ролями (правая — экран, левая — активная). Продолжительность движений — 1 минута.

При подкачке рука, находящаяся спереди, всегда экран. Круговые движения активной рукой по часовой стрелке. Правая рука по часовой стрелке идет на мизинец от себя, левая —

на большой палец к себе. Расстояние руки от поверхности тела пациента в пределах 2—10 см.

Когда закончили сеанс, «снимаем» поле пациента с рук, как перчатки. Мысленно ставим экран, как бы стеклянную стену, между собой и пациентом.

Вымыть руки холодной водой с мылом и еще раз отсечь поле пациента мокрыми руками встряхивающим движением.

Для того чтобы не было истощения жизненной силы, целитель должен после каждого сеанса набрать энергию в чакры до необходимого уровня. Можно подышать ритмически 3—5 минут. Эффективен и следующий способ набора энергии: руки ладонями вперед в направлении востока, ноги сомкнуты. Крутим ладони рук против часовой стрелки до ощущения тепла и покалывания в ладонях. Кладем ладони рук на лицо, делаем вдох (энергия втягивается через ладони), на задержке после вдоха переносим руки на уши: средний палец кладем на козелок уха, безымянный — над ухом, указательный и большой — под ухом. Делаем выдох, направляя энергию в солнечное сплетение. Повторить 2—4 раза.

3. Противопоказания к применению метода оздоровления биоэнергией: нельзя применять при таких заболеваниях, как аппендицит, тромбофлебит, гнойные воспалительные процессы и острые инфекционные заболевания. Органы, расположенные ниже пояса, нужно оздоравливать сидя (пациент стоит, целитель сидит), нельзя оздоравливать согнувшись. Перед целительством снять все металлические предметы с себя и с пациента, для того чтобы энергия шла в больной орган, а не в металл. Не замыкать руки и ноги у пациента, иначе некачественная энергия больного идет в целителя.

Нельзя исцелять два заболевания одновременно. По отношению ко второму заболеванию оздоровление биоэнергией можно применять не ранее чем через 2 месяца после проведения курса исцеления первого.

4. Курс оздоровления: проводятся 4 сеанса подряд, перерыв — 1 неделя, затем снова 4 сеанса. Продолжительность сеанса — 15 минут. При повторном возникновении болей курс оздоровления повторяется.

5. Процесс лечения бесконтактным массажем.

1) Головные боли — если боли хронические, выполняется выравнивание биополя пациента и подкачка пациента своей энергией.

а) При головных болях в области висков при непосредственном оздоровлении применяется метод «пришлепывания энергии». Ставим ладони рук около висков. Одна рука — экран, другая рука — активная. Делаем кругообразные движения с «пришлепыванием» энергии в висок. Затем меняем руки: активная рука становится пассивной, а пассивная — активной. Смену рук производим несколько раз, посылая энергию то в правый, то в левый висок. Встряхивающие движения рук (сбрасывание заряда) делать перед каждой сменой рук.

Если боль ушла в область лба, то ставим ладони в области лба и затылка и производим передачу энергии так же, как при болях в области висков.

При головных болях в области висков может быть применен метод «вытягивания». Обе ладони у висков. Одна — экран, вторая — активная. Активной рукой прикасаемся к виску, а экранной рукой вытягиваем боль и сбрасываем заряд (вытягивающее и сбрасывающее движения). Затем экранная рука превращается в активную, а активная — в пассивную. И так в течение 15 минут.

б) При мигрени применяется метод «вытягивания». Руки у точек в верхней части головы. Заканчивается сеанс наложением рук на голову (немного подержать, затем сбросить заряд).

Продолжительность курса 10—15 сеансов.

в) При головной боли, при алкогольном отравлении (похмелье) используется метод «вытягивания». Контакт активной руки с головой непосредственно над ухом.

Процесс лечения до появления эффекта.

г) При головной боли в случае гриппа также используется метод «вытягивания». Контакт активной руки с головой в области сзади уха.

д) При ушной боли используется метод «вытягивания». Контакт активной руки с головой в височной области. Активная рука работает только со стороны больного уха.

2) Простудные заболевания (грипп, насморк, кашель, боль в горле).

а) При гриппе, насморке: левая рука (экран) в области затылка, активная рука ладонью кладется на лицо, и мы мягко проводим по нему по часовой стрелке 2—3 минуты.

б) При боли в горле представили и ощутили, что из ладони правой руки идет пучок энергии (образовали пучок энергии). Пучком энергии 2—3 минуты «крутим» вокруг яремной ямки, а затем 2—3 минуты вокруг точки, находящейся на 2 см ниже яремной ямки, и точки, находящейся над ней. Делаем пранический компресс, прикоснувшись раскрытой ладонью к указанным двум точкам. Затем ставим экран левой рукой в область верхней части спины и применяем метод «вытягивания», используя в качестве активной руки только правую руку.

в) При кашле используем метод «вытягивания» применительно к верхним частям груди и спины. При этом поток энергии даём в виде пучка. Закончить наложением рук на указанные области тела, подержать руки 2—3 минуты.

3) Склероз. В этом случае осуществляется выравнивание биополя пациента и подкачка пациента своей энергией.

Одновременно осуществлять воздействие на кожу тела с помощью йода. Смешать 5-процентный йод и водку в соотношении 1:1 и смазывать кожу тела пятнами в размере ладони (передняя часть бедер в области паха, передняя часть плеча в области подмышек, передняя часть предплечья около локтевого сгиба) на ночь. Смазывать каждый день (кроме воскресенья) в течение нескольких месяцев. Перерыв 1 месяц, и можно продолжить смазывать тело еще несколько месяцев.

4) Астма. Обязательно сделать подкачку энергией. В области верхней части спины делаем экран левой рукой, правой ладонью пучком энергии обрабатываем яремную ямку (круговые движения вокруг яремной ямки) 3—4 минуты, касаемся яремной ямки, сзади вытягиваем энергию и делаем отряхивающее движение левой рукой. Закончить наложением рук на верхнюю часть спины и верхнюю часть груди в течение 0,5 минуты.

Во время сеанса пациент должен дышать: вдох — 4—6 секунд, выдох — 4—6 секунд, задержка после выдоха — 4—6 секунд. В это время целитель, во время выдоха, посылает облако энергии в солнечное сплетение пациента. При приступе астмы помогает следующий прием: нажать ногтями в мякоть большого пальца сбоку.

5) Воспаление тройничного нерва. Левая рука на затылке — экран, правая ладонь проводит энергию во все лицо в течение 2 минут, затем сдвигаем правую ладонь на ту половину лица, которая болит, и протягиваем энергию через биоактивные точки, указанные выше этой половины лица, последовательно от точки на лбу до точки на скуле. На каждую точку — около 1 минуты. После протягивания энергии через определенную точку обязательно снимать заряд.

Закончить прогреванием: положить на лицо ладонь левой руки и со спины — правую ладонь. Держать руки в течение 0,5 минуты.

6) Заболевания сердца. В этом случае подпитка энергией не делается, праническое воздействие осуществлять без экрана.

Экранную левую руку зажать в кулак, активной (правой) делаем широкие круговые движения, постепенно сужая радиус и сдвигая пальцы в пучок (центр круговых движений — сердечная чакра). В конце этих движений приближаем пучок пальцев к области сердечной чакры (в середине груди между сосками) и касаемся одним пальцем точки напротив сердечной чакры.

Снять правой рукой заряд. Повторить указанные движения несколько раз.

Затем со вздохом подняли обе руки через стороны вверх и правой рукой провели (передавая энергию) по левой руке, от плеча сзади до мизинца. В конце движения коснулись мизинца и сбросили заряд.

Если пациенту стало плохо, он может помочь себе следующим способом: ритмично давить на две точки левой руки. Одна точка на нижней части сгиба кисти, вторая — посередине внутренней стороны предплечья на расстоянии трех пальцев от первой точки.

При потере сознания следует давить на средний палец в середине первой фаланги в ритме пульса (внешняя сторона пальца).

7) Гипертония (повышенное кровяное давление). В этом случае пациент должен стать к целителю спиной. Поднять руки через стороны вверх. При этом в начале движения ладони сжаты в кулак, по мере движения раскрываются, а в конце движения раскрытые ладони образуют крышу над головой пациента. Затем соединенные ладони движутся сверху вниз вдоль позвоночника (при этом мы опускаемся на одно колено, не касаясь пола) до пяток. У пола разводим руками в стороны, сбрасываем заряд. Затем совершаем обратное движение: плотно сомкнув ладони вместе у пяток, поднимаем их вдоль ног и позвоночника к голове и раскрываем крышей над головой. Движения вверх-вниз повторить 4—5 раз, когда пациенту плохо — 6—8 раз, но не более. Заканчиваем движения внизу.

В период проведения курса оздоровления рекомендуется пить сок боярышника или сок чеснока с молоком.

8) Гипотония (пониженное кровяное давление). Став на колено, делаем руки лодочкой, пальцы разомкнуты. Поднимаем руки от пяток к голове вдоль позвоночника, размыкаем их над головой, сбрасываем заряд. Затем смыкаем руки выше головы и ведем их вниз. Повторяем движение вверх-вниз 4—5 раз. Заканчиваем движения рук наверху.

Подпитку энергией перед началом непосредственного лечения делать не нужно.

Пациенту рекомендуется надавливать на мизинец с боков подушечками пальцев несколько раз в день.

9) Растяжения, ушибы, переломы.

а) Растяжение голеностопного сустава. Подкачку энергией делать не нужно. Воздействуем локально по месту растяжения.

Сначала обрабатываем ступню кругом, меняя экранную и активную руки (сначала левая экранная в течение 1 минуты, затем правая экранная — 1 минута) в течение 4—6 минут. При этом поверхности стопы не касаемся. 1 сеанс в день в течение недели. Затем в течение следующей недели 1 сеанс в день: активной рукой касаемся стоп в области наружной лодыжки в течение 1 минуты, протягивая энергию через эту область стопы. Затем касаемся стопы другой рукой, протягивая энергию через ступню, сбрасываем заряд. Заканчиваем поглаживанием ступни ладонями обеих рук, снимаем заряд.

б) Ушиб колена. Сначала обрабатываем колено локально по месту ушиба в течение 4—6 минут. Затем ставим экран левой рукой над местом повреждения, а правой крутим над областью бедра на границе с ягодицей в течение 1 минуты, затем касаемся этой области, протягиваем энергию через нее, снимаем заряд у колена. Затем то же самое с областью подошвы пятки (вращение, касание, протяжка). Экран у колена, активная рука у пятки.

в) Перелом. Подпитку энергией не производить (позвоночник не обрабатывать).

При переломе ноги праническое лечение такое же, как при ушибе колена (методика такая же).

10) Двигательные нарушения рук и ног.

а) Двигательные нарушения и паралич рук. Нужно учесть, что правой рукой руководит левое полушарие, и наоборот. Активизируя руки, применяется метод «пришлепывания энергии» в области головы. Если двигательные нарушения в правой руке, обрабатываем левое полушарие. Если нарушения в левой руке, обрабатывается правое полушарие. Затем экран ставим над полушарием, и активная рука движется от кончиков пальцев по всей руке, касаясь биоактивной точки в середине локтя. Продолжительность пранического оздоровления — 5—6 минут.

б) Двигательные нарушения и паралич ног. В этом случае оздоравливается по такому же методу, как при двигательных нарушениях и параличе рук. Так же работаем с полушариями мозга и всей конечностью, только биоактивные точки другие: точка у основания мизинца ноги и точка в середине стопы.

11) Радикулит. Обязательна подкачка энергией.

а) Плечевой радикулит. Экран на плече спереди, а активная ладонь со стороны спины над этим же плечом. Используем метод «вытягивания». Затем, оставив экран со стороны спины, активной рукой делаем круговые движения вдоль руки от пальцев вверх, касаясь биоактивных точек — на сгибе в локте (конец складки с внешней стороны) и точки «хегу».

б) Пояснично-крестцовый радикулит. Пациент становится боком, лечащий сидит. Экран в области мочевого пузыря, активная ладонь в области крестца делает круговые движения 7—8 минут. Затем пациент поворачивается вокруг собственной оси, а лечащий меняет функции рук и делает круговые движения 7—8 минут.

12) Геморрой. Пациент стоит, лечащий сидит сбоку от пациента. Экран в области мочевого пузыря, активная ладонь у ануса делает «пришлепывающее» движение в сторону прямой кишки. Затем пациент поворачивается вокруг своей оси, а лечащий меняет функции рук. Затем используется метод «протягивания». Касаемся области ануса активной рукой, и с другой стороны протягиваем энергию, снимаем заряд. Затем поворачиваем пациента вокруг своей оси и делаем то же самое, поменяв функции рук.

13) Болезни селезенки, печени. Воздействия в обоих случаях аналогичны. При праническом воздействии на селезенку ставим ладонь левой руки со стороны селезенки, а правую со стороны спины. Посылаем энергию левой рукой в течение 1 минуты. Затем меняем функции рук: правая — активная, левая — пассивная. Повторяем 2—3 раза. Ставим руки по диагонали: одна рука в области селезенки, другая — на другой стороне туловища со стороны спины. Продолжительность воздействия — 1 минута. Затем меняем функции рук. Повторяем 2—3 раза.

Печень оздоравливается аналогично, только руки располагаются соответственно расположению печени.

Средство № 539

Массаж щеткой в ванне — закаливает организм, сохраняет упругость и молодость кожи, так как механический и физический раздражитель тренирует кожу, в соединительной ткани которой образуются защитные вещества (антитела), улучшается кровоснабжение.

Ваше улучшенное кровоснабжение воздействует на внутренние органы, влияет на функцию нервной системы, улучшает общее самочувствие. Кроме того, массаж оказывает лечебное воздействие, направленное на ослабление определенных нарушений сердца и кровообращения, функциональных и периферийных нарушений кровоснабжения, обеспечивает расслабление мускулатуры и устраняет нарушения теплового обмена.

Существуют два варианта применения массажа.

1) Массаж щеткой без посторонней помощи: погружение до пояса в теплую воду температуры 36—38 °C. Жесткой, но не очень колючей щеткой массировать плавно по длине ноги со всех сторон правую голень. Далее массировать подошву и тыл стопы и лишь затем бедро, после этого произвести массаж правой руки. То же самое проделать с левой половиной туловища.

Затем сделать массаж спины — направление от затылка вниз к плечам — и завершить процедуру массажем по часовой стрелке груди, живота и боковых участков тела.

2) Массаж щеткой, используя чью-либо помощь: ванну принимают при такой же температуре воды. Ладонями рук вам поглаживают правую ногу, правую руку и то же самое проделывают с левой половиной туловища. Затем ладонями, сложенными воронкой, зачерпывают воды и с нажимом (надавливая) распределяют воду по наклоненной вперед спине, начиная с головы. Далее нужно обливать спину из какой-либо посуды (объем 1 л).

После массажа обтереть тело полотенцем и оставаться покрытым около 30 минут. Холодный компресс груди или влажное обертывание повышают эффект.

Средство № 540

Массаж для освобождения нервных каналов от стоячих волн (ассист для нервов) — приводит в порядок суставы и позвоночник. Может использоваться мануальными терапевтами (многие из которых сейчас им пользуются) в качестве определенной помощи: мануальная терапия помогает позвоночнику, но иногда снова происходит смещение в позвоночнике, и время от времени необходима помощь.

1. Нервы вызывают напряжения в мышцах, которые, в свою очередь, смещают позвоночник. Существуют 12 больших нервов, которые расходятся от позвоночника по обеим сторонам плеч и спины. Эти 12 нервов разветвляются на более мелкие нервные каналы и нервные окончания. Нервы воздействуют на мышцы и могут при положительном напряжении сместить позвоночник и другие части тела со своего места.

Нервы переносят шок от ударов. Такой шок должен рассеиваться, но это редко происходит полностью. Нервы дают команды мышцам. При ударе волна энергии начинает проходить по нервным каналам. Затем от мелких окончаний нервных каналов волна энергии поворачивается обратно, в результате чего происходит переполнение энергией, которая останавливается посередине канала. Из-за этого возникает так называемая «стоячая волна». Она просто стоит на месте и никуда не уходит.

2. Методика выполнения массажа. Массаж можно делать в одежде, так как, по существу, он должен делаться в эфирном теле, а эфирное тело выступает от физического на 5 мм. Не нажимать с силой, делать без усилий, ибо суть массажа в мягком освобождении нервных каналов от «стоячих волн». На спине и груди делать движения туда и обратно.

Последовательность действий целителя следующая.

1) Он просит лечь пациента лицом вниз на кровать или кушетку. Затем своими указательными пальцами, довольно быстро, но не сильно, целитель проводит вниз вдоль позвоночника по обе его стороны. Это действие потом повторяется дважды.

2) Затем он повторяет те же действия в обратном направлении, проходя двумя пальцами по тем же каналам вверх вдоль позвоночника. Это делается 3 раза.

3) Теперь, разведя пальцы граблеобразно, целитель проводит ими по нервным каналам обеими руками одновременно. Он проводит в направлении от позвоночника к бокам тела. После того как он охватит таким образом всю спину (подвигаясь от верха позвоночника к низу), он повторяет этот шаг еще 2 раза.

4) Теперь он все делает в обратном направлении — от боков к позвоночнику — 3 раза.

5) Он просит пациента перевернуться и лечь на спину. Двумя руками он проходит по нервным каналам передней части тела.

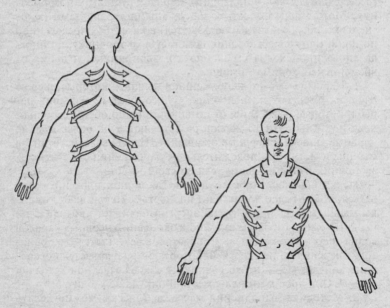

Примечание. При прохождении по нервным каналам передней части тела целитель не заходит дальше границы, обозначенной стрелками на рисунке. Нервные каналы, с которыми работает целитель, не заходят на грудную клетку или живот, поэтому этих мест он не касается.

354

6) Затем он проходит по тем же каналам в обратном направлении, начиная с мест, указанных кончиками стрелок на рисунке, и двигаясь в направлении спины.

7) Затем целитель проводит по рукам и ногам пациента, обхватив их ладонями, в направлении от тела.

Пациент поворачивается на живот, и целитель начинает шаг 1 (пункт 1).

Эта процедура продолжается, пока пациент не выразит некоторого облегчения или не будет выглядеть лучше. Он может также почувствовать, как кость встала на свое место, что часто сопровождается характерным звуком. В этот момент ассист для нервов должен быть закончен для этой процедуры.

Массаж должен повторяться ежедневно, пока все «стоячие волны» не разойдутся.

Средство № 541

Психический массаж прикосновением пальца (ассист — прикосновение) — применяется при любой болезни, боли и при любой травме. Он может применяться при тупой боли в пояснице, постоянной боли в ухе, инфекционном нарыве, расстройстве желудка и других заболеваниях (не делается массаж для снятия головной боли). Даже бородавки могут быть вылечены с помощью массажа, а вообще, круг заболеваний, поддающихся массажу, неограничен. Он может применяться при ожоге, при любой травме (травме конечности, туловища, травме головы после удара палкой или каким-либо другим предметом по голове или после удара кулаком в глаз, травме зубов или болезненном стоматологическом лечении).

1. Когда человек получил травму, нужно подойти к нему и сделать массаж, перед тем как врач введет болеутоляющее и окажет помощь физической ране (тем самым вы уберете некоторую часть шока). Если травмированный человек помнит и осознает место травмы, следует перед этим массажем сделать так называемый контактный ассист: травмированный человек под руководством другого человека воспроизводит все свои движения в момент травмы и касается травмированной частью тела того места, в которое он нанес себе травму. Это повторяется снова и снова до тех пор, пока имеющаяся боль не уйдет и не восстановится познавательная способность травмированного человека. Если человек, получивший травму, находится без сознания, то сначала устанавливается с ним линия связи: осторожно взяв его руку в свою, скажите ему: «Когда вы почувствуете мой палец, сожмите мою руку». После этого делайте массаж. Если в процессе массажа он не отвечает вам, просто

продолжайте делать массаж, держа его за руку. Спустя некоторое время он начнет отвечать вам.

2. Назначением данного массажа является восстановление общения с травмированными или больными частями тела. Он привлекает внимание человека к травме или беспокоящим частям тела. Это делается путем повторяющихся прикосновений к больному или поврежденному телу человека и налаживания общения человека с поврежденным местом. Общение с ним приводит к выздоровлению. Техника основана на том принципе, что для лечения или выздоровления чего-нибудь необходимо восстановить общение человека с этой частью.

Каждая физическая болезнь происходит от нарушения общения с тем, что болит. Продолжение хронического заболевания происходит по причине отсутствия физического общения с беспокоящей болезнью.

Когда внимание отводится от поврежденных или больных областей тела, то же самое далается и с кровообращением, и с потоками нервных импульсов и энергии. Это ограничивает питание этой области и препятствует выводу отработанных продуктов. Некоторые древние целители приписывали замечательные свойства «наложению рук». Возможно, что работающим элементом в этом было просто повышение степени общения человека с беспокоящей его областью тела.

Например, если вы делаете ассист — прикосновение к человеку, у которого вывихнуто запястье, вы почти насильно заставляете человека вновь войти в общение с этим запястьем настолько полно, насколько возможно. Когда он полностью восстановит общение с ним, вывиха больше не будет.

Кроме контроля и направления внимания человека ассист — прикосновение также имеет дело с пространственным расположением и временем. Когда человек ранен, его внимание избегает поврежденной или беспокоящей части, но в то же время оно приковано к ней. Он также избегает места повреждения, и сам человек, и поврежденная часть тела застряли в моменте удара. Ассист — прикосновение способствует выздоровлению, возвращая, до некоторой степени, человека в настоящее время и в его окружение.

3. При прикосновении старайтесь следовать нервным каналам тела, которые включают позвоночник, лимфатические узлы и различные передающие точки, такие, как локтевой сгиб, запястья, подколенные впадины и кончики пальцев (это точки, в которых шоковая волна может быть заперта, и через психический массаж вы посылаете активную волну общения через тело, потому что шок повреждения волну общения остановил). Поэтому в любом случае прикосновения делятся на

две части: обязательная часть, которая может выполняться самостоятельно в качестве общеукрепляющего средства, и конкретная часть, связанная с частью тела, в которой имеется расстройство или травма.

Обязательная часть:

1) обрабатываются ноги, по очереди левая и правая; все пальцы ног, середина стопы, середина голени с внешней и внутренней стороны, колено и подколенная впадина, середина бедра спереди и сзади;

2) обрабатываются руки, поочередно левая и правая; все пальцы рук, середина ладони с внешней стороны, локоть с внешней и внутренней стороны, середина предплечья с внешней и внутренней стороны;

3) обрабатывается позвоночник, по очереди с двух сторон позвоночника, в общей сложности 14 прикосновений на расстоянии 1—2 см от центральной оси позвоночника;

4) обрабатывается шея и голова, несколько точек.

Конкретная часть: делая прикосновения в части тела, в которой имеется расстройство или травма, мы приближаемся к месту боли, затем удаляемся от этого места, затем ближе приближаемся и дальше удаляемся, приблизившись, касаемся этого места и удаляемся подальше.

Следует помнить, что в случае травмы, связанной с потерей крови, нужно оказать первую помощь (наложить жгут), а затем только делать массаж.

4. Методика выполнения массажа.

1) Попросите пациента сесть или лечь так, чтобы он чувствовал себя наиболее удобно.

2) Скажите пациенту, что вы собираетесь делать психический массаж, кратко опишите суть этого массажа, познакомьте его с командой, которую вы собираетесь использовать: «Посмотрите на мой палец» — и объясните ему, что, выполняя эту команду, он должен как бы смотреть на ваш палец через свое тело (при каждом вашем прикосновении); при этом он должен направлять свое внимание на ваш палец, не открывая глаз. Если вы видите, что у пациента в данный момент очень низкий жизненный тонус, познакомьте его с командой, которую вы собираетесь использовать: «Почувствуйте мой палец» — и в дальнейшем не просите его закрыть глаза. Попросите пациента каждый раз, когда он выполнит команду, давать знать вам об этом (допустим, произнося слово «да»).

3) Попросите пациента закрыть глаза.

4) Дайте команду «Посмотрите на мой палец», затем прикоснитесь пальцем к точке тела.

Не прикасайтесь, а затем давайте команду — это должно быть наоборот.

Дотрагивайтесь только одним пальцем. Если вы дотронетесь двумя пальцами, пациент запутается, не зная, на какой палец ему следует смотреть или какой палец ему следует чувствовать.

5) Поблагодарите человека, сказав «спасибо».

6) Продолжайте давать команды, прикасаться и благодарить, когда человек дает знать, что выполнил команду.

Сначала делаем обязательную часть прикосновений. Как уже было сказано выше, прикосновения должны быть сбалансированными по обеим, левой и правой, частям тела. Когда вы дотронулись до большого пальца левой ноги человека, следующее прикосновение вы делаете к большому пальцу правой ноги. Когда вы дотронулись до точки в нескольких сантиметрах по одну сторону от позвоночника, следующее прикосновение вы делаете в точке, находящейся по другую сторону. Это важно потому, что мозг и система связи тела взаимосвязаны. Вы можете обнаружить, что боль в левой руке проходит, когда вы прикасаетесь к правой руке, потому что боль была заперта в правой руке.

Кроме работы с правой и левой сторонами тела необходимо также обращаться к передней и задней стороне тела. Другими словами, если внимание обращено к передней стороне тела, внимание должно быть обращено и к задней стороне (колено и под коленом, внешняя и внутренняя сторона локтя и т. д.).

Тот же принцип применяется и в работе с конкретной частью тела.

Например, вы можете работать с повреждением на передней стороне правой ноги. Ваш ассист — прикосновение должен включать в себя переднюю часть левой ноги, в дополнение к обычным действиям работы с конечностями и позвоночником.

7) Продолжайте массаж до тех пор, пока пациент не будет иметь очень хороших показателей и осознания.

8) Скажите пациенту: «Конец массажа» или «Конец ассиста».

5. Обычными ошибками психического массажа являются:

1) не дотрагиваются до конечностей;

2) не соблюдают баланс между двумя сторонами;

3) не продолжают ассист до полного конечного результата;

4) не повторяют в последующие дни, когда это бывает нужно.

6. Число сеансов массажа зависит от каждого конкретного случая. Возможно, что вам придется делать массаж изо дня в день, чтобы достичь результатов. Возможно, что, сделав массаж в первый раз, вы получите небольшое улучшение. Проведя массаж на следующий день, вы можете получить полное исчезновение боли. На это может уйти и гораздо больше дней, прежде чем будет достигнут такой результат. Количе-

ство ассистов — прикосновений для некоторых заболеваний может быть неограниченно.

7. Пояснение к тому, как мы в конкретной части приближаемся и удаляемся от пораженного участка (места боли или травмы):

1) приближаемся к центру пораженного участка (цифрами обозначен порядок прикосновения):

2) удаляемся от пораженного участка:

(так лечится и больной зуб, и другие заболевания)

VI. СРЕДСТВА ВОЗДЕЙСТВИЯ НА БИОПОЛЕ

Средство № 542

Усиление биополя через дыхание и питание — поднимает жизненный тонус, мобилизует защитные силы.

Усиление биополя осуществляется за счет поглощения космической энергии (праны). Она легко поддается направленным на нее мыслям и желаниям, как в тех случаях, когда человек хочет притянуть к себе больше праны, так и в тех случаях, когда он хочет вобрать ее в себя. Поэтому количество праны, вбираемой в себя человеком, может быть сильно увеличено. Вообще говоря, мысль, желание или ожидание, лежащее на душе у человека, сами по себе увеличат количество праны, и подобным же образом воля или желание человека, увеличив количество праны, которой насыщена посылаемая мысль, значительно увеличит силу действия этой мысли на других и на самого себя. Говоря яснее, если человек в то время, когда он дышит, пьет или ест, будет составлять умственный образ поглощения праны, то есть рисовать себе картину того, как его организм поглощает прану, он этим приведет в действие некоторые оккультные силы, на основании которых из вводимой в организм материи действительно освобождается большое количество праны, и в результате организм получит большое усиление, увеличение своей жизненной силы. Когда мы выполняем полное йоговское дыхание, при вдохе мысленно рисуем себе, что поглощаем большое количество праны, а на выдохе посылаем прану в запасник энергии — солнечное сплетение. В результате мы чувствуем прилив сил. Подобным же образом выпейте стакан воды небольшим глотками, рисуя себе, что вы извлекаете из воды содержащуюся в ней прану, и вы получите такой же результат, как и в первом случае.

Точно так же во время еды медленно пережевывайте пищу, держа в уме, что вы стараетесь извлечь из пищи прану, какая в ней есть, и вы получите гораздо большее подкрепление и усиление от пищи, чем обычно.

Вся пища, особенно зеленые овощи, фрукты, молоко, молочные продукты, мед, наполнена праной, которая необходима для поддержания жизни, энергии и здоровья. Эта прана (пищевая), так же как и атмосферная, приходит в различные нервные центры. Пищевая и атмосферная праны одинаковы, но приводят в движение различные функции организма.

Нос служит для усвоения праны из воздуха, рот — из пищи.

Атмосферная прана эффективно освобождается из воздуха полным йоговским дыханием, пищевая — из пищи, тщательным разжевыванием пищи.

Пища должна быть тщательно пережевана и смешана со слюной, чтобы желудок имел возможность переварить ее.

Средство № 543

Усиление биополя через эгрегор — мобилизует защитные силы, поднимает жизненный тонус, увеличивает уверенность в себе, ускоряет процесс выздоровления.

Мысли людей никуда не исчезают, ибо мыслительные процессы протекают на уровне энергетических полей. Мысль, рождаемая человеческим мозгом, уходит в общепсихические поля, которые являются составной частью энергетического поля Земли, и живет там в виде энергетических волн. Идентичные мысли на уровне какой-либо причастности (семейной, стихийно-групповой, культурно-групповой, профессиональной, идеологической, национальной, религиозной) вибрируют резонансно, как бы сливаясь в единое целое — эгрегор. Люди, думая на тему эгрегора, заряжают его своей биоэнергией. Связь при этом существует как прямая, так и обратная, то есть эгрегор в свою очередь может заряжать энергией лояльного к нему человека. Поэтому, если чувствуете себя убежденным и честным сторонником какой-либо общности, вы можете в ответственные и трудные моменты своей жизни подкрепить себя энергетически за счет эгрегора этой общности (для этого нужно принять удобную позу или лечь, расслабить все тело, настроиться на эгрегор данной общности и мысленно представить, как энергия идет от данного эгрегора в ваше энергетическое поле). Для того чтобы возбудить энергетическую связь между вашим эгрегором и вами, можно произносить определенные мантры (утверждения или внушения, выражающие некоторым образом суть какой-либо общности). Для подключения к одному из самых мощных эгрегоров — религиозному эгрегору, используется молитва. Так, христианин подключается к религиозному христианскому эгрегору с помощью, например, таких молитв (взяты самые короткие молитвы).

— Иисусова молитва: «Господи Иисусе Христе, Сыне Божий, помилуй мя, грешного». Произносится 3 раза.

— Отче наш: «Отче наш, иже еси на небесех! Да святится имя Твое; да приидет Царствие Твое; да будет воля Твоя, яко на небеси и на земли. Хлеб наш насущный даждь нам днесь; и остави нам долги наши, якоже и мы оставляем должникам нашим, и не введи нас во искушение, но избави нас от лукавого».

— Сторонники кришнаизма (в кришнаизме в качестве Бога представлено Верховное Божество или Верховная личность Господа Кришна) считают, что как можно чаще нужно петь маха-мантру, состоявшую из 16 слов: «Харе Кришна, Харе Кришна, Кришна Кришна, Харе Харе, Харе Рама, Харе Рама, Рама Рама, Харе Харе».

— Сторонники йоги, относящиеся с одинаковым уважением ко всем видам религии, называют Высшую Силу, источник всего во вселенной (Бога) Абсолютом. Объединенные определенной общностью идей, мыслей, они также имеют свой эгрегор и подключаются к нему во время медитаций.

Рассуждения во время медитаций, по существу, являются мантрами, возбуждающими энергетическую связь между эгрегором и биополем. Так, например, жнани-йог (жнани-йога); стремится удовлетворить запросы тех, кто находится на пути стремления к духовному знанию. Она содействует познанию вселенной и отвечает на вопросы: «Откуда мы?», «Куда мы идем?», «Какова цель нашего существования?». Основным в жнани-йоге является познание сущности Абсолюта, во время одной из своих медитаций можно произносить следующую мантру: «Абсолют существует. Он основа единой жизни вселенной, ее реальное «Я», ее сущность, ее дух. Он живет, чувствует, страдает, радуется в нас и через нас. Абсолют есть то, что действительно существует: весь видимый мир и все формы жизни являются его выражением. У человека не хватает подходящих слов, чтобы описать природу Абсолюта, но он может применять два слова для обозначения сути его природы: слово «жизнь» выражает внешнюю сторону его природы, слово «любовь» — внутреннюю сторону».

Средство № 544

Выборочное общение с людьми. Общение с симпатичными вам людьми качественно обновляет ваше биополе, что сказывается на оздоровлении эндокринной системы, сердечно-сосудистой системы, желудочно-кишечного тракта. Избежание общения с несимпатичными вам людьми, которые могут быть «вампирами», и недобрыми людьми предохраняет вас от истощения жизненных сил и расстройства здоровья.

Не стесняйтесь выражать свои симпатии другому человеку и мысленно, и в словах, и в действиях, если он вам действительно нравится, но не допускайте мыслей о каких-либо выгодах для себя от контактов с этим человеком (материальных, моральных и других), то есть любите этого человека бескорыстно. Тогда возможен такой же усиливающийся обмен энергией, при этом ваши биополя будут качественно обновляться, вы будете чувствовать подъем сил, воодушевление. Сенситивы могут видеть блестящие линии энергии, соединяющие двух людей, испытывающих интенсивный интерес друг к другу. В зрительных залах и аудиториях в момент выступления талантливых артистов или ораторов создается объединенное энергетическое поле. Эмоциональное поле (одна из составляющих биополя человека) выступающего расширяется и распространяется во все стороны, пока оно не охватит всех зрителей. Возникает то, что можно назвать объединенным эмоциональным полем, и это объединенное поле усиливает индивидуальное поле каждого зрителя и выступающего артиста или оратора.

Но избегайте обмена энергией другого вида, в котором одна из сторон является нападающей и берет энергию от другого человека. Шафика Карагулла назвала людей, берущих энергию от другого человека, «саперами». По ее наблюдениям, «саперы» являются весьма эгоцентричными личностями. Они не могут или не хотят использовать энергию из окружающего их океана энергии и берут «переваренную», трансформированную в чакрах, энергию у людей, находящихся в непосредственной близости. По словам Карагуллы, сенситивы, работавшие с ней, утверждают, что у «сапера» замкнутое энергетическое поле. «Саперы» могут и не сознавать, что их энергия притягивается от других людей. Они чувствуют себя лучше, когда находятся в обществе жизнерадостных людей. Всякий, кто находится рядом с «сапером» слишком долго, начинает чувствовать себя истощенным и раздраженным, появляется желание уйти от общения с ним. Обычно энергия выкачивается через самый слабый энергетический вихрь биополя. Человек с расстроенным энергетическим вихрем в области сердца теряет энергию именно через этот вихрь, а индивидуум с расстроенным вихрем в области горла теряет энергию в этой области. Сенситив Диана, исследовавшая биоэнергетические поля вместе с Ш. Карагуллой, так описывает энергетическое взаимодействие «сапера» и его жертвы: в области солнечного сплетения энергетического поля «сапера» появляется довольно широкое отверстие, а вокруг этого отверстия длинные узорные ленты, или щупальца, которые проникают в поле индивидуума, находящегося рядом, и цепляются за это поле. При этом «сапер» стремится быть как можно ближе к жертве и, если возможно, коснуться ее.

При общении с «сапером» или, как их еще называют, «вампиром» нужно вести себя следующим образом:

— если есть возможность, сразу попрощаться и уйти;

— если нет возможности уйти, нужно применить психическую защиту, которая прервет выкачивание энергии из вашего биополя. Один из самых простых способов создания психической защиты: сделать 7—8 полных йоговских дыханий, во время вдоха мысленно представляем, как прана из воздуха накапливается в солнечном сплетении (в Манипурачакре), а вместе с выдохом энергия в виде золотистых нитей обвивает по спирали сверху вниз ваше тело, образуя энергетической кокон, который ограждает поле «сапера» от вашего биополя.

Избегайте пребывания в обществе недобрых людей, ибо мысль не только сила динамическая, производящая колебания эфира, она есть реальная вещь, мысль материальна. Когда мы думаем, то от нас распространяются вибрации тончайшей субстанции, тончайшей материи, которая так же реальна, как газ или пар. Субстанция эта часто остается на месте на долгое время, а иногда на многие годы, пропитывает, так сказать, собою воздух.

Вредные, ядовитые газы вредно влияют на нас, отравляют нас. Так, например, в помещении, где много углекислоты, живое существо задыхается. Точно так же и вредные, злые мысли вредно отражаются на нас. В зданиях, где были тюрьмы, в местах различных преступлений люди чувствуют какой-то безотчетный страх, что-то гнетущее, неприятное. Противоположное ощущение вы испытываете в храмах, церкви, в квартирах добрых людей.

Избегайте пребывания в обществе недобрых людей, ибо их мысли, их магнетизм насыщают окружающий воздух и вредно влияют на вас. Если бы вам и пришлось в силу необходимости быть в таком обществе, то внушите себе, что не их мысли на вас, а ваши на них будут оказывать большее влияние. Решите исправлять их добром и любовью.

Средство № 545

Поцелуй с близкими людьми — улучшает работу эндокринной системы, улучшает состав крови, улучшает обмен веществ, повышает жизненный тонус.

Как можно больше целуйтесь с близкими людьми, особенно с людьми противоположного пола. Научные исследования в американских университетах показали, что поцелуи — хорошее средство оздоровления организма.

Средство № 546

Общение с растениями и животными — оздоравливается нервная система, гармонизируется психическое состояние, снижается уровень негативных переживаний, снимается усталость, повышается тонус.

Растения имеют энергетические поля, которые человек может использовать, беря из них энергию. Правда, некоторые виды растений обладают способностью не отдавать энергию, а, наоборот, втягивать ее из биополя человека. Как определить растение, которое энергетически может помочь вам? Не контактируйте с любым деревом, а выберите большое ветвистое дерево и в 2—3 метрах обойдите его. Затем прислушайтесь к себе. Если вы почувствуете симпатию и доброжелательность к этому дереву, вы можете смело рассчитывать на то, что дерево энергетически вам поможет.

С расстояния 3 метров медленно приближайтесь к дереву до тех пор, пока не почувствуете его наиболее сильно. Встав возле дерева, как бы пошлите все ваше тело на ствол и крону и слейтесь с деревом. Ощутите корни дерева, движение соков из-под земли по стволу вверх и растекание их по листьям кроны. Затем ощутите, как энергия космоса спускается через воздух вниз и по листьям к стволу устремляется в корни под землю. Так совершается кругооборот между Небом и Землей и их взаимообмен. После этого подключитесь сами к этому обмену, отождествив себя в деревом, и испытайте в себе движение восходящей и нисходящей энергии. Почувствуйте, как листья на дереве гладят ваши волосы, ощутите макушкой крону. Уходя, не забудьте поблагодарить дерево, погладьте его рукой, почувствуйте к нему нежность, как к своему ребенку.

Меньший эффект от контакта с комнатными растениями. Но они всегда с вами, поэтому контактируйте с ними чаще. Методика контакта следующая: найдите оптимальное расстояние и, не прикасаясь, погладьте растение рукой, затем встаньте прямо и почувствуйте, на какой энергетический центр (чакру) растение посылает волну. Зарядитесь энергией растения и не забудьте поблагодарить его.

Энергетический контакт с растением позволяет психически очищать себя (избавляться от последствий мелких дрязг, забот, переживаний). Вы уйдете от растения психически очищенными, освобожденными.

Такой же эффект имеет контакт с домашними животными, особенно собаками и кошками. Нужно чувствовать к ним симпатию и доброжелательность, тогда они сумеют энергетически подпитать вас и тем самым снять психическую и физическую усталость, повысить тонус организма (собакам и кошкам не страшны энергетические потери, ибо они умеют в достаточной степени быстро восстанавливать их).

Средство № 547

Психическая защита от мысленного воздействия людей, энергетических ударов и от откачки энергии — предохраняет от депрессии, плохого настроения, расстройства здоровья, снимается усталость, поднимается жизненный тонус, оздоравливается организм (после введения защиты).

Человек постоянно подвергается мысленному воздействию людей, окружающих его. Одни из них специально направляют свое воздействие, другие непроизвольно. Часть внушений, которые воздействуют на нас, полезны, нужны, их надо воспринимать сознательно. Но некоторые окружающие нас люди могут постоянно распространять мысли страха, отчаяния, беспомощности и т. п. Поэтому неудивительно, что иногда мы испытываем эти чувства, не сознавая, что источник их заключается во влиянии окружающих.

Человек, который осознает свое «Я», может несложным упражнением окружить себя энергетической оболочкой, эманацией, которая надежно защитит от вредного мысленного воздействия других. Более того, осознание своего «Я» и несколько минут ежедневного размышления над этим сами по себе создадут защитную оболочку с такой жизненностью, которая отразит все враждебные мысли. Понимание своего «Я» — лучший и наиболее реальный метод самозащиты.

Тем, кто не осознал еще свое «Я», для осуществления психической защиты (при наступлении депрессии, плохого настроения) рекомендуется сделать следующее: встать прямо, плечи назад, поднять голову, смотреть смело и бесстрашно вперед. Уверенно произнести про себя слова: «Я отрицаю вредное влияние лиц, обстоятельств и утверждаю свое превосходство над этим влиянием».

Более сильную психическую защиту создает следующий прием (наиболее эффективен для людей, осознающих свое «Я»): встать прямо и ритмически дышать (желательно перед открытой форточкой) 2—3 минуты. На вдохе мысленно представляем, как прана накапливается в солнечном сплетении, а на выдохе мысленно видим, как нити из праны, выходящие из органов дыхания, виток за витком окутывают наше тело, создавая как бы кокон, защищающий от внешнего мысленного воздействия и энергетических ударов.

Средство № 548

Психическая защита и усиление своего биополя посредством камней, металлов и других зодиакальных атрибутов (цвет, число месяца, день недели) — поднимает жизненный тонус, предохраняет от расстройства здоровья, оздоравливает организм после введения защиты.

1. Энергетические поля металлов имеют статический характер, а кристаллов, в том числе различного рода камней, имеющих кристаллическую структуру, динамический. Энергетические центры и по своей структуре имеют некоторое сходство с энергетическими полями живых существ.

Каждый тип камня имеет свой характер движения энергии. Так, внутри рубина есть энергетический центр, из которого излучаются два потока энергии, движущиеся к периферии, которые затем сложным образом изгибаются обратно к центру. Сапфир имеет также два потока энергии, которые можно обозначить как положительный и отрицательный. Изгиб, по которому потоки энергии возвращаются к центру камня, более простой, гладкий, чем изгиб в рубине.

Энергия из центра камня топаза исходит в форме треугольника, закручивается налево (в рубине и сапфире поток закручивается направо) и возвращается к центру, все время изгибаясь треугольным узором. Алмаз в своем энергетическом поле имеет два потока энергии. Один движется из центра, линии движения энергии, образующие поток, кажутся туго связанными и лучезарными. Второй поток энергии, имеющий сложную структуру (линии движения энергии как заплетенные пряди волос), входит в алмаз извне и выходит из него снова.

Кварц и аметист (аметист — фиолетовая разновидность кварца) имеют в своем энергетическом поле поток энергии с периферии (это говорит о поглощении камнем энергии извне), движущийся к центру, из центра поток энергии как бы выстреливается, а потом снова возвращается к центру, изгибаясь треугольным узором. В опале движение энергии сходно с движением энергии в аметисте, только в опале линии энергии уже и узор как бы не цельный, а зигзагообразный.

Так же, как и в человеке, в кристалле имеется четкая связь между качеством энергетического поля и состоянием «тела» кристалла. Так, например, чем сильнее связано энергетическое поле, тем тверже кристалл. Поле синтетического драгоценного камня значительно отличается от поля естественного драгоценного камня: вместо яркого, сильного энергетического центра есть маленькая точка энергии в центре, но она не слишком активна. Энергия более рассеяна, линии изгиба неясно выделяются и не так тесно связаны между собой, движение энергии медленнее.

Энергетическое поле металлов и особенно кристаллов реагирует на воздействие внешней среды, в частности на музыку, определенные звуки, удары. При этом разные кристаллы реагируют на один и тот же вид воздействия по-разному. Изменение энергетического поля кристаллов в ответ на воздействие внешней среды выражается в виде изменения ритма вибраций энергии, отклонений линий энергии в ту или иную сторону, изменения яркости свечения энергии. Энергетическое поле металлов и особенно кристаллов определенным образом реагирует и на энергетическое поле человека. При этом определенные минералы и люди, родившиеся под определенным знаком зодиака, оказываются совместимыми: энергетическое поле минерала корректируется энергетическим полем человека таким образом, что минерал становится проводником и в то же время усилителем потока энергии из космоса, то есть потоки энергии в минерале как бы разворачиваются на прием энергии извне и передачу ее с увеличенной скоростью за счет внутренних резервов в энергетическое поле человека.

2. Каждый человек, находящийся под тем или иным знаком зодиака, имеет «свои», то есть благоприятные для него, атрибуты: упомянутые выше металл и камень, а также цвет, число месяца, день недели.

«Свой» день месяца и «свой» день недели наиболее благоприятны для духовной работы над собой (для медитации), для набора энергии (праны) из космоса, а также для голодания. Ношение «своего» цвета (особенно в «свои» дни), «своего» металла, «своего» камня способствует усилению потока энергии по цепочке космос—человек, который, усиливая биополе человека, способствует психической его защите (не позволяет энергетически подключаться другим людям к биополю и вытягивать энергию). «Свои» металлы и камни должны быть в ближних к телу слоях ауры (то есть до 20 см от поверхности тела). Люди, носящие не «свои» камни и металлы, могут быть подвержены энергетической агрессии других людей.

Ниже приводятся «свои» числа, металлы, камни соответственно знакам зодиака.

Овен, дни рождения с 21.03 по 20.04: цвет — красный, число месяца — 9, день недели — вторник, металл — железо (любая сталь), камень — кровавик.

Телец, дни рождения с 21.04 по 21.05: цвет — синий, число месяца — 6, день недели — пятница, металл — медь, камень — бирюза.

Близнецы, дни рождения с 22.05 по 21.06: цвет — оранжевый, число месяца — 5, день недели — среда, металл — латунь, камень — агат.

Рак, дни рождения с 22.06 по 22.07: цвет — зеленый, числа месяца — 2 и 7, день недели — понедельник, металл — серебро, камень — лунный камень.

Лев, дни рождения с 23.07 по 22.08: цвет — желтый, число месяца — 1, день недели — воскресенье, металл — золото, камень — светлый янтарь.

Дева, дни рождения с 23.08 по 23.09: цвет — оранжевый, число месяца — 5, день недели — среда, металл — латунь, камень — бриллиант.

Весы, дни рождения с 24.09 по 23.10: цвет — синий, число месяца — 6, день недели — пятница, металл — медь, камень — сапфир.

Скорпион, дни рождения с 24.10 по 22.11: цвет — красный, число месяца — 10, день недели — вторник, металл — железо, камень — рубин.

Стрелец, дни рождения с 23.11 по 21.12: цвет — фиолетовый, число месяца — 3, день недели — четверг, металл — железо, камень — топаз.

Козерог, дни рождения с 22.12 по 20.01: цвет — черный, число месяца — 8, день недели — суббота, металл — свинец, камень — черный янтарь.

Водолей, дни рождения с 21.01 по 18.02: цвет — коричневый, число месяца — 4, день недели — суббота, в качестве металла используется антрацит, камень — черный янтарь.

Рыбы, дни рождения с 19.02 по 20.03: цвет — фиолетовый, число месяца — 3, день недели — вторник, металл — железо, камень — аквамарин.

3. В случае моральной и физической усталости нужно работать со «своим» камнем. Методика следующая: взгляните на него рассеянным взглядом. Через некоторое время камень в ваших глазах покроется серебристой дымкой и даже, может быть, с цветным ореолом. Втяните энергию из камня в соответствующий по цвету энергетический центр (чакру) и раскрутите его на этой энергии против часовой стрелки.

Затем пусть эта энергия растечется из чакры по всему телу. Вы почувствуете, как каждая клетка, каждый орган начинают заполняться энергией камня. Вы как бы психически промоетесь этой энергией и хорошо отдохнете.

Каждый из энергетических центров человека имеет определенный цвет. Чакры находятся на позвоночнике с внутренней стороны и на голове.

1) Муладхара, на копчике с внутренней стороны. Цвет — красный.

2) Свадхиштхана, на уровне лобка. Цвет — оранжевый.

3) Манипура, солнечное сплетение, на 2 см выше пупка. Цвет — желтый.

4) Анахата, сердечная чакра, между сосков. Цвет — зеленый.

5) Вишудха, на уровне щитовидной железы (уровень ключиц). Цвет — голубой.

6) Аджна, на уровне «третьего глаза» (чуть выше переносицы). Цвет — синий.

7) Сахасрара, на макушке. Цвет — фиолетовый.

Если вы не сможете «своему» камню подобрать по цвету соответствующую чакру, концентрируйте энергию из камня в Манипурачакре.

Это даст меньший эффект от упражнения, но все-таки отдохнуть психически вы сумеете.

Средство № 549

Защита против патогенных зон — предупреждает различного рода заболевания и способствует оздоровлению организма (после введения защиты).

Земля обладает своим энергетическим полем. Особенностью этого поля является то, что в него как бы вкраплены так называемые патогенные зоны. Поверхность Земли покрыта довольно густой геобиологический сеткой. С севера на юг расстояние между образующими ее силовыми линиями составляет 2 м, а с востока на запад — 2,5 м. В углах этой сетки Земля излучает либо поглощает энергию. Эти разного качества узлы (условно их можно обозначить как «плюс» или «минус») расположены в шахматном порядке. Наше здоровье, психическое состояние, жизненный тонус тесно связаны с местом, где мы спим или постоянно работаем. Не только человек, но и домашние животные (кроме кошек), растения плохо себя чувствуют и часто заболевают, находясь длительное время на узлах геобиологической сетки.

Для определения безопасного места в квартире и на работе может быть использована металлическая рамка из проволоки диаметром 2 мм в форме буквы «L» с соотношением 1:2 (непроизвольное вращение рамки называется биофизическим эффектом, рамка, помимо определения патогенных зон, может быть использована для поиска потерянных вещей, кладов, а также для поиска подземных вод и руд — раньше это называлось «лозоходством»). Рамку обычно держат в правой руке, но можно использовать и две рамки — в левой и правой руке. Согнув пальцы в кулак, но так, чтобы в кулаке осталось небольшое отверстие, образованное пальцами и ладонью, ставим короткий конец рамки вертикально на боковую поверхность мизинца или среднего пальца (в отверстие в кулаке) и регулируем отверстие в кулаке таким образом, чтобы короткий конец рамки мог свободно вращаться вокруг своей оси. Поворачиваем длинный конец влево или вправо. На «плюсе» рамка повернется вправо, на «минусе» — влево. В результате исследования квартиры кровать, на которой вы спите, лучше всего переместить в то место, где нет ни «плюса», ни «минуса». Там, где нет идеального выбора, следует избегать прежде всего «плюса», кроме того, следует учесть исследования француза Луи Тюрена, который пришел к выводу: спать человек должен вдоль силовых линий Земли — головой на север, ногами на юг. Точно так же нужно переместить в случае необходимости ваш рабочий стол, за которым вы постоянно работаете. Если нет возможности сменить место сна или работы, то под кровать или под стол кладутся нейтрализующие излучение предметы — чаще всего куски или пластины гранита или мрамора.

Средство № 550

Овладение каждой частью своего тела — способствует освобождению от заболеваний многих органов и частей тела путем контактирования с подсознанием по цепочке сознание—части тела (органы тела)—подсознание.

Наше тело — это храм для нашего духа (для нашего «Я»). Этот храм должен быть удобным и комфортным для духа. Для этого нужно, чтобы мы владели своим телом, владели каждым органом, каждой частью тела. Владеть телом или каждой его частью — это значит периодически осознанно бывать там (посылать туда свое сознание), и не просто так, а с благожелательной миссией укрепления, некоторой помощи телу и органам в отдельности. Это тонизирует целительные силы внутри нас, поддерживающие в хорошем состоянии все тело и отдельные органы и клетки. В противном случае органы или их клетки могут начать бастовать (вследствие чего может возникнуть болезнь), как бы говоря нашему «Я»: «Ты о нас плохо заботишься, ты заставляешь нас переутомляться, мы работаем в неблагоприятном для нас режиме. Мы вынуждены принять меры и бастовать».

Хорошим примером владения телом является йоговская практика. В ней владению своим телом служит выполнение асан — упражнений, выполняемых сознательно, с концентрацией внимания на определенной части тела. Этому же служат и упражнения пранами, и особенно полное йоговское дыхание, в котором сознание посылается в каждую клеточку тела вместе с праной (космической энергией), также посылаемой в каждую клеточку тела. Если в какую-либо часть тела через физические или умственные упражнения не посылается сознание, эта часть тела или заболевает, или стремится к атрофированию. С энергетической точки зрения в этом месте аура может отсутствовать или быть очень тонкой, и когда вы попробуете пропустить через себя земную и космическую энергии, они будут блокированы, — это и есть те участки тела, которыми вы не владеете. Если вы не выполняете йоговских поз или если вам недостаточно выполнения йоговских или каких-либо других упражнений для полного владения своим телом, применяйте следующее средство.

Последовательно пошлите свое сознание в каждую часть тела: пальцы ног, ступни, голени, поясницу, бедра, ягодицы, половые органы, живот, грудь, плечи, верхнюю часть рук, локти, предплечья, пальцы рук, нижнюю часть спины, верхнюю часть спины, шею, подбородок, губы, язык, зубы, нос, щеки, голову, волосы. На каждую указанную часть тела потратьте столько времени, чтобы была возможность осознать, что вы находитесь в этой части тела (так же, как вы можете пребывать в какой-либо чакре или в центре головы). При этом определите, как чувствует себя этот участок тела (легкость, тяжесть, онемелость или болезненность). В одних участках тела вы будете чувствовать себя удобно и приятно, а в других —

напряженно, тяжело, скучно. В отношении владения всем телом можно сказать, что признаком того, что вы владеете телом, является ощущение, что вы можете определить, в какой части тела вам хорошо и удобно, а в какой — неудобно.

Определив части тела, которыми вы не владеете, войдите снова в каждую из них и поговорите с ней (каждая часть тела имеет свой разум), спросив, нет ли у нее каких-либо желаний. У вас может прийти осознание ответа этой части тела. Например, живот может попросить ограничить употребление мяса или конфет, ступни могут посоветовать носить более удобную обувь и так далее. Затем посмотрите, не накопились ли в каждом из участков болезнетворные образы (записи в астральной части биополя, прилегающей к указанным участкам тела). Если эти образы там присутствуют, то используйте методику гармонизации психики. Представьте себе мысленно картину неприятного инцидента, случившегося недавно. Добейтесь четкого образа и затем через 1—2 минуты растворите его. По мере растворения картины позвольте появиться лицам, которые являются, по вашему мнению, источником неприятного для вас инцидента. Выскажите этим лицам или лицу то, что вы о них думаете, растворите картину и простите их (чтобы не допустить энергетического удара этим лицам с вашей стороны). Возвратитесь в центр головы и воссоздайте картину своего тела на своем ментальном экране. Постарайтесь проявить как можно больше любви и нежности к этому изображению своего тела, после чего растворите ментальное изображение.

Средство № 551

Очищение главного энергетического канала — поднимает жизненный тонус, способствует избавлению от многих психосоматических заболеваний.

В этом средстве используется энергия Муладхарачакры (в виде Кундалини-шакти), которая, проходя по чакрам, за счет своих огромных возможностей очищает чакры и восстанавливает связи чакр с главным энергетическим каналом. Технология выполнения метода, хотя и сходна с технологией Кундалини-йоги, имеющей целью слияние нашего «Я» с Абсолютом, позволяет ограничить область работы Кундалини-шакти только очищением чакр и главного энергетического канала.

Представим себе в середине Муладхарачакры Кундалини-шакти в образе змеи. Змея цвета золота по вашей команде начинает разворачиваться и медленно ползти вверх по главному энергетическому каналу. Наблюдайте за движением змеи, отслеживайте каждое ее движение (вы видите, как она, сложенная в спираль в три с половиной оборота, выпрямляется, медленно движется по каналу, касается головой каждой чакры, а затем проходит через нее). Ни в коем случае не отвлекайтесь на что-то постороннее, все внимание на движение змеи, очищающей канал и чакры (при этом восстанавливающей связи между чакрами и каналом). Сами никак не вмешивайтесь в движение змеи: не тормозите и не ускоряйте ее движение. Прислушивайтесь к себе и фиксируйте свои ощущения. Когда змея пройдет в Сахасрарачакру, измените ее движение на обратное, и пусть она достигнет того места, откуда она вышла. Представьте, что в Муладхарачакре она снова приняла положение спирали в три с половиной оборота. Нужно учесть, что для того, чтобы метод имел ожидаемый эффект (стирание записей через очищение чакр), необходимо добиться, чтобы вы четко, как бы физически ощущали змею и ее движение. Для этого нужно потренироваться, но помните, тренировка должна носить осторожный характер (при малейшем смущении, которое покажется вам необычным: спонтанное, неуправляемое мощное движение энергии по каналу, полная потеря контроля за движением змеи и тому подобное, — сразу прекратите упражнение, предварительно направив змею в исходное место и свернув ее в три с половиной оборота) и проводиться не более одного раза в день. Когда вы почувствуете упомянутые необычные ощущения, прекратите на некоторое время тренировку и укрепите свои чакры с помощью следующего упражнения: сосредоточьте внимание на указательном пальце (на его кончике) — через некоторое время вы почувствуете пульсацию в кончике пальца. Переводите эту пульсацию в Муладхарачакру и через эту пульсацию ощутите и прочувствуйте эту чакру. Затем поочередно переведите пульсацию во все остальные чакры.

После укрепления чакр возобновите основное упражнение.

Средство № 552

Очищение чакр — мобилизует защитные силы, поднимает тонус, способствует лечению психосоматических заболеваний.

Представьте, что находитесь в районе копчика (в Манипурачакре), и с помощью ваших мыслительных усилий психический мусор перемещается по пути Манипура — Свадхиштхана — Муладхара — заземляющий стержень — Земля. Сознание перемещается в Анохатачакру, и психический мусор перемещается по пути Анахата — Вишудха — Аджна — Сахасрара — Космос. После этого каждая из семи чакр с главным энергетическим каналом: представим последовательно для каждой чакры ствол чакры и главный энергетический канал, и если соединение между чакрой и каналом непрочное, представим, как мы своими руками связываем концы соединений. Поправим каждую чакру своими воображаемыми руками (если не видно пестика цветка — символа чакры) и выпрямим каждую чакру. Через некоторое время выведем эту энергию через заземляющий стержень. Растворим картину.

Средство № 553

Раскрытие-чакр — пробуждает защитные силы, повышает жизненный тонус, оздоравливает весь организм в комплексе, гармонизирует психическое состояние, омолаживает организм.

Существует тесная связь между состоянием биополя человека и состоянием его организма, состоянием его физического тела. Искажения биополя: неритмичность движения и низкая скорость вращения конусов в чакрах, свидетельствующие о низком уровне энергии в чакрах, и недостаточный поток энергии между чакрами (чакры объединяет канал Сушумна, идущий от копчика через область продолговатого мозга до Сахасрарачакры и проводящий энергию широкого диапазона; диаметр канала соответствует диаметру позвоночника); путаница в силовых линиях (в тканях энергетического поля), протекание (утечка) энергии как в чакрах, так и в тканях энергетического поля, показывают на нарушение здоровья (на расстройство органов, систем в физическом теле). То есть биополе человека находится в тесном взаимодействии со всеми органами и системами физического тела. Особенно это относится к взаимодействию энергетических центров (чакр) с организмом человека. Каждая чакра ответственна за обеспечение свободными, то есть не заключенным в биохимических связях биоэнергиями всех органов в пределах прилежащей к ней части тела (Муладхара, расположенная в районе копчика, — чакра нижней части таза, Свадхиштхана — чакра нижней половины живота, Манипура — чакра верхней половины живота, Анахата — чакра грудного отдела, Вишудха — чакра, расположенная в нижней части шеи, охватывает пространство от позвоночника до щитовидной железы включительно, Аджна — чакра, расположенная в середине головы, этой чакре пространственно соответствуют центральные отделы головного мозга, Сахасрара — чакра, находящаяся над теменной костью, ей пространственно соответствует область полушарий переднего мозга).

Чакры играют большую роль не только в физическом здоровье, но и в эмоциональной и ментальной сферах жизни человека. Причем чем больше развита та или иная чакра, тем больше выражена та или иная психологическая особенность человека, определяемая данной чакрой. Так, степень развитости Муладхарачакры определяет степень производительной функции, степень развитости Манипурачакры — степень способности к энергичным действиям; чем больше развитие Анахатачакры, тем больше способность к эмоциональной любви (любви от сердца); развитая Вишудхачакра — способность к эстетическому восприятию (это прежде всего относится к музыкантам, художникам, поэтам); развитая Аджначакра — способность к тактическому мышлению, позволяющему успешно решать узкие, частные вопросы в быту, производстве, науке; Сахасрарачакра определяет способность к стратегическому мышлению: чем более развита Сахасрарачакра, тем в большей степени человек умеет мысленно охватить всю ситуацию единым взглядом (это должно быть свойственно крупным руководителям).

Овладев приемами работы с чакрами, целью которой является развитие или, как говорят, раскрытие чакр, можно в течение 6—7 месяцев преобразовать себя — улучшить свое здоровье, стабилизировать психику, омолодить свой организм. За эти месяцы можно пройти путь от состояния уныния, нелюдимости, вечной раздраженности к состоянию бодрости, жизнерадостности, общительности.

С чисто энергетической точки зрения раскрытие чакры — это создание стабильного потока энергии между этой и ниже расположенной чакрой. Чем более развита чакра, тем больший поток энергии она принимает. Раскрытие чакр довольно сложный процесс и требует осторожности: при работе над чакрами неуправляемый поток энергии может их повредить. Поэтому прежде чем приступить к раскрытию чакр, нужно себя подготовить. Для этого в течение месяца следует познакомиться с йоговскими дыхательными упражнениями, которые дадут вам возможность чувствовать и регулировать движение праны в организме.

Раскрытие чакр можно осуществлять последовательно — от самой нижней до самой верхней чакры. Работа с каждой чакрой требует нескольких недель. При этом нужно заниматься каждый день по 10—15 минут.

Для раскрытия Муладхарачакры может быть использовано йоговское дыхательное упражнение Сукх Пурвак. Сев в любую позу для дыхательных упражнений (Позу алмаза, лотоса), выпрямляем позвоночник (спина, шея и голова на одной прямой линии). Указательный палец — на лбу в области третьего глаза (в области Аджначакры), большой и средний пальцы соответственно — на крыльях правой и левой ноздри. Во время вдоха (длительностью в 4 такта пульса) через левую ноздрю представляем, что прана через систему дыхания накапливается в Аджначакре. На задержке после вдоха (задержка на 16 тактов) направляем прану из Аджначакры по каналу Ида (проходящему по левой стороне позвоночника) и ударяем этим потоком энергии по Муладхарачакре. Во время выхода (длительностью 8 тактов) через правую ноздрю направляем прану из Муладхарачакры по каналу Пингало (проходящему по правой стороне позвоночника) снизу вверх до Аджначакры. Затем тут же делается вдох на 4 такта через правую ноздрю с накоплением праны в Аджначакре, на задержке после вдоха 16 тактов прана направляется на Аджначакры по каналу Пингало и ударяется по Муладхарачакре, на выходе через левую ноздрю (8 тактов) прана направляется вверх по каналу Ида из Муладхарачакры до Аджначакры. На задержке после вдоха рекомендуется повторять мантру «Лам». Это упражнение пробуждает энергию Кундалини-шакти, символически представляемую в виде змеи, свернутой в три с половиной оборота.

Метод пробуждения Свадхиштханачакры аналогичен методу пробуждения Муладхарачакры. Разница в действиях на задержке после вдоха. Здесь на задержке после вдоха энергию направляем по Иде (или Пингало) до Мухадхарачакры, ударяем энергией по этой чакре в сопровождении мантры «Лам», затем быстро по центральному каналу Сушумна переводим прану в Свадхштханачакру, где задерживаем на несколько секунд, все время повторяя мантру «Вам». После этого возвращаем прану в Муладхарачакру с мысленными повторениями мантры «Лам».

Пробуждение Манипурачакры осуществляется так же, как в предыдущем случае, только на задержке после вдоха прибавляется еще одна чакра: на задержке энергии. Направляем по Иде или Пингало до Мухадхарачакры, ударяя энергией по этой чакре в сопровождении мантры «Лам», проводим прану в Свадхиштханачакру, произнося «Вам», проводим прану в Манипурачакру, мысленно произнося «Рам», после этого возвращаем поток энергии в Муладхарачакру с мысленным повторением мантры «Лам».

Для пробуждения этой чакры может быть использовано другое упражнение. Приняв горизонтальное положение, медленно производят вдох, расширяя грудь и стягивая живот. Во время задержки дыхания после вдоха переводят воздух из грудной полости в область живота (в нижнюю часть легких), причем грудь должна опуститься, а живот выдвинуться вперед; затем снова возвращают воздух в грудную полость, стягивая живот и расширяя грудную клетку. Повторяют это 3—5 раза, и затем следует выдох. Это будет одно упражнение. Таких упражнений следует выполнить в течение суток 3—5, посвящая им 5—10 минут ежедневно.

Воздействие на Анахатачакру с использованием каналов Ида, Пингало и Сушумна аналогично вышеприведенному воздействию на Манипурачакру. На задержке после вдоха посылаем пранический ток по Иде или Пингало в Муладхарачакру, затем по Сушумне в Свадхаштханачакру, Манипурачакру и, наконец, в Анахатачакру, повторяя мантру «Пам». После нескольких секунд сосредоточения внимания и концентрации энергии в Анахатачакре посылаем энергию к Муладхарачакре через Манипурачакру и Свадхиштханачакру.

Другое упражнение для пробуждение чакры: сделать полный йоговский вдох и на задержке дыхания сконцентрировать внимание на сердце, прислушиваясь к его биению и мысленно видя работу сердца. Повторять с каждым ударом сердца мантру «Пам». Стараться, чтобы внимание ни на секунду не отвлекалось от желания мысленно увидеть сердце. Можно представить себе внутри сердца блестящую точку и сосредоточить на ней внимание. Затем сделать полный йоговский выдох.

Аналогично предыдущим упражнениям используют каналы Ида, Пингало и Сушумна при движении пранического тока для пробуждения Вишудхачакры. На задержке после вдоха посылаем пранический ток по Иде или Пингало в Муладхарачакру, затем по Сушумне проводим пранический ток по всем чакрам снизу вверх вплоть до Вишудхачакры, где несколько секунд концентрируем внимание и повторяем мантру «Хам». Потом по Сушумне последовательно по чакрам спускаем энергию вниз до Мухадхарачакры.

При пробуждении Аджначакры пранический ток на задержке дыхания доводят по Сушумне до Аджначакры, где несколько секунд концентрируют внимание, затем впускают пранический ток по чакрам вниз.

При пробуждении Сахасрарачакры пранический ток во время задержки дыхания проводят по Сушумне через все чакры до Сахасрарачакры, концентрируя в ней внимание несколько секунд, а затем поток энергии опускают последовательно по чакрам вниз.

Средство № 554

Способность влиять на других людей и на природные явления — повышает жизненный тонус, мобилизует защитные силы, укрепляет нервную систему, увеличивает уверенность в себе, является защитным средством от людей, которые могут нанести вред вашему здоровью.

Для выработки этой способности нужно делать упражнение: сосредоточьтесь на вашем теле, представив, что существует только ваше тело, и больше ничего. Все внимание на тело, изучайте всю поверхность вашего тела. Когда вы почувствуете пульсацию в какой-либо части тела (такой же эффект дает аутотренинг на этапе, когда вы вызываете чувство тепла в теле), слейтесь с этой пульсацией, усильте ее и переведите ее в Муладхарачакру, где придайте ей форму шарика, излучающего красный свет (цвет чакры). Ощутите, как шарик в чакре постепенно усиливает пульсацию и все более излучает тепло и свет. Четкого ощущения пульсирующего шарика (кстати, это довольно приятное, даже, более того, доставляющее удовольствие ощущение) сразу можно и не получить. Здесь требуется определенная настойчивость и некоторое время. После того как вы добьетесь ощущения пульсирующего шарика в Муладхарачакре, работайте также со всеми остальными чакрами (последовательно чакра за чакрой двигаясь снизу вверх). При этом нужно учитывать, что для каждой чакры свой цвет: для Свадхиштханы — оранжевый, для Манипуры — желтый, для Анахаты — зеленый, для Вишудхи — голубой, для Аджны — синий, для Сахасрары — фиолетовый.

После 2—3 недель занятий этим упражнением (один раз в день по 20—30 минут) расширьте его за счет медитирования на каждой чакре: когда шарик определенного цвета пульсирует, медитируйте на тему функций чакры, в которой находится этот шарик. Через неделю еще более расширьте упражнение: когда красный шарик в Муладхарачакре пульсирует, представьте, что из него выходит такого же цвета луч, идущий параллельно поверхности пола. То же самое представьте для остальных чакр (для самой верхней чакры луч должен идти вверх). Еще через неделю, когда вы закончите отработку упражнения (в результате чего вы укрепите свои чакры), вы почувствуете, что обладаете способностью излучить энергию во внешнюю среду, когда вам это будет нужно (допустим, для влияния на разного рода природные явления), и оказывать влияние на других людей с помощью энергетических лучей.

Средство № 555

Установление более тесного контакта между высшим «Я» и телом — способствует оздоровлению эндокринной системы, системы кровообращения, желудочно-кишечного тракта, дыхательной системы, пробуждаются защитные силы, повышается жизненный тонус. Помимо целительских свойств это средство имеет и другой аспект: оно помогает развиваться (вернее, освобождаться) интуиции, способствующей повышению духовного уровня.

Представьте, как сверху через Сахасрарачакру и все основные чакры и далее через всю вашу ауру проходит космическая энергия золотистого цвета. Затем представьте на вашем ментальном экране розу, которая представляет вас. Изучите все ее элементы (лепестки, тычинки, цвет, аромат). В верхней части экрана поместите розу для вашего «Я» (представляющую ваше «Я»). Эта роза внимательно изучается, как и первая роза. Потом вторая роза помещается непосредственно над первой розой, после чего они сливаются. Растворите картину.

За счет того, что высшее «Я» сливается с телом, оно, являясь частицей всемогущего Абсолюта, оказывает непосредственное оздоровительное влияние на тело.

Средство № 556

Очищение ауры пламенем — способствует лечению многих заболеваний, но особенно это средство действенно в критических ситуациях, когда необходимо срочно помочь себе.

Здесь не нужно сидеть, а нужно встать, положив одну руку на другую, **тем самым образовывая как бы кольцо**. В левой стороне тела зарождается поток энергии золотистого цвета (представьте это); он начинает в виде вихря, со все увеличивающейся скоростью, курсировать по кольцу. Затем представьте, что в вашем теле пылает пламя. Это пламя все увеличивается и увеличивается и, в конце концов, оно бушует, как в топке. В какой-то момент в результате сгорания в пламени всех ваших недугов, неприятностей и усталости через Сахасрарачакру вырывается черный дым, который рассеивается в нейтральной космической энергии. Затем повторяем вышеописанный процесс (вихрь энергии по кольцу, пламя в теле), в результате которого через Сахасрарачакру выделяется серый дым. Третий раз повторяем процесс, и через Сахасрарачакру выделяется белый дым, то есть наша аура очистилась.

Средство № 557

Повышение уровня энергии отдельных участков ауры — повышает жизненный тонус, мобилизует защитные силы, способствует лечению многих заболеваний.

Человек, стремящийся к выздоровлению, должен убедить себя, что целительский процесс дает прежде всего возможность функционировать тому, что естественно (ибо, делая основной и постоянный упор на корректирующую сторону целительства, мы волей-неволей концентрируем внимание на болезни, что несколько тормозит процесс выздоровления). В этом плане интересно и эффективно следующее средство.

Представим себе на своем ментальном экране свой силуэт. Когда силуэт обозначится, представим себе и мысленно увидим, как вокруг силуэта проступает наша аура. Исследуем ее и постараемся найти такие участки, которые излучают здоровую, чистую, вибрирующую энергию золотистого цвета. Эта энергия высокого уровня, все остальные участки (особенно болезненные) имеют энергию более низкого уровня. Убедите себя в том, что энергия в остальных участках поднимается до уровня энергии золотистого цвета, если вы ей прикажете, и поднимите ее так высоко, чтобы она соответствовала высокой энергии. Затем представьте, что энергия циркулирует по чакрам и в ауре.

Если при исследовании ауры вы не сможете найти участки золотистого цвета, а видите в основном серую энергию, вам придется спросить себя, на сколько вы желали бы поднять уровень энергии, и попросить подсознание, чтобы ответ выразился в определенном цвете. Затем представьте, как вы проводите энергию этого цвета из Сахасрарачакры в Манипурачакру. После этого соедините имеющуюся энергию с добавленной. Описанную процедуру выполняйте в последующие дни. На третий день вы увидите уже не серый цвет, а другой, более высокого уровня. Прежде чем появится золотистый цвет, пройдет 10—15 дней.

Средство № 558

Освобождение от легких расстройств здоровья, являющихся следствием стрессовых состояний, — устраняет функциональные расстройства, простуду, физическую или моральную усталость.

Это средство позволяет стирать записи типа локов. Нужно стирать самые последние локи, чтобы стабилизировать свое психическое состояние и повысить тонус. Учитывая, что следствием последнего лока может быть легкое функциональное расстройство, простуда физическая или моральная усталость, применяем против этих расстройств здоровья метод, где записи (уплотнения) в ауре представим в виде пятен какого-либо цвета (можно выбрать любой цвет).

Создайте на своем ментальном экране свой силуэт, представьте себе, что в том месте тела, где вы ощущаете физическую или какого-то морального характера боль, должно появиться пятно, или просто попросите подсознание дать возможность увидеть свою болезнь, и тогда пятна появятся в соответствующем цвете. Каждое пятно заполните газом (допустим, гелием), и пусть каждое пятно уплывает из вашей ауры для нейтрализации в космической энергии, плывя, как воздушный шар. Затем через Сахасрарачакру введите энергию золотистого цвета и заполните этой энергией те участки ауры, где были пятна.

Средство № 559

Ускорение выполнения ваших желаний, в том числе желания выздороветь, — ускоряет выздоровительный процесс.
Представьте на вашем ментальном экране (перед вашим мысленным вздором) 3 круга, представляющие вас; каждый круг соответствует определенному интервалу времени (полгода, один год, пять лет). Продумайте вопрос о тех изменениях в своей жизни, которые по вашим планам должны осуществиться в вашей жизни, и представьте, что эти изменения могут войти в тот или иной круг. Если некоторые желания (желания могут быть представлены на экране в виде каких-либо символов) остались вне кругов, спросите себя, какое число, являющееся интервалом времени, должно появиться над этими желаниями. Это число появится. Скорректируйте картину по своему желанию (если у вас в этом будет необходимость), переведя то или иное желание в другой круг. Растворите картину.
Этот метод, так же как и аналогичный метод по диагностированию пациента, можно применить к коррекции своего здоровья (перемещая мысленно желания, связанные со здоровьем, в тот или иной временной круг).

Средство № 560

Улучшение своего здоровья в будущем и в настоящем — позволяет корректировать в лучшую сторону состояние своего здоровья в будущем и через обратные связи в настоящем времени. Создайте розу на своем ментальном экране. Отметьте, что в ней вам нравится и что не нравится. Эта роза представляет вас в настоящий момент. Последовательно создайте еще две розы слева и справа от первой розы, соответственно времени полгода в прошлое и полгода в будущее. Если что-то не нравится в третьей розе (форма, цвет и так далее), скорректируйте. Растворите картину. Создайте последовательно одну за другой три розы, соответствующие одному году, пяти годам и какого угодно сроку будущего. Скорректируйте что-то в каждой розе, что не нравится. Растворите картину.

VII. СРЕДСТВА ВОССТАНОВЛЕНИЯ ПСИХИЧЕСКОГО ЗДОРОВЬЯ

Средство № 561

Снятие сексуальной напряженности — восстанавливает душевное равновесие, повышает жизненный тонус, способствует развитию умственных способностей.

Половая энергия — энергия созидающая, она может служить не только целям размножения, но и целям возрождения вырабатывающего ее организма. Существует способ превращения половой энергии. Этот способ используется при сексуальном напряжении для развития умственных способностей и увеличения жизнеспособности.

Методика превращения половой энергии следующая.

Лежать или сидеть в расслабленном состоянии. Сосредоточиться на представлении отвлечения половой энергии от половых органов по направлению к солнечному сплетению в форме жизненной энергии.

Начинаем дышать ритмически, мысленно рисуя себе, как с каждым вдохом и выдохом новые порции половой энергии притягивают к солнечному сплетению. Как только установится ритм дыхания и ясное умственное представление происходящего, вы начинаете ощущать направляющийся кверху ток энергии.

Если вам нужно увеличить умственную энергию, направьте этот ток к мозгу таким же путем, каким направляли его к солнечному сплетению. В этом случае к мозгу следует направить лишь необходимое количество энергии (интуитивно почувствовать необходимое количество энергии), излишек должен оставаться в солнечном сплетении.

Во время упражнения голова свободно и естественно наклонена вперед, выполнять упражнение 5—10 минут.

Средство № 562

Исключение гнева, злобы, зависти и отрицательных мыслей — способствует очищению сосудов, снимает подавленное, депрессивное состояние, облагораживает душу.

Одним из самых сильных источников токсинов, отравляющих организм, являются отрицательные эмоции, чувства. Злоба, гнев, зависть, ревность, страх заставляют эндокринную систему выбрасывать в кровь огромное количество ядов. Отравляют кровь и создают беспокойство, подавленное состояние, сомнения. Особенно опасны не активные отрицательные эмоции, а пассивные — отчаяние, хроническая тревога, боязливость, депрессия.

Гнев, злость, зависть и тому подобное убивает в человеке многие прекрасные качества. Темнеет его душа, гаснет ум, меркнет талант. Необходимо избегать отрицательных эмоций и мыслей.

Средство № 563

Прием пищи с чувством спокойствия и умиротворения — способствует хорошему пищеварению и оздоровлению органов желудочно-кишечного тракта, повышается жизненный тонус.

Если вы приходите домой усталым, нужно отдохнуть 15— 20 минут, так как в усталом теле и желудок усталый.

Мы никогда не должны есть, когда злимся или охвачены другой отрицательной эмоцией. Пища дает силу. Если мы будем есть при таком душевном состоянии, то энергия, извлекаемая из еды, будет служить усилению нашей злобы и низменных инстинктов.

Наоборот, мы должны есть с чувством спокойствия и умиротворения. Тогда наши психические и духовные силы и наши наиболее благородные качества будут расти.

Средство № 564

Выход из ранга заурядности — укрепляет уверенность в себе, наполняет ощущением спокойного могущества.

Принимаем удобную позу и начинаем медитировать.

Необходимо осознать, почувствовать себя центром окружающего. Воздействуй на свой ум, мозг словом «Я» в этом смысле и понимании, с тем чтобы это чувство стало твоей нейтральной частью. Когда ты произносишь слово «Я», ты должен сопровождать его картиной своего «Эго» как центра сознания, мысли, мощи, влияния.

Будь окружен своим миром, чувствуй всегда и везде себя центром окружающего и в жизни.

Пусть тебя всегда наполняет чувство и желание самоутверждения. Тот, кто поймет это и овладеет этим, выйдет из ранга заурядности. Вот такие мысли и мысленные представления должны проигрываться в нашем сознании при выполнении этого упражнения.

Средство № 565

Преодоление неприятностей — укрепляет нервную систему, приносит спокойствие и уверенность в себе.

Примите позу медитации и попытайтесь представить себя мертвым, то есть пытайтесь оформить умственную концепцию о себе как о мертвом. Хотя это кажется легким, полностью осуществить это невозможно, так как «Эго» отказывается принять это. Можно представить себя в бессознательном состоянии, уснувшим (это нетрудно), но не мертвым.

Представьте свое «Я» проходящим испытание через воздух, огонь и воду и вышедшим невредимым. Помните, стихия может воздействовать только на физическую оболочку, но не на «Я» (такое мысленное упражнение дает постоянное ощущение силы, смелости). Вы поймете, что ваше «Я» стоит над телом, побеждает стихию.

Представьте себя непобедимым, недоступным для какого-либо вреда. Приобретаемые таким образом мощь, сила, уверенность и спокойствие будут воздействовать на окружающих должным образом. Вы будете спокойно и без страха глядеть в лицо надвигающимся событиям, сможете подняться над неприятностями и преодолевать их с улыбкой.

Средство № 566

Внутреннее раскрепощение через танец и пение — снимает психические зажимы.

В танцах и пении можно совершенно раствориться, при этом остается только танец или песня, а танцор или певец как бы исчезают.

При выполнении танца не думайте о технике танца, танцуйте просто, как ребенок. Посвятите свой танец высшим силам вселенной. Танцуйте так, как будто вы влюблены во вселенную и танцуете со своей возлюбленной.

При использовании пения для раскрепощения не пользуйтесь чужой песней, так как в нее вложена чужая душа. Создайте свою песню. При этом забудьте о ритме и грамматике, важно не содержание песни, а важно качество исполнения, его накал, огонь.

Вместо пения можно использовать произношение различных бессмысленных звуков. Этим постарайтесь выразить как бы все, что просится изнутри. Выбросьте с этим все лишнее. Ум всегда мыслит словами. Не подавляя свои мысли, вы можете выплеснуть их наружу через этот прием. После 5—6 минут произношения звуков ложитесь на живот и в течение 10 минут ощущайте свое слияние с землей. С каждым выдохом чувствуйте, как приникаете к ней все тесней и тесней.

Средство № 567

Внутреннее раскрепощение через слияние с природой — психически расковывает, делает поведение человека более естественным.

Раскрепощению способствует ощущение себя частью земли. Вызовите это ощущение следующим образом: утром возле реки, на пляже разденьтесь и, стоя на солнце, начните прыгать, бегать на месте. Почувствуйте, как энергия течет по ногам и через ступни уходит в землю. Затем, после нескольких минут такого бега, застыньте на месте и почувствуйте связь с землей через свои ноги. Внезапно возникнет чувство глубокого единения, основательности, незыблемости. Вы почувствуете, как земля общается с вами и посредством ног вы общаетесь с землей.

Другой прием. Сев удобно и закрыв глаза, вообразите себя в лесу. Вокруг огромные деревья, все дико и загадочно. Постояв некоторое время в этом лесу, вы затем пошли. Пусть все происходит само собой, не форсируйте события. Не говорите себе «Сейчас я пройду вблизи этого дерева», просто идите. После нескольких минут ходьбы по лесу вы пришли к пещере. Прочувствуйте каждую подробность — землю под ногами, прикосновение к каменной стене в пещере, ее прохладу. Возле пещеры находится водопад. Слышен шум воды, падающей сверху. Прислушайтесь к нему, прислушайтесь к тишине леса и пению птиц. Полностью отдайтесь возникающим переживаниям. Через 10 минут выйдете из состояния слияния с природой.

Средство № 568

Управление собой в стрессовых ситуациях — предупреждает многие заболевания, ускоряет процесс выздоровления.

Причиной многих болезней и психических срывов является стрессовая ситуация. Понятие «стресс» впервые ввел канадский врач-биолог Ганс Селье. Он утверждает: «Стресс есть неспецифический ответ организма на любое предъявленное к нему требование». Значит, стресс — это не только одно нервное напряжение. Любое непривычное для организма воздействие — чувство гнева, страха, ненависти, радости, любви, сильный холод или жара, инфекция, прием лекарств — все это вызывает стресс. Организм должен к нему приспособиться, и начальная стадия приспособления к любому названному явлению, вызывающему стресс, одинакова, то есть организм равнозначно реагирует на любое сильное чувство и ощущение.

Если стресс — это напряжение, давление, нажим, то дистресс — горе, несчастье. Избегнуть стрессовых ситуаций невозможно, да и ненужно. Вреден сильнодействующий стресс или дистресс и бороться человеку нужно с дистрессовыми ситуациями (стараться быстрее из них выходить).

При воздействии сильнодействующего стресса организм, сталкиваясь с необычным воздействием, вначале отвечает реакцией тревоги, затем наступает фаза сопротивления, которая заключается в выработке сил и средств, направленных на борьбу со стрессорами (факторами, вызывающими стресс). Третья фаза — фаза истощения, когда исчерпались ресурсы защитных сил, организм заболевает.

Управлять своими эмоциями очень важно. Неуправляемые отрицательные эмоции являются причиной многих заболеваний, но, кроме того, они разрушают духовную структуру человека. Управление собой (или самообладание) — это не только внешняя уравновешенность и спокойная реакция на раздражители. Умение внешне не проявлять эмоций не исключает их отрицательного воздействия на организм. Самый верный путь к обретению внутреннего, глубинного самообладания — это умение преобразовать отрицательный очаг возбуждения в положительный. Умение избежать нежелательный очаг возбуждения. Умение избежать нежелательных ситуаций в общении, своеобразная нейтрализация их влияния на нас путем оценки с точки зрения разумного и хладнокровного мудреца также помогает сохранить самообладание. Стремление погасить отрицательные эмоции транквилизаторами нельзя одобрить. Употребление успокаивающих медикаментов допускается лишь в крайних случаях, и то по рекомендации врача. Приемлемым способом разрядки отрицательных эмоций путем создания очага охранительного возбуждения является минорная музыка, общение с природой, переключение внимания на внутренние, положительные ощущения (расслабить все мышцы последовательно друг за другом или подсчитывать удары пульса), физическая работа до усталости, короткое полное голодание.

В случае неожиданно резкой вспышки стресса нужно гасить стрессовое состояние в самом начале (ослабить его). Сильная эмоция близка к судороге: ее невозможно остановить даже с помощью аутотренинга. Поэтому нужна экспресс-разрядка: интенсивное физическое движение (бег по лестнице, маховые движения и т. д.).

Средство № 569

Управление собой при возникновении трудностей — делает характер человека более сильным и целеустремленным.

Человек, не умеющий управлять собой, чаще всего пессимист, он извлекает из жизни только отрицательные факты и на них строит свою концепцию, свое восприятие жизни, что в дальнейшем влияет и на его поступки, взаимоотношения с окружающими, на психическое и физическое состояние. Человек, умеющий управлять собой, отыскивает в любой ситуации положительные стороны, то есть извлекает из кучи отрицательных факторов ценное зерно. Такое отношение к трудностям является полезным и для самого себя, и для окружающих. В этом случае трудности не обескураживают человека, а делают его характер более сильным и целеустремленным.

Средство № 570

Выработка самообладания в ответственных ситуациях — способствует спокойствию и уверенности.

Перед ответственными событиями, ответственными встречами необходимо расслабиться и внушить себе спокойствие и уверенность. Полезно также проиграть предстоящую ответственную встречу или событие. Это поможет вывести напряжение на поверхность, чтобы оно не вырвалась из подсознания в самый неподходящий момент.

Средство № 571

Я — хозяин своих чувств и своего ума — успокаивает, приводит к душевному равновесию.

Внутреннее поведение — это прежде всего управление умом. Управлять умом можно только в том случае, если мы поймем, что собой представляет ум по отношению к нашему «Я». Так вот, ум — это не само «Я», а его инструмент. «Я» независимо от ума.

Исследуем соотношение ум — наше «Я». Если собственное «Я» нельзя поставить в сторону для рассмотрения, то различные формы «НЕ-Я» всегда можно рассмотреть со стороны.

Такие чувства, как голод, боль, жажда, приятные ощущения, физические желания, ошибочно принимаются за основные качества «Я», но это не так.

Рассмотрим такие эмоции, как голод, ненависть, зависть, амбиция, любовь, в их обычных формах и представлениях. Вы поймете, что их можно изучить со стороны, анатомировать, анализировать; вы сможете понять возникновение, развитие и конец каждого рассматриваемого чувства (особенно это умение важно в тех случаях, когда эти чувства обуревают, порабощают человека). Проанализировав чувства, поняв их сущность, человек станет хозяином этих чувств, сможет отбросить ненужные в сторону.

Тот факт, что чувства могут быть анализированы как бы со стороны, является доказательством того, что они «НЕ-Я», а следовательно, «Я» гораздо выше и независимо от них. Как результат понимания, что человек — хозяин своих чувств, а так как чувства находятся в ведении ума, то, следовательно, все сказанное относится к уму.

Если вы усвоите вышесказанное, вы сможете правильно использовать возможности ума, стать хозяином своего настроения, эмоций, перестав быть их рабом.

Ум обычно разболтан, мысли постоянно прыгают с предмета на предмет. Необходимо приучить его повиноваться воле «Я». С этой целью нужно выполнять медитацию: принять удобную позу, расслабиться, дыхание спокойное и ровное, не применяя больших усилий, контролируйте ум, позволяя ему быть несобранным некоторое время, пока его усилия не истощатся. Вначале ум будет вести себя беспорядочно, но потом постепенно успокоится и будет готов для ваших приказаний. Вначале потребуется определенное время для достижения этого состояния, но затем достичь его будет легче.

Когда ум хорошо успокоен, концентрируйте свои мысли на формуле «Я существую».

Средство № 572

Управление своим умом — приводит к душевному покою, способствует душевной гармонии.

Для того чтобы управлять своим умом, нужно прежде всего осознать, что «Я» не есть ум. В этом плане полезны следующие рассуждения. Ум — это куча хлама, если вы попытаетесь выбросить весь хлам, то будете очень долго трудиться, но так и не доведете дело до конца. Это самовоспроизводящийся хлам, он не мертв, он всегда в движении. Он растет и живет своей собственной жизнью. Если вы отсечете часть его, то оставшаяся часть будет продолжать расти. Извлекая хлам наружу, вы осознаете, что существует разлад, пропасть между вами и умом. Хлам останется, но вы уже себя с ним не будете отождествлять. Вы отделитесь от него, будете знать, что существуете отдельно от него.

Вам остается делать одно: не пытаться бороться с умом, изменять его. Просто наблюдайте и помните: «Я не ум». Пусть это станет вашей мантрой.

Доказательством того, что ум не «Я», является достижение такого состояния, при котором ум как бы исчезает. Здесь используется созерцание такого плана: удобно сесть и смотреть в сторону любого предмета, любого пейзажа или стены, главное, чтобы объект внимания не передвигался или передвигался не слишком быстро (в комнате можно смотреть на стену, а на природе на деревья). При этом ни на что не смотреть специально, как будто вокруг пустота. По привычке глаза всегда смотрят на что-то в особенности, но вы этого делать не должны. Ни на чем не фиксируйте и не концентрируйте свое внимание — перед вами просто какое-то размытое изображение. Это дает очень глубокое расслабление. Когда нечего смотреть, то постепенно интерес смотреть пропадает. Если смотреть на чистую, ровную стенку, то постепенно начнешь ощущать внутри такую же пустоту и гладь. Параллельно этой стене, на которую вы смотрите, возникает другая стена — стена безмыслия.

Расслабьте дыхание. Но не делайте этого специально, позвольте этому самому случиться. Пусть это произойдет естественно, и тогда расслабление будет еще глубже.

Пусть ваше тело остается как можно дольше неподвижным. Вначале выберите удобную позу — сидеть можно на подушке, или матраце, или на чем-либо, что пожелаете, однако как только сели, будьте неподвижны. Когда тело неподвижно, ум автоматически замолкает. В движущемся теле ум также продолжает свою работу, так как тело и ум — это не две разные вещи. Они одно целое, одна энергия.

Вначале все покажется несколько утомительным, но через несколько дней вы будете получать от этого огромное удовольствие. Вы увидите, как слой за слоем ум начнет отпадать. Наконец наступит момент, когда останетесь только вы, ум исчезнет.

Средство № 573

Снятие отягощенности внутренними проблемами — освобождает от беспокойства, освобождает от зацикленности на определенной проблеме.

Негативно действует на здоровье беспокойство, особенно длительное. Беспокойство возникает из-за неудовлетворенности чем-либо или отягощенности внутренними проблемами.

Если вы не удовлетворены чем-либо, приведите себя в равновесие путем замены своих мыслей на противоположные (подумайте о сострадании, об удовлетворенности). Через 5—10 минут чувство неудовлетворенности уйдет.

Отягощение внутренними проблемами присуще современному человеку. Избавиться от этих внутренних проблем бывает довольно-таки сложно (многим плохо помогает даже аутогенная тренировка). В этом случае могут помочь неординарные решения. Одним из таких решений может быть временный отказ от осознания себя человеком с его стандартным кругом обязанностей и психологический уход в мир животных (психологически раскованный, не обремененный внутренними проблемами). Можно представить себе, что вы не человек, а животное (не нужно смущаться некоторой экстравагантности метода — эффективность этого метода довольно-таки высока). Выберите себе для этого любое животное, какое пожелаете, — кошку, собаку, тигра, самца или самку. Но, выбрав, не меняйте его, привыкайте к нему, станьте им. В течение сеанса: 1—2 минуты передвигайтесь на четвереньках, в течение 10 минут дайте простор своей фантазии. Если вы собака — начните лаять, рычать и вообще делать все, что делают эти животные. Наслаждайтесь своей ролью. Не контролируйте себя, собаки на это не способны. Не привносите в собачье поведение человеческий элемент контроля. Станьте настоящей собакой. Выполните вышеописанное в течение нескольких дней.

Средство № 574

Снятие отождествления себя с телом — облагораживает душу, возникает новое, более высокое понимание своей сути, способствует внутренней гармонии.

Как можно чаще думайте о себе, о своей сути (высшее «Я»), не зависящей от своего тела.

Для осознания того, что «Я» не есть тело, может помочь древний тибетский прием: станьте обнаженным перед большим зеркалом и начните корчить рожи и делать всякие смешные движения, наблюдая за собой при этом. Делая так и наблюдая в течение 10—15 минут, вы придете в изумление.

У вас появится ощущение отстраненности от того, что вы делаете. Тело — игрушка в ваших руках, с которым можно играть то так, то эдак. Вы начнете видеть в себе не тело, не лицо, а ваше «Я».

Периодически делайте следующее упражнение. Примите позу для медитации и думайте о себе (высшем «Я») как независимом от тела, но использующим тело как оболочку и инструмент.

Осознайте, что вы можете оставить тело и оставаться тем же «Я». Представьте себе это и взгляните на свое тело со стороны. Ведь тело — раковина, которую можно оставить без потери тождественности. Вы можете контролировать свое тело, которое вы оккупируете, и сделать его здоровым, сильным, энергичным. Оно всегда остается только раковиной, оболочкой «Я».

Продолжая размышлять, игнорируйте свое тело полностью, обратите мысли на реальное настоящее «Я» и почувствуйте, что ваше «Я» существует отдельно от тела. Таким образом, надо чувствовать свое тело не только физически, но и уметь быть «над телом». Но вышеуказанное ни в коей мере не означает

игнорирования тела (тело — храм для «Я», и его нужно под
держивать в хорошем состоянии).

Не надо пугаться, если в процессе размышления почувствуете себя на несколько секунд как бы вне тела. В этом упражнении такое состояние вполне естественно.

Средство № 575

Освобождение от зарядов гнева — предохраняет от многих
заболеваний, успокаивает, стабилизирует внутреннее состояние.

При любых инцидентах не нужно терять чувства собственного достоинства и вести себя сдержанно, с достаточной до-
лей самообладания. Накопившиеся после инцидента отрицательные энергетические заряды нужно обязательно вывести
наружу. Желательно это делать сразу после инцидента, но
если нет для этого времени или условий, можно это делать
один раз в неделю. Выбрав определенный день, закройтесь в
комнате (это можно делать в уединении на природе) и начинайте бить кулаками крепко сшитые подушки со всей силой,
на какую способны. При этом можно кричать, выкрикивая
любые слова.

Аналогичным средством является снятие отрицательных
внутренних стереотипов. Предохраняет от возникновения многих заболеваний, способствует душевному спокойствию.

Внутренние стереотипы могут выражаться в постоянном
чувстве разочарования или гнева при повседневном общении
с окружающими. Стереотипы эти у многих людей стойкие.
Помогает жесткий способ, основанный на принципе «Клин
клином вышибают»: в течение нескольких дней закрывайтесь
на 10 минут в своей комнате (проконтролируйте время с помощью будильника) и вызывайте чувство гнева. Однако не
пытайтесь его тут же выплеснуть наружу. Наоборот, старайтесь его еще больше усилить, довести себя до белого кале-
ния, но не выплескивать, никак не выражать его, даже битьем
подушки. Подавляйте его всеми возможными средствами.
Если почувствуете напряжение в области живота, как будто
там готово что-то взорваться, сожмите живот, напрягите его
еще как можно больше. Если почувствуете, как напрягаются
плечи, напрягите их еще сильнее. Пусть все тело станет как
можно более напряженным, как будто это вулкан перед из-
вержением. Через 10 минут, когда зазвенит будильник, дайте
волю вашим чувствам, делайте все, на что вы в эту минуту
способны. Когда будильник утихнет, успокойтесь, закройте
глаза и посидите так несколько минут.

Средство № 576

Восстановление психических сил в условиях квартиры — восстанавливает жизненный тонус, дает отдых мозгу.

Дать возможность отдохнуть мозгу — это значит дать возможность отдохнуть и телу, и психике.

Если у вас есть свободное время, используйте его для домашнего психического расслабления. Методика психического расслабления следующая.

Примите положение ребенка, скорчившегося в утробе матери. Вы почувствуете, как вас окутывает тишина, та тишина, которая присутствует в материнской утробе. Если вы находитесь в постели, накройтесь с головой одеялом, положите ноги и замрите.

Иногда будут мелькать какие-то мысли. Пусть они проходят перед вами, отнеситесь к ним с безразличием, отрешенно: раз уж они появились, пусть, если их нет — хорошо. Не боритесь с ними, не отталкивайте их. Борьба будет отвлекать, желание отбросить их станет настоятельным, и тогда они станут еще более настойчивыми. Оставайтесь безразличны, пусть мысли бродят где-то на периферии, там, откуда доносится шум уличного движения. Мысли — это действительно шум движения, движения миллионов клеток мозга, вступающих в контакт друг с другом, движения энергии и электричества, стремящихся от одной клетки к другой. Это слышен гул огромной машины, так что пусть он будет.

Вы же совершенно безразличны к нему, он вас нисколько не волнует, и вообще это не ваша проблема, возможно, чья-то, но только не ваша. Вскоре вы удивитесь, будут приходить мгновения, когда шум начнет исчезать совершенно и вы будете оставаться совершенно одни.

Средство № 577

Восстановление психических сил на природе — снимает раздражение, чувство неудовлетворенности, ликвидирует внутренние зажимы.

За город на природу нужно уезжать по крайней мере на один день в неделю. Обязательно 1 час уделить психическому расслаблению. Методика такого расслабления следующая.

Выберите укромный уголок на лоне природы и идите бесцельно, не засекая времени. В вашем распоряжении должен быть час абсолютно свободного времени. При любом препятствии с внешней стороны (крик птицы, споткнулись или кто-то пересек вам дорогу, толкнул вас, пошел внезапно навстречу) вы должны свернуть или идти другим путем. В этом состоянии наступает полное психическое расслабление. Вы выходите из субъективного потока времени (субъективный поток времени — это цепочка событий, которую вы выстраиваете перед собой, прогнозируя свои будущие действия и как бы разбивая весь свой день на ряд ожидаемых событий). Любые препятствия на пути осуществления этих событий воспринимаются вами как личное оскорбление. Пробиваясь сквозь них, вы нарушаете свою энергетическую защиту, рвете ваше поле. Это расслабление снимает внутренние зажимы, ликвидирует раздражение, снимает чувство неудовлетворенности в чем-либо, восстанавливает психические силы.

Модификация этого упражнения — ходьба вдвоем. При ходьбе слушаете шаги своего партнера и как бы входите в его психическое состояние, раскрываете его, начинаете чувствовать его настроение и отношение его к вам данный момент. Это упражнение учит сопереживанию.

Средство № 578

Самонаблюдение как первый шаг в процессе пробуждения — лечит психосоматические заболевания, способствует душевному равновесию.

Согласно утверждению Гурджиева, человек в повседневной жизни пребывает в более или менее бессознательном состоянии ума (в «состоянии пребывания спящим»). В Библии состояние пробуждения описывается как «спадение пелены с глаз»: когда человек пробуждается, он как бы внезапно начинает понимать и видеть вещи, которые прежде были закрыты для него и непонятны ему.

В качестве первого шага в процессе пробуждения является самонаблюдение (самопознание). Процесс самонаблюдения означает, что вы просто стараетесь замечать все, что происходит с вами, что делает вас счастливее и что несчастнее, что вообще происходит в вашей жизни, что эмоционально воздействует на вас, что препятствует вам, находится в настоящем времени, ваши обязанности перед другими, перед собой и перед всем миром. Самонаблюдение нужно отрабатывать как упражнение, то есть тренироваться, причем эта тренировка может осуществляться в течение дня параллельно с повседневными делами. Сначала включение в процесс самонаблюдения происходит в течение нескольких секунд, а выключение в течение нескольких часов. Это означает, что, когда мы вспоминаем о самонаблюдении, мы включены на несколько секунд, а затем снова отключаемся на несколько часов и так далее.

После отработки этого упражнения в течение нескольких недель вы заметите, что начинаете включаться в течение более длительного времени, а выключаться на более короткое время, то есть более часто включаться и меньше выключаться.

Самонаблюдение может использоваться как составной элемент самоисцеления (и не только в отношении психосоматических заболеваний, а в более широком диапазоне, от вывиха до неизлечимой по медицинским меркам болезни).

Средство № 579

Рациональное разрешение сложных проблем — позволяет быстро и эффективно разрешить любые сложные жизненные и другого плана проблемы, тем самым предотвращая потерю жизненных сил и расстройства нервной системы, повышает жизненный тонус, вселяет уверенность в себе.

Обычно человек тратит огромное количество сил и нервов для решения сложной проблемы с помощью сознания. Нужно поручить разрешение проблемы подсознанию. Это делается так.

1. Первая ступень познания — это концентрация внимания на изучаемом предмете, основная работа приходится на долю подсознания, которое можно заставить целенаправленно работать по приказанию воли или сильного желания.

Подсознание сознательно нужно подключать, когда необходимо разрешить сложные запутанные проблемы (в работе по специальности, в отношениях с людьми, философских проблемах). Методика подключения подсознания следующая: полностью расслабиться (расслабить каждый мускул, снять напряжение с каждого нерва, отбросить все умственные усилия) и затем подождать некоторое время.

Затем перед своим умственным взором при помощи концентрации представить изучаемый предмет как можно более четко. Следующий шаг заключается в передаче этой картины подсознанию при помощи усилия воли. Этому поможет формирование умственной картины предмета как материальной субстанции или же связки (пучка) мыслей. Такая картина помогает как бы поднимать и опускать люк в подсознание.

Затем необходимо мысленно сказать подсознанию: «Я желаю, чтобы этот предмет был полностью анализирован (и т. п. по желанию) и затем результат возвратить мне. Займитесь этим».

Кроме того, необходимо обращаться к подсознательному мышлению как отдельно существующему единству, которое нанимаем для работы. Уверенное ожидание — важнейшая часть процесса, и степень успеха зависит от степени этого уверенного ожидания.

В трудных случаях следует использовать воображение. В этом случае необходимо нарисовать умственную картину того, как подсознательный ум выполняет требуемую работу. Это как бы очищает путь для подсознания.

Конечно, многое зависит от практики, как и во всех случаях. Приобретая опыт, вы все более можете полагаться на свое подсознание.

2. Необходимо помнить, что сила воли, заставляющая работать на нас подсознание, в большей степени зависит от внимания и интереса, проявленных к разрешаемой проблеме. Изучаемый вопрос необходимо насытить интересом и вниманием для получения лучшего результата. Ведь развитие воли в очень большой степени зависит от развития внимания и интереса.

Собирание и обработка материала для передачи его подсознания — процесс очень важный, и к нему следует отнестись очень серьезно.

Можно разбить информацию на несколько частей, сгруппировав ее по определенным критериям. Рассмотрев одну часть информации, возьмите следующую, изучите ее и присоедините к первой и т. д. Затем, собрав весь материал воедино, вновь рассмотрите, изучите его в целом. После этого передайте весь материал подсознанию и с уверенностью командуйте: «Займись этим материалом для размышления». При этом необходимо быть твердо уверенным, что приказ будет выполнен.

3. Пример применения метода. Выбор правильного варианта из нескольких вариантов (при решении какой-то проблемы: предположим, человек в затруднении, он не знает, какой выбрать вариант из нескольких). Он мучительно обдумывает ночью, он не избавляется от этой проблемы. Поступить нужно не так. Прежде всего надо успокоить ум. Потом отделить главное от второстепенного, поместив все на свои места. Затем медленно в мыслях просмотрите весь материал, наполняя каждую деталь вниманием и интересом, но без малейшей попытки принять какое-либо решение или прийти к какому-либо заключению. Затем передать это подсознание, формулируя умственное представление, проведение материала через люк, в подсознание и одновременно давая команду подсознанию: «Займись этим для меня!»

Далее усилием воли уберите проблему из сознания. Если при этом встречаются какие-либо трудности, то желаемого результата можно добиться путем частного утверждения: «Я убрал этот вопрос из моего сознания, и мое подсознание займется этим».

Затем попытайтесь создать чувство уверенности по данной проблеме, убрав беспокойство и озабоченность по данному вопросу. Вначале это будет трудно, но после нескольких успешных случаев это станет легким и естественным. Дело все в практике при соответствующем терпении.

В некоторых случаях вопрос будет решен подсознанием очень быстро, иногда даже моментально, но в большинстве случаев для этого требуется время. Чаще всего решение приходит на следующий день (отсюда родилась пословица «Утро вечера мудренее»).

Если же решение не придет на следующий день, вновь его не расчленяйте, а просто проявите внимание и интерес к вопросу в целом, но затем вновь передайте материал подсознанию для дальнейшей работы. При этом не надо проявлять нетерпение начинающего. Дайте время, чтобы работа была выполнена, через некоторое время (от нескольких часов до нескольких дней) подсознание выдаст результат для рассмотрения сознанию. Это отнюдь не значит, что подсознание настаивает на принятии его решений, оно просто передает результат своего анализа. Выбор остается за сознанием, но практика показывает, что обычно решение подсознания самое правильное.

4. Пример применения метода. Сбор информации по какому-либо вопросу: предположим, вы хотите собрать информацию по какому-либо вопросу. В мозгу имеется масса информации по тому или иному вопросу, ее нужно только собрать воедино. Если это затруднительно для сознания, то подсознание может выполнить эту работу быстро и хорошо.

Задача сознания заключается при этом в твердом утверждении внимания на предмете, а затем можете позволить подсознанию поработать над ним.

Фиксируйте заинтересованность на теме вопроса, пока не появится ясное, живое впечатление того, на что вы хотите получить ответ. Затем обработанный таким образом материал передайте подсознанию с командой: «Займись этим». Теперь оставьте вопрос в стороне. Выбросьте его из головы и позвольте подсознанию работать над ним. Если все было сделано правильно, через некоторое время вы найдете проблему решенной и расположенной в логической последовательности таким образом, что внимание высшего сознания может ясно обозреть ряд фактов, примеров, иллюстраций и т. п., относящихся к делу.

5. Использование метода в экстренных ситуациях: в случаях, когда работа подсознания должна быть произведена быстро, может быть предложен следующий способ.

В этом случае необходимо дать быструю всестороннюю сильную вспышку внимания на проблему, проникая до самой сути ее, а затем позволить остаться вопросу в подсознании в течение некоторого времени (момент — другой), которая его в «предварительном разговоре», пока первое решение вопроса не придет. После прихода первого решения быстро размотать всю цепь информации и говорить о предмете, удивляя собеседника и себя (часто это называют находчивостью).

В трудные минуты, не теряя доверия к себе и уверенности в себе, используйте этот метод, и вы избежите неудачи. В этом случае умственная команда подсознанию не производится. Однако, если будет даже быстрая умственная команда «Займись», то решение будет ускорено.

Некоторые люди курят во время важных деловых встреч. Они делают это не из-за любви к курению, а чтобы иметь время «собраться с силами». Человек медленно выпускает дым, долго глядит на пепел на конце сигареты, затем сбрасывает его и только после этого отвечает.

Подобная тренировка, конечно, требует времени, но для этого можно использовать все случаи, даже простейшие.

Задача заключается в пробуждении дремлющих частей ума, с тем чтобы заставить их работать на себя.

Вместо курения можно крутить карандаш в руке, отбросив его в нужный момент. Иногда простая пауза помогает. Когда мы говорим: «Дайте подумать», то часто при этом смотрим отсутствующим взглядом, а подсознание в это время работает на нас. При этом не следует думать, что мы зависим от подсознания. Мы просто используем часть нас самих, и в этом надо быть твердо уверенным.

6. Освоив этот метод решения сложных проблем, вы проникнетесь уверенностью в силе своих умственных способностей. У вас будет постоянное ощущение, что вы обладаете более глубоким и солидным источником знаний, чем у людей, с которыми сталкиваетесь; что вам помогает не только сознание, а громадная область подсознания, содержащая необходимую информацию по всем вопросам, опыт всех предыдущих поколений. Поэтому смело и без страха встречайте сложные проблемы и трудности.

Средство № 580

Создание положительных черт характера и способствование управлению судьбой через образные представления — помогает изменить характер в положительную сторону, тем самым внося гармонию во внутренний мир.

1. На наш характер активно воздействуют похвалы, рекомендации, советы и т. д. В целом можно сказать, что харак-

тер — это результат опыта прошлой жизни, наследственности, окружающей среды советов и внушений от других, самовнушения. Наибольшее значение в исправлении характера играет самовнушение.

Суть метода заключается в создании образа, идеала путем направления внимания. Поэтому необходимо развивать свое воображение и умственно видеть себя достигающим желаемого качества. Прежде всего необходимо желание изменения характера, а затем нужно создать новый образ желаемого характера, с его преимуществами. Подчеркнем: прежде всего необходимо желание, которое тесно связано с волей. Оно вдохновляет волю. Эти качества взаимодействуют в прямой зависимости. Желание можно создать путем частого обращении ума на желанный предмет (так, между прочим, создаются и пагубные желания).

Следующий шаг — это вера, уверенное ожидание. Чем больше уверенность, тем больше успех. Таким образом, сильное желание и вера — первые два шага. Третий — это сила воли.

Сила воли — это не напряженное сжимание кулаков и сдвигание бровей. Это команда «Я», это голос твоего «Я». После соединения трех указанных компонентов наступает работа подсознания по созданию новой привычки характера. Наш характер в большой степени состоит из приобретенных привычек. Привычки тесно связаны с подсознанием, становясь второй натурой. Основная работа по переделке идет на уровне подсознания и в интервале между командами. Лучший путь к изменению характера — частые сильные впечатления, а затем — разумный период отдыха, с тем чтобы подсознание могло поработать. Под сильным впечатлением подразумевается впечатление, полученное в результате упорного, концентрированного внимания.

Подчеркнем важность умственного образа. Умственный образ желаемого — это основа основ, и создание его — очень ответственный шаг. Необходимо создать ясную и отчетливую картину и крепко держать ее в уме. Затем тщательно изучить эту картину.

Представляйте себя как имеющего желаемые черты и представляйте себе это как можно чаще. Настойчиво и постоянно видя себя обладающим и проявляющим желаемые черты в различных условиях и обстоятельствах, постоянно проделывая эту процедуру, вы обнаружите, что постепенно приобретаете эти черты, так как мысли выражаются в действии. Со временем эти черты становятся естественными и натуральными.

Очень полезно этот процесс соединить с самоконтролем, будучи всегда собранным, сдержанным.

2. Покажем методику выработки определенного качества характера, допустим уверенности в себе.

1) Примите удобную позу, расслабьтесь. Сосредоточьтесь на том, что вы равны любому человеку, даже высшему по положению, так как вы оба — выражение одной и той же жизни. Все мысли о неполноценности — иллюзия, ошибка, ложь и не существуют в действительности (будучи в компании, вспомните об этом и осознайте, что ваш жизненный принцип говорит с таким же жизненным принципом в других).

2) Очень трудно настроить ум на какую-либо идею, пока идея не будет выражена в словах. Слово — центр идеи, так же как идеи — центр умственного образа. Умственный образ — центр возрастающей умственной привычки. Отсюда ясна важность и значимость слова. Для данного случая подходят слова: *мужество, уверенность, равновесие, твердость, равенство*. Зафиксируйте в своем уме ясную концепцию значения каждого слова. Остерегайтесь уподобиться попугаю в бессмысленном повторении этих слов. Произнося эти слова, необходимо чувствовать их значение (повторяйте слова часто, при первой же возможности — и вы скоро заметите их сильно тонизирующее воздействие, укрепляющий, взбадривающий эффект).

3) Затем призовите свое воображение, представив себя обладателем желаемых качеств. Вообразите себя поступающим в соответствии со словами: *уверенность, равновесие, твердость, равенство*. Это репетиция, но если вы ее должным образом проведете в воображении, вам намного легче будет в реальной обстановке. Хороший актер может это подтвердить. Не надо ограничиваться только репетициями дома. Надо пытаться проявить свой характер в жизни. Выберите какой-либо случай и испытайте себя на нем. Вы обнаружите, что можете преодолеть то, что раньше вас беспокоило. Вы осознаете свою растущую силу и мощь. Используйте любой хороший повод для выражения желаемых качеств характера. Надо не создавать искусственных условий. Приучите себя смотреть людям в глаза и чувствовать в себе силу, уверенность, энергию. Вы скоро почувствуете, что одна часть всеобщей жизни говорит с другой и, следовательно, ее нечего бояться. Отбросьте ложные представления о самом себе, отбросьте неуверенность. Все, что беспокоило вас, — случайность, мелочь с точки зрения всеобщей жизни. Помните об этом.

Всегда помните, что «Я» — хозяин умственных состояний и привычек и что воля — прямой инструмент «Я» и всегда готова для использования. Будьте переполнены сильным желанием, с тем чтобы культивировать те привычки, которые сделают вас сильным. Чувствуйте себя сильным. Природа любит сильных людей и помогает им.

3. Аналогично можно работать с образом своей судьбы. Периодически «воспитывайте» свою судьбу, создавая образ нужной вам судьбы (долгая счастливая жизнь, хорошее здоровье в течение жизни, успехи в делах и т. д.). Таким образом, вся жизнь может быть построена в соответствии с умственным образом, так как подсознание «подчиняет» себе высший мир вокруг себя и обстоятельства (сила мысли — вот что изменяет мир, так как мысли проявляют себя в действии).

Средство № 581

Укрепление воли и оздоровление организма — способствует душевному равновесию и оздоровлению тела.

Люди обладают силой воли только в той или иной степени, и для развития силы воли нужно работать над собой, но не с помощью заклинаний и призывов к самому себе (это, как показывает опыт многих людей, ничего не дает), а с помощью следующего средства. Нужно взять 7 листов белой бумаги и написать на каждый день крупно, разборчиво:

Лист 1. Я обладаю сильной доброй волей. Никто не может противостоять моему влиянию. Я всем желаю только добра. Мне все желают добра.

Лист 2. Я обладаю сильным, добрым духом. Меня ничто не страшит. Я никому не причиню неприятность. Мне никто не причинит зла.

Лист 3. Я твердо решил успевать во всем. Я твердо решил любить всех людей. Все окружающие любят меня и желают мне успехов.

Лист 4. Я решил идти путем правды и добра. Для меня не существует препятствий. Я достигну чего хочу. Мои желания честны.

Лист 5. Я вполне владею собой. Ничто меня не взволнует и не возмутит. Я всегда спокоен. Я могу подавлять свои желания, удерживать себя.

Лист 6. Я обладаю доброй сильной волей. Я могу управлять окружающими присущей мне силой добра и любви. Мне люди любовно подчиняются.

Лист 7. Я счастлив. Я имею во всем успех. Я полон любви и добра. Все окружающие меня любят.

Берите ежедневно по листу, уединитесь и сосредоточенно думайте над тем, что написано, и воображайте себя таковым. Проделывайте это утром при пробуждении и вечером перед сном. Днем думайте это же как можно чаще.

Нужно указать, что это упражнение (действующее по методу самовнушения) может быть использовано и для лечения болезней.

Можно использовать усиленный вариант (с применением воды).

Возьмите 7 листов бумаги (один лист на один день недели) и напишите крупно и четко:

Лист 1. Мой дух силен. Моя воля сильна. Я обладаю огромным запасом магнетической силы. Я полон любви и добра.

Лист 2. Я бесстрашен, смел. Я никогда не упаду духом. Ничто и никто меня не устрашит и не возмутит.

Лист 3. Я совершенно спокоен и хладнокровен. Я никогда не буду застенчивым. Я не буду нервничать при разговорах.

Лист 4. Я владею собой и своими чувствами. Я могу сдерживать, обуздывать себя. Ничто меня не взволнует и не раздражит.

Лист 5. Я буду успевать во всех своих предприятиях. Я никогда не потерплю неудачу. Я достигну всего того, чего захочу.

Лист 6. Я властвую над окружающими и управляю силой добра и любви. Они не могут мне сопротивляться.

Лист 7. Я счастлив, весел и здоров. Мир прекрасен. Жизнь хороша. Люди добры. Я всех и все люблю. Меня все любят.

Ежедневно перед отходом ко сну уединитесь, возьмите стакан, наполните до краев чистой холодной водой, поставьте перед собой на расстоянии 30—50 см. Сядьте совершенно спокойно, произведите глубокие дыхания раз 14—20. В комнате должна быть полнейшая тишина. Перед стаканом положите лист с самовнушением.

Смотрите пристально, по возможности не мигая, в воду, в центр стакана минут 5—7, затем внимательно посмотрите на лист, прочтите и запомните самовнушение и смотрите снова в воду, в центр стакана, и интенсивно, сосредоточенно продумывайте слова самовнушения, рисуйте себя таковым. Если будет клонить ко сну, усните спокойно. Продолжайте сеанс около получаса. По окончании сеанса выпейте воду.

Человеческая мысль подобна электричеству. Когда вы сосредоточенно думаете, глядя пристально в воду, из вашего мозга идет, излучаясь из глаз, мысленный ток и насыщает воду. Выпивая ее, вы воспринимаете и те качества, о которых думали (поэтому опасайтесь дурно думать над тем, что едите и пьете. Религия предписывает перед приемом пищи совершить молитву, в молитве всегда добрые мысли, а следовательно, и добрая сила).

Средство № 582

Рациональное разрешение психологических проблем через ролевой тренинг, — помогая разрешать проблемы, предотвращает потерю психических сил и расстройства нервной системы; изменяя характер в положительную сторону, способствует достижению душевного равновесия.

Между игрой и жизнью нет жестких границ, ибо сама реальность в немалой степени состоит из условий, которые мы задаем себе сами или через некое посредство. Любое торжество (день рождения, где вы чувствуете себя именинником, юбилей и т. д.) — это игра. В то же время во всех плоскостях своей жизни мы играем определенную роль: роль мужа, роль отца, роль начальника, роль подчиненного. Эта игра и есть ваша жизнь.

Ролевой тренинг — отработка определенной роли, вхождение в определенный образ с определенными качествами, для того чтобы получить эти качества характера или для того, чтобы решить определенную жизненную задачу.

Игра, ролевой тренинг поможет вам решить многие проблемы, в том числе и проблемы общения.

Средство № 583

Общение с «внутренним ребенком» — способствует лечению психосоматических заболеваний, успокаивает нервную систему.

Теме исцеления через исцеление «внутреннего ребенка» на Западе посвящено много книг, лекций, семинаров. Одним из лучших авторов книг на эту тему является Брэдшоу.

Внутри каждого человека, каким бы самостоятельным и уверенным он ни был бы, прячется маленький ребенок. Если вы хотите полюбить себя, полюбите прежде всего маленького ребенка. Он маленький и беззащитный, он нуждается в любви и поощрении. Этот ребенок иногда проявляется в нас: тогда, когда нам хочется по-доброму подурачиться или открыто, естественно порадоваться счастливым моментам жизни. Или же тогда, когда нам становится страшно: ведь взрослые не боятся, а боится их «внутренний ребенок».

Работать с «внутренним ребенком» нужно через беседу с ним. Беседа может проходить перед зеркалом. Расслабьтесь, верните себя в детство. Вспомните, как к вам относились родители, кто и как вас обижал. Если возникнут слезы, поплачьте. Теперь осознайте, что в то время, когда вы время от времени обижаете себя, вы, по существу, обижаете и маленького ребенка внутри себя. Постарайтесь наладить теплые хорошие отношения с маленьким существом, ибо это неотъемлемая ваша часть, часть вашего существа. Скажите ему несколько теплых слов любви — он в этом нуждается. Если вы начали с ним беседу уже в солидном возрасте, то ребенку нужно определенное время, чтобы он поверил, что вы к нему повернулись лицом; при этом говорите ему: «Я хочу, чтобы ты поверил мне в моей любви к тебе. Я жалею, что был холоден к тебе все эти долгие годы. Но я наверстаю упущенное и буду уделять достаточное время для общения с тобой».

Постепенно, когда наладится контакт, вы получите возможность чувствовать, видеть и слышать «внутреннего ребенка». Беседа с ребенком, всегда доброжелательная и полная любви, обычно начинается с вопросов такого плана: «Я хочу, чтобы ты был счастлив. Что я могу сделать для этого?» Возможно, он ответит: «Я хочу на природу». По возможности обращайтесь к ребенку в течение дня 2—3 раза, и вы вскоре заметите, что вам стало жить легче и лучше. Для того чтобы общение с ребенком было более контактным, можно использовать детские фотографии. Если у вас несколько фотографий, поговорите с ребенком, отраженным в каждой фотографии. Периодически устраивайте какие-то игры с «внутренним ребенком», при этом старайтесь делать то, что он любит. К вам вернется умение наслаждаться весельем и вообще жизнью. Именно он, ребенок, через игру с вами сделает вас непосредственным и радостным.

Медитируйте на тему «внутреннего ребенка». Закройте глаза и попробуйте увидеть вашего ребенка. Скажите ему, что вы любите его и всегда будете с ним, что вы обладаете необходимой силой, чтобы защитить его и обеспечить ему мирное, спокойное существование. Посмотрите на себя и на ребенка. Вы довольны друг другом, вы счастливы вдвоем. Вы достаточно здоровы, красивы. У вас замечательные отношения с друзьями, коллегами, родителями. Похвалите ребенка, сказав ему, что он замечательный, умный, изобретательный. Теперь позвольте ребенку стать таким, каким он всегда хотел стать. В заключение скажите еще раз о своей любви к нему.

Средство № 584

Достижение хороших отношений с людьми — успокаивает нервную систему, вносит гармонию во внутренний мир.

Достигнуть хороших отношений с людьми можно через так называемый магнетизм человека. Суть магнетизма человека в следующем: биополе человека имеет отрицательный и положительный токи. Чем более положительно ваше поле, тем оно более положительно влияет на окружающих (вызывает у людей чувство симпатии к вам); чем более отрицательно поле, тем больше неприязни к вам со стороны окружающих; баланс положительных и отрицательных токов (положительных и отрицательных частей поля) не вызывает у окружающих никаких чувств. При этом способе важна сила поля (его размеры в пространстве), ибо ваше влияние возможно, когда люди оказываются в пределах вашего биополя. У рядового современного человека аура (выступающая за пределы физического тела часть биополя) распространяется в пространстве на расстоянии в пределах 70 см от тела. У лиц, занимающихся упражнениями хата-йоги, специальными упражнениями, аура в пределах 5—7 м от тела (размеры биополя могут быть измерены с помощью лозы или рамки). Использование биополя для влияния на людей может быть названо личным магнетизмом.

Человека образно можно представить в виде электрической батареи, которая получает и отдает положительные и отрицательные психические токи.

Встречаетесь вы с двумя незнакомыми людьми. Вы видите их в первый раз, но один из них для вас приятен, симпатичен, другой — неприятен, антипатичен. Почему? Потому что в первом преобладают положительные, а во втором — отрицательные психические токи.

Следовательно, если в вас будут преобладать отрицательные токи, вы будете отталкивать от себя окружающих, а если положительные, вы будете привлекать к себе ближних, располагать их в свою пользу. Последнее для вас приятнее, лучше, выгоднее. Поэтому развивайте в себе положительные токи, для чего нужно укреплять и развивать добрую волю. Как же достичь этого? Как сделаться положительным, магнетичным, притягательным? Помните, что воля наша проявляется в желаниях, следовательно, и магнетическая психическая сила проявляется тоже в наших желаниях. Когда мы удовлетворяем какое-либо желание, то эта энергия расходуется, излучается, в нас остается меньший запас ее.

Но наши желания могут быть положительными — полезными, добрыми, и отрицательными — вредными, злыми. По закону противоположностей на удовлетворение положительного желания расходуется отрицательная сила, а в возмещение этого расхода развивается положительная. Наоборот, на удовлетворение отрицательного желания расходуется положительная сила и развивается отрицательная, ибо запас силы всегда одинаков, но при увеличении силы одного рода уменьшается количество силы другого рода.

Поэтому, если вы удовлетворяете желание, полезное для вас и окружающих, доброе, то развиваются соответствующие психические токи, отрицательные излучаются, и притяжение, могущество человека увеличивается. Когда же вы удовлетворяете желание, вредное для вас и окружающих, злое, тогда развиваются отрицательные психические токи, а положительные излучаются; отрицательная сила преобладает — притяжение, могущество человека уменьшается.

Кроме того, при выполнении желаний полезных и добрых крепнет и растет добрая сила воли, а при выполнении желаний вредных и злых — злая сила воли.

Чем больше желаний у человека, тем он эмоциональней и порывистей, тем больше у него психической силы. Но если он не умеет сдерживать, обуздывать себя, если не умеет подавлять своих порывов и страстей, если не умеет отказывать себе в удовлетворении вредных, неразумных, злых желаний, тогда сила, предназначенная для его могущества, сделается источником его бедствий и несчастий. В истории немало этому примеров.

Отсюда вытекает правило: не удовлетворяйте ваших неразумных, вредных для вас и окружающих, злых желаний, подавляйте их, сдерживайте свои порывы и страсти, обуздывайте себя, и сила, скрытая и проявляющаяся в желаниях, страстях и порывах, будет накапливаться в вас, в вашей психике. Ваша сила доброй воли будет с каждым часом расти и крепнуть, а злая воля — ослабевать. Вы будете совершеннее, сильнее духом.

Приведем пример. Допустим, вас оскорбили. Вы не вытерпели этого и ответили человеку тем же: раздражаясь, наговорили дерзостей. Как вы себя чувствуете? Скверно, усталым, разбитым. На душе тяжко и неприятно. В следующий раз вас тоже оскорбили. Вы сдержали себя. В этом случае вы чувствуете себя сильным, в вашей душе торжествующее чувство. Вы думаете: «Я умею сдержать себя».

То же самое вы заметите при сдерживании себя и в других случаях следите строго за собой. Ваша психическая сила обнаруживается массой отрицательных токов, например раздражительностью, гневом, злословием о ближних, гордостью, нетерпением, леностью, желанием похвал, тщеславием, чревоугодием, клеветой, неверием, завистью, непочтительностью, сладострастием, излишествами всякого рода и множеством дурных привычек и пороков. Не удовлетворяйте этих желаний, уничтожайте в себе эти недостатки, и ваша общая воля будет развиваться, запас положительной, притягательной психической силы увеличиваться. Вы будете вызывать уважение и симпатию. Старайтесь быть спокойным, не суетиться, не нервничать. В любых случаях не высказывайте неудовлетворение. Не ищите симпатий, лести, похвалы и одобрений, не говорите много о себе и ни о чем другом с целью обратить на себя внимание, но всегда говорите, строго обдумав, что говорите. Берегитесь тщеславия — оно пагубно для человека.

Вредные желания подавляются следующим образом: как только почувствуете какое-либо отрицательное желание, сосредоточьте на нем все ваше внимание, все ваши мысли. Благодаря этому желание разрастается. Тогда встаньте прямо, ноги вместе. Закройте глаза и начните медленно через нос, закрыв рот, вдыхать в себя воздух в течение 8 секунд, мысленно говоря: «Я присваиваю силу; она принадлежит теперь мне». Наконец, медленно в течение 8 секунд выдыхайте через нос, мысленно произнося: «Теперь я обладаю магнетической силой и могу влиять ею на окружающих». Повторите это дыхание 7—14 раз.

Желание ваше пройдет, вы успокоетесь и почувствуете в себе уверенность, бодрость, свежесть. Упражняйтесь так, когда вами овладевает страх, горе, уныние, апатия, леность и т. п.; упражняйтесь чаще. Это упражнение действует непосредственно на солнечное сплетение, массируя и возбуждая его прилегающими к нему органами, а сосредоточение внимания и мыслей на поглощение энергии направляет ее в эту «кладовую магнетизма» и оставляет там в запас.

После каждого подавления вредного желания вы будете чувствовать себя все сильнее духовно и физически. Отрицательные желания будут все меньше и меньше беспокоить вас. Вы будете становиться все уравновешеннее, бесстрастнее. То не должно вас пугать: чем меньше желаний у человека, чем он счастливее.

Вы заметите перемену в отношениях к вам окружающих. Вами будут интересоваться. Будут с удовольствием интересоваться вашими способностями и знаниями, но берегитесь лести и тщеславия. Будут у вас и враги, но меньше, чем друзей. Относитесь и к ним с уважением. Обратите и их вашей силой воли в друзей. Верьте, что и этого достигнете. Будьте только терпеливы. Прощайте беды.

Изменится внешность. Осанка станет увереннее, взгляд яснее, привлекательнее, голос звучнее, мелодичнее. Словом, в вас будет развиваться симпатичность, которая будет производить впечатление на окружающих. Но не возгордитесь: сразу лишитесь огромной части магнетичности.

Средство № 585

Бескорыстная помощь — облагораживает душу, успокаивает нервную систему, способствует достижению душевного равновесия, кроме того, через карму дает хорошие условия жизни в этом или в следующем воплощении.

Если кто-то на заработанную валюту купил одноразовые шприцы для больницы, то вне зависимости от мотива (желание похвалы или бескорыстное стремление к добру) больные выиграют одинаково в любом случае. Но для истинной сути человека, для души разница окажется чрезвычайно важной: в одном случае, когда мотив был эгоистический, плоды его деятельности проявятся только в физической среде, душа его останется при этом незатронутой, в другом случае, когда его мотивом было бескорыстное стремление к добру, мотив этот облагородит душу.

Законы кармы ведут строжайший счет и выплачивают за все, сделанное человеком, до мельчайшей детали. Самый сухой эгоист родится в хороших условиях, если он в прошлом содействовал благосостоянию окружающих, но будет ли он в таких условиях доволен и счастлив или же мрачен и неудовлетворен, это будет зависеть от другого кармического счета, который подводит итоги его мотивам, то есть тем хорошим и дурным свойствам, которые он вырабатывал в тайниках своей души. Может случиться, что человек с прекрасной душой родится в самых неблагоприятных условиях, если он в прошлом своими необдуманными действиями вызвал нужду для окружающих, но если им при этом владел чистый и бескорыстный мотив, он уже придал ему через карму такие свойства, которые помогут ему переносить нужду терпеливо и легко.

Безразличный мотив останется для души без последствия; дурной задержит ее развитие, хороший — обогатит ее навсегда.

Когда перед совестью человека, знающего законы кармы, появляется столкновение различных обязанностей, и ему неясно, как следует поступить, он постарается спокойно разобраться во всех своих мотивах, очистив сердце свое от всего эгоистического, он выберет наиболее бескорыстный мотив. Решив так, он будет действовать уже без колебаний и без страха, зная, что, если и поступит неправильно, важно только побуждение, последствия же возможной ошибки он перенесет охотно и терпеливо, как урок, который не изгладится из его души никогда.

Следует подчеркнуть, что законы кармы нужно основательно усвоить. Необходимо помнить, что неясно понятый закон кармы может повести к совершенно неверным выводам. Плохо понявшие его люди могут прийти к безразличию и сухости, к мысли, что «раз человек сам заслужил свою трудную жизнь, не следует и помогать ему». Такое рассуждение показывает непонимание закона справедливости. Раз человек становится на вашем пути и вы можете помочь ему, этой возможностью предоставляется кармический долг, но уже не кому-нибудь, а вам.

Свой он уплатил страданиями, а ваш вы уплатите тем, что поможете страдающему. Пропуская случай помочь, вы пропускаете возможность заплатить свои долги. Если карма не мешает улучшить нашу собственную участь и стремиться к совершенствованию, еще меньше она мешает улучшать судьбу наших ближних.

Средство № 586

Понимание себя и других при общении — предотвращает стрессовые ситуации и болезненные состояния, успокаивает нервную систему, способствует достижению гармонии внутри себя и с окружающим миром.

В основе владения искусством общения — понимание себя и других. Нужно изучать себя и других людей. При этом нужно помнить следующее:

— нельзя изучить себя, не пытаясь себя изменить;

— нельзя изучить себя, не изучая одновременно с равной заинтересованностью других людей;

— по-настоящему постичь человека можно только помогая ему (нельзя изучать человека холодно).

Отсутствие навыков психологического грамотного общения мешает многим людям проявлять свои лучшие качества, находить верные пути в жизни, приводят к недоразумениям и конфликтам, а подчас и к болезненным состояниям.

Главное в общении — умение слушать собеседника, умение поставить себя на его место, соблюдение принципа: «Не желай другому того, чего ты не пожелаешь себе».

Когда вам говорят, слушайте внимательно и вида не показывайте, что вам надоело слушать. Учитесь слушать и молчать. Не подчиняйтесь влиянию собеседника. Если надо сказать «нет», говорите смело, но ласково и вежливо. Никогда ни о ком не говорите дурно, даже о том, кто по положению много ниже вас: иначе вы унизите себя. «Не судите и не будете судимы». Избегайте повторять один и тот же разговор. Старайтесь быть всегда веселым и жизнерадостным. Говорите всегда радостно и оживленно, но просто, без «умствований».

Ваши манеры должны быть приятны. Будьте всегда сдержанны, любезны, но не легкомысленны, вежливы и внимательны к собеседникам. Не вступайте в споры, не раздражайтесь, не навязывайте своих взглядов и мнений другим. При разговоре не размахивайте руками, меньше жестикулируйте. Обращайтесь со всеми смело, открыто, доброжелательно и, главное, честно. Уважайте себя и других.

Когда говорите по делу, будьте серьезны, не смейтесь без причин. Говорите обдуманно, громко, ясно, отчетливо.

При общении большую роль играет внешность человека, его голос, речь и взгляд. Не будьте неряшливыми, небрежными, но вместе с тем следите, чтобы ваш костюм не бросался в глаза своей модностью, вычурностью. Следите за чистотой обуви. Держите голову в порядке. Белье должно быть всегда чистое: нечистоплотность неприятна окружающим людям. Следите за ртом и зубами, чтобы не было неприятного отталкивающего запаха.

Средство № 587

Быть сильной личностью при общении — мобилизует защитные силы, поднимает жизненный тонус, увеличивает уверенность в себе, способствует душевному равновесию.

В общении человек должен быть сильной личностью. Сильная личность привлекает нас своей разнообразной активностью, непоколебимым спокойствием, решительно-ласковым взглядом. Сильный человек вежлив и симпатичен, в процессе общения он никогда не суетится и не высказывает своего превосходства.

Общение должно быть приятным и полезным обоюдно. Обычно общение осложняется тем, что собеседники не только обладают разным темпераментом, образованием, способностями и привычками, но имеют различные интересы, стремления, возможности для реализации своих желаний.

Канадский ученый Г. Селье считает основным правилом общения следующее: поступай так, чтобы завоевать любовь других, вызвать расположение и доброжелательное отношение окружающих. Для этого нужно:

1) искренне поддерживать психологический контакт общения, беседовать в атмосфере интересов собеседника, стараться понять его образ мышления, увидеть объект обсуждения как бы его глазами;

2) поощрять все лучшее, что есть в природе собеседника, особенно энтузиазм и активность, так как эти качества определяют значимость личности, а именно с личностью возможны обоюдно полезные компромиссы.

Средство № 588

Правила общения — способствуют хорошему настроению, чувству оптимизма, создают внутренний покой и уверенность в себе, душевное равновесие.

Из правил общения наиболее рациональны правила общения, выработанные Д. Карнеги.

1. Как сделать свою личную жизнь счастливой.

1) Не ворчите.

2) Не пытайтесь перевоспитать своего супруга (супругу).

3) Не критикуйте.

4) Выражайте искреннее восхищение достоинствами супруга (супруги).

5) Не забывайте уделять внимание супруге.

6) Будьте вежливы в семье.

7) Читайте специальную литературу о супружеской жизни.

2. Как завоевать друзей (как понравиться людям).

1) Проявляйте искренний интерес к людям.

2) Чаще улыбайтесь.

3) Помните, что каждый человек считает свое имя лучшим словом из всего лексического запаса.

4) Умейте внимательно слушать и воодушевлять собеседника говорить о себе.

5) Заводите разговор на тему, интересующую вашего собеседника.

6) Старайтесь дать человеку почувствовать его превосходство и делайте это искренне.

3. Как изменить мнение людей, не вызывая при этом обиды или негодования.

1) Начинайте свою беседу с похвалы и искреннего восхищения.

2) Не говорите прямо человеку о его ошибках.

3) Прежде, чем критиковать других, укажите на свои собственные ошибки.

4) Задавайте вопросы, вместо того чтобы отдавать приказания.

5) Дайте другому человеку сохранить свою репутацию.

6) Хвалите человека за малейшие достижения, будьте искренни в одобрении и щедры в похвалах.

7) Создавайте человеку хорошую репутацию, которую он мог бы оправдать.

8) Прибегайте к поощрениям. Старайтесь показать человеку, что совершенную им ошибку легко исправить, что-то, чего вы от него хотите добиться, легко осуществимо.

9) Поступайте так, чтобы человек был счастлив делать то, что вы ему предлагаете.

4. Как заставить человека перейти на вашу точку зрения.

1) Единственный способ одержать победу в споре — это избежать его.

2) Уважайте мнение других людей, никогда не говорите человеку прямо, что он не прав.

3) Начинайте с дружеского тона.

4) Старайтесь получить от вашего собеседника утвердительный ответ в самом начале вашей беседы.

5) Дайте возможность другому человеку больше говорить, а сами постарайтесь говорить меньше.

6) Дайте человеку почувствовать, что идея, которую вы ему подали, принадлежит ему, а не вам.

7) Старайтесь смотреть на вещи глазами другого человека.

8) Относитесь с сочувствием к идеям и желаниям другого человека.

Средство № 589

Истинная любовь к существу противоположного пола — делает радостной, счастливой личную жизнь, мобилизует защитные силы, способствует душевному равновесию.

1. Любовь к существу противоположного пола очень важна для человека (ее внутренняя пружина — инстинкт воспроизведения рода). Чтобы быть счастливым в любви, нужно придерживаться следующих принципов:

1) видеть в партнере свободную личность, а не объект обладания, не воспринимать другого как свою собственность (любовь невозможна без уважения друг друга);

2) раскрыть самого себя для другого, тогда наступает растворение двух существ друг в друге.

2. Любовь двух существ противоположного пола — это энергетическое замыкание двух личностей друг на друге. Результатом настоящей любви двух существ должно быть создание третьей личности — ребенка. Для создания ребенка с необходимыми качествами нужно специально готовиться. Во время полового акта переживания должны быть глубокими и прекрасными. Чтобы этого добиться, нужно следовать следующему ритуалу: садитесь в темной или слегка освещенной комнате. Включитесь как бы в совместное дыхание (делайте вместе вдохи и выдохи). Дышите так, как будто вы один организм, одно тело. Смотрите в глаза друг другу, но не агрессивно, а очень мягко. Наслаждайтесь друг другом, наслаждайтесь каждым прикосновением, но не переходите к совершению самого акта до тех пор, пока такой момент не наступит сам собой. Для этого нужно выждать время. Если это не приходит, то не нужно форсировать события. Все нормально, идите спать. Ждите, когда такой момент наступит. Когда он наступит, то переживание акта будет очень глубоким и он не будет порождать то безумие, которое обычно порождает. Это будет тихое и беспредельное чувство. При таком половом акте буду-

щему ребенку придается сила и красота. Во время беременности будущая мать должна как можно чаще представлять будущего ребенка, обладающего теми качествами характера и внешности, которые она хотела бы видеть в ребенке.

Средство № 590

Любовь ко всему живому — пробуждает защитные силы, поднимает тонус, создает внутреннюю гармонию внутри себя и окружающего мира.

Любовь существует с начала возникновения мира. На ее принципе построены все мировые религии. Особенности этого состояния:

1) любовь не подчиняется логике и рассудку;

2) настоящая любовь бескорыстна, она отдает, ничего не требуя взамен;

3) для настоящей любви человек должен быть безупречно подготовлен, ибо эта настоящая любовь сродни романтике и поэзии; он должен быть раскрыт космосу, растениям, животным и окружающим его собратьям;

4) восприятие любви каждой отдельной личностью зависит от уровня ее духовного развития. Нижняя граница любви — плотская, физическая; высшая — полное слияние со всем окружающим миром, растворение в нем.

Путь развития любви: от любви к отдельному существу до любви ко всему существу во вселенной.

Чтобы дойти до высокой стадии любви — любви ко всему живому на земле и во вселенной, нужно культивировать чувство любви, это культивирование любви выражается в следующем способе: сядьте удобно в кресло, мысленно представьте, что вы наполнены энергией любви. Начните излучать ее и заполните энергией любви всю комнату. Почувствуйте новые вибрации энергии, представьте себя колыхающимся в океане любви. Создайте вибрации энергии любви вокруг себя. Вы вскоре же начнете ощущать, как что-то вокруг начинает происходить, что-то изменяется в вашей ауре, в оболочке, окружающей ваше тело. Какое-то тепло поднимается вокруг вас, вы чувствуете себя более живым. Зарождается что-то, наподобие нового сознания.

По прошествии нескольких месяцев вы почувствуете, что чувство любви стало вашей неотъемлемой частью. Люди будут ощущать вас по-другому. Если вы возьмете кого-нибудь за руку, рука будет пульсировать. Если вы будете находиться рядом с кем-либо, то этот человек будет ощущать приятное волнение и радость.

Средство № 591

Облагораживание души через питание — снимает беспокойство, раздражительность, агрессивность, укрепляет нервную систему.

Человек становится чистым в его духовной сущности и под действием чистоты пищи. Различная пища производит различное влияние на мозг. Существуют 3 вида пищи: саттвическая, раджическая и тамастическая. Саттвические продукты (молоко, масло, мед, фрукты, овощи, каши) делают ум чистым и спокойным. Раджические продукты (мясо, рыба, яйца) способствуют возбуждению страстей. Тамастические продукты (несвежие, испорченные продукты; чеснок, лук) способствуют таким качествам, как консерватизм, инерция.

Для того чтобы достигнуть душевного спокойствия, нужно употреблять в основном саттвическую пищу.

Средство № 592

Облагораживание души и оздоровление через любовь к дикой природе — поднимает жизненный тонус, успокаивает, способствует лечению заболеваний нервной системы.

Природа облагораживающе воздействует на человека. Старайтесь хотя бы 1 раз в неделю в субботу или воскресенье уезжать за город (если вы живете в городе) и отдыхать на природе. Помимо чистого воздуха и прекрасных пейзажей, на человека положительно энергетически воздействуют растения и дают новые психические силы. Я позволю себе привести здесь цитату из книги Прентиса Мюльфрорда «На заре бессмертия»: «Счастлив человек, любящий деревья, большие, свободные, дикорастущие, так, где посадила их бесконечная сила, вдали от человеческого ухода. Все дикое, естественное ближе к вселенной, оно чище вдыхает духовный ритм бесконечного, вот почему нас охватывает невыразимая радость среди дикой природы в лесу, в горах, вообще, где нет следа человеческой культуры.

Мы вдыхаем эманацию, беспрерывно струящуюся из деревьев, скал, птиц, из всех разновидностей бесконечного! Она исцеляет и обновляет. Она живительнее воздуха! Это психическая сила, вытекающая из всего живущего. Не найти этой эманации в городах и культивированных садах. Счастлив человек, глубоко и преданно любящий дикие деревья, птиц и зверей как равных себе, зная, что и они дарят ему ценное за его любовь».

Средство № 593

Облагораживание души через литературу и искусство — способствует успокоению, моральному отдыху, душевному равновесию.

Облагораживающе действует на человека чтение высокохудожественной литературы и посещение театров. Одно предупреждение: не читать часто детективную литературу, произведения, описывающие преступления, это пагубно воздействует на читателя (бывают случаи, когда читатели, увлекшиеся детективной литературой, становились из-за этого преступниками).

Естественно, облагораживает душу и посещение музеев искусств. Произведения искусства (картины, скульптуры), отражая мировоззрение художника (или скульптора), эпоху и окружающую среду, в которой работал художник, представляют собой источник информации, источник сильных, благородных, возвышенных идей, материализованный в виде мысленных субстанций, которые могут быть считаны зрителем. Дело в том, что творчество — это выход в невидимый информационный поток, считывание информации и материализация ее для других в виде произведения искусства. Перед тем как снять информацию, истинно талантливый художник входит в экстаз — состояние, близкое состоянию космического сознания, и в этом состоянии воспринимает то, что созвучно его натуре.

Для того чтобы значительно усилить воздействие художественных полотен на духовное состояние, используется следующая методика: удобно сесть перед имеющейся у вас картиной, расслабиться, успокоить мозг. Найдите основные детали картины и начинайте разворачивать картину в пространстве. Переходя от главных деталей к второстепенным, нигде не отрывая взгляд от полотна. После этого начинайте двигаться по контрастам стихий: земля, вода, низ, верх, справа налево и наоборот. Потом двигайтесь по перспективе от близких деталей в глубь картины. Затем чуть прищурьте глаза и разведите зрительно оси. У вас возникает стереоскопическое изображение картины. Закрыв глаза, попытайтесь через веки дойти до полотна и войти в глубь картины. Должно появиться ощущение легкого головокружения и движения вперед, и вот вы в центре картины, как бы парите в воздухе. Посмотрите по сторонам за рамки картины, и вы увидите продолжение пейзажа. Если вы работаете в группе, сравните впечатление. Люди с одинаковой информацией должны работать вместе для выявления объективности впечатлений.

На следующих занятиях попробуйте подключить к картине соответствующую ее настроению музыку. Низкие звуки музыки соответствуют нижней части картины, высокие — верхней.

Переход от более низких к более высоким можно использовать для просматривания перспективы. Можно подбирать к картине пейзажную музыку. Для этой цели хорошо подходит Дебюсси. Морские пейзажи просматриваются на теме «Шехерезады» Римского-Корсакова. Все это вам дается как вступление. В процессе занятий вы найдете свою методику, будете чувствовать музыкальный рисунок картины.

Средство № 594

· *Лепка скульптур* — способствует лечению душевных расстройств.

Это средство используется некоторыми психотерапевтами для лечения пациентов с психическими расстройствами. Пациенты лепят себя в виде бюста. В процессе лепки психика перестраивается в положительную сторону.

Средство № 595

Осознание реальности своей сущности — стабилизирует психику, усиливает такие качества, как уверенность в себе и бесстрашие.

Принять удобную позу, дышать ритмически и размышлять над своей сущностью. Думай о себе как о сущности, не зависящей от тела, использующей тело как раковину или жилище. Ты всегда можешь покинуть тело и вернуться в него по своему желанию. Тело — инструмент твоего «Я». Думай о себе как о независимой сущности, использующей тело для достижения цели и осуществляющей полный контроль и управление им. Во время размышления полностью игнорируйте свое тело, добейтесь того, чтобы вы как бы не замечали его. В процессе выполнения этого упражнения очень полезно говорить себе следующие слова: «Я существую, я утверждаю реальность моего существования не только физического, мимолетного, но и духовного, вечного, абсолютного. Я утверждаю реальность моего «Я», самого себя. Мое реальное «Я» не может умереть, оно вечно. Я существую. Я существую».

Средство № 596

Осознание, что наша суть бессмертна, — укрепляет нервную систему, пробуждает целительные силы, усиливает уверенность в себе и бесстрашие.

Следующее упражнение дает осознание, что наша суть бессмертна, умирает лишь тело: перед сном, в постели с закрытыми глазами, произнесите на выдохе несколько раз звук «О». Полностью совершив выдох и издав звук «О», почувствовав, что продолжать выдох просто невозможно, остановитесь на 5—6 секунд, это задержка дыхания. Во время нее ничего не происходит, даже дыхания. Во время такой остановки вас выносит в океан. Времени больше не существует, ведь время длится вместе с дыханием. Кажется, что вместе с вами остановилась и жизнь. Такая остановка может живо дать вам представление о самом глубоком источнике вашего существа — нашем «Я», вечном, не зависящем от дыхания.

Затем через нос вдохните. Но без всякого усилия. Запомните, все свои усилия направьте на выдох. Вдох пусть совершает само тело. Ослабьте свой контроль, доверьтесь своему телу. Жизнь сама совершает дыхательный процесс, она сама движется по своему курсу; это река, которую бесполезно подгонять. Вы сами убедитесь в том, как тело без вашего участия совершает вдох. Ни ваши усилия, ни ваше «Эго», ни вы сами не нужны. Превратитесь просто в наблюдателя. Просто смотрите за тем, как тело вбирает в себя воздух. Вы почувствуете глубокую тишину.

После того как тело вдохнет, опять сделайте остановку на мгновение. Опять наблюдайте. Оба эти мгновения (после выдоха и вдоха) совершенно различны. Остановка после глубокого выдоха подобна смерти; остановка после выдоха подобна кульминации жизни. Вы получите представление, что тело может умереть, но при этом наша суть, наше «Я» остается.

Средство № 597

Осознание того, откуда берутся страдания, — способствует внутреннему успокоению, душевному равновесию.

Осознание основывается на следующем: наше настоящее состояние и положение в обществе является результатом действий в предыдущих воплощениях. Мы жнем то, что сеяли, и собирание плодов, посеянных нами, является не наказанием для нас, а простым естественным результатом, следующим за своей причиной. Человеческие души непрерывно обогащаются опытом на всех фазах жизни и переходят от одного воплощения к другому, получая все новые и новые уроки. Приобретая новые знания, новую мудрость, рано или поздно душа поймет, насколько значительными и тяжелыми являются для нее самой некоторые действия. Поймет бессмысленность и безумие некоторых своих поступков и форм жизни, и, подобно ребенку, обжегшему себе руку, будет избегать в будущем вещей, которые причинили ей столько страданий. Все мы знаем, что некоторые вещи, привлекая других, почему-то совершенно не соблазняют нас. Это значит просто то, что мы уже выучили урок и не нуждаемся в его повторении. Другие вещи, наоборот, привлекают нас к себе, и мы обжигаемся о них потому, что не знаем их действия. Зачем на свете должны были бы существовать страдания и горе, если бы все ограничивалось одной этой жизнью? Все дело именно в том, что жизнь не одна. Мы несем результаты нашего опыта в другую жизнь и мало-помалу учимся избегать ненужных страданий.

Мы часто видим людей, живущих, с нашей точки зрения, противоестественной жизнью, часто мелкой и животной. Для нас эта жизнь неприемлема потому, что мы уже прошли, очевидно, через ту стадию развития, на какой находятся они; приобрели нужный опыт, пережили те желания, которые завлекают этих людей в западню. В следующей жизни эти люди будут избавлены от своего безумия и от тех страданий, какие они себе причиняют в этой жизни. Они учат свой урок, точно так же, как когда-то учили мы свой.

Средство № 598

Понимание того, что человек может стать господином своей судьбы, — приобретаются мужество, терпение, уверенность в себе.

Понимание основывается на следующем: все, что человек представляет собой в настоящем и что она представит из себя в будущем. Все это — последствие его деятельности в прошлом. Таким образом, единичная жизнь человека не есть нечто оторванное, она представляет собой плод прошедших и в то же время семя будущих жизней в той цепи последовательности воплощений, из которых состоит непрерывающееся бытие каждой человеческой души.

Все имеет свою причину: каждая наша мысль, каждое чувство и поступок идут из прошлого и влияют на будущее. Пока это прошлое и будущее скрыто от нас, пока мы смотрим на жизнь как на загадку, не подозревая, что создали ее сами, до тех пор явления нашей жизни как бы случайно выдвигаются перед нами из бездны неведомого. Ткань человеческой судьбы вырабатывается самим человеком из бесчисленных нитей, сплетающихся в узоры неуловимой для нас сложности: одна нить исчезает из поля нашего сознания, но она не исчезла, а только спустилась вниз; другая появляется внезапно, но это все та же нить, прошедшая по невидимой стороне ткани и снова появившаяся на видимой для нас поверхности; глядя только на отрывок ткани и только с одной ее стороны, наше сознание не в состоянии разглядеть всей сложности ее узоров.

Причина тому — наше неведение законов духовного мира. Совершенно такое же неведение, какое возможно у диких африканских племен относительно явлений материального мира. Пущенная ракета, выстрел из ружья, непонятным образом произведенные звуки кажутся им чудом, потому что они не знают законов, явившихся причиной поразившего их явления. Чтобы перестать считать такие явления чудом, дикарь должен узнать законы природы. Знать же можно только потому, что законы эти неизменны. Совершенно такие же неизменные законы действуют и в невидимом для нас духовном мире; пока мы их не узнаем, мы будем стоять перед явлениями нашей жизни, как дикарь перед неведомыми силами природы, недоумевать, винить свою судьбу, бессильно возмущаться перед «неразгаданным сфинксом», готовым поглотить того, кто не имеет ключа к его тайне. Не понимая, откуда идут явления нашей жизни, мы даем им название судьбы, случайности, чуда, но эти слова ровно ничего не объясняют.

Только когда человек узнает, что совершенно такие же неизменные законы, какие делают возможным исследование физической природы, управляют и его жизнью, но что законы эти только устанавливают условия, необходимые для каждого его действия, но не предписывают самого действия, тогда только кончится его бедствие и он поймет, что может стать господином своей судьбы.

Каждый человек непрестанно творит свою судьбу. В трех сферах жизни (умственной, чувственной и физической) созидаются человеком новые виды, которые и качественно и количественно представляют собой результат его прежних действий, они же — одновременно и причины его будущего. Силы эти действуют не только на него одного, но и на окружающую среду, постоянно видоизменяя как его самого, так и среду. Исходя из своего центра — человека, силы эти расходятся по всем направлениям, и человек ответствен за все, что возникает в пределах их влияния.

Положение, в котором мы находимся в каждую данную минуту, определяется законом справедливости и никогда не зависит от случайности. «Если я страдаю сегодня, это происходит оттого, что в прошлом я преступил закон. Я сам виноват в своем страдании и должен спокойно переносить его» — такой должна быть речь человека, понявшего закон причинности. Этот человек приобретает мужество, терпение, уверенность в себе.

Средство № 599

Осознание необходимости стремления к космическому сознанию — мобилизует защитные силы, повышает жизненный тонус, делает жизнь насыщенной и интересной, способствует душевному равновесию.

К такому осознанию человек приходит, получив следующие знания: первой стадией сознания человека является так называемое физическое сознание, при котором осознаются ощущения и чувства, но нет самосознания.

Некоторые люди в настоящее время имеют физический уровень сознания. Они не способны познать себя, хотя бы поверхностно. Для них «Я» представляется чисто физической вещью — телом, имеющим желания и чувства, и только. «Я» и тело составляют для них одно, и они не способны отличать их друг от друга.

Вторая стадия сознания человека, на которой находится в настоящее время большинство людей, — ментальное сознание (называемое еще интеллектом или разумом), при котором человек осознает, что у него есть ум. Он способен познать себя, обращать взор вовнутрь и во вселенную. Эта стадия характерна тем, что за познание человек платит определенную цену в виде душевных страданий (так как из-за незрелости сознания на этой стадии он не способен находить полноценные ответы на вопросы, которые ставит пред ним жизнь). Душевные страдания возникают вследствие неудовлетворенных стремлений, разочарований, страданий других, любимых им существ и т. п. Животное, живя своей животной жизнью, чувствует себя удовлетворенным, потому что оно не знает ничего лучшего. Если оно сыто, имеет логовище для сна и самку или самца — оно счастливо. Люди же (большинство которых имеют ментальное сознание) погружаются в целый мир умственного недовольства. Возникают новые потребности, и невозможность удовлетворить их порождает страдание. Цивилизация становится все сложнее и приносит первые страдания наряду с новыми наслаждениями. Человек привязывается к вещам и с каждым днем создает искусственные потребности, для удовлетворения которых он должен работать. Его интеллект, вместо того чтобы вести его ввысь, дает ему лишь возможность придумывать новые и тонкие способы удовлетворения его чувств и желаний. Некоторые люди возводят в ранг религии удовлетворение своей чувственности, своих низших влечений и становятся, так сказать, могущественными животными, вооруженными всеми силами интеллекта. Одни становятся тщеславными, самодовольными и преисполненными сознания важности своей личности (ложного «Я»). Другие болезненно сосредотачиваются на самих себе и занимаются анализом и изучением своих настроений, мотивов, чувств и т. д. Третьи пресыщаются всем и становятся в тягость самим себе.

Когда человек достигает границы стадии ментального сознания и перед ним начинает раскрываться следующая ступень, он склонен острее, чем когда-либо, чувствовать неудовлетворенность жизнью. Он не может понять самого себя — свое происхождение, судьбу, назначение и природу, — и он бьется о прутья клетки интеллекта, в которой он заключен. Он спрашивает себя: «Откуда я? Куда я иду? Какова цель моего существования?» Он не удовлетворяется ответами, даваемыми окружающими, и часто впадает в отчаяние. Ортодоксальная психология останавливается, достигнув границы ментального сознания (самосознания), и предоставляет философским школам и высшей йоге исследовать и познавать следующие ступени развития сознания.

Третья и четвертая стадии сознания освобождают человека от тех духовных страданий, которыми наполнены люди, находящиеся на второй стадии.

Третья стадия сознания человека — первый шаг к космическому сознанию. Она гораздо выше «самосознания», ибо дает осознание реальности «Я». Это именно сознание, представляющее собой знание, а не просто предположение или вера. «Я» знает, что оно реально, что оно коренится в высшей реальности (Абсолюте), лежащей в основе всей вселенной, и причастно к ее сущности. Оно не понимает еще, что такое эта реальность, но знает, что она подлинно существует и представляет собой нечто совершенно не похожее на что бы то ни было в мире имени, формы, числа, времени, пространства, причин и последствий — нечто трансцендентальное и превосходящее всякий человеческий опыт. Оно также знает, что оно не может быть уничтожено или повреждено, что ему не угрожает смерть, что оно бессмертно. Когда это всецело раскрывается человеку, сомнение, страх, беспокойство и неудовлетворенность спадают с него, как изношенные одежды, и он приобретает бесстрашие, спокойствие и удовлетворенность. Тогда он может с полным пониманием и знанием сказать знаменитую йоговскую фразу «Я — есмь».

Сознание «Я» для одних является как бы зарей познания, словно первые лучи солнца показываются из-за холмов. К другим оно приходит во всей своей полноте, хотя постепенно и медленно, и они живут в ярком свете этого сознания.

Человек, обладающий сознанием «Я», может быть, еще и не понял окончательно загадки вселенной и не может полностью ответить на великие вопросы жизни, но он перестал тревожиться ими, они его больше не беспокоят. Он может упражнять на этих вопросах свой интеллект, но отнюдь не будет думать, что от интеллектуального разрешения их зависит его счастье или спокойствие.

Он знает, что стоит на твердой скале, и, хотя бури окружающего мира бушуют кругом, они не могут нанести ему вреда. Его жизнь отлична от жизни других людей, потому что, тогда как их души погружены в сон или мечутся в тревожных сновидениях, его душа проснулась и смотрит в мир ясными и бесстрашными глазами.

К четвертой стадии сознания — космическому сознанию — ведет осознание единства всего живого, осознание, что вселенная наполнена единой жизнью. При космическом сознании усиливается осознание себя и вселенной, приходит чувство любви ко всем людям.

Средство № 600

Осознание единства всего живого — повышает жизненный тонус, мобилизует защитные силы, укрепляет нервную систему, вносит гармонию внутри себя и с окружающим миром.

Это осознание приходит как следствие выполнения в течение нескольких месяцев следующей медитации. Сядьте в удобную позу. Проанализируйте вашу тождественность и вашу близость со всем живым. Взгляните на окружающую вас жизнь во всех ее формах от самой низшей до самой высшей. Все это — проявление великого начала жизни, действующего на разных этапах одного и того же пути. Не презирайте самых ничтожных форм, но смотрите дальше формы, на скрытую под ней реальность — жизнь. Чувствуйте себя частью великой мировой жизни.

Опуститесь мысленно на дно океана жизни и осознайте свое родство с жизнью обитающих здесь форм. Не смешивайте формы (часто безобразные, с вашей точки зрения) с проявляющимся в них началом. Взгляните на жизнь растений, на жизнь животных и постарайтесь через покров формы увидеть реальную жизнь, которая скрыта за формой и лежит в основе ее. Научитесь чувствовать, как ваша жизнь течет и бьется вместе с жизненными началами в других организмах, и особенно в одинаковых с вами существах. Посмотрите на звездное небо, на находящиеся там бесчисленные галактики и миры, наполненные жизнью. Если вы можете схватить эту мысль и осознать это, вы почувствуете, что вы составляете одно с этими несущимися мирами. И вместо того, чтобы ощущать себя при сравнении с ними малым и ничтожным, вы заметите, что ваше «Я» будет расширяться до тех пор, пока вы не почувствуете, что во вращающихся мирах имеется часть вашего «Я», что вы существуете также там, стоя на земле, часто вы сродни всем частям вселенной, и даже более, что все части вселенной являются таким же местом вашего пребывания, как и то, где вы находитесь.

Вы почувствуете, как вас охватит сознание, что ваш дом — вся вселенная, а не только части ее, как это вы думали прежде. Вы испытаете чувство такого величия и огромности, которое трудно передать словами.

Средство № 601

Осознание единства всего сущего — расширяет сознание до космических масштабов, освобождает интуицию, увеличивает умственные возможности, укрепляет нервную систему, создает душевное равновесие.

Это осознание приходит как следствие выполнения в течение нескольких месяцев следующей медитации.

Примите удобную позу и рассуждайте: материя тела человека ничем не отличается от остальной материи и ничем не отделена от нее, что атомы тела постоянно уходят и заменяются другими, причем материал берется отовсюду из запаса природы. Иначе говоря, мы должны понять, что существует единство материи, лежащее под всеми видимыми различиями в форме. Затем мы должны понять, что жизненная энергия, или прана, которой человек пользуется во всей своей жизни и работе, является лишь частью всепроникающей мировой энергии; причем та часть праны, которой мы пользуемся во всякий данный момент, заимствуется нами из мирового запаса и снова возвращается от нас в океан силы или энергии. Затем мы должны понять, что даже ум, который так близок к истинному «Я», что мы часто принимаем одно за другое, даже такая удивительная вещь, как мысль, есть только часть мирового ума, эманации Абсолюта, и что субстанция нашего ума (или читта), которой мы пользуемся в настоящий момент, не есть наша отдельная и индивидуальная собственность, но есть просто часть мирового запаса ума, который постоянен и неизменен. Мы должны понять, что даже то, что мы чувствуем всегда бьющимся в себе (то, что мы называем жизнь), есть только часть великого принципа жизни, который пронизает всю вселенную. Когда мы осознаем все эти истины и начнем чувствовать все наши отношения к единой великой эманации Абсолюта, тогда мы начнем схватывать идею единства всех

«Я», отношение нашего «Я» ко всем другим «Я». В то же время мы поймем, что погружение человеческого «Я» в мировое Я» не есть угасание индивидуальности, а, наоборот, расширение индивидуального сознания до космических масштабов.

Средство № 602

Комплексный подход к отрицательной стороне своего характера с применением натуропатических методов его исправления — полностью стабилизирует психическое состояние, создает душевное равновесие, укрепляет нервную систему.

Нужно проанализировать те психические состояния, которые типичны для многих людей, проанализировать свое состояние, и если какие-то качества характера из типичных, характерны для вас, используйте натуропатические методы для их ликвидации.

1. Раздражительность. Обычно проистекает из чрезмерного возбуждения нервной системы: возбуждающая пища, преувеличенная активность, неправильные жизненные привычки — все это ведет к раздражительности. Чтобы преодолеть ее, мы должны культивировать рациональное питание, спокойные мысли и практиковать регулярное расслабление.

2. Несдержанность. Является результатом отсутствия контроля над нашими эмоциями. Несдержанные мысли наносят вред мозгу, тогда как несдержанные действия вредят нашему физическому телу. Для того чтобы прийти к сдержанности и мягкости, мы должны практиковать самоконтроль.

3. Страх. Рождается из опасения всяческих несчастий. Часто к этому приводит боязнь правды. Страх является одним из наших наиболее частых причин нездоровья. Мужество является противоположным страху качеством. Мужество рождается из чувства уверенности в себе, а уверенность в себе рождается из знаний. Таким образом, знание — это лучшая защита от страха.

4. Нерешительность и безволие. Откладывание дела со дня на день указывает на неспособность принять решение и воплотить его в жизнь. Воля может быть воспитана сознательным развитием способности претворять свои планы в жизнь.

5. Пассивность или инертность. Побуждается леностью и подчинением нашим основным инстинктам. Пассивность — статическое состояние, в котором все кажется нестоящим никакой деятельности. Жизнь — это движение. Мы должны быть активны как ментально, так и физически. Мы должны быть динамичны во всем, что мы делаем. Изменение — сущность жизни, застой означает смерть.

6. Невежество. Это состояние, в котором человек по каждому предмету имеет неправильную информацию и, соответственно, неправильное суждение. Это явно отрицательное состояние. Чтобы побороть невежество, мы должны достигнуть знаний через обучение или через просвещение собственным опытом.

7. Эгоизм. Приводит к самонадеянности и своекорыстию. Эгоистичный человек все связывает с собой и ищет только личного преимущества. Его мышление узко, и таким образом он становится эгоцентричным. То отрицательное состояние может быть преодолено мышлением и стремлением сделать хорошее для других. В этом случае должны быть предприняты сознательные попытки выражать любовь ко всем ближним.

8. Пессимизм. Проистекает из угнетения и уныния. Мы всегда должны придерживаться оптимистического, бодрого взгляда на жизнь. Мы всегда должны поддерживать и поощрять в себе мысль, что все хорошо, и должны видеть только хорошее во всем. Те, кто видит во всем только плохое, — отрицательные люди.

9. Фанатизм. Означает узость ума, слепую приверженность к определенной точке зрения, которая не дает нам возможности видеть какой-либо другой взгляд на вещи. Он порождает нетерпимость. Мы должны стремиться развить дух терпимости в отношении других философий, даже если мы не принимаем их сами.

Большое значение нужно уделить положительному настроению. Если у нас постоянно положительные мысли о хорошем здоровье, любви и терпимости, тогда сила клеток будет направлена на восстановление организма. Мы должны культивировать в себе положительные мысли добра, мы должны обладать высшим доверием к законам и силам природы, зная твердо, что любое лечение болезни и само здоровье происходят от них.

Нужно культивировать понятие «положительный человек». Положительный человек — человек-оптимист, бодрый и с твердой верой в силы природы, уверенный в этих силах, которые принесли ему рождение, поддержат его здоровье и счастье и возвратят здоровье, если оно утеряно. Положительный человек всегда держит перед собой умственную картину совершенства и прилагает все силы в направлении достижения этого совершенства.

Средство № 603

Помощь в изменении духовной атмосферы в стране — мобилизует защитные силы, поднимает жизненный тонус, вносит внутреннее спокойствие, увеличивает уверенность в себе и оптимистический настрой.

Помощь в изменении в положительную сторону духовной атмосферы в стране осуществляется в виде медитаций. Обоснование необходимости такой помощи следующее: большую роль в психической жизни человека играет его национальный эгрегор (эгрегор его народа), ибо чувство причастности к своей нации наиболее сильно. Воздействуя на эгрегор всей нации с помощью положительных мысленных посылок (через медитации на национальную тему, — тему, связанную со своим народом) и тем самым улучшая в положительную сторону структуру эгрегора, человек получает энергию, силу от эгрегора для дальнейшего духовного развития и изменяет духовную атмосферу в положительную сторону в среде своего народа.

Но воздействия одного человека на национальный эгрегор с целью получения сильной обратной связи (изменение духовной атмосферы в стране и изменение духовного настроя внутри себя) недостаточно. Нужны коллективные (от нескольких сот до нескольких миллионов человек, причем чем больше людей соединят свои усилия, тем лучше) медитации людей, выполняемые синхронно: в одно и то же время и одной и той же деятельности.

Большое влияние на формирование национального эгрегора оказывают великие, знаменитые люди не только своими большими энергетическими полями, а главным образом косвенным путем: посредством огромного непрекращающегося очень долгое время интереса огромных масс людей к их именам и к их делам. Если великая личность отличалась в своей деятельности добром, милосердием, любовью к людям, то и мысли людей, связанные с воспоминанием об этой личности или вообще связанные с именем этой личности, имеют положительный характер. Эти однотипные мысли, объединяясь в одно огромное энергетическое «облако», подпитывают национальный эгрегор и изменяют в положительную сторону его структуру. Если же великая личность была склонна к жестокости, кровожадности, хитрости, ненависти к людям, то и мысли людей об этой личности (естественно, связанные с понятиями жестокости, зла) изменяют структуру эгрегора в отрицательную сторону.

История России трагична. Глубокий тяжелый след оставило духовной среде России не только монголо-татарское иго, но и деятельность самых знаменитых ее людей, имеющих отношение к руководству, управлению народом, таких, как Иоанн IV, Петр I, Екатерина II и послереволюционные вожди. Эгрегор России за счет их деяний, в результате которых попирались всякие законы и морально-этические нормы, страдали, мучились и умирали тысячи сынов России, а также за счет трепетного, уважительного упоминания их имен

(имен злодеев и тиранов) многомиллионной массой людей в прошлом и в настоящем, как огромная предгрозовая туча налилась темной отрицательной энергией. В свою очередь, эта темная отрицательная энергия эгрегора оказывает постоянное разлагающее воздействие на весь российский народ и каждого россиянина, тем самым на долгое время задерживая духовное развитие и народа, и каждого представителя народа.

Для того чтобы оздоровить духовную атмосферу народа (и каждого его члена), нужно нейтрализовать огромный отрицательный заряд национального эгрегора. Для этого нужны совместные усилия многих людей. Эти усилия должны выражаться в следующем:

1) нужно как можно меньше упоминать имена знаменитых людей (и особенно имена вышеупомянутых знаменитостей), в основе деятельности которых лежали злодейские поступки и преступления (вне зависимости от того, какими бы высокими целями эти поступки ни оправдывались), а если и упоминать, то исключить любые уважительные нотки;

2) нужно периодически проводить совместные медитации (один раз в полгода или один раз в год) большого количества людей, каждая такая медитация должна состоять из двух частей. Первая часть — покаяние за весь народ и от лица народа перед Абсолютом (можно назвать Абсолютом, Высшими Силами или Богом) за то, что народ позволил вышеупомянутым правителям творить беззаконие и преступления. Вторая часть — посылка добрых мыслей (пожелания добра, счастья, мира всем людям своего народа и всем людям на Земле).

Средство № 604

Отсутствие боязни смерти — освобождает человека от постоянного беспокойства, усиливающегося по мере приближения старости, расковывает психику, способствует душевной гармонии.

1. Почему не нужно бояться смерти, объясняется следующим. Человек всегда жив и всегда будет жить. Смерть есть только временная потеря сознания, жизнь непрерывна, и цель ее заключается в развитии, в раскрытии внутренних сил и способностей, во внутреннем росте. Мы находимся в вечности, и никогда из этой вечности не можем выйти. Реальный человек — это его душа, которая совсем не есть результат действия физического тела, как думают многие, а есть реальная сущность, по своему образу и подобию создающая физическое тело. Душа может существовать вне тела, хотя есть некоторые стороны опыта и знаний, которые она может приобрести только при помо-

щи физического существования. Мы имеем тела теперь только потому, что они нам нужны. Когда мы достигнем такой стадии развития, когда тела будут нам не нужны, мы перестанем их брать себе, перестанем ими пользоваться, будем освобождены от них. Приобретя опыт земной жизни, мы переходим в состояние покоя, после которого вновь пробуждаемся в новых условиях, соответствующих нашим потребностям и желаниям. Реальная жизнь есть последовательная цепь жизней, то есть воплощений, и наша настоящая жизнь есть только одна из бесконечного числа, причем качество души есть результат всего предыдущего опыта, полученного в предыдущих существованиях.

2. У многих людей существует еще боязнь самого процесса смерти и состояния души непосредственно после смерти.

Чтобы преодолеть эту боязнь, нужно понять, как происходит процесс умирания и те процессы, которые следуют после смерти.

Когда душа покидает физическое тело в тот момент, который называется смертью, она оставляет за собой все остальные оболочки (тело). Прана уходит из физического тела, группы клеток физического тела лишаются управления подсознанием. Вследствие этого группы клеточек распадаются одна за другой, и в то же время начинается процесс распада самих клеточек на составные элементы, которые в дальнейшем соединятся в группы минерального, растительного, а затем и животного вида. Идет процесс в соответствии с высказыванием одного из мыслителей древности: «Смерть — это только формы жизни, и разрушение одной материальной формы есть только начало строения другой».

Так как физическое тело отторгается, а внешней оболочкой становится эфирное тело, человек становится невидим для тех, кто продолжает жить в физическом теле.

Процесс умирания (процесс выхода души из физического тела) и последующие процессы на интервале времени, равного продолжительности клинической смерти, исследовались американским доктором Р. Моуди, автором книги «Жизнь после жизни. Исследование феномена продолжения жизни после смерти тела». В течение пяти лет доктор Моуди исследовал более ста случаев, в которых больные, признанные клинически мертвыми, были оживлены. Свидетельства этих людей, переживших опыт смерти, очень сходны, вплоть до отдельных деталей.

Человек, оставивший свое физическое тело, способен слышать тех, кто находится рядом в момент его смерти. Он слышит врача, констатирующего его смерть, он слышит родственников, которые оплакивают его. В самый момент смерти или непосредственно перед этим он испытывает необычные слуховые ощущения. Это может быть колокольный звон или величественная, прекрасная музыка, но могут быть и неприятные жужжащие звуки, свистящий звук, похожий на ветер. Одновременно с этими слуховыми ощущениями у него возникает ощущение движения с очень высокой скоростью через какое-то мерное замкнутое пространство, имеющее форму тоннеля или трубы. Все темно и черно, только вдалеке виден свет. По мере приближения к нему он становится все ярче и ярче. Свет желтовато-белый, больше белый и необычайной яркости, но в то же время не слепит и позволяет отчетливо видеть все вокруг (человек на операционном столе, вошедший в состояние клинической смерти, видит врачей, сестер и все детали операционной).

Все пережившие клиническую смерть не сомневаются в том, что это не просто свет, а светящееся существо, от которого исходит любовь и тепло. Человек чувствует полное внутреннее облегчение в случаях этого существа. Вскоре после своего появления святящееся существо вступает в контакт с человеком. Человек не слышит голоса или звука: происходит непосредственная передача мыслей, но в такой ясной форме, что какое-либо непонимание или ложь по отношению к светящему существу невозможны. Светящееся существо сразу же после своего появления передает некоторые определенные мысли в виде вопросов, которые можно оформить словами следующим образом: «Готов ли ты умереть?» и «Что сделал в своей жизни, что можешь показать мне?» При этом человек все время чувствует любовь и поддержку, исходящую от светящегося существа, вне зависимости от того, какие могут быть ответы, вопросы задаются не для того, чтобы получить информацию, а для того, чтобы помочь человеку, чтобы повести его по пути правды о себе.

Появление светящегося существа и вопросы без слов — прелюдия к самому напряженному моменту, во время которого светящееся существо показывает человеку картины его прошедшей жизни, как бы образ его жизни. Многие пережившие клиническую смерть говорили о том, что картины прошедшей жизни следовали в хронологическом порядке. Для других воспоминания были мгновенными, картины прошлого одновременны, и их можно было охватить все сразу, одним мысленным взором. Для некоторых картины были цветные, трехмерные и даже двигающиеся. Несмотря на то что картины быстро сменяли друг друга, каждая из них отчетливо узнавалась и воспринималась. Даже эмоции и чувства, связанные с этими картинами, могли переживаться заново человеком, когда он их видел.

Многие пережившие клиническую смерть характеризуют просмотр прошедших событий своей жизни как попытку светящегося существа преподать урок: во время просмотра светящееся существо как бы подчеркивало, что в жизни самыми важными являются две вещи: научиться любить других и приобретать знания.

В некоторых случаях просмотр картин прошедшей земной жизни проходит без участия светящегося существа. Как правило, в тех случаях, когда светящееся существо явно «ведет» просмотр, картины прошедшей жизни переживаются более глубоко. Но в любом случае и в присутствии светящегося существа, и без него перед человеком как бы выявляется преобладающий смысл всей прошедшей жизни. Он видит себя таким, каким он есть на самом деле.

И этот момент, когда он стоит лицом к лицу со своей жизнью, очень важен для человека. Ничто не должно отвлекать его от обзора проносящейся перед его внутренним взором прошедшей жизни, ничто не должно мешать спокойному течению мысли. И хорошо, когда все присутствующие при кончине держатся тихо и благоговейно. Горестные причитания людей, окружающих физическое тело, могут вызвать у человека, переживающего опыт смерти, острое чувство жалости к людям и в связи с этим желание возвращения к родным и близким. А такие чувства в сознании умершего могут надолго задержать его переход в более тонкие подплоскости астральной плоскости, то есть к более возвышенным состоянием души.

Пройдя черный туннель, умирающий одновременно с началом встречи со светящимся существом ощущает процесс выхода себя из физического тела и далее обнаруживает, что смотрит на свое физическое тело извне, как если бы он был посторонним наблюдателем. Это является следствием того, что эфирное тело вместе с другими оболочками вышло из физического тела (эфирное тело выходит через макушку головы физического тела). У большинства людей, переживших клиническую смерть, отчетливое видение из эфирного тела наступает сразу после прокручивания картины прошедшей земной жизни в лучах светящегося существа. Р. Моуди в книге «Жизнь после жизни» приводит рассказ женщины, пережившей клиническую смерть: «Я стала медленно подниматься вверх и во время своего движения видела, как еще несколько сестер вбежали в комнату. Мой врач как раз в это время делал обход, и они позвали его. Я видела, как он входил, и подумала, что он здесь делает. Я переместилась за осветитель и видела его сбоку очень отчетливо. Мне казалось, что я листок бумаги, взлетевший к потолку от чьего-то дуновения. Я видела, как меня старались вернуть к жизни. Мое тело было распростерто на кровати прямо перед моим взором, и все стояли вокруг меня.

Я слышала, как одна из сестер воскликнула: «О Боже! Она скончалась!» Другая медсестра, склонившись надо мной, делала мне искусственное дыхание рот в рот. Я смотрела на ее затылок, в то время как она это делала. Никогда не забуду, как выглядели ее волосы, — они были коротко пострижены. Сразу вслед за этим я увидела, как вкатили аппарат, и они стали действовать электрическими токами на мою грудную клетку. Я слышала, как во время этой процедуры мои кости трещали и скрипели. Это было просто ужасно. Я смотрела, как они массируют мне грудь, трут мои руки и ноги, и думала: «Почему они волнуются? Мне ведь сейчас очень хорошо». Мужчина, переживший клиническую смерть в больнице, рассказал Р. Моуди: «Я покинул свое тело. У меня было ощущение, словно я плыву в воздухе. Когда я почувствовал, что уже вышел из тела, я посмотрел назад и увидел себя самого на кровати внизу, и у меня не было страха. Был покой — очень мирный и безмятежный. Я нисколько не был потрясен или испуган. Это было просто чувство спокойствия, и это было нечто, чего я не боялся».

Подтверждение процесса выхода эфирного тела из тела физического можно найти в «Тибетской книге мертвых», составленной в течение многих веков из учений мудрецов Тибета и записанной в VIII веке нашей эры. Книга описывает первые мгновения выхода эфирного тела из физического тела и первые мгновения, когда эфирное тело отделилось от физического тела. Она описывает чистый и ясный свет, от которого исходит только любовь и сочувствие, упоминает о нечто, вроде «зеркала», в котором отражена вся жизнь человека и все его дела: дурные и хорошие. Говорится о том, что умирающий, пройдя через темную, мутную атмосферу, ощущает, что душа его отделяется от тела. Он удивлен тем, что находится вне своего физического тела. Они видят своих родственников и друзей, рыдающих над его телом, которое они приготовляют к погребению, но когда он пробудет отозваться, никто не видит его и не слышит. Он еще не осознает, что он мертв, и этим смущен. Он спрашивает себя: жив я или мертв? И когда он, наконец, осознает, что он мертв, то недоумевает, куда идти и что дальше делать. Недолго он остается на том же месте, где жил в физическом теле. Он замечает, что у него по-прежнему есть тело, сияющее тело, которое состоит из нематериальной субстанции. Он может подниматься на скалы, проходить сквозь стены, не встречая ни малейшего препятствия. Его движения совершенно свободны. Где бы он ни хотел быть, он в тот же момент является туда. Его мысль и ощущения неограниченны. Его чувства близки к чудесному. Если он в физической жизни был слепым, глухим или искалеченным, он с удивлением чувствует, что его сверкающее тело усилилось и восстановилось.

Знаменитый шведский естествоиспытатель и философ Э. Сведенборг в середине XVIII века много сил и времени отдал разгадке сущности жизни в «потустороннем мире». В 1745 году он достиг космического сознания (имел видение, «открывшее ему небо») и до конца жизни занимался сложной системой духоведения (среди наших соотечественников его последователем был писатель и ясновидец Д.Л. Андреев, сын знаменитого писателя Леонида Андреева и автор замечательного философского труда «Роза мира»). Его работы дают живое описание того, что представляет собой жизнь после смерти. Его описания удивительно точно совпадают со свидетельствами тех людей, которые перенесли клиническую смерть. Э. Сведенборг на основании опытов над собой, в которых он останавливал дыхание и циркуляцию крови, утверждает: «Человек не умирает, он просто освобождается от физического тела, которое было ему нужно, когда он был в этом мире». Вот как он описывает первые стадии смерти и ощущение себя вне тела: «Я был в состоянии бесчувственности по отношению к ощущению тела, то есть почти мертвым; но внутренняя жизнь и сознание оставались нетронутыми, так что я запомнил все, что со мною происходило и что происходит с тем, кто возвращается к жизни. Особенно ясно я запомнил ощущение выхода моего сознания из тела». Э. Сведенборг описывает «свет Господа», который проникает в прошлое, свет невыразимой яркости, который озаряет всего человека. Этот свет истинного и полного понимания. Далее он пишет о том, что прошлая жизнь может быть показана умирающему как видение. Он воспринимает каждую деталь прошлого, и при этом нет никакой возможности для лжи или для умолчания о чем-либо: «Внутренняя память такова, что в нее вписано до мельчайших деталей все, что человек когда-либо говорил, думал и делал, все — от его раннего детства до глубокой старости. В памяти человека сохраняется все, с кем он встречался в жизни, и все это последовательно проходит перед ним. Ничто не остается сокрытым из того, что было в его жизни, все это проходит как некие картины, представляемые в свете Господа».

Средство № 605

Построение своей судьбы в данной жизни и в последующих жизнях — тонизирует защитные силы, поднимает жизненный тонус, дает уверенность в себе, гармонию внутри себя и с окружающим миром.

1. Человек может построить свою судьбу в течение данной земной жизни. Для этого нужно не плыть по течению жизни, являясь рабом своих мыслей и желаний, а, наоборот, нужно владеть своими мыслями, господствовать над своими желаниями, направлять свои поступки.

2. Владеть своими мыслями, господствовать над своими желаниями, направлять свои поступки нужно и для построения своей судьбы с дальним прицелом, то есть в последующих жизнях. Мыслями, желаниями, поступками мы создаем свою карму, а карма будет определять нашу судьбу в последующих жизнях.

1) Каждая мысль прибавляет новую черту в создаваемой карме; ни одна мысль не пропадет даром. Груды однородных мыслей, повторяющихся на протяжении нескольких жизней, определяют строй каждого ума, и так называемые врожденные мысли и способности не что иное, как результат умственной работы прошлого.

Зная этот закон, человек путем сознательного подбора своих мыслей может построить свой ум постепенно таким, каким желает его иметь. Смерть не прерывает этой работы, наоборот, освобожденный от оков физического тела, человек легче и полнее ассимилирует весь принесенный из земной жизни запас опыта. По возвращении на землю он приносит с собой все ранее приобретенные мысли, которые в астральной жизни перерабатывались в наклонности и способности; соответственно последним построятся и новые проводники внутренней жизни: мозг и нервная система. Ничто не погибает в работе души, не утрачивается ничего из приобретенного опыта, возобновляется как раз с той самой грани, которой она достигла в предыдущем воплощении.

Стремления и желания, созданные в одном воплощении, преобразуются в новом воплощении в способности; повторявшиеся мысли — в наклонности, волевые импульсы — в деятельность; всевозможные испытания претворяются в мудрость, а страдания души — в ее совесть. Разнообразные, хорошие возможности, представлявшиеся человеку, но пропущенные им по нерадивости и лени, всплывут снова, но уже в иной форме — как неопределенное влечение. Как смутная тоска, которая не получит удовлетворения по двум причинам: силы, которые в прошлом вызывались тщетно к проявлению (кармическим требованиям), вследствие бездействия недоразвились, и условия, раз уже подобранные кармой, могут и не повториться.

Не среда создает ум человека, а человек действием кармического закона устремляется в новом воплощении в ту среду, которая соответствует его наклонностям. Некоторые лица резко отличаются с раннего детства от своей среды; в них ничего общего с окружающим (если воля их сильна, они изменяют направление своей кармы, переходя в иную, более подходящую для них среду); попадают же они в неподходящую среду благодаря тому, что поступками своими связали себя тесно с людьми именно этой среды. Каждый человек устремляется в новом воплощении в среду, подходящую для той ступени развития, которая им уже достигнута. Таков закон: мы сами строим свой ум, и если постройка хороша, мы пользуется всеми ее преимуществами, если не хороша, мы сами испытываем все последствия вследствие ее негативных свойств. Кроме того, последствия мысли отражаются не только на ее творце. Мысли человека передаются. Мысль одного человека передается другому, мысль последнего — первому. Завязываются нити, которые свяжут вместе людей к добру или злу, определят для нашего будущего родных, друзей или недругов. Вот почему иные любят нас без всякой видимой причины, а иные ненавидят как будто незаслуженно. Закон, исходящий отсюда, сводится к следующему: наши мысли, действуя на нас самих, создают наш умственный и нравственный характер. Благодаря своему воздействию на других они завязывают кармические нити, которыми люди будут связаны в последующем воплощении.

2) Желания притягивают нас к тем или другим предметам внешнего мира, они образуют наши страсти, и они же определяют судьбу человека после смерти в астральной плоскости.

Желания, то есть внутренние влечения человека к внешним предметам, притягивают его всегда в ту среду, где желания эти могут получить удовлетворение: желание земных вещей приковывает нашу душу к земле, высокие желания влекут ее к астральным плоскостям жизни.

Желания человека определяют место его воплощения. Если они были нечистые, невоздержанные, зверские, они создадут для его нового воплощения подходящее тело страстей, и это тело устремит его в такую семью, в недра такой матери, кровь которой может дать подходящий материал для его физической оболочки.

Желания наши действуют на окружающих так же, как и мысли: они передаются другим.

Так как в данный цикл человеческой эволюции желания наши сильнее наших мыслей, то и кармическая связь, сотканная желаниями, связывает людей еще сильнее, чем их мысли.

Соединяя нас путами любви или ненависти, желания создают нам будущих врагов или друзей, и они же могут соединить нас с такими людьми, о завязавшейся связи с которыми мы и не подозреваем. Например, поводом к такой связи не может послужить непреднамеренно данный толчок к преступлению, даже к убийству. Может случиться, что очень сильный злобный порыв одного человека повлияет на другого в такой момент и в такой обстановке, которые располагают к убийству. Бывают такие внутренние состояния, когда чаши весов, колеблющиеся между добром и злом, находятся в таком неустойчивом равновесии, что одно лишнее побуждение, одна лишняя вибрация из невидимого нам психического мира решают наклон колеблющихся весов в ту или другую сторону. Таким решающим толчком для колеблющегося человека может послужить порыв злобы, идущий из сердца другого человека. Если колеблющийся совершит преступление, то создатель злобного порыва связан в будущем воплощении с преступником, даже если бы он раньше вовсе и не знал его, и вред, причиненный злобным порывом тому, кто совершил преступление, неминуемо отзовется на создателя гневной страсти. Иногда совершенно неожиданное несчастье, кажущееся незаслуженным, внезапно обрушивается на человека. Его сознание, не подозревающее, что источником его несчастья был вред, причиненный его дурными страстями другому существу, возмущается, негодует на кажущуюся несправедливость, но это негодование исходит из его неведения, что его душа получила при этом урок, который он никогда не забудет.

Ничто незаслуженное не заставит страдать человека.

Из сказанного следует, что наши желания, действуя на нас самих, влияют на образование нашего физического тела в ближайшем воплощении. Они же определяют место нашего рождения и влияют на подбор людей, с которыми мы будем связаны в будущем.

3) Поступки сравнительно мало влияют на истинную суть человека, на его душу. На развитие души влияет мотив поступка, а не сами поступки. Последние представляют собой результаты мыслей и желаний прошлых воплощений.

Поступки влияют на суть человека косвенно, вызывают в нем новые мысли и желания. Часто повторяемые поступки создают физические привычки не переживать нового воплощения и уничтожаются со смертью физического тела. Наши поступки влияют на окружающих. Вызывая благополучие или страдание других людей, поступки связывают нас так же, как и наши мысли и желания с теми людьми, на судьбу которых они имели влияние. Если в прошлом мы были причиной страдания для окружающих, в будущем мы испытаем не меньше страдания, и, наоборот, если мы содействовали улучшению их внешнего благосостояния, кармический счет выплатит нам из этого содей ствия счастливыми условиями в нашей земной жизни, и условия эти — плохие или хорошие — погасят навсегда результаты как дурных поступков, так и хороших. В обоих случаях последствия наших поступков не зависят от их мотива.

Средство № 606

Завершенный цикл общения — способствует душевному равновесию, снимает беспокойство, поднимает настроение и жизненный тонус, предупреждает энергетический удар и отрицательную кармическую связь, которые возникают иногда у какого-то человека, который считает, что ему с вашей стороны нанесен моральный или физический ущерб, осталось чувство обиды или ненависти. Если это чувство обиды или ненависти не найдет выхода в виде разрядки, оно может быть перенесено в последующую жизнь. Поэтому старайтесь не наносить людям обиды, не вызывать у них своими словами и действиями чувства ненависти, а если все-таки это произошло, нужно постараться разрядить образовавшуюся кармическую связь с помощью так называемого завершенного цикла общения (незавершенный цикл общения — цикл общения, в результате которого человек становится несчастным из-за размолвки, ссоры). Завершенный цикл общения — цикл общения, заканчивающийся выяснением и пониманием позиций двух сторон, для чего нужно окончательно выяснить и понять позицию противоположной стороны, а в случае необходимости выразить свое сожаление за содеянное и принести извинение.

Если говорить о незавершенных циклах общения, то нужно сказать, что даже то незавершенное общение, которое не образует кармических связей, носит негативный характер, ибо снижает уровень жизненных сил, внося смятение в поток мыслей. Поэтому старайтесь завершать общение любого характера. Даже в том случае, если вам просто предлагают чашку чая или кофе, цикл общения нужно завершить по схеме: на предложение выпить чай или кофе в ответ звучит «спасибо», другая сторона ставит точку в общении словами «на здоровье». В любой семье должно быть правилом никогда не ложиться спать с незавершенным циклом общения, в противном случае члены семьи будут отдаляться друг от друга. Общение нельзя завершать напряженным молчанием, а еще хуже, если одну из сторон заставляют замолчать и на этом заканчивают общение. Идеально завершенное общение — это общение, которое заканчивается тем, что все остаются довольны. Следите за собеседником и заканчивайте общение тогда, когда у него появится хорошее настроение.

Приложение 1

СРЕДСТВА ПРЕДУПРЕЖДЕНИЯ ХРОНИЧЕСКИХ ПСИХОСОМАТИЧЕСКИХ ЗАБОЛЕВАНИЙ И ОТКЛОНЕНИЙ ОТ НОРМАЛЬНОГО ПОВЕДЕНИЯ

Во многих случаях причиной отклонения от нормального поведения и хронических психосоматических заболеваний являются записи в подсознании человека инцидентов, связанных с физической болью или большими болезненными эмоциями (инграммы).

Как не допустить эти записи в свое подсознание? В этом плане многое зависит от самого человека, но в то же время нужно учитывать, что немало записей в виде инграмм человек получает в утробе матери при родах, в детские годы. Поэтому вопрос делится на две части:

1) как не допустить записи от момента зачатия до родов включительно и в детские годы;

2) как не допустить записи в той части жизни, когда человек имеет уже достаточное развитое сознание и в состоянии понять, что такое записи и что нужно предпринимать, чтобы записи не появлялись в его тонких структурах.

Первая часть вопроса решается на уровне родителей, только они могут создать необходимые условия для того, чтобы записи у плода и ребенка не появлялись. Ну а вторая часть вопроса решается самим человеком при условии, если он готов раскрыть свой ум для знаний о записях и тонких структурах и готов использовать эти знания на практике для своего блага.

Средство № 1

Предупреждение отклонений от нормального поведения и хронических психосоматических заболеваний на ранней стадии жизни человека: запись инграмм может осуществляться у будущего ребенка с момента зачатия. Не имеет значения, обладает плод в чреве матери аналитическими способностями или нет, это нисколько не влияет на его восприимчивость к инграммам. Если плод в результате какого-либо воздействия на него испытывает боль, то инграмма ему обеспечена. Ранить плод, нанести ему боль не так уж и сложно: он не защищен сформировавшимся костным скелетом и, кроме того, не обладает свободой передвижения. Ткани тела матери и жидкость, которой он окружен, создают незначительный буфер. Во время любого давления (или удара) на тело матери в области матки околоплодная жидкость, будучи несжимаемой средой, сжимая плод, причиняет ему боль. Поэтому любые напряжения тела матери небезопасны для плода в плане получения боли и, следовательно, инграммы. Причем эти напряжения могут быть связаны не только с поднятием тяжестей, но с напряжениями физиологического плана: напряжения при очищении кишечника, в случае если у беременной женщины запор; напряжения при тошноте, которая иногда сопутствует беременности незадолго до родов; даже низкий наклон (когда беременная женщина пытается завязать шнурок на ботинке) может в достаточной мере сжать плод и причинить ему боль. Плод может получить ощущение боли во время ударов: при падениях беременной женщины, при ударах животом беременной о какие-то препятствия (допустим, в виде стола или спинки кровати) или же при сознательных ударах, которые наносятся беременной женщине. Ощущение боли получает плод и во время полового акта, в котором принимает участие беременная женщина. Я уже не говорю о попытках аборта и родов, где причиняется боль плоду (ребенку).

Нужно сказать, что задача предотвращения инграмм делится как бы на две задачи:

1) предотвращения возможности записи инграмм;

2) сведение к минимуму их содержания.

Вторая является очень важной. Ведь в содержимое инграммы входят ощущение боли и бессознательности, ощущение окружающей обстановки и высказывания людей, принимающих участие в инциденте. Если ощущения боли, бессознательности, ощущения окружающей обстановки не управляемы, то высказывания людей, принимающих участие в инциденте, вполне регулируемы (опять-таки в смысле возможности вхождения их в состав содержимого инграммы), то есть можно допускать или не допускать высказывания людей при инциденте, записываемого как инграмма. Инграмма без высказываний не является аберрирующей (при рестимуляции она может доставить неприятности в виде определенной боли в той или иной части тела соответственно боли, записанной в ней).

Аберрирующей является инграмма, содержащая высказывания, ибо любое высказывание, по существу, является аберрирующим. Поэтому беременной женщине и ее окружению нужно предпринимать все меры, чтобы не было никаких высказываний, когда ее тело испытывает физическое напряжение или когда она испытывает последствия удара или травмы. Беременная женщина не должна с собой разговаривать, когда она испытывает физическое неудобство или боль (тошнота, кашель, высокое давление, запор, удар об угол стола или падение). Молчать должны и люди, находящиеся рядом с ней. Тогда инграммы записываются одновременно и у матери, и у плода, но они не будут аберрирующими. Беременная женщина не должна вступать в половые контакты, но если все-таки половой акт происходит, он должен происходить молча.

Когда ребенок болен (у него высокая температура или он получил травму), родители и вообще окружающие не должны ничего говорить. Улыбайтесь, сохраняя спокойствие, подбадривайте кивком головы, поглаживайте по голове и молчите. Иногда вы можете стать, сами того не желая, источником аберрированного поведения ребенка в дальнейшем или, выполняя в данный момент роль «защитника», способствовать появлению у него в дальнейшем хронических психосоматических заболеваний.

Средство № 2

Предупреждение отклонений от нормального поведения и хронических психосоматических заболеваний путем соблюдения правила тишины.

В том случае, когда вы больны, получили травму или у вас сильное шоковое состояние, постарайтесь ничего не говорить и, если возможно, не позволяйте окружающим разговаривать около вас. Все разговоры при подобных ситуациях, вы уже знаете, совсем не безобидны. Они не только ведут к аберрированному поведению, но могут привести к несчастным случаям, опасным не только для носителя инграммы, но и для окружающих людей. Некоторые водители, постоянно попадающие в аварии, как правило, предрасположены к таким несчастным случаям, потому что в одной из их инграмм содержится фраза, приказывающая им попадать в аварии. Аналогичным образом человек может стать преступником (в одной из инграмм есть фраза, выполняющая роль команды совершить то ли иное преступление).

По отношению к другому человеку нужно четко соблюдать правило: не разговаривать самому и по возможности не допускать разговора окружающих людей, когда вы оказываете помощь человеку, получившему травму, или человеку, потерявшему сознание (это касается и операций, при операции ни врачи, ни медицинские сестры не должны ничего говорить), или же рожающей женщине (при родах и мать, и ребенок получают, как правило, инграммы с сильным аберрирующим материалом, который в дальнейшем самым серьезным образом сказывается на их состоянии здоровья и поведении в повседневной жизни). То же самое правило нужно соблюдать по отношению к больному человеку, у которого высокая температура, а также человеку, находящемуся в сильном шоковом состоянии (получившему известие о потере близкого человека или потере человека, являющегося для него защитником, потери вещи, имеющей для него жизненно важное значение).

Средство № 3

Предупреждение отклонений от нормального поведения, хронических психосоматических заболеваний и травм путем применения приемов самозащиты.

Инграмма записывается тогда, когда появляется физическая боль или сильное шоковое состояние на фоне снижения уровня сознания в результате ударов, травм, операций, родов, болезненного состояния с высокой температурой, иных потерь, сопровождающихся болезненными эмоциями. В некоторых случаях вы не можете влиять на возможность появления боли или сильных шоковых состояний, потому что, во-первых, у вас может быть инграмма, одна из фраз которой в виде команды приказывает вам получить ту или иную травму, а во-вторых, потому, что может умереть независимо от ваших желаний близкий человек. Во многих случаях можно предупреждать появление боли из-за травм, ударов, наносимых другими людьми, и шоковых состояний от потерь каких-либо ценностей. Это связано с зависимостью между качеством нашего мышления и нашими успехами в жизни, в том числе и отношением к нам окружающих нас людей. Чем более положительно вы думаете о себе и окружающих, чем больше мы вытесняем отрицательные установки положительными утверждениями типа «Я люблю себя. Я достоин всех благ, и мои дела идут прекрасно» и мысленными представлениями, тем более мы избегаем всяких неприятностей в жизни, в том числе разного рода травм и потерь жизненно важных ценностей, потому что в этом случае реализуются не отрицательные установки, а положительные утверждения. Поэтому, если вы хотите, чтобы у вас не возникали новые инграммы, изменяйте свое мышление на положительное и систематически применяйте положительные утверждения и мысленные представления (соответствующие содержанию положительных утверждений).

Могут возникнуть и особые ситуации, связанные с болью и сильными шоковыми состояниями, в которые вы можете попасть из-за кармических связей: кто-то, с кем вы были связаны в прошлой жизни или на определенном отрезке этой жизни, может угрожать целостности вашего тела, или вашему психическому состоянию, или угрожать жизни близких вам людей. Здесь нужны средства другого рода: ослабление кармического удара путем активной оперативной деятельности — самозащиты. Вы ослабляете нанесение кармического удара в момент его исполнения: не допуская нанесения вам травмы (физической боли), сильного унижения чувства собственного достоинства и возможной потери ценных вещей (не допуская болезненных эмоций) при нападении на вас какого-либо человека или группы людей путем использования воли, мужества и знания в реализации средств самозащиты. Как уже говорилось выше, не допуская возникновения физической боли и болезненных эмоций, вы предупреждаете возникновение инграмм физической боли и инграмм болезненных эмоций.

Применение средств самозащиты не требует знания самбо, каратэ или других видов борьбы в полном объеме. Достаточно знать только некоторые приемы самбо и каратэ, но отработать их нужно до такой степени, чтобы в реальной обстановке они могли выполняться вами как бы в автоматическом режиме.

У многих людей существует некоторое предубеждение к знанию и применению приемов самозащиты. Как бы ни оправдывали они свое нежелание знать и применять приемы самозащиты, ясно одно, что в этой жизни они приняли роль «жертвы судьбы» (жертвы для кармических ударов). Те, кто, осознав необходимость знания приемов самозащиты, приобретают, помимо возможности предупреждения инграмм, такие важные компоненты удачной, успешной жизни, как усиление уверенности в себе, усиление своего позитивного отношения к окружающим (сильный и уверенный в себе человек, как правило, щедрее по отношению к людям, чем слабый и неуверенный), усиление своей энергетики, укрепление здоровья (так как хорошо отрабатывается гибкость суставов).

К приемам самбо, которые следовало бы знать и применять каждому человеку, относятся следующие: освобождение от захватов (рывками в определенных направлениях, нажимами на болевые точки, воздействиями на пальцы и кости держащих рук нападающего), защита от ударов невооруженного нападающего (уходами, подставлением предплечий и захватами рук и ног), защита от ударов ножом или палкой (уходами, подставлением предплечий и захватами запястья рук с ножом или палкой). Чтобы избежать продолжения нападения после защиты, нужно тут же произвести сковывающий захват. Сковывающие захваты основаны на поворотах и перегибании суставов. Сами по себе они не вызывают боли, но нападающий, вырывающийся из этих захватов, будет испытывать боль, причем тем большую, чем сильнее он вырывается. Произведя захват, нужно изъять у нападающего палку, нож или другое оружие. Защищаться проще, если известно, с какой стороны последует нападение, поэтому следите за замахом руки нападающего и на какой ноге находится вес его тела, откуда он достает оружие и как он его держит.

Чтобы освоить приемы самозащиты, нужен партнер, с которым вы по очереди выполняете роли нападающего и защищающегося. Приемы изучаются на две стороны (вправо и влево), защита против оружия осваивается с соответствующими макетами оружия. Выполнение приемов осуществляется без сопротивления, движения должны быть плавными, без рывков, и вначале изучения медленными. При ощущении, что вот-вот появится боль, необходимо дать какой-то словесный сигнал или несколько раз похлопать свободной рукой по телу партнера, в результате чего партнер должен немедленно ослабить захват. После освоения всех деталей приема движения выполняются быстрее, но быстрота движений не должна сказываться на четкости.

К приемам освобождения от захватов относятся следующие.

1. Захвачено ваше правое запястье, когда ваше предплечье направлено вверх и перпендикулярно земле. Причем нападающий захватил ваше запястье снаружи своей левой рукой так, что его большой и указательный пальцы оказались выше других пальцев. Сделайте дугообразное движение правым предплечьем влево вниз и затем вправо вверх так, чтобы ваше запястье все время давило на большой палец нападающего. Тот момент, когда нападающий начнет ослаблять захват, левой рукой снизу возьмите запястье его левой руки, быстро переместитесь вправо и, освободив руку, захватите под мышку левую руку нападающего. Крепко зажимая захваченную руку под мышкой, переведите ее кисть вперед вверх, с таким расчетом, чтобы локоть нападающего перегибался через вашу правую ладонь. В таком положении попытки нападающего вырваться могут вызвать резкую боль от перегибания его руки через локоть.

2. Захвачено ваше правое запястье, когда ваше предплечье направлено вниз. Причем нападающий захватил ваше запястье снаружи левой рукой. Немного сгибая в локтевом суставе захва-

ченную руку, сделайте ею дугообразное движение на себя влево вверх, а затем вправо вверх, в сторону ногтевой фаланги большого пальца левой руки нападающего. Когда нападающий начнет отпускать вашу руку, вы, продолжая движение, упритесь большим пальцем левой руки в тыльную часть основания мизинца левой руки нападающего. Полностью освободив правую руку, упритесь ее большим пальцем в тыльную часть основания безымянного пальца левой руки нападающего. Оба ваших больших пальца должны быть рядом. Держа плечо и предплечье левой руки нападающего под прямым углом, выкручивайте захваченную кисть вправо кнаружи, направляя ее ладонь к земле. Если нужно завалить нападающего на землю, продолжайте вращать и направлять захваченную кисть к земле и вправо.

3. Захвачено ваше горло, когда вы находитесь лицом к нападающему. Нападающий захватил горло кистями двух рук. Левой кистью захватите снизу запястье правой руки нападающего, а правой захватите сверху его правую кисть так, чтобы концом большого пальца можно было упереться в пястную кость большого пальца, а четырьмя захватить ребро ладони. Поверните захваченную руку вправо вокруг оси и захватите ее под левую подмышку. Дожимая кисть нападающего по естественному сгибу, перегибайте его локтевой сустав через вашу левую ладонь. Попытки нападающего вырваться вызовут у него резкую боль в локтевом суставе и кистевом сгибе.

В числе приемов защиты от ударов следует освоить следующие.

1. Наносится удар кулаком в ваше лицо. Нападающий наносит удар сбоку, правой рукой. Сделайте левой ногой шаг вперед влево и подставьте левое предплечье навстречу правой руке нападающего. Развернув левую ладонь кнаружи, обхватите пальцами правое предплечье нападающего. Сильным дугообразным движением левой руки влево вниз, затем вправо опустите правую руку нападающего вниз и захватите ее правой кистью за внутреннюю часть запястья. Сделайте двумя руками рывок за захваченную руку с расчетом, чтобы нападающий выставил вперед правую ногу, и продолжайте правой рукой тянуть за запястье правой руки нападающего так, чтобы он перенес тяжесть тела на эту выставленную ногу; левой рукой обхватите сверху плечевую часть правой руки нападающего и прижмите свою ладонь к груди. Левую ступню поставьте рядом с правой ступней нападающего и, поворачивая его правую руку ладонью вверх к себе, перегибайте ее в локтевом суставе через свое левое предплечье. Попытки нападающего вырваться могут вызвать у него неприятные ощущения в правой руке.

2. Наносится удар ножом в шею. Нападающий наносит удар сбоку правой рукой. Сделайте левой ногой выпад вперед влево и остановите левым предплечьем двигающееся в вашу сторону правое предплечье нападающего. Правой кистью захватите запястье (с частью кисти) правой руки нападающего сверху, предплечье левой кистью снизу. Поверните захваченную руку внутрь, захватите ее под плечо (таким же образом, как при защите от захвата за горло). Перегибая локоть и дожимая кисть, вы заставляете нападающего отпустить нож.

3. Наносится удар ножом в живот. Нападающий наносит удар снизу правой рукой. Сделайте левой ногой шаг вперед влево, одновременно повернув туловище, и левый носок вправо. Ударом предплечья левой руки сверху вниз по предплечью правой руки нападающего остановите продвижение ножа. Обхватите двумя кистями кисть нападающего, держащую нож, и выкручивайте ее наружу, направляя ладонь к земле.

Можно применить вариант. Сделайте шаг левой ногой назад, подберите живот и скрещенными предплечьями (правое предплечье сверху) остановите двигающееся на вас предплечье правой руки нападающего. Оттесняя левым предплечьем правое предплечье нападающего, правой кистью потяните на себя плечевую часть той же правой руки нападающего. Подвигая левым предплечьем правое предплечье нападающего за его спину, захватите своей левой кистью его локтевой сустав, поставьте левую ступню рядом с правой ступней нападающего и прижмите его к своей левой ноге. Нож отберите дожимом кисти по естественному сгибу.

Если один вариант. Сложите кисти с выпрямленными пальцами в виде вилки так, чтобы большой палец правой руки лежал поверх указательного пальца левой руки и, соответственно, указательный палец правой руки лежал поверх большого пальца левой руки. Сделайте правой ногой небольшой шаг назад, поймайте в вилку запястье двигающейся руки нападающего и тут же, сжав пальцы, крепко его захватите. Отводя захваченную руку влево и поворачивая ее внутрь, сделайте шаг правой ногой вперед, поднырните под руку, поворачиваясь влево кругом. Правой рукой загните руку нападающего за спину, а левой кистью захватите сверху снаружи правый локоть нападающего и положите кисть его руки в локтевой сгиб левой руки. Дожимом кисти отберите нож.

В некоторых случаях при самозащите, для того чтобы остановить нападающего, приходится применять удары. Эффективны в этом плане приемы каратэ. В каратэ важна направленность внимания: при выполнении движений глаза должны быть устремлены в нужном направлении, сила сосредоточена в районе брюшного пресса (при этом рот плотно закрыт, дыхание через нос). Во время занятий каратэ ноги всегда должны сохранять определенное расстояние между собой. Это расстояние, когда оно неверно рассчитано, может уменьшить устойчивость, если оно мало. Расстояние между ногами рассчитывается следующим образом: дистанция, разделяющая ноги, должна быть равна расстоянию между пяткой и коленом вашей ноги (упритесь в пол коленом, не вытягивая пальцев согнутой ноги, и колено должно коснуться щиколотки другой ноги — это и есть искомая дистанция между ногами).

Основная позиция при общении с потенциальным нападающим: стоять выпрямленным, подбородок поднят, рот плотно закрыт, дыхание через нос, плечи параллельны полу в естественном положении, руки вытянуты вдоль тела, кулаки сжаты, ладони повернуты назад. Носок выдвинутой вперед ноги должен следовать всем движениям потенциального нападающего, а ваши глаза не должны отрываться от его глаз. Иногда применяется более спокойная позиция, в которой ноги слегка раздвинуты.

В основной позиции защиты нога отставлена назад, напряжена под весом тела. Это позволяет выдвинутой вперед ноге оставаться свободной, и ее ступня может нанести удар, а колено подняться для защиты. Кулак вынесенной вперед руки находится на высоте плеча и отстоит от него примерно на 35 см, локоть этой руки отделен от груди расстоянием в два раза меньшим, чем между кулаком и плечом. Корпус прямой, плечи параллельны полу в естественном положении, подбородок поднят. Взгляд не отводится от глаз противника и соблюдается полное спокойствие духа.

Приложение 2
СРЕДСТВА ПЕРВОЙ ПОМОЩИ

Средство № 1

Спасение утопающего и первая помощь после спасения.
Прежде чем утопающему оказать первую помощь, его нужно доставить на берег. При спасении утопающего нужно знать приемы освобождения от захватов, которыми утопающий сковывает действия спасающего. Кроме того, эти захваты могут быть опасными для жизни обоих. Освобождаясь от захвата за кисти рук, вы должны сильным рывком вверх и в сторону вывернуть свои руки и одновременно, подтянув ноги к животу, упереться в грудь тонущего и оттолкнуться от него. Освобождаясь от захвата за ноги, вы одной рукой захватываете голову тонущего в области виска, а другой — подбородок и поворачиваете его голову набок, пока не освободитесь. При освобождении от захвата за туловище и за шею спереди вы ладонью упираетесь в подбородок тонущего, пальцами зажимая ему рот. Другой рукой обхватываете тонущего за поясницу, сильно прижимая его к себе. Затем толкаете его в подбородок. В крайнем случае можно упереться коленом в низ живота утопающего и оттолкнуться от него. Освобождаясь от захвата за шею сзади, вы одной рукой хватаете тонущего за кисть противоположной руки, а другой подпираете его локоть. Затем резко приподнимаете локоть утопающего вверх, а его кисть поворачиваете вниз и выскальзываете из-под рук тонущего.

Доставить утопающего на берег можно, используя один из приемов буксировки. При буксировке за туловище вы подплываете к тонущему сзади, подсовываете свою правую или левую руку под соответствующую руку тонущего. Затем берете его за другую руку повыше локтя и, прижимая его к себе, плывете к берегу на боку. При буксировке за голову вы поддерживаете утопающего большими пальцами за щеки, а мизинцами под нижнюю челюсть и плывете на спине. Если вы решили буксировать утопающего за руки, подплывите сзади, стяните локти тонущего назад за спину и плывите к берегу вольным стилем.

В случае, если утопающий лежит на дне водоема, нужно нырнуть и определить положение его тела. Если он лежит лицом вниз, следует подплыть к нему со стороны головы, а если лицом вверх — подплыть со стороны ног. И в том и в другом случае вы должны взять его под мышки, всплыть с ним на поверхность и буксировать его к берегу. Если утопающий находится без сознания, вы можете, плывя на боку, тянуть пострадавшего к берегу за волосы или за воротник одежды так, чтобы его нос и рот находились над поверхностью воды.

Если рядом плывущий сильно устал и не может самостоятельно плыть, помощь может быть оказана следующим образом. Уставший пловец кладет свободно вытянутые руки на ваши плечи, и вы брассом плывете к берегу. Или же вы наплываете на уставшего пловца, он ложится на спину и кладет на ваши плечи свободно выпрямленные руки. Плывя брассом, вы толкаете впереди себя уставшего пловца.

Помощь при утоплении должна быть оказана очень быстро. При утоплении в пресной воде происходит быстрое проникновение воды сквозь стенки альвеол в кровяное русло, в результате чего резко изменяется химический состав крови, она разжижается, эритроциты разрушаются и уже не могут переносить кислород, наступает острое кислородное голодание — гипоксия.

В морской воде, сходной по составу с плазмой крови, но более насыщенной солями, проникновение ее сквозь стенки альвеол не происходит. Наоборот, морская вода, попавшая в легкие, заставляет плазму крови покинуть кровяное русло и перейти в полость альвеол. Вода вместе с плазмой и остатками воздуха образует пену, развивается отек легких. При этом повреждаются стенки альвеол, нарушается кровообращение и газообмен. Все это происходит в течение нескольких десятков секунд. Далее у человека прекращается сердечная деятельность, и, если через 4—5 минут ему не будет оказана помощь, он может умереть. Может быть более легкий случай, так называемое мнимое утопление, когда в дыхательные пути пострадавшего или совсем не попадает вода, или ее попадает очень мало. Вследствие острого рефлекторного спазма голосовые связки закрывают вход в гортань и трахею, и вода проникнуть в легкие не может. В этом случае прекращение сердечной деятельности происходит намного позже (в легких остается некоторый запас дыхательного воздуха, и кровь не претерпевает столь серьезных изменений, как при истинном утоплении), и, следовательно, времени и возможности для того, чтобы вернуть человека к жизни, несколько больше.

Для того чтобы как можно быстрее ликвидировать кислородную недостаточность и ее последствия, нужно немедленно приступать к методам оживления: искусственному дыханию «изо рта в рот» или «изо рта в нос» и закрытому массажу сердца. Прежде всего нужно восстановить проходимость дыхательных путей утонувшего. Для этого опрокиньте его на несколько секунд животом на бедро своей ноги, согнутой в коленном суставе, и вода, попавшая в верхние дыхательные пути, вытечет. При этом не старайтесь «вылить» из него всю воду, не теряйте на это время. Затем положите пострадавшего на спину и быстро очистите ему рот от ила и песка. Выливание воды и очищение рта должно продолжаться не более 30—40 секунд. Начинайте делать искусственное дыхание. Положив одну руку под шею пострадавшего, другую на лоб, запрокиньте его голову назад. В таком положении обеспечивается наиболее полная проходимость дыхательных путей, и нет опасности, что язык западет назад и закроет вход в гортань. Удерживая голову пострадавшего в запрокинутом положении, сделайте глубокий вдох, затем, плотно прижав свой рот (можно через платок или марлю) к его открытому рту, вдувайте воздух. Вдувать воздух следует резко и до тех пор, пока грудная клетка пострадавшего не расправится, то есть станет заметно подниматься. Если вдувания проводятся в рот, нужно зажать ноздри пострадавшего, если в нос — плотно закрывают ему рот рукой. Сделайте подряд 3 вдувания (этого, как правило, будет достаточно, чтобы грудная клетка пострадавшего расправилась). Обратите внимание на пульс пострадавшего. Если у него нет пульса на сонных артериях и расширены зрачки, немедленно приступайте к закрытому массажу сердца. Переместите кисти рук на нижнюю треть его грудины и расположите их одну над другой под прямым углом. Пальцы рук свести вместе и приподнять, они не должны касаться грудной клетки пострадавшего. Обеими руками, выпрямленными в локтях, ритмично и резко надавливайте на грудину в ритме примерно 60 раз в минуту. Сразу после толчка необходимо быстро расслабить руки, не отнимая их от грудины. Чтобы увеличить давление, нужно помогать себе верхней частью туловища. Особенно это необходимо делать, оказывая помощь пожилым людям, у которых грудная клетка менее упруга, чем у молодых. Толчок должен быть достаточно резким, но не слишком сильным, иначе можно повредить грудину ребра, внутренние органы. Детям в возрасте до 10—11 лет массаж сердца нужно проводить одной рукой и делать в минуту 60—80 толчков. Закрытый массаж сердца нужно чередовать с искусственным дыханием — 15 толчков на грудину, два или три вдувания в легкие пострадавшего. В момент, когда производится вдувание в рот или нос пострадавшего, массаж сердца не делается. Если еще кто-то приходит на помощь, вы можете взять на себя искусственное дыхание, а помощник — массаж сердца. Искусственное дыхание и закрытый массаж сердца нельзя прекращать ни на минуту, до тех пор, пока не прибудет врач или не появится самостоятельное дыхание. Тонувшего человека нужно доставить в больницу, даже если он быстро пришел в сознание.

Средство № 2

Первая помощь при поражении молнией — действия по оказанию помощи зависят от состояния пострадавшего. Если он в сознании, его желательно положить в постель, согреть: растереть кожу рук, ног, туловища, положить к ногам грелки, дать горячий чай. Если он потерял сознание, его нужно уложить на спину, подстелив одеяло или одежду. Расстегнув воротник, расслабив пояс, растирают виски, щеки, грудь мокрым платком или полотенцем, опрыскивают лицо холодной водой. Если есть нашатырный спирт, смачивают им ватку и время от времени подносят к носу пострадавшего. После того как он придет в сознание, дайте ему выпить крепкий чай, 15—20 ландышево-валерьяновых капель, разведя их водой. В тех случаях, когда пострадавший не дышит или дыхание у него поверхностное, нужно немедленно начать искусственное дыхание способом «изо рта в рот» или «изо рта в нос». Вдувать воздух следует не менее 12 раз в минуту, что примерно соответствует числу дыханий в норме, и вполне достаточно для поддержания искусственной вентиляции легких. Выдох у пострадавшего происходит пассивно благодаря созданному повышенному давлению в легких и их эластичности. Продолжительность выдоха — это время, в течение которого грудная клетка опускается, спадает. После этого вы снова делаете глубокий вдох, и весь цикл повторяется. Методом «изо рта в нос» вы можете пользоваться тогда, когда челюсти пострадавшего плотно сомкнуты. В этом случае вы кладете одну руку на лоб пострадавшего, а другой поддерживаете его нижнюю челюсть, чтобы рот был закрыт в момент вдувания воздуха. Если пострадавший не дышит, у него нет пульса на сонных артериях, следует производить искусственное дыхание с закрытым массажем сердца: 2—3 вдувания воздуха в легкие чередуются с 15 толчками на грудину. Такая процедура производится до тех пор, пока не появится самостоятельное дыхание.

Средство № 3

Первая помощь при переломе — это обеспечение покоя и неподвижность поврежденной конечности, что обеспечивается с помощью фанерных или деревянных шин. Если под рукой шины не окажется, можно использовать доску, палку, лыжу. Накладывают шину с таким расчетом, чтобы центр ее находился на уровне перелома, а концы захватывали соседние суставы по обе стороны перелома. Исключение представляет перелом бедра, при котором фиксируют один вышележащий сустав (бедренный) и два сустава ниже места перелома (коленный и голеностопный). В этих случаях длинную шину кладут к наружной поверхности ноги так, чтобы они захватили всю конечность и туловище до подмышечной впадины. Вторую шину прикладывают к внутренней стороне ноги по всей ее длине. Шины крепко прибинтовывают в 3—4 местах, но не рядом с местом перелома. Перелом костей предплечья фиксируют, согнув руку в локте. Одну шину кладут так, чтобы предплечье лежало на ней, другую шину — на плечо до ее верхней трети (до плечевого сустава). При переломе плечевой кости первую шину кладут на предплечье, а вторая, которую прикладывают к плечу, должна быть более длинной, чтобы захватывала и плечевой сустав. При переломе костей пальцев и кисти пострадавшему кладут на ладонь скатанный из марли и ваты комок, обыкновенный мячик или другой круглый предмет и забинтовывают пальцы в согнутом положении. Переломы костей стопы фиксируют шиной, накладываемой на подошву. Наиболее опасны по своим последствиям переломы костей черепа, таза, позвоночника. В этом случае нести или везти пострадавшего следует на щите, на 2—3 сколоченных вместе досках, снятой с петель двери или на непрогибающейся фанере. Его очень осторожно укладывают на спину или на живот, но так, чтобы голова не свисала. Если приходится нести на обычных носилках, пострадавший должен лежать на животе, не двигаясь. Когда носилок нет, можно использовать одеяло, плащ. Чтобы шины не давили на кожу и не причиняли боли, их рекомендуется предварительно обмотать тонким слоем ваты, бинта или любой мягкой тканью. Когда нет готовой шины и не удается найти подходящий материал для нее, можно прибинтовать больную ногу к здоровой, сломанную руку подвешивают на косынке или прибинтовывают к туловищу, согнув ее в локте, так же поступают при переломах ключицы и лопатки.

Средство № 4

Первая помощь при кровотечении.

Следует принять меры на его остановку. Временная остановка кровотечения предотвращает опасную потерю крови. В качестве временной остановки кровотечения можно использовать пальцевое прижатие артерии, наложение давящей повязки, наложение кровоостанавливающего жгута, форсированное сгибание конечности. Пальцевое прижатие артерии — самый простой способ остановки кровотечения. Прижатие осуществляется не в области раны, а выше (ближе к сердцу по кровотоку), причем нужно определить, где данная артерия наиболее близко лежит к поверхности и ее можно прижать к кости. В этих точках почти всегда можно прощупать пульсацию артерии. Прижатие общей сонной артерии производится при сильных кровотечениях из ран верхней и средней части шеи, подчелюстной области и лица. Прижатие подключичной артерии делается при сильных кровотечениях из ран в области плечевого сустава, подключичной и подмышечной областей и верхней трети плеча. При сильных кровотечениях из ран нижних конечностей осуществляется прижатие бедренной артерии, а при кровотечениях из ран средней и нижней трети плеча, предплечья и кисти осуществляется прижатие плечевой артерии. Наложение давящей повязки для временной остановки кровотечения применяется преимущественно при небольших кровотечениях — венозных, капиллярных и при кровотечениях из небольших артерий. На рану накладывают стерильную повязку, поверх нее туго свернутый комок ваты, а затем туго бинтуют круговыми движениями. Наложение кровоостанавливающего жгута — основной способ временной остановки кровотечения при повреждении крупных артериальных сосудов конечностей. Резиновый жгут растягивают, в растянутом виде прикладывают к конечности, предварительно наложив подкладку (одежда, бинт и другое), и, не ослабляя натяжения, обертывают вокруг нее несколько раз. При отсутствии резинового жгута можно использовать подручные материалы, например поясной ремень, галстук, веревку, бинт, носовой платок. При этом перетягивают конечность, как жгутом, или делают закрутку с помощью палочки.

Жгут накладывают выше раны и как можно ближе к ней и затягивают его только с такой силой, чтобы остановить кровотечение, но не более. При правильном наложении жгута кровотечение сразу же прекращается, а кожа конечности бледнеет. Исчезновение пульса на какой-либо артерии ниже наложенного жгута указывает на то, что артерия сдавлена. Наложенный жгут может оставаться на конечности не более двух часов, так как при длительном сдавливании может наступить омертвление конечности ниже жгута. Если нужно продлить время наложения жгута, через 2 часа медленно, чтобы поток крови не вытолкнул образовавшийся в артерии тромб, распускают жгут на 3—5 минут (но здесь нужно присутствие другого человека, который, перед тем как распускают жгут, производит пальцевое прижатие артерии выше жгута) и снова накладывают его, но чуть выше предыдущего места. При форсированном сгибании конечности кровотечение останавливается за счет перегиба артерий. При кровотечении из ран верхней части плеча и подключичной области производится форсированное заведение верхней конечности за спину со сгибанием в локтевом суставе. При кровотечении из ран предплечья и кисти остановка кровотечения достигается сгибанием до отказа в локтевом суставе и фиксацией согнутого предплечья с помощью бинта, притягивающего его к плечу. При кровотечении из артерий нижних конечностей следует до отказа согнуть ногу в коленном и тазобедренном суставах и фиксировать ее в этом положении. Нужно сказать, что форсированное сгибание конечности не всегда приводит к цели и невозможно при наличии перелома.

Приложение 3

СРЕДСТВА ДИАНЕТИКИ И РЕБЁФИНГА

Средство № 1

Дианетическая терапия позволяет сокращать (снижать энергетический уровень) или стирать записи типа инграммы, что избавляет человека от отклонений в поведении и хронических психосоматических заболеваний.

Это средство представляет собой довольно сложную процедуру со многими тонкостями. Мы даем ключевые моменты дианетической терапии.

Стирание инграмм происходит в течение довольно-таки длительного времени (от нескольких недель до нескольких месяцев) и требует от человека, который ведет терапию (его называют одитором), не только обученности (нужно закончить специальные курсы в центре дианетики), но и достаточно высокого уровня культуры и ума.

1. В дианетической терапии работа одитора проводится по схеме, где его действия подбиваются на определенные шаги. 1—4-й шаги подводят пациента (его файл-клерк) к инграмме, 7—10-й шаги выводят пациента из состояния работы с инграммами, 5—6-й шаги — это шаги, в пределах которых пациент совместно с одитором работает над инграммами (по их сокращению или стиранию). Шаги 1—4-й, 7—10-й жестко задаются определенными словесными формулами, произносимыми одитором. В шагах 5, 6а, 6б, помимо вводных формул, произносимых одитором, происходит условно ограниченный определенными рамками диалог одитора и пациента, где пациент пересказывает содержимое инграмм, а также, используя определенные методы, корректирует поиск и прохождение пациентом инграмм.

В нижеследующей таблице приводятся формулы, произносимые одитором, по всем шагам.

Шаги	Что говорит одитор (формулы одитора)	Приме-чания
1	2	3
1-й шаг	«Вы будете осознавать все, что произой-дет. Вы будете помнить все, что здесь про-изойдет. Вы сможете вывести себя из любо-го состояния, которое вам не понравится».	
2-й шаг	«Закройте глаза».	
3-й шаг	«В будущем, когда я произнесу слово «отменяю», все, что я вам сказал во время сессии, будет зачеркнуто и не сможет ока-зывать на вас никакого влияния. Любое внушение, которое я вам сделал, будет бес-смысленным, когда я скажу слово «отме-няю». Вы меня поняли?»	Пациент отвечает «да».
4-й шаг	«Вы возвращаетесь в пренатальный рай-он трака времени и переживаете все инг-раммы на траке времени. Найдя инцидент, о котором есть точная запись, пройдем его несколько раз и сократим его... Идите к началу инцидента». Или (в случае, если данная сессия является не первой): «Давай-те вернемся к вашему пятому (или еще ка-кому-либо) дню рождения. Вы возвращае-тесь в этот район трака времени и пережи-ваете все инграммы. Найдя инцидент, о котором есть точная запись, пройдем (пе-реживем) его несколько раз и сократим его... Идемте к началу инцидента».	После на-хождения начала инграммы пациент говорит: «Я на-шел».
5-й шаг	«Проходите через найденный инцидент (инграмму) и говорите, что происходит, по мере того как вы его проходите».	Сокраща-ются инг-раммы, с которыми пациент вступил в контакт.
6а шаг	«Вернитесь к началу инцидента и прой-дите (переживите и перескажите) инцидент вновь. Обращайте внимание на дополни-тельные данные, с которыми вы можете вступить в контакт... Что видите? Что слы-шите?.. Продолжайте».	
6б шаг	«Найдем другой инцидент». Если сокра-щение инграммы не происходит: «Есть ли более ранний инцидент, похожий на тот, который мы пытаемся сократить?»	
7-й шаг	«Вернитесь в настоящее время».	
8-й шаг	«Вы в настоящем времени?» Тройная проверка: «Сколько вам лет?», «Возраст», «Дайте мне номер (количество) ваших лет».	
9-й шаг	«Отменяю».	
10-й шаг	«Когда я сосчитаю по 5 до 1 и щелкну пальцами, вы будете чувствовать себя бод-рым. Пять, четыре, три, два, один».	

Пояснения по шагам.

1) Первый шаг. Пациент в удобном положении (в кресле или лежит на кушетке) в такой комнате, где ничего не отвлекает. Одитор уверяет пациента, что он будет осознавать все, что происходит (то есть убеждает пациента, что он не будет находиться в состоянии гипноза).

2) Второй шаг. Сказав пациенту, чтобы он закрыл глаза, одитор вводит пациента в состояние ревери (состояние ревери — это состояние, просто обозначенное одитором словами о закрывании глаз, чтобы пациент думал, что приобрел способность возвращения в прошлое, на самом деле человек способен это делать все время). Ревери — это, по существу, сигнал начала сессии, ибо внимание пациента с этого момента концентрируется на его собственных волнениях и на одиторе, а не на чем-то постороннем.

3) Третий шаг. Эта установка отмены (сама отмена происходит в 9-м шаге, где коротко произносится слово «отменяю»). Отмена очень важна, ибо предотвращает возможность случайного внушения: пациент может быть в трансе (он может быть предрасположен к внушениям или даже постоянно находиться в легком гипнотическом трансе), а одитор может случайно (особенно если имеет мало опыта в проведении терапии) употребить слова, которые могут препятствовать ходу дианетической терапии. Например, сказать пациенту, чтобы «оставался на месте», когда он возвращен по траку времени или, еще хуже, забыл об этом, которое имеет очень аберрирующее последствие, — отказ аналитическому уму в информации. Отмена — своеобразный договор одитора с пациентом: чтобы одитор ни сказал, что не будет буквально воспринято пациентом и не будет им никоим образом использовано (в том числе и на запутывание хода дианетической терапии).

4) Четвертый шаг. Используется прием «Возвращение». Пациент по траку времени возвращается в прошлое, к началу того или иного инцидента (той или иной инграммы). При этом для поиска инграмм и контакта с ними используется файл-клерк пациента (файл-клерк — механизм ума, действующий как контролер информации).

5) Пятый шаг. После формулы одитора файл-клерк пациента, находящегося в состоянии возвращения, приступает к поиску инграмм. Если инграмма найдена, пациент поймет, что он вошел в начало инграммы по ощущениям боли, по видению обстановки и участвующих в инциденте людей (если есть видео-рикол), по слышанию звуков и голосов (если есть соник-рикол), по запахам, присутствующим в инциденте. Пациент переживает заново инцидент, как будто он проис-

ходит сейчас, только ощущение боли поменьше, чем было на самом деле.

6) Шестой шаг (6а). Для того чтобы облегчить инграмму, выпустив из нее эмоциональный заряд, то есть сократить инграмму (сделав ее минимально аберрирующей), нужно инграмму пережить еще несколько раз, каждый раз возвращаясь в ее начало. При этом все новое, что выдается файл-клерком, даже во время повторных прохождений, одитор адресует пациенту, с тем чтобы он пережил это опять.

7) Шестой шаг (6б). Сократив одну инграмму, переходим на сокращение другой инграммы (стирание инграмм возможно только после нахождения и стирания самой первой инграммы — бэйсик-бэйсик). Вообще, последовательность в работе с инграммами следующая. Сначала одитор разряжает инграммы болезненных эмоций поздних периодов жизни, затем пытается выйти к бэйсик-бэйсик (в каждой сессии одитор пытается достичь бэйсик-бэйсик до тех пор, пока не убедится, что он ее нашел). По дороге к бэйсик-бэйсик он сокращает все инграммы, с которыми сталкивается. После того как бэйсик-бэйсик стерт, начинается общий процесс стирания, в течение которого инграмма за инграммой «переживаются» вновь со всеми соматиками (болями), пока они не исчезают. При этом, если пациент уже имел слуховой канал записанной информации к этому времени (или он всегда его имел), инграммы начинают стираться с первого или второго раза.

8) Седьмой и восьмой шаги. После работы с пациентом, который длительное время (это может быть и несколько часов) пребывал в состоянии возвращения в свое прошлое, одитор должен привести его обратно в настоящее время.

9) Девятый и десятый шаги. В этих шагах ставятся как бы окончательные точки, соответственно, в отмене и в возвращении в настоящее время. В десятом шаге одитор щелчком пальцев заставляет пациента вздрогнуть (пусть даже не очень сильно), чтобы окончательно восстановить в нем ощущение своего возраста и состояние бодрости.

2. В жизни человека происходят серии инцидентов одного типа, и поэтому инграммы, можно сказать, располагаются цепями, особенно в пренатальной области (для многих людей большинство инграмм получены ими тогда, когда они были в утробе матери). Цели инграмм могут быть разного типа. Цепь скандалов с нанесением ударов или падениями (самого пациента или матери, находящейся в положении, — ведь при падении боль испытывает не только мать, но и плод, то есть сам пациент), цепь заболеваний, цепь травм, цепь операций, цепь инграмм, полученных пациентом, когда мать была беремен-

ной, во время следующих инцидентов, случившихся с матерью: половых сношений, спринцеваний, запоров, утренней тошноты, заболеваний, икания, попыток абортов, болей преждевременных родов (каждый из перечисленных факторов обозначает свою отдельную цепь инграмм). Среди перечисленных цепей инграмм некоторые являются общими и для матери, и для пациента, так как боль, испытываемая матерью, часто отражается болью плода. В этом плане нужно сказать, что инграмма родов является наиболее сильной инграммой, являющейся общей и для матери, и для ребенка.

Кстати, если уж мы заговорили о беременности и утробе матери. Странные желания некоторых людей, выражаемые фразой «Хотел бы вернуться в утробу», объясняются просто. Причиной этого желания (когда пациент, жалуясь на жизнь, бросает фразу подобного рода) является инграмма, в которой помимо удара, полученного матерью, записаны слова «Иди сюда». Вообще, в утробе матери не очень удобно (с точки зрения взрослого человека): если пациент имеет соник, то при прохождении пренатальной инграммы он должен слышать многие звуки. Звуки кишечника, отрыгивание, тяжелые вздохи и другие. Кроме того, как уже говорилось выше, плод травмируется из-за икания матери, ее чихания, тошноты, моментов запора и повышенного давления.

3. Частью набора данных инграммы является «бессознательность», и поэтому, когда пациент «возвращен» и контактирует с инграммой, он автоматически испытывает уменьшение активности аналитического ума (нужно сказать, что, когда пациент в повседневной жизни испытывает рестимуляцию инграммы, происходит так же, как в одитинге, снижение умственной активности, ослабление способности мыслить). И эта бессознательность — та преграда, которой инграмма защищает себя (пациент может засыпать, видеть сны, бормотать какие-то глупости, не находить себе места). Подталкиваемый (словесно, конечно) одитором, пациент должен преодолевать преграду и проходить через инграмму, пересказывая ее. Нужно сказать, что в этом состоянии бессознательности пациент становится очень подвержен влиянию инграммных команд типа баунсера, холдера и других. Когда в инграмме есть потеря сознания, то пациент при подходе к инграмме будет много зевать и проваливаться в бессознательное состояние, засыпать или выглядеть как под действием наркотиков. Это состояние, называемое бойл-оф, может продолжаться в течение 2 часов (бессознательность как бы выкипает). При этом соматики нет. Вскоре соматика включается, и пациент пройдет по инграмме несколько раз, позевает немного и просветлеет. Сокращение инграммы с бойл-оф (так же, как и со-

кращение инграммы с большим зарядом болезненных эмоций) приводит к значительному улучшению в состоянии пациента, так как в инграмме было такое количество бессознательности, которого было достаточно, чтобы держать отключенным его аналитический ум во время бодрствования на 9/10.

У пациента, как уже говорилось выше, вследствие влияния бессознательности может уменьшиться сопротивляемость инграммам, и он может зацепить команду в инграмме, которая приказывает оставаться на месте. Это приводит к тому, что пациент может не вернуться в настоящее время. Одитор должен убедиться, что пациент в настоящем времени с помощью вопроса «Сколько вам лет», и пациент должен дать мгновенный ответ. Если ответ соответствует возрасту пациента, значит, он в настоящем времени. Если назван более ранний возраст, значит, пациент не вернулся в настоящее время.

Если говорить о повседневной жизни, то можно сказать, что любой человек, имеющий психосоматическое заболевание, определенно застрял где-то на траке времени. Некоторые пациенты при выходе из сеанса терапии на вопрос о возрасте отвечают «пять», «восемь», «десять». В этом случае кто-то из них снова, закрыв глаза в ревери, с помощью одитора может обнаружить себя в кресле стоматолога в возрасте 5 лет. И оказывается, что он «сидит» в этом кресле уже много лет — с тех пор как зубной врач сказал ему «сидеть здесь». Так он и сидит, и постоянные проблемы являются следствием данной инграммы. Другой же может обнаружить себя в инциденте (как только инграмма проявится), в котором кто-то говорит ему: «Не двигайся, пока не придет «скорая помощь». Отсюда его артрит.

4. Мы уже говорили о методе «Возвращение», в котором пациент отправляется по траку времени в прошлое для поиска инграмм. Кроме того, одитором может быть использованы следующие методы.

1) Метод репитера. Это повторение какой-либо фразы или слова, которое опять и опять направляет пациента назад по траку времени к контакту с инграммой, которая содержит эту фразу или слова. Необходимость в этом повторении возникает тогда, когда одитор обнаруживает, что пациент, по его мнению, «не может никуда пробиться».

2) Сдвиг во времени. Пациент передвигается вперед или назад по траку времени на определенные интервалы времени, задаваемые одитором.

3) Местонахождение соматики. Это определение момента получения боли, для того чтобы определить, к какой инграмме она принадлежит (является ли она принадлежностью инграммы, над которой сейчас работает одитор).

4) Вэйлансный сдвиг. По просьбе одитора пациент переходит в другой вэйланс (в другую личность).

5) Мгновенный ответ. По просьбе одитора пациент отвечает мгновенно, давая то, что первым придет в голову.

Мгновенный ответ может дать много информации одитору, если тот будет рационально использовать этот метод. Одитор может задать вопрос о местонахождении на траке времени, о том, что держит пациента на траке, что запрещает ему получение информации и так далее. Одитор может сказать: «Я хочу получить мгновенный ответ на следующий вопрос: какой холдер заставляет вас оставаться в инграмме?» Понятно, что ответ приходит из реактивного банка, но, как правило, ответ бывает правильным.

Вариантом метода «Мгновенного ответа» является следующая методика: одитор дает определенный счет (дает как бы отсрочку для ответа). Это выглядит так: «Когда я сосчитаю до пяти, в вашей голове возникнет фраза или слово, которое держит вас в инграмме».

5. Инграмма сочувствия содержит расчет на предмет защитника. Расчет на предмет защитника является, пожалуй, самым главным препятствием для одитора в терапии, ибо пациент будет постоянно и упорно держаться за способствующую выживанию инграмму. Расчет на предмет защитника — решение (идиотическое решение реактивного ума), что друга можно сохранить, только создав приблизительно такие же условия, как и те, в которых началась дружба, а этими условиями являются условия, при которых пациент болен и беспомощен. Для одитора, если он хочет, чтобы терапия продвигалась быстро, очень важно в первую очередь найти расчет на предмет защитника и сократить инграмму сочувствия (при этом по пути к инграмме сочувствия может быть сокращено много контрвыживательных инграмм, прежде чем станет понятно, что он вышел на инграмму сочувствия). Нужно помнить: расчет на предмет защитника может содержать в себе основную часть всего эмоционального заряда в кейсе, и поэтому, когда одитор выходит на предмет защитника, он обязан тщательно провести всю необходимую работу над ним, разрядив эмоциональные заряды. Если этого не сделать, вполне вероятно, что кейс застрянет.

Еще раз подчеркнем: расчет на предмет защитника нужно искать в любом кейсе (для любого пациента) в первую очередь и стараться делать это на протяжении всей терапии, хотя, как говорилось выше, трудности будут, так как пациент будет сопротивляться избавлению от своих защитников. Большинство расчетов на предмет защитника находится в пренатальной области.

Расчет на предмет защитника имеет тяжелые последствия в текущей жизни (когда инграмма сочувствия находится в рестимуляции). Человек может жениться на женщине, на которую нельзя взглянуть без слез. Но так нужно реактивному уму, так как, по его разумению, это ведет к выживанию: голос этой женщины похож на голос матери, а мать в инграмме сочувствия выступает в роли защитника. Другой человек может долго и упорно мучиться на своей работе, так как она ему не нравится и не соответствует его способностям, но он не оставит свою работу, так как начальник является псевдозащитником (возможно, похожи голоса защитника в какой-то инграмме сочувствия и начальника, или защитник и начальник имеют одинаковые занятия). Может быть и так. Жена все время болеет, находясь рядом со своим мужем, но она не может от него уйти, так он своими манерами похож на ее защитника.

Одитор именно с самого начала терапии должен учитывать расчет на предмет защитника.

1) Войдя в кейс (после введения пациента в состояние ревери и возвращения), он как бы изучает состояние кейса, проверяет состояние соник-рикола и видео-рикола, насколько закупоренной является молодость человека и так далее.

2) Затем составляет расчеты о пациенте — насколько счастлив был пациент в детстве с обоими родителями, а если нет, то с каким из родителей он был более счастлив (очевидно, именно этот родитель и является защитником), кто из родителей активно занимался с ребенком над повышением его умственных способностей и морально-этических качеств (здесь тоже может быть защитник, хотя и не очень значительный), какие отношения имел с бабушками и дедушками (здесь вероятность защитников очень велика). Эта информация, полученная от пациента, не является абсолютно достоверной, так как она закупорена и искажена демоническими контактами. Не позволяйте пациенту спрашивать об этом своих родственников, так как они не только могут не знать, что с ними произошло, но и могут желать, чтоб об этом никто не знал. Поэтому одитору приходится рассчитывать на те данные, которые он получил от пациента, а также на свою сообразительность и интуицию. Когда же одитор получает представление о том, кто мог бы быть защитником, он разряжает как можно больше инграмм, входящих в расчет на предмет защитника. При этом нужно помнить, что эмоциональные заряды захватываются в основном при потере защитника, а любой расчет на предмет защитника может содержать потерю защитника, и стараться сократить инграмму, где есть потеря защит-

ника. Это уже вызовет цепную реакцию сокращений инграмм сочувствия. Процесс, который при этом происходит, взаимо-усиливающийся: разрядка закупоренных в инграммах единиц жизненной силы улучшит состояние пациента, и это улучшение будет пропорционально количеству разряженных зарядов. В свою очередь, улучшение состояния пациента ускоряет продвижение терапии.

6. Уровень жизненной силы пациента в течение терапии, по мере того как все больше и больше инграмм сокращается и стирается, повышается по шкале тонусов со своего начального уровня (обычно близкого к апатии) к тонусу (тону) 4,0. Речь идет о том, что физическое и психическое состояние пациента улучшается и поднимается соответственно школе тонов во время терапии. Этой шкале тонов следует и каждая инграмма, вернее, состояние человека во время сокращения или стирания инграммы.

В качестве начального тона пациента при сокращении инграммы является эмоциональное состояние пациента в самой инграмме при записи инграммы (это может быть апатия, горе, ужас, страх). По мере неоднократного прохождения инграммы, в течение которого происходит освобождение закупоренных зарядов и передача их в общую структуру биополя с каждой фразой (каждая фраза произносится участником инцидента с определенным эмоциональным накалом), с каждого звука и действия участников инцидента, пациент поднимается по шкале тонов, от начального тона к враждебности, гневу, а одитор должен быть готовым к такому состоянию пациента, а затем скуке, после чего пациент должен повеселеть. Такое изменение состояния пациента является показателем того, что инграмма действительно сократилась. Инграмма болезненных эмоций, закупоривающая огромное количество жизненной энергии, движется при сокращении по шкале тонов так же, как и инграммы боли: апатия, печаль, затаенная злость, антагонизм, скука, консерватизм, душевное спокойствие.

С какого тона может начинаться инграмма при ее прохождении? Скорее всего, с тона 1,0 и ниже. Если тон пациента в предполагаемой инграмме будет соответствовать скуке, то найденный инцидент вряд ли можно считать инграммой.

7. Стирание (исчезновение инграммы из реактивного банка и ее переподшитие в стандартном банке в виде памяти) самой первой инграммы (бэйсик-бэйсик) является очень важным действием по следующим причинам:

1) бэйсик-бэйсик содержит перекрытие аналитического ума, которое рестимулируется при записи каждой новой инграммы; исчезновение первой инграммы позволит аналити-

ческому уму отключаться не так глубоко, как раньше, и это значительно улучшит кейс;

2) стирание бэйсик-бэйсик из-за взаимосвязи между собой инграмм облегчит поиск остальных инграмм;

3) отсутствующий в кейсе соник-рикол может быть обнаружен в бэйсик-бэйсике (речь идет о команде, которая запрещает слушать что-либо или вообще слушать), и тогда прохождение терапии значительно ускорится, но, кончено, необязательно отсутствующий соник-рикол должен быть обнаружен именно в бэйсик-бэйсике; он может быть и в другой инграмме.

В самой первой инграмме могут отсутствовать слова (содержанием ее могут быть помимо слов какие-то ощущения, утробные звуки). Она очень редко находится сразу в первых сессиях. Иногда бэйсик-бэйсик стирается без осознания ее одитором и пациентом, то есть ее принимают за обычную инграмму. Все-таки обычно сокращается довольно-таки много инграмм до того, как появится бэйсик-бэйсик, в том числе и разряжается большое количество болезненных эмоций в поздних периодах жизни. Искать бэйсик-бэйсик нужно раньше момента проверки беременности или попытки аборта. Узнать о том, что вы нашли и стерли бэйсик-бэйсик, можно по тому признаку, что все инграммы начинают стираться вместо их сокращений.

При стирании инграммы (ее нужно проходить максимум 10 раз, но чаще всего по минимуму 1—2 раза) может появиться новый материал, который не показывался при сокращении. Стирание идет последовательно от бэйсик-бэйсик и выше, инграммы за инграммой. Причем если будет пропущена одна инграмма, то она удержит следующую (эта следующая будет сокращаться, а не стираться). Поэтому нужно найти пропущенную инграмму и стереть ее. Тогда процесс стирания свободно пойдет дальше.

8. Технология работы одитора в каждой сессии терапии следующая.

Попытаться найти и стереть бэйсик-бэйсик, для чего нужно отправить пациента в пренатальную область так далеко, как можно проникнуть. Используя метод рейнтера в бэйсик-районе, можно получить инцидент, который сотрется (бэйсик-бэйсик). Если в бэйсик-районе не обнаружится никаких инграмм, ищутся инграммы болезненных эмоций в более позднем периоде жизни (потеря друга, потеря защитника, серьезные неудачи в каких-то сферах жизни). После разрядки инграммы болезненных эмоций снова нужно отправить пациента в пренатальную область как можно раньше по траку времени и посмотреть, возможно, какие-то инграммы появились. Если после их сокращения больше никаких инграмм не обнаруживается в пренатальной области (и вообще в ранней области трака), значит, снова нужно обратиться в более поздний период для поиска и разрядки инграммы болезненных эмоций (так как болезненные эмоции могут сделать недоступными инграммы в пренатальной области). Такой цикл обращений за инграммами повторяется раз за разом, и чем раньше будут разряжены инграммы болезненных эмоций, тем лучше пойдет процесс сокращения и стирания инграмм.

Следует помнить, что в начале терапии не следует специально обращаться к моменту родов, а также к любому позднему моменту «бессознательности», типа операционного наркоза (то есть к инграмме, где есть аирация), где много физической боли, ибо это может привести к ненужной рестимуляции.

При поиске инграмм в той или иной части трака времени в основном используется метод репитера. То, что иногда не удается сделать методом репитера, можно добиться большой настойчивостью — просто использованием файл-клерка путем возвращения пациента сессией за сессией к той части трака времени, где должна быть инграмма (если ее там нет сегодня, она там будет завтра или послезавтра и так далее). Инграмма проявится просто за счет многократного возвращения в район поиска (особенно это относится к инграммам болезненных эмоций). Такой метод называется методом «смазывания» (трак времени как бы смазывается за счет многократного движения по нему и становится более проходимым).

Как стало ясно из вышеизложенного, файл-клерку удается найти и выдать одитору только ограниченное количество инграмм физической боли или инграмм болезненных эмоций в какое-то время, ибо эти инграммы перемешаны на траке и взаимно искажают друг друга, то есть районы инграмм болезненных эмоций искажают инграммы физической боли и наоборот. Единицы жизненной энергии, освобожденные из инграмм болезненных эмоций и запущенные в общую циркуляцию в биополе пациента, позволяют появиться ранним инграммам физической боли.

9. С инграммой болезненных эмоций нужно работать так же, как и с другими инграммами. Содержимым инграммы является начало первого потрясения и достаточно продолжительное время, охватывающее начальный шок. При прохождении инграммы болезненных эмоций наиболее ярко видно движение пациента по шкале тонов. Если в начале инграммы пациент оказывается в апатии, то через несколько прохождений появятся слезы и отчаяние, еще несколько прохождений инграммы приведут к злости. Последующие прохождения повы-

шают ток до скуки. При дальнейшей работе пациент может повеселеть и засмеяться. Показателем разрядки болезненных эмоций является ощущение пациента (после слез и причитаний), что он не испытывает уже эмоциональной боли. Если инграмма не разряжается после 10—12 прохождений, нужно идти назад по цепочке инграмм болезненных эмоций и найти более ранние инциденты. Лучше всего, если одитор получит всю цепь инграмм на любого отдельного защитника, выпуская эмоциональные заряды из нее от поздних моментов к ранним, выбирая всю печаль из каждого инцидента и снимая заряды с целой серии инграмм. Ведь может быть и так: начали разряжать печаль, когда пациенту было 60 лет, а через 2 часа попали в пренатальную область, когда потерянный защитник впервые стал защитником.

10. Чтобы привести терапию в движение, когда неизвестна причина ее застревания, можно использовать следующее.

1) Метод прямой линии памяти. Как уже говорилось выше, в начале кейса нужно сделать сбор данных о родителях пациента и его родственниках, о возможных защитниках. Если при прохождении инграммы вы вдруг перестаете двигаться дальше и вам не помогает поиск команд действия и собранные в начале кейса данные, вам следует перевести пациента в настоящее время и попытаться выяснить у пациента его стандартные драматизации, как-то наметить определенные цепи в кейсе. Стандартная беседа с пациентом по методу прямой линии памяти носит следующий характер: «Что вас беспокоит в настоящее время?» Ответ: «Больше всего материальное положение». Вопрос: «Кого в вашей семье особенно беспокоило материальное положение?» Ответ: «Пожалуй, мать». Вопрос: «Что она говорила по этому поводу?» — и так далее. Таким же образом прорабатываются другие драматизации пациента: если пациент ругает детей, выяснить, как он это делает, какие слова употребляет и кто из его родителей или родственников также ругал детей, и так далее. Такая проработка драматизаций пациента имеет двойное следствие:

а) одитор получает дополнительные сведения для поиска защитника, для поиска переключателей вэйланса и фраз действия;

б) отключаются локи и различные виды инграмм, что улучшает состояние кейса. Поэтому, когда мы вновь отводим пациента вниз по траку времени, кейс должен сдвинуться.

Можно заставить человека вспомнить что-то приятное, какие-то приятные моменты жизни (первая встреча с любимым, выпускной вечер в школе и так далее). Не возвращать пациента в те моменты, а вспомнить. Это тоже улучшит состояние кейса.

2) Возвращение в моменты удовольствия. Возвратите пациента по траку времени в моменты удовольствия, и пусть он пройдет через приятное происшествие, как через инграмму, чтобы он целиком был в этом происшествии и действительно ощутил удовольствие. Прохождение моментов удовольствия, так же как и использование прямой линии памяти, выбивает (отключает) локи и некоторые виды инграмм и поднимает уровень тонуса пациента.

3) Есть довольно-таки простой метод, который иногда используется, если есть время у одитора и пациента. Если кейс застрял, инграмма не сокращается, и вы не можете найти причины этого, не можете найти более ранней инграммы и так далее — так дайте просто осесть кейсу от 3 до 10 дней, то есть прервите терапию на это время. Когда по прошествии этого времени вы начнете новую сессию, кейс уже будет в лучшем состоянии.

Кстати, если кейс передвигается успешно, то работать с пациентом нужно каждый день или через 1—2 дня. Работа через 3 дня (на 4-й день) нежелательна, ибо это все равно, что начинать терапию заново, кейс оседает.

Можно наоборот, вместо того чтобы дать отдых кейсу, начать его интенсивно «тренировать», применяя уже упомянутый выше метод смазки (но для этого нужны огромная настойчивость и усидчивость): вы возвращаете пациента вниз по траку времени и проводите его раз за разом назад и вперед по определенному участку трака, и это делается сессией за сессией, и со временем мы получаем из кейса тот материал, какой нужен.

4) Сканирование локов. Это прохождение с целью их проработки (отдельных локов, серии однотипных локов, серии локов, связанных с каким-либо человеком, серии локов в определенный период времени). Сканирование локов — это просматривание содержимого локов, при этом если сканирование идет вслух, то пациент цитирует одитору наиболее аберрирующие фразы из каждого лока. При сканировании локов освобождается закупоренная в них жизненная энергия, которая возвращается в общую структуру биополя пациента и поднимает пациента по шкале тонов (и, естественно, состояние кейса улучшается).

Сканировать каждую серию (цепь) локов нужно много раз. При первом прохождении цепь локов, как обычно, коротка, затем пациент постепенно вспоминает новые инциденты, относящиеся к данной цепи, и цепь удлиняется. Затем в какой-то момент, когда большинство инцидентов пропало и цепь становится такой короткой, что для ее прохождения требуются лишь мгновения, или когда пациент усиленно начинает интересоваться своим окружением в настоящем времени или какой-то другой цепью локов, сканирование локов данной цепи можно прекратить. При сканировании одитор не прерывает пациента, он обязательно должен проверить после каждого захода в цепь локов, вернулся ли пациент в настоящее время. Лучше всего сканировать локи пациента, когда его показатель шкалы тонов 0,5 и выше (и ни в коем случае не сканируйте при тоне 0,1).

Процесс сканирования одитор начинает с использования метода мгновенного ответа, задавая вопрос: «Файл-клерк, ответьте мне, есть ли в кейсе локи, которые могут быть сканированы». «Да» или «Нет» — щелчок пальцев. Затем опять-таки, используя метод мгновенного ответа, одитор просит файл-клерка дать тип инцидентов для сканирования и спрашивает, можно ли просканировать определенную цепь локов, не задевая инграммы. В случае положительного ответа одитор возвращает пациента по траку времени в наиболее ранний инцидент данной цепи. После того как пациент достигает раннего инцидента, одитор должен убедиться в этом, задавая вопрос: «Вы в инциденте?» После этого одитор говорит: «По данной цепи локов начинайте сканировать, избегая любой физической боли», после чего следует щелчок пальцами.

Можно сканировать не только локи, но и приятные моменты (это также улучшает кейс пациента). Особенно это необходимо тогда, когда пациент находится в подавленном состоянии вследствие ошибки одитора или по другим причинам. Очень полезно сканировать весь одитинг, данный в течение сессии (одитор возвращает пациента в начало сессии и предлагает ему просмотреть всю сессию). Это позволяет сокращать локи, образовавшиеся вследствие того, что какие-то инграммы во время сессии были рестимулированы и не сокращены.

11. Приведение терапии в движение, когда о причине застревания можно догадываться: одной из причин застревания терапии является нарушение одитором основного положения кодекса одитора: затронув инграмму, не оставлять ее не сокращенной. Одитор, будучи невнимательным, может пропустить баунсер, а при последующих прохождениях может не думать, что инграмма стерта, а может вообще по неопытности оставить затронутую инграмму до неопределенного будущего. Кроме того, одитор может неправильно общаться с пациентом, опять-таки нарушая кодекс одитора. Фразы, сказанные одитором, типа: «Чего вы злитесь на отца, когда у него свои инграммы» или «Вы уверены, что это не ваше воображение?» — недопустимы. Они приведут к тому, что кейс застрянет.

В том случае, если вы знаете, что кейс застрял по вине предыдущего одитора (и вам было поручено продолжить одитинг), нужно пройти одитинг как инграмму. Обратитесь к пациенту:

«Сейчас вы возвращаетесь к первому разу, когда вы проходили одитинг. Подберите весь материал. Что теперь говорится?» Когда пациент начинает все это проходить, то обнаружится все то, что было сделано неправильно: неправильные фразы одитора, вхождение в некоторые инграммы и несокращение их и другое. Тогда нужно убирать неправильные фразы путем их неоднократного прохождения и работать над задетыми инграммами по их сокращению. Иногда, прежде чем работать с застрявшим кейсом, нужно дать ему осесть несколько дней.

Другой причиной застревания кейса может быть сильно рестимулирующая обстановка дома или на работе. Кейс может идти нормально, и вдруг в какой-то день он застопоривается. Одитору нужно выяснить, что произошло с пациентом после предыдущей сессии. Это может быть выражение негативного мнения жены о его занятиях терапией: «Ты обманываешь себя. Это просто воображение». Если жена напоминает чем-то бабушку, которая является защитником пациента и которую как защитника нужно слушаться и верить ей (жена является псевдозащитником), то рестимулируется соответствующая инграмма, и кейс застревает. Это может быть неприятность другого рода, представляющая собой лок, рестимулирующий определенную инграмму. В этом случае нужно попытаться сохранить этот лок: заставить пациента возвратиться в тот момент, когда он начал чувствовать себя плохо, и пройти несколько раз инцидент, пока не снимется заряд.

12. До сих пор рассматривалась работа одитора с кейсом, имеющим слуховой рикол. При отсутствии слухового рикола, а таких кейсов много, работа одитора очень сильно усложняется, ибо пациент, попадая в инграммы, ничего не слышит, и одитору нужна большая сообразительность и большая работоспособность, чтобы помочь пациенту восстановить и озвучить фразы, содержащиеся в инграмме. Соник-рикол перекрыт командой, запрещающей слышать, в какой-то инграмме, а эту инграмму чаще всего найти бывает сложно, поэтому одитору приходится большую часть терапии работать, по существу, вслепую (часто к отсутствию соника присоединяется и отсутствие видео-рикола).

Работа одитора с инграммами в этом случае выглядит следующим образом. Допустим, одитор возвращает пациента по траку времени на поиски самой ранней боли или неудобства. Для того чтобы пациент вошел в начало инграммы по ощущению соматики, используется соматическая лента: «Соматическая лента пойдет к началу инграммы». Так как соник-рикола нет, то используется метод мгновенного ответа: «Первые слова вспыхнут в вашем уме, когда я сосчитаю от 1 до 5 и щелкну пальцами.

Один, два, три, четыре, пять, щелчок». Обычно в уме пациента вспыхивает эта фраза. Так как мы не можем пройти сразу начало инграммы, отмечая все команды действия и переключатели вэйланса (по той же причине — отсутствие соник-рикола), чтобы путем повторения их 8—10 раз снять с них заряд, мы вынуждены снимать заряд с любых фраз, которые с трудом появляются поштучно в поле зрения (чтобы хоть как-то облегчить инграмму и кейс вообще). Пациент повторяет первую фразу до тех пор, пока не появится модификация первой фразы (возможно, более близкая к истинной фразе, вернее, более точная, или на самом деле являющаяся точной фразой). Модификация первой фразы повторяется пациентом до тех пор (обычно 10—15 раз), пока у него в уме не появится вторая фраза. И со второй фразой работают так же, как и с первой. Если после 10—15 прохождений фразы следующая фраза не появляется в уме у пациента, одитор подталкивает его вопросом: «Следующая фраза?» Если это не помогает, используется метод мгновенного ответа: «Следующая фраза вспыхнет в вашем уме, когда я сосчитаю от 1 до 5. Один, два, три, четыре, пять, щелчок». После того как пройдена начальная часть инграммы (с 4—5 фразами), одитор возвращает пациента к началу инграммы: «Вернемся к началу инграммы и пройдем начальную часть снова». Стратегия работы с инграммой такая же, как при наличии соник-рикола, сначала прорабатываем начальную часть инграммы, отмечая, а затем снимая с них заряд команды действия, осуществляется многократное прохождение всей инграммы от начала до конца.

Средство № 2

Снятие боли через контакт с местом, где произошла травма (контактный ассист). Позволяет быстро снять боль, может применяться под руководством другого человека, а также самостоятельно. Он применяется при любых видах травм, после оказания первой помощи. Пострадавший подводится к тому месту, где была получена травма, и вы говорите: «Сейчас мы будем выполнять контактный ассист», после чего попросите пострадавшего принять такое положение и медленно выполнять такие движения, которые привели к травме, при этом он должен коснуться травмированной частью тела того места или предмета, о которое нанес себе травму. Он выполняет эти движения, раз за разом, прикасаясь травмированной частью тела к предмету, который причинил ему боль, до тех пор, пока боль не уйдет. После этого произнесите: «Конец ассиста». Этот ассист применяется первым, и только после него могут применяться другие ассисты.

Средство № 3

Приведение человека в осознанное состояние и снятие боли (ассист-ориентация) применяется, когда человека нужно привести в чувство, то есть восстановить его связь с окружающей средой, а также для снятия болей (травма или просто неясная боль). Полезен тем, кто плохо себя чувствует. Для восстановления связи со средой скажите человеку: «Посмотрите на стул», «Посмотрите на потолок», «Посмотрите на пол» и т. д. При этом каждый раз нужно показывать на эти объекты. Продолжайте повторять команды, используя различные предметы, до тех пор, пока человек не оживится и не придет в полное сознание. Если у человека травмирована какая-то часть тела, например рука, используйте команду «Посмотри на эту руку» до тех пор, пока боль не исчезнет.

Средство № 4

Голотропная терапия (ребёфинг). За счет того, что пациент связно (глубоко и непрерывно) дышит в быстром темпе в течение определенного времени (30—90 минут), он испытывает глубокие трансформирующие переживания записей и избавляется от отклонений в поведении и некоторых хронических психосоматических заболеваний.

Для усиления эффекта дыхания применяется специально подобранная музыка.

1. Для оздоровления проводится курс из 8—12 сеансов. Занятие ведет руководитель. Проводятся занятия в группе 20—30 человек. Перед началом занятий участники делятся на пациентов (голонавтов) и их помощников (ситтеров), образуя пары. На следующем занятии каждая пара меняется ролями.

2. Процесс голотропной терапии начинается с предварительной психологической подготовки. В период подготовки руководитель знакомит участников с развернутой картографией психики, включающей уровень биографических воспоминаний, перинатальный уровень с элементами процесса смерти-рождения и спектр трансперсональных переживаний. Разъясняется, что все эти переживания в принципе нормальны, и они не должны вызывать какой-то боязни или страха. В них нет ничего странного и опасного. Наоборот, перинатальные и трансперсональные переживания оказывают значительное оздоровительное воздействие. Обсуждаются также правила предстоящей процедуры и принципы работы с телом: участнику предстоит лежать на спине (на матраце) с закрытыми глазами, сосредотачиваясь на внутренних процессах, вызываемых дыханием и музыкой, и от-

даваясь им без всякого обсуждения и анализа. Не рекомендуется каким-либо образом реагировать на них или прибегать к каким-либо другим попыткам изменить переживания. Кроме того, говорится о технике интенсивного дыхания, правилах восприятия музыки, о поведении ситтеров, а также о технике расслабления.

Проводится короткая релаксация. Участники должны принять позу, выражающую открытость и восприимчивость: лежа на спине, руки вдоль тела, ладонями вверх, ноги слегка раздвинуты. Руководитель (фасилитатор) использует свои формулы расслабления, но если участник сеанса знаком с техникой расслабления, которая в прошлом оказалась для него эффективной, ему разрешается пользоваться ею. Участникам терапии необходимо успокоить аналитический ум (остановить поток мыслей): оставить все мысли о прошлом и будущем и любые ожидания предстоящего процесса терапии (ситтер также должен освободить свой ум, он сосредотачивается на партнере, которому он должен помогать в процессе сессии). Затем руководитель предлагает сконцентрироваться на естественном ритме дыхания, представляя, как живительная энергия в виде облака, света в соответствии с ритмом дыхания раскрывает и оживляет каждую клетку тела. По команде руководителя ритм дыхания учащается и глубина его увеличивается (способ дыхания: через нос или через рот, диафрагмальное, реберное или верхнее — это выбирается самим участником). Через некоторое время, когда частота дыхания достаточно увеличилась, внимание участников направляется на музыку. Рекомендуется полностью отдаться установившемуся ритму дыхания, потоку музыки и предстоящим переживаниям. Примерно около получаса участники входят в так называемое измененное состояние сознания (подобное состояние аналогично состояниям, которых добивались с помощью специальных методик в тибетском буддизме, в сухризме, даосизме, различных видах йоги для духовного раскрытия и трансформации).

Процесс голотропного дыхания может продолжаться до 4 часов. Но каждый участвующий может сам выбрать момент выхода из сеанса.

В заключительной части сеанса происходит обсуждение пережитого и пишутся отчеты о пережитом. По отчетам видно, что переживания участников проходят с видением и слышанием переживаемого, то есть с присутствием видео- и соник-риколов. Это случается не всегда, у некоторых участников переживания проявляются в виде физических или энергетических ощущений без образов.

3. Ситтер должен знать, что в процессе сессии у участника (его напарника) возможны спонтанные телодвижения, в результате которых могут быть вывихи, растяжения, ушибы. Он старается предохранять напарника от этого. Разговоры между голонавтом и ситтером не рекомендуются, так как они препятствуют течению процесса (иногда, правда, участнику можно выразить какую-либо просьбу одним-двумя словами). Общение в основном осуществляется жестами. Ситтер должен наблюдать процесс дыхания участника и в случае необходимости напомнить ему о положении интенсивного дыхания с помощью прикосновений к груди, животу или плечу. Иногда ситтер задает ритм собственным громким дыханием. Контроль за дыханием напарника происходит до тех пор, пока нарастание интенсивности эмоции и физических проявлений не достигает определенной кульминации с последующим затем внезапным разрешением. После этого момента голонавты как бы автоматически устанавливают ритм дыхания. Такой ритм может быть замедленным (2—3 раза вдоха в течение минуты).

На сессиях участники и ситтеры стараются называть друг друга по именам. Это правильно, ибо это позволяет установить между ними открытые доверительные отношения. Кстати, неплохо было бы внедрить обращение друг к другу по именам и в пределах всего общества.

Приложение 4

СРЕДСТВО БЫСТРОГО И ГЛУБОКОГО
ОВЛАДЕНИЯ ИНФОРМАЦИЕЙ

Это средство способствует комфортному состоянию психики в течение рабочего дня (включающему в себя уверенность в себе как специалиста на фоне уважения сотрудников, ощущение возможности продвижения по служебной лестнице) и поддерживает высокий жизненный тонус вследствие малых энергетических затрат на выполнение любой умственной работы.

Быстрое чтение — это не только быстрый темп. Оно иначе настраивает наше восприятие: повышает избирательную способность, что при избытке информации немаловажно, помогает глубже осмыслить и лучше запомнить прочитанное. Так что правильнее было бы говорить не об ускоренном, а об эффективном чтении.

Основные причины медленного чтения следующие.

1. Текст как бы проговаривается про себя (это явление называется артикуляцией). При артикуляции мы читаем не быстрее, чем говорим. Мы как бы слушаем свою внутреннюю речь, а пропускная способность слухового канала значительно ниже, чем зрительного.

2. Поле зрения очень узкое. Мы воспринимаем отдельные слова, читая их одно за другим и целиком прослеживая строку слева направо. Специальные опыты показывают, что наши глаза могут находиться только в двух состояниях — в состоянии остановки, фиксации взора или смены точек фиксации. Чем шире поле зрения, тем больше информации воспринимается при каждой остановке взгляда, а самих остановок на то же количество текста приходится меньше.

3. Читая, мы все время возвращаемся к плохо понятым словам или фразам (это явление называется регрессий). У медленно читающих людей количество регрессий на 100 слов текста может достигать пятидесяти, то есть каждое второе слово чи-

тается дважды. Основная причина этого в том, что текст нередко скользит по поверхности внимания.

Чтобы овладеть быстрым чтением, нужно подавить эти вредные привычки и овладеть новыми, значительно ускоряющими восприятие. Для этого необходимо:

1) научиться читать «только глазами», не воспроизводя про себя звучание слов;

2) научиться воспринимать не отдельные слова, а сразу целые смысловые блоки — предложения, абзацы (такая крупная единица восприятия называется синтагмой);

3) так натренировать внимание, чтобы каждая синтагма сразу же воспринималась осмысленно и к ней не приходилось возвращаться.

В течение первых четырех недель мы учимся читать только глазами, не воспринимая про себя звучание слов, то есть подавляем артикуляцию. Для подавления артикуляции будем использовать так называемый метод центральных речевых помех. Метод основан на том, что при чтении выстукивается специальный ритм, подобранный таким образом, что он никогда не совпадает с внутренним ритмом любого текста. Вы убедитесь, что, контролируя правильность выстукивания, проговаривать читаемое невозможно. И наоборот, как только появляется артикуляция, сбивается ритм.

Тактов — 6, ударов — 8 (та, та-та-та, та, та, та, та; та, та-та-та, та, та, та, та и т. д.). Паузы между группами тактов делать не нужно. Тренироваться можно при ходьбе: 6 шагов — 6 тактов, на втором шаге — 3 хлопка в ладоши, на остальные — по одному. Когда ритм хорошо усвоен, потренируйтесь, выстукивая его по столу карандашом. Отбивайте ритм активным движением всей руки (не только кисти), твердо, уверенно, четко. Когда навык станет механическим (не требующим сильно сосредотачиваться), можно приступить к чтению с постукиванием в следующем порядке.

В течение первой недели каждый день 10—15 минут читайте про себя какую-либо статью с выстукиванием ритма. В течение второй недели ежедневно читайте с выстукиванием ритма 2—3 статьи. Следите только за ритмом, не ставя себе задачи понять прочитанное. В течение третьей недели то же, что во второй неделе, но с иной задачей: все внимание — смыслу. С ритма старайтесь не сбиваться, но ошибки можно себе прощать. В течение четвертой недели каждый день читаем 2 статьи и преследуется обе цели (слежение за ритмом и слежение за смыслом) с равным вниманием. При этом, прочитывая очередную статью, закройте глаза и, продолжая постукивание, мысленно повторите ее содержание. Большинство обучающихся за этот первый месяц проходят как бы 4 фазы:

1) получается что-то одно — либо чтение, либо выступление;

2) выходит и то и другое, но понять читаемое трудно;

3) чтение с постукиванием получается, и текст удается понять, но он мгновенно забывается;

4) все выходит хорошо, прочитанное легко вспомнить.

В течение второго месяца занятий мы учимся воспринимать смысл крупных информационных блоков. Совершенствование читательских навыков должно идти по пути укрепления единицы восприятия. Во время чтения «по словам» действует механизм антиципации — предугадывания: слово или 2—3 одновременно просматривается не целиком, а только его основной информативной части (обычно корневой), остальное его часть угадывается. Но таким же способом можно воспринять и более крупный содержательный блок текста — предложение, группу предложений, даже целый абзац (синтагму). Для этого нужно научиться по нескольким словам воспроизводить смысл синтагмы. Такому восприятию помогают смысловая догадка и периферическое зрение. Поле зрения панорамно. Однако мы ясно видим только то, «на что смотрим», остальное остается как бы в тумане. Между тем нетрудно заметить, что границы участка ясного видения имеют не только физиологическую, но и психологическую природу — они зависят от направленности внимания. Можно «ничего не видеть», глядя пред собой, но если что-то особенно нас занимает, это «что-то» мы заметим и «краем глаза». Значит, границы ясного видения можно расширить. Для этого мы воспользуемся таблицами: листы бумаги или картона размером 200 × 200 мм разбить на 25 клеток (на каждом листе на каждой из сторон укладывается по 5 клеточек, а на плоскости каждого листа — 25 клеточек); всего — 10 таблиц. Каждая таблица заполняется в клеточках числами от 1 до 25 в произвольном порядке. В течение одной недели каждый день, занимаясь 20—30 минут, считывать цифры про себя в возрастающем порядке от 1 до 25 (без пропуска). Читать по очереди все 10 таблиц в разных вариантах. Цифры вначале указывают карандашом, затем работают без него. В результате тренировки время считывания таблицы должно быть не более 25 секунд. Перед началом работы с таблицей взгляд фиксируется в ее центре, чтобы видеть таблицу целиком.

Особое внимание обратите на следующее правило: при отыскании цифр разрешаются только вертикальные движения глаз. Горизонтальные движения недопустимы. Это нужно для того, чтобы после тренировки с таблицами перейти к новому способу чтения — по вертикали (быстро читающий человек держит в поле зрения всю ширину строки, и взгляд движется сверху вниз по центру страницы).

В течение второй недели попробуйте читать «вертикальным» чтением свои ежедневные газеты. На третьей неделе перейдите к книгам, стремясь прочитать страницу не более чем за 15 секунд, не очень вникая в смысл. На четвертой неделе увеличьте время чтения страницы до 30 секунд, стараясь как можно полно усвоить прочитанное. При этом в местах текста, несущих особенно важную или существенно новую для вас информацию, переходите к сплошному считыванию строк горизонтальным движением взгляда.

После второго месячного цикла приобретен главным образом механический навык (мы старались расширить поле зрения). На следующих занятиях нам нужно подкрепить механический навык умением читать целенаправленно. Быстро читающий ищет смысл. Это и есть главный принцип скорочтения. Быстро читающий человек целиком охватывает взглядом строку, а то и две трети сразу, отыскивает в них ключевые слова, несущие в предложении или абзаце основную смысловую нагрузку. Эти слова соединяются в смысловые ряды — лаконичные выражения, содержащие главную мысль синтагмы. Происходит как бы сжатие, мгновенное мысленное конспектирование текста, в результате чего остаются зерна смысла.

Примером может послужить только что прочитанный вами абзац. Его смысловой ряд: «быстро читающий, отыскивая ключевые слова, находит зерна смысла». Для человека, знакомого с темой, и того короче: «быстро читающий ищет смысл».

Быстро читающий человек обладает способностью мгновенно переводить текст «на язык собственных мыслей» (такая «переведенная» фраза называется «денотат»). Мозг как бы формирует сообщение самому себе в согласии с тем, чего ожидал от текста, что уже предвосхищал, предугадывал.

В течение 7—10 дней упражняйтесь в развитии антипации (смысловой догадки). Зачеркните в газетной статье начало и конец каждого предложения, а затем читайте статью, пытаясь восстановить пропущенные слова. Пробуйте читать различные тексты, закрывая часть страницы линейкой слева или справа.

В течение следующих 7—10 дней упражняйтесь в поиске «смысловых зерен». Медленно прочтите любую статью, подчеркивая слова, которые вы сочтете ключевыми (у разных людей окажутся подчеркнутыми, видимо, разные слова, и это естественно). Затем прочитайте статью как можно быстрее, следя глазами только за подчеркнутыми и пропуская все остальное. Повторите то же самое с одновременным выстукиванием специального ритма. Допускаются горизонтальные движения глаз.

Выполните разметку еще одного текста и затем прочтите его «вертикально», без выстукивания ритма. Повторяйте упражнения до тех пор, пока не убедитесь, что подчеркнутые слова позволяют достаточно полно усвоить основное содержание статьи.

Следующая неделя должна быть посвящена упражнению на «перевод» текста. Читая статью, заключите в квадратные скобки каждую синтагму — отдельную мысль, которая вам покажется цельной и законченной. Прочтите синтагму «с одного взгляда» и мысленно повторите ее содержание. Свой «перевод» (денотат) запишите. Переходите к следующей синтагме и т. д. Попросите кого-нибудь прочитать статью и затем оценить вашу цепь денотат. Помните, что цепь денотат не конспект в обычном смысле. Она должна отражать ваше собственное понимание статьи.

Навыки скорочтения можно укрепить только в том случае, если вы приучили себя читать активно, не подчиняясь потоку информации, а подчиняя его своим жизненно важным целям и задачам. Выработать такую привычку вам очень поможет так называемый интегральный алгоритм чтения. Перед тем как взяться за книгу, полезно составить своего рода предварительную программу: чего вы ждете от текста, какую информацию хотите из него извлечь. По мере чтения мысленно укладывайте информацию в блоки алгоритма (основные идеи, их ответвления, фактография, источники, полемические высказывания, конструктивные высказывания и т. д.). Блоки алгоритма могут быть постоянными, могут варьироваться. Число их не должно быть слишком большим, лучше всего 5—7.

Приложение 5

СРЕДСТВА ДОСТИЖЕНИЯ САМОРЕАЛИЗАЦИИ И КОСМИЧЕСКОГО СОЗНАНИЯ

Средство № 1

Достижение самореализации с помощью медитации — способствует гармонии внутри себя и с окружающим миром, а также успехам во всех сферах жизни; оздоравливает в общем плане.

С помощью длительно применяемой медитации подсознание непосредственным образом освобождает биополе от записей, определяющих отклонение от нормы в поведении, и человек в повседневной жизни приобретает состояние, которое Маслоу назвал состоянием самореализовавшихся людей (нужно еще сказать, что для достижения этого состояния, помимо использования медитации, нужно поставить перед собой цель — раскрытие собственных возможностей). Состояние самореализовавшихся людей характеризуется следующими признаками:

1) поведение характеризуется простотой и естественностью;

2) принимает себя таким, каков он есть;

3) в достаточной степени общителен, относится одинаково дружелюбно к людям любого типа; имеет чувство юмора, но не принимает злобные шутки;

4) достаточно терпим, но при необходимости проявляет решительность и мужество;

5) в состоянии различать реальность и надежды;

6) легко переносит разного рода неприятности, лишения; в большей степени независим от влияний окружающего мира;

7) способен уважать и воспринимать другие точки зрения;

8) в состоянии производить переоценку основных жизненных ценностей;

9) постоянно возникают новые идеи; обладает творческими способностями и изобретательностью;

10) следует определенным моральным и этическим принципам; очень предан своей семье.

Вышесказанное показывает, насколько действенна медитация при работе над собой, в том числе и в целительном плане, ибо любая положительная работа над собой помогает исцелению. При медитации нужно прежде всего расслабиться и дать мыслям течь, пока они постепенно не иссякнут. Затем сосредоточиться только на определенной мысли или на определенной теме, размышляя только на эту тему. Можно сосредоточиться на таких темах, как «любовь», «добро», «покой». Если вы не можете развить указанные темы, повторяйте многократно про себя какое-либо положительное утверждение и затем прислушивайтесь к своим внутренним ощущениям. Вы можете ощутить, как путем переживаний определенных ощущений (наблюдая за потоком своих мыслей, вы можете отметить, какие мысли означают гнев, страх и так далее) происходит сокращение записей, являющихся причиной вашего недомогания и ненормального поведения.

Иногда темой медитации может быть вопрос, связанный с разрешением определенной ситуации или проблемы: «Какой урок можно извлечь из данной ситуации?»

Средство № 2

Достижение космического сознания с помощью медитации — достигается гармония внутри себя и с окружающим миром, оздоровление тела.

Для подавляющего большинства людей достижение космического сознания — длительный процесс. Если даже они достигают такой его степени, при котором постоянными ощущениями становятся ощущения внутреннего покоя в совокупности с огромной уверенностью в себе, игра стоит свеч.

Высшей степени космического сознания достигают немногие люди. Эту высшую степень космического сознания называют просветлением. Просветление проявляется по-разному. У одних оно зарождается постепенно, становясь все сильнее и сильнее, и затем исчезает, совершенно перерождая человека, который потом только и живет надеждой снова испытать это переживание. На других оно исходило внезапно, оставляя в них такое впечатление, как будто они были залиты ярким светом (откуда и это название — просветление), после чего они тоже становились совершенно другими людьми. Некоторые могут произвольно вызывать состояние просветления, но их немного.

Переживание просветления никогда не бывает одинаковым у двух разных людей, и тем не менее в сообщениях всех, испытавших его, есть общие, сходные черты. Преобладающей эмоцией при этом состоянии является чувство сильной радости — гораздо сильнее того, какое когда-либо ощущалось, — чувство абсолютной радости, если можно так выразиться. И воспоминание этой великой радости — отражение ее света — остается навсегда в душе. Те, что хоть однажды испытал такое просветление, становятся более жизнерадостными и счастливыми и как будто обращают сокровенным и тайным источником радости, из которого утоляет жажду их душа. Это чувство радости настолько сильно, что и впоследствии даже сама мысль о нем приводит в восторженное состояние и при одном воспоминании о нем кровь течет быстрее по жилам, а сердце начинает усиленно биться.

Состояние просветления сопряжено и с просветлением ума. Поток «знания» как бы вливается в душу человека, что не поддается описанию. Душа преисполняется сознанием, что она заключает в себе абсолютное знание — знание всех вещей. Человек сознает, что причина и цель всего сущего покрыта в недрах его собственной души. Все кажется вполне ясным, а это происходит не от обострения способности рассуждать, делать выводы, классифицировать или определять; душа просто знает. Это чувство может продолжаться часть секунды — во время такого состояния теряется всякое представление времени и пространства.

Но после этого переживания остаются более высокие умственные способности и знания, а также радостное воспоминание о пережитом состоянии, поддерживающее сознание того, что «жить стоит». Кроме того, одним из главных убеждений, неизгладимо запечатленных в уме просветлением, является знание и уверенность, что жизнь и разум наполняют собою все. Вечная жизнь ощущена. Бесконечность постигнута. Слова «вечный» и «бесконечный» с этого времени уже имеют определенное и реальное значение, когда мы о них думаем (хотя значение это и не может быть объяснено другим).

К этому непосредственному познанию единства жизни присоединяется полнота любви ко всему сущему. Это чувство также превосходит по своей силе, какое бы то ни было ранее испытанное чувство любви. Во время этого состояния просветления человеком овладевает также чувство безбоязненности. Может быть, вернее было бы сказать, что в это время отсутствует всякое сознание страха. Ясно, что бояться чего бы то ни было нет никакого основания, и чувство страха совершенно отпадает. Чувства знания, уверенности и доверия, овладевающие человеком, не оставляют места страху.

Человек после пережитого просветления становится другим человеком — просветленным (жизнерадостным, мудрым, зна-

478

ющим и осознавшим суть жизни, обладающим чувством любви ко всему живому).

Темой медитаций может быть какой-то объект (например, собственное дыхание) или какое-то понятие (например, любовь, добро, сострадание).

Можно применять медитацию (на первом этапе работы над собой), темой которой является любовь к себе и самоисцеление. Например, такая медитация: представьте себе свое сердце и наблюдайте, как в вашем сердце возникает прекрасный свет, пульсирующий, постепенно заполняющий сердце, а затем — все ваше тело. Пусть ваше тело вибрирует, так же, как вибрирует этот прекрасный свет, излучающий любовь и исцеляющий вас. С каждым мгновением вы все ближе приближаетесь к полному исцелению. Ощутите в себе движение исцеляющей энергии. Вы заслуживаете исцеления. Вы заслуживаете любить себя таким, какой вы есть.

Приложение 6

РИСУНКИ К УПРАЖНЕНИЯМ, ДАННЫМ В КАЧЕСТВЕ СРЕДСТВ ЛЕЧЕНИЯ БОЛЕЗНЕЙ

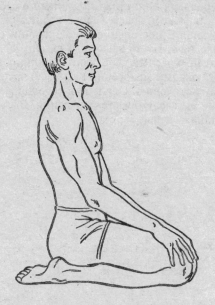

Поза алмаза — Ваджрасана

Поза мертвого — Шавасана

Йога-мудра

Поза змеи — Бхуджангасана

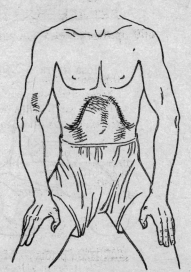

**Уддияна-Бандха —
втягивание и взлет живота**

Випарита Карани

Поза плуга — Халасана

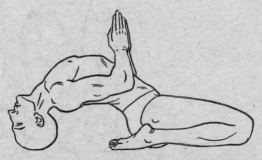

Поза рыбы — Матсиасана

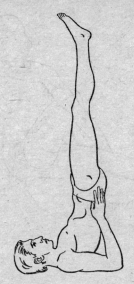

Поза свечи (березка) — Сарвангасана

Поза дерева — Врикасана

Вакрасана

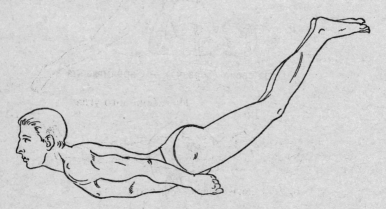

Поза кузнечика — Салабхасана

Поза звезды — Бадха конасана

Пашимоттанасана

Поза бокового угла

Тадаги-мудра — Озеро

Упражнение для боковых мышц живота —
Джатхара паривартасана

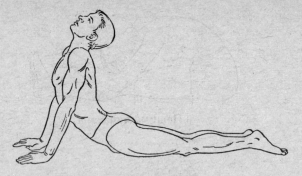

Змея на прямых руках

Супта Ваджрасана

Поза треугольника — Триконасана

Поза перевернутого бокового угла

Поза полулотоса — Ардха Падмасана

Вариант позы треугольника (с поворотом)

487

Поза царя рыб — Ардха Матсиендрасана

Неполная поза верблюда — Ардха Устрасана

Приятная поза — Сукхасана

488

Поза лука — Дханурасана

Стойка на голове — Сиршасана

Сидхасана

Оборотная поза лодки — Навасана

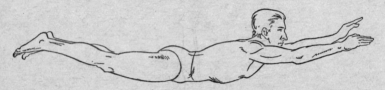

Поза лодки — Доласана

Поза орла — Гарудасана

Поза кролика — Сасанкасана

Поза ласточки — Вирабхадрасана

Поза лотоса — Падмасана

Словарь

Аберрация — отклонение от нормы; аберрированное поведение означает, что человек при определенных условиях в своем поведении и самочувствии отклоняется от нормы.

Аналитический ум — та часть ума, которая получает и сохраняет информацию для постановки и разрешения проблем.

Атония — утрата нормального тонуса мышц скелета и внутренних органов при истощении, нервных и других заболеваниях.

АТ — аутогенная тренировка.

Вытяжка — лекарственная форма, получаемая извлечением действующего компонента из лекарственного сырья с помощью экстагента, по виду которого вытяжки разделяют на водные, спиртовые, эфирные и другие; то же, что и экстракт.

Гипертония — повышенное артериальное давление.

Гипноз — искусственно вызываемое соноподобное состояние человека, при котором торможением охвачена не вся кора головного мозга, а отдельные ее участки, так называемые сторожевые пункты, сохраняют возбудимость, обеспечивая контакт загипнотизированного с раздражителями.

Гипотония — пониженное артериальное давление.

Главный энергетический канал — канал под названием Сушумна; проходит внутри позвоночника.

Диурез — количество мочи, выделенное за определенное время.

Живица — светло-желтая вязкая жидкость, выделяющаяся при ранении хвойных деревьев.

Записи — в трех случаях подсознание осуществляет запись информации (запись производится по всем каналам органов чувств) в особых блоках памяти. В первом случае речь идет о мыслях, эмоциях и поступках, имеющих не нейтральный, а явно выраженный положительный или отрицательный характер (по отношению к другим людям или к себе). Так как перечисленное относится к силам, создающим карму, то все это записывается в причинное тело, образуя тем самым причин-

492

но-следственные информационные потоки (кармические связи). Во втором случае речь идет о факторах, являющихся причинами ненормального, нерационального поведения человека и его психосоматических заболеваний. Эти факторы записываются подсознанием одновременно в причинное тело и в астральную (невечную) часть биополя в виде уплотнений структуры ауры и чакр. Указанные уплотнения структурно представляют собой капсулы, в которых закупорено то или иное количество жизненной энергии в зависимости от силы эмоций, содержащихся в факторах. Реализация записей на физическом уровне в виде отклонения от нормы в поведении и психосоматических заболеваний осуществляется при рестимулирующих условиях, то есть в момент, когда окружение бодрствующего, но усталого или расстроенного человека напоминает содержание записи (тембр голоса беседующего с вами человека похож на тембр голоса человека, звучащего в записи; или обстановка комнаты очень похожа на обстановку комнаты, запечатленной с помощью зрительного канала в записи, и т.д.). В третьем случае речь идет о факторах (событиях), при которых человек испытывает душевное неудобство.

Записи, ее виды — первый вид: записи, являющиеся причиной эмоционально обусловленных болезней. К ним относятся записи «Эффект внушения» (многократно повторенная словесно внушенная идея), «Элементы органической речи» (самовнушенная словесная идея в виде стандартной фразы, выражающей жалобы на всякие неприятности), «Конфликт» (образ-картинка события или совокупности событий, в течение которых происходило подавление эмоций), «Мотивация» (образ-картинка события или совокупности событий в детстве, характеризующихся отсутствием родительской ласки, ведущей к цепочке следствий: комплекс неполноценности — мотив самозащиты — болезнь для вызова сочувствия окружающих), «Идентификация» (образ-картинка события или совокупности событий, обычно в детстве, характеризующихся сильным влиянием близких родственников или интересных окружающих людей, ведущие к цепочке следствий: копирование указанных людей — приобретение болезней этих людей). Второй вид: записи, содержащие физическую боль или большие болезненные эмоции и являющиеся причиной отклонения от ненормального поведения и хронических психосоматических заболеваний. К ним относятся:

1) «Инграмма физической боли» (образ-картинка события, характеризующийся наличием физической боли и пониженным уровнем сознания или полной потерей сознания). К этой инграмме откосится инграмма сочувствия (содержанием ее является заверение в защите и сочувствии от какого-либо че-

ловека, в результате чего в подсознании человека закрепляется уверенность, что нужно быть больным, чтобы иметь рядом такого защитника; следствием такой инграммы являются хронические психосоматические заболевания) и инграмма контрвыживательная (фразы в этой инграмме блокируют действие средств, способствующих повышению жизненного тонуса).

2) «Инграмма болезненных эмоций» (образ-картинка события, характеризующийся жестокой, приводящей в шоковое состояние, потерей или угрозой потери чего-либо; образ содержит такие эмоции, как гнев, страх, горе, апатия).

3) Третий вид: «Лок» (образ-картинка события, при котором человек испытывает душевное неудобство: резкий разговор с начальником, неприятная встреча и т. д.), не содержащее физической боли и больших болезненных эмоций.

Заземление — обеспечивает контакт с земной энергией, а это необходимо во всех формах работы с энергией, а также в медитативной деятельности, так как подсознательными уровнями существования легче управлять с заземленного места. Техника заземления: сесть на стул с прямой спинкой и поставить ступни на пол, положить кисти рук на бедра ладонями вверх. Войти в легкий транс, закрыть глаза, расслабиться, освободить ум от всех забот. Мысленно представить себе стержень, идущий от основания позвоночника в центр Земли (стержень имеет энергетическую структуру, и ничто не может преградить ему путь).

Ида — энергетический канал, проходящий вдоль позвоночника с левой его стороны.

Инграмма — вид записи, содержащей физическую боль или большие болезненные эмоции.

Кейс — пациент, решившийся на дианетическую терапию, поле записей, с которым работает человек, ведущий дианетическую терапию.

Креолин — маслянистая, темно-коричневая жидкость; смесь эмульгатора, например технического мыла, и фракции разгонки смол пиролиза древесины, торфа и других.

Кундалини-шакти — энергия, находящаяся в нижней чакре (Муладхарачакре).

Латекс — млечный сок растений.

Лок — вид записи, содержащий событие, при котором человек испытывает душевное неудобство.

Либидо — половое влечение.

Маятник — инструмент работы с подсознанием: металлический конусообразный предмет на нитке, работает по принципу «да», «нет»; определенному движению маятника соответствует положительный ответ подсознания, другое движение соответствует отрицательному ответу.

Медитация — размышление, умственное действие, цель которого — приведение психики человека в состояние углубленности и сосредоточенности; сопровождается телесной расслабленностью, отсутствием эмоциональных проявлений, отрешенности от внешних объектов.

Натуропатия — направление медицины, занимающееся оздоровлением методами природы.

Патогенные зоны — зоны, способствующие возникновению болезней.

Перинатальный период — охватывает внутриутробное развитие плода.

Пингало — энергетический канал, проходящий вдоль позвоночника с правой его стороны.

Полное йоговское дыхание — вдох состоит из трех фаз:

1) движение диафрагмы — живот медленно выпячивается вперед;

2) расширяем ребра и среднюю часть грудной клетки так, чтобы воздух устремлялся в середину легких;

3) грудь расширяем до отказа, приподнимая ключицы.

Затем начинается медленный выдох через нос в той же последовательности, что и во вдохе:

1) сначала втягивается живот;

2) опускается грудь;

3) опускаются ключицы и плечи. Затем снова вышеописанный вдох, выдох и т. д.

Психосоматические заболевания — заболевания тела, в которых большую роль играют психические факторы. К ним относятся аллергия, обыкновенная простуда, астма, бронхит, туберкулез легких, экзема, крапивница, избыточный вес, запоры, колиты, язва желудка, болезни желчного пузыря, гипертония, коронарные заболевания сердца, мигрень, эпилепсия, сахарный диабет, импотенция, фригидность, бесплодие у женщин и другое.

Реактивный ум — часть ума, которая накапливает, сортирует и сохраняет физическую боль и болезненные эмоции и стремится управлять организмом исключительно на раздражительно-ответной основе.

Рестимулирующие условия — в момент, когда окружение (условия) бодрствующего, но усталого или расстроенного человека напоминает содержание записи типа инграммы, что вызывает реализацию записи на физическом уровне; причем главную негативную роль при этом играют команды (фразы), записанные в инграмме, — они определяют отклонение от нормы в поведении.

Рефлексогенная зона — область расположения чувствительных нервных окончаний (рецепторов), поражение которых вызывает определенный рефлекс в других частях тела.

Рикол — воскрешение в памяти определенного вида ощущения из прошлого (видео — зрительный канал, соник — слуховой канал, освязание и т. д.).

Ритмическое дыхание — вдох и выдох одинаковые по длительности (от 6 до 16 биений сердца), паузы (задержки) после выдоха и вдоха по длительности — половина вдоха или выдоха.

Соник — слуховой канал записи прошлых инцидентов.

Тонкие структуры человека — невидимые физическим зрением тела человека (эфирное, астральное, ментальное и другие тела).

Трак времени — система распределения информации во времени, записанной в тонких структурах человека.

Трансперсональный — выходящий за рамки пространственно-временного опыта.

Фойл-клерк — механизм ума, действующий как контролер информации.

Фитонциды — образуемые растениями биологически активные вещества, убивающие или подавляющие рост и развитие микроорганизмов.

Фунгициды — химические препараты для уничтожения или предупреждения развития патогенных грибов и бактерий — возбудителей болезней сельскохозяйственных растений.

Царская водка — смесь концентрированных кислот: азотной (1 объем) и соляной (3 объема).

Чакры — энергетические центры в биополе человека. Основные чакры расположены по линии позвоночника: в области копчика — Муладхарачакра, в области малого таза — Свадхиштханачакра, в области солнечного сплетения — Манипурачакра, в области щитовидной железы — Вишудхачакра, в области головного мозга (гипофиз) — Аджначакра, в области макушки — Сахасрарачакра.

Шавасана — йоговское расслабление в положении лежа на спине.

Эгрегоры — групповые психоэнергетические поля. Причастность к какой-либо общности является основой существования эгрегоров. Крупные эгрегоры созданы различными религиями и идеалами.

«Эго» (лат.) — я.

«Я» высшее — частица Абсолюта (Высшей силы) в душе человека. Названо высшим в отличии от «Я» личного — центра сознания человека, точки чистого самосознания. «Я» личное представляет собой проявление или проекцию «Я» высшего, ибо «Я» высшее представляет собой расширенное, надличностное самосознание.

Содержание

Раздел 1. ПЕРЕЧЕНЬ БОЛЕЗНЕЙ И СООТВЕТСТВУЮЩИЕ ИМ НОМЕРА СРЕДСТВ

Раздел 2. СРЕДСТВА

I. СРЕДСТВА ТРАВОЛЕЧЕНИЯ

500

II. ЗНАХАРСКИЕ СРЕДСТВА

III. СРЕДСТВА НАТУРОПАТИИ

V. СРЕДСТВА, ОСНОВАННЫЕ НА РАЗЛИЧНЫХ ВИДАХ МАССАЖА

VI. СРЕДСТВА ВОЗДЕЙСТВИЯ НА БИОПОЛЕ

VII. СРЕДСТВА ВОССТАНОВЛЕНИЯ ПСИХИЧЕСКОГО ЗДОРОВЬЯ

Kidney stones — eat banana
(calcium)
- эпидемия гриппа — $69
- март # 73 - свекла свежая
  " # 77 мим.
Brain — # 84 - почки сосны
легкие
Каланхоэ — лечит ожоги
печень — ромашка аптечная
больш. десны " "
дубов. кора
рак — цветы подсолнуха
рак желудка — же
омолож. тела # 339
ноги 336
вены 33
(мускат. орех
[талая
вода] 339
(гомеопатия)
рак 282

Юрий Михайлович Иванов

ПУТЬ К ЗДОРОВЬЮ
БЕЗ ЛЕКАРСТВ И ВРАЧЕЙ
600 оригинальных способов самолечения

Ответственный за выпуск *Л.И. Глебовская*
Художественный редактор *И.А. Озеров*
Технический редактор *Л.И. Витушкина*
Корректоры *Е.Ю. Биткова, Т.В. Соловьева*

Изд. лиц. ЛР № 065372 от 22.08.97 г.
Подписано в печать с готовых диапозитивов 07.04.2000.
Формат 84x108^1/₃₂. Бумага газетная. Гарнитура «Таймс».
Печать офсетная. Усл.печ.л. 26,88. Уч.-изд.л. 33,41.
Тираж 10 000 экз. Заказ № 1634

ЗАО «Издательство «Центрполиграф»
111024, Москва, 1-я ул. Энтузиастов, 15
E-MAIL: CNPOL@DOL.RU

Отпечатано с готовых диапозитивов в государственном
издательско-полиграфическом предприятии «Зауралье».
г. Курган, ул. К. Маркса, 106